Moord.net

MOORD.NET

BUTHLER & ÖHRLUND

De Fontein

© 2007 Dan Buthler en Dag Öhrlund

© 2010 voor deze uitgave: Uitgeverij De Fontein, een imprint van
De Fontein|Tirion bv, Postbus 1, 3740 AA Baarn

Deze vertaling is tot stand gekomen na overeenkomst met Sane Töregård
Agency AB.

Oorspronkelijke uitgever: Wahlströms Bokförlag, Forma Publishing Group AB
Oorspronkelijke titel: *Mord.net*
Uit het Zweeds vertaald door: Geri de Boer
Omslagontwerp: marliesvisser.nl
Omslagbeeld: Getty Images en marliesvisser.nl
Zetwerk: Text & Image, Beilen
ISBN 978 90 261 2813 4
NUR 332

www.defonteintirion.nl

1

Ze is tweeëntwintig en heel mooi, maar op dit moment verveelt ze zich dood. Linda Nordgren kijkt op de klok. Over dertig minuten mag ze de deur afsluiten, het licht uitdoen en naar huis gaan. Maar als het gaat zoals Linda het zich voorstelt, zal ze haar leven niet lang meer verdoen in een buurtwinkel of een ondergehuurde eenkamerflat in Hässelby. Daar zorgt hij wel voor.

Vanavond zullen ze elkaar ontmoeten. Hij heeft belangrijke vergaderingen, maar komt tegen tienen. Ze verlangt naar hem. Hij is veel ouder, getrouwd en heeft kinderen, maar hij heeft beloofd dat hij zal scheiden en bij haar zal komen. Hij ziet er goed uit, hij is intelligent, hij heeft macht. Macht is sexy en hij is een fantastische minnaar.

'...en een melkchocola, graag!'

De man die voor haar staat geeft haar een avondkrant en een briefje van vijftig.

De tijd gaat snel. Ze kijkt op de klok. Vijf vóór. De winkel is leeg. Ze gaat naar de deur en doet hem op slot. Vijf minuten later doet ze haar jas aan en loopt met haar sleutelbos in haar hand naar de achterdeur.

Hij staat op haar te wachten in de schaduw onder de eikenbomen op de parkeerplaats.

De deur gaat open. Hij ziet de contouren van haar lichaam. De afstand tussen hen is minder dan tien meter. Als ze de deur dichtdoet en omlaagkijkt om de juiste sleutel te pakken, loopt hij op zijn geluidloze rubberzolen naar haar toe.

Ze merkt pas iets als hij het pistool tegen haar achterhoofd houdt en twee keer de trekker overhaalt.

Het verbaast hem hoe stil het pistool is.

Met een zwakke kreun valt ze voorover tegen de metalen deur aan en haar lichaam glijdt langzaam naar beneden. Er druipen dunne straaltjes bloed langs de deur.

Ze blijft heel stil liggen, met haar wang tegen het asfalt. Haar blik is leeg, gefixeerd.

Hij vergrendelt zijn pistool, stopt het in zijn jaszak en verdwijnt met stille, snelle passen naar de geparkeerde Mercedes. Die stuurt hij zachtjes door het verkeer richting E4. Dan zet hij de cruisecontrol op honderdtien en geniet van klassieke muziek.

Het is zeventien uur en eenendertig minuten geleden dat hij zijn slapende vrouw en kinderen in hun rijtjeshuis in een voorstad van Hamburg verliet. Over een klein etmaal zit hij weer met hen aan tafel. Ze zullen samen lachen en praten over wat er die dag is gebeurd. Als alles even perfect blijft verlopen tenminste.

Hij is onder de indruk van het professionalisme van de mensen met wie hij samenwerkt. De gemailde instructies waren heel nauwkeurig en het pistool met de geluiddemper lag, zoals aangegeven, in een gesloten, gewatteerde envelop begraven in een van de zandbakken die een wegonderhoudsploeg op een parkeerplaats in de buurt van Mjölby had achtergelaten.

Bij een benzinestation bij Nyköping stopt hij en zet de motor af. Zijn handen beginnen te beven als hij de foto van het meisje uit zijn binnenzak haalt en de binnenverlichting aandoet om hem te bekijken.

Dieter Müller, een tweeënveertigjarige perfectionistische ingenieur uit Hamburg, heeft zojuist een jong, knap Zweeds meisje vermoord. Hij begrijpt eigenlijk niet wat hij heeft gedaan of waarom het meisje dood moest. Even is hij van zijn stuk.

Hij hoopt van ganser harte dat wat hij nu gedaan heeft, nooit gevolgen zal hebben voor degenen van wie hij meer houdt dan van wie ook: Hans en Nicole, die op dit moment thuis veilig aan het spelen zijn. Hier op de parkeerplaats van het benzinestation bij Nyköping kan hij hun geur oproepen. Die heerlijke geur die alleen een kind in een zachte, schone pyjama verspreidt.

Hij start zijn Mercedes en draait de E4 weer op, waarbij hij goed oplet dat hij de maximumsnelheid niet overschrijdt. Hij heeft de instructies goed uit zijn hoofd geleerd en weet precies waar hij zich van het wapen en de geluiddemper moet ontdoen om ervoor te zorgen dat ze nooit worden teruggevonden.

Hij verlangt naar huis. Nu wordt het leven weer net zo goed als voordat dit probleem ontstond.

De volgende middag keert hij in het rijtjeshuis in Hamburg terug als een ander mens. Als hij 's avonds het licht uitdoet, zijn vrouw welterusten kust en haar warmte voelt als ze dichter tegen hem aan kruipt, begrijpt hij het nog steeds niet.

Hij is nu een moordenaar.

2

Stockholm, Zweden
Dinsdag 16 mei 2006

O p het politiebureau aan de Polhemsgata in Stockholm leunde Jacob Colt achterover in zijn bureaustoel en keek uit het raam. Al bijna zomer. De scherpe stralen van de zon toonden onbarmhartig aan dat de ramen van het politiebureau dringend aan een schoonmaakbeurt toe waren. Jacob vroeg zich af wie het schoonmaakcontract eigenlijk had en wat ze daarvoor betaalden. Hij glimlachte toen hij bedacht dat dit soort existentiële overpeinzingen – had hij de goede of de verkeerde beroepskeuze gemaakt, was het belangrijker om moorden op te helderen dan om ramen te lappen, brood te bakken of muziek te componeren – in de loop der jaren steeds vaker bij hem opkwam. Interessant.

Jacob keek uit naar de zomer. Het leek wel of het hem elk jaar moeilijker viel zich door de winter heen te slaan. Hij rilde bij de gedachte aan de kou, het donker, de nattigheid en de vuile sneeuw die de straten van de hoofdstad in één bruine modderpoel veranderde. Hij bedacht dat hij eigenlijk nooit echt van de winter had gehouden, zelfs als kind niet. Misschien had hij in Californië moeten blijven na zijn studie daar, in plaats van hardnekkig naar Zweden terug te willen keren.

Toen leek Zweden hem om diverse redenen de enige zinvolle mogelijkheid. Zweden was zijn vaderland en hij geloofde in het Zweedse systeem, hield er zelfs van.

Met de jaren – en met alles wat de politiek in die tijd had aangericht – was hij van mening veranderd. Als hij nú de kans zou krijgen om zijn geld ergens anders mee te verdienen, als iemand hem een huis en werk op een warmere plek met meer zon zou aanbieden, zou hij dat hoogstwaarschijnlijk dankbaar aannemen. Hij was het zat om er de dupe van te zijn dat die bezopen Vikingen een paar duizend jaar geleden de verkeerde kant op waren gevaren, en dat hij daardoor minstens zes maanden per jaar te stellen had met duisternis, kou en sneeuw.

En dat was nog niet alles. De bekende, oranje envelop waarvan de inhoud aangaf tot welk bedrag zijn pensioen in de loop der jaren was opgelopen, had hem zijn laatste illusies over Zweden ontnomen. In het particuliere bedrijfsleven zouden mensen die zo'n circusnummer hadden bedacht wegens ernstige oplichting in de gevangenis worden gezet. Toen hij jong was, hadden ze hem verteld dat hij na pakweg dertig jaar noeste arbeid een pensioen zou krijgen dat gebaseerd was op tachtig procent van zijn gemiddelde inkomen gedurende de tien, vijftien jaren waarin hij het meest had verdiend.

Nu kwam de mededeling in de oranje envelop ongeveer hierop neer: *Sorry, Jacob, we hebben ons vergist. Je krijgt geen tachtig procent van het gemiddelde van je vijftien beste jaren, je krijgt 4.893 kronen per maand en daarmee moet je je maar zo goed mogelijk zien te redden. We hopen oprecht dat je een paar miljoen hebt geërfd, flink wat zwart geld hebt verdiend en dat allemaal in buitenlandse fondsen hebt geïnvesteerd. Zo niet, dan ziet je toekomst als gepensioneerde er niet zo best uit...* Zoiets.

Jacob had niet een paar miljoen geërfd en zijn carrière bij de politie had hem geen kansen geboden om een groot en/of zwart vermogen te vergaren. Hij zuchtte, schoof deze gedachten van zich af en probeerde aan iets leukers te denken.

Nog even en Zweden zou zich op zijn mooist tonen. Er lagen een paar heel mooie maanden in het verschiet voor Melissa en hem. Ze hadden de fietsen al tevoorschijn gehaald en in de weekends heerlijke tochten gemaakt in Sollentuna en Järvafältet, het natuurgebied daar in de buurt. Verder liepen ze samen hard, speelden af en toe golf en maakten lange wandelingen, zowel in Stockholm als in de natuur.

Ze hadden nog niet besloten waar ze met vakantie heen zouden gaan. De kinderen waren al zo oud dat ze niet meer mee wilden. Daar konden ze een beetje weemoedig van worden, maar aan de andere kant gaf het hun ook meer vrijheid om snel en spontaan een lastminutereis te boeken.

Jacob had een wat dubbel gevoel over hun nieuwe leven, en hij wist dat Melissa dat ook had. In die drukke jaren toen de kinderen nog klein waren, hadden ze elkaar vaak glimlachend en knipogend aangekeken en gepraat over alles wat ze zouden gaan doen als de kinderen de deur uit waren, alsof dat alleen maar plezier en voorrechten zou geven.

Nu voelden Jacob en Melissa een nooit vermoede leegte. De afgelopen achttien, negentien jaar had hun leven er vrijwel uitsluitend om gedraaid Elin en Stephen een zo goed mogelijke jeugd te geven. Nu waren de kinderen het huis uit. Jacob en Melissa hadden zeeën van tijd voor zichzelf en moesten voor het eerst sinds vele jaren zelf zien te bepalen wat ze daarmee zouden doen. Een aangenaam luxeprobleem, maar ook een beetje een raar gevoel.

Het zou echt fijn zijn om vakantie te hebben, maar als Jacob de stapels papier zag die voor hem op zijn bureau lagen, wist hij dat het nog lang niet zover was. De golf van onopgehelderde moorden die het afgelopen jaar over Zweden was gespoeld, leek nog lang niet af te nemen en Jacob wist dat de onrust en de irritatie zelfs op regeringsniveau hoog waren. Niemand wilde een land waar de onveiligheid toenam en de ene na de andere onopgeloste moord werd begaan.

En al helemaal niet in een verkiezingsjaar.

Jacob bekeek de foto's die voor hem lagen nogmaals. Een jong meisje in Hässelby was de vorige avond het slachtoffer geworden: gedood met twee schoten in het achterhoofd. Hetzelfde patroon als de afgelopen zes maanden bij een aantal moorden in Stockholm. Geen getuigen, geen motief, geen spoor van een dader. Hij leunde voorover, legde zijn hoofd in zijn handen, wreef met zijn vingers over zijn voorhoofd en zuchtte.

'Moe, chef?'

Jacob keek op. Henrik Vadh stond tegen de deurpost geleund naar hem te kijken.

'Tja, ik ben nou niet bepaald in olympische vorm. En alsof ik nog niet genoeg te doen heb, was de hoofdcommissaris hier net in hoogsteigen persoon om me te vertellen dat ik binnenkort naar een internationale politieconferentie in Londen moet omdat hij zelf geen tijd heeft.'

Vadh glimlachte spottend: 'Dat past wel bij een schrijftafelrechercheur als jij. Maar wij gewone werkers hebben net een kijkje genomen in Hässelby. Zullen we even een bakkie doen?'

Jacob kwam overeind. 'Graag. Hebben de technici iets gevonden?'

Vadh schudde zijn hoofd. 'Rydh en zijn mannen hebben gedaan wat ze konden. Maar in een buurtwinkel is het een beetje lastig om de ene afdruk van de andere te onderscheiden, weet je. Het meisje is buiten doodgeschoten en voordat de TR arriveerde was het bovendien vreselijk gaan regenen, dus ze waren eigenlijk kansloos.'

Jacob liep met Vadh mee naar de koffiecorner in het nieuwe, ruime en lichte deel van het politiebureau. Hij bedacht dat samenwerken met mensen die je waardeert en graag mag een van de meest bevredigende aspecten aan werken was.

Hij kon het echt ontzettend goed vinden met Henrik. Ze waren nu al bijna tien jaar een duo en hoewel Henrik formeel zijn ondergeschikte was en hem in werksituaties het vereiste respect toonde, hadden ze informeel een heel andere band.

Henrik Vadh was een jaar jonger dan Jacob en een van de beste dienders – en mensen – die Jacob in zijn leven was tegengekomen. Uiterlijk was hij een serieuze werkezel waar maar zelden een lachje af kon, maar door hun privécontacten had Jacob ontdekt dat Henrik ook een groot gevoel voor humor bezat.

Er waren overeenkomsten en verschillen tussen hen. Jacob had een vrouw, twee nu volwassen kinderen en woonde in een rijtjeshuis in Sollentuna. Henrik had een vrouw, drie kinderen van wie er twee de deur uit waren en woonde in een rijtjeshuis in de buurgemeente Upplands-Väsby. Jacob was geïnteresseerd in sport en had daar het grootste deel van zijn leven actief aan gedaan. Henrik was meer een theoreticus. Hij hield van film, literatuur, geschiedenis, wetenschap en filosofie. Jacob speelde golf, Henrik was een meesterlijk schaker en een bootliefhebber. Jacob was open, sociaal, extravert. Henrik was zwijgzamer, meer analytisch, een tikje introvert.

Na een paar jaar samenwerken waren ze begonnen elkaar ook in hun vrije tijd op te zoeken. In de loop van de tijd raakten hun kinderen er ook bij betrokken, en dat had ertoe geleid dat ze vaak met beide gezinnen in een van hun tuinen bij elkaar kwamen om te barbecueën, te badmintonnen en croquet te spelen. Melissa en Henriks vrouw Gunilla, die heel goed met elkaar overweg konden, hadden hun mannen ontelbare malen laten beloven om in hun vrije tijd niet over het werk te praten. Toch was het haast niet te voorkomen dat de mannen – vooral op zomeravonden na een paar glazen wijn – zich terugtrokken in een hoekje van de tuin om een lopende zaak te bespreken, terwijl Melissa en Gunilla ergens anders over praatten.

Een paar keer waren Jacob, Melissa, Henrik en Gunilla samen een weekendje weg geweest, naar Londen, Praag en Boedapest. En Jacob had het gevoel dat er nog heel wat van die trips zouden volgen.

Op het collegiale vlak kon hij zich geen betere medewerker wensen dan Henrik Vadh. Henrik was het tegenovergestelde van de clichés in al die typisch Zweedse thrillers. Hij was niet moe, verbitterd of gedesillusioneerd. Integendeel, hij had meer van een nieuwsgierige waakhond, verzot op nieuwe sporen en altijd even zorgvuldig snuffelend.

Voor Henrik Vadh was zijn vak wetenschap op hoog niveau. Hij zag het belang van geluk en toeval in, maar was er toch vast van overtuigd dat de basis van goed recherchewerk wordt gevormd door hard, vasthoudend en zorgvuldig werken.

Het afnemen van een verhoor was een van Henriks specialiteiten, en Jacob liet de moeilijkste en gevoeligste verhoren graag aan hem over. Henrik had er een geweldig goed gevoel voor om mensen aan het praten te krijgen. Slechts weinig verhoorleiders konden in een en hetzelfde gesprek zo goed switchen tussen *the good, the bad and the ugly* als Henrik Vadh.

Henriks wetenschappelijke instelling maakte dat hij zich met meer belangstelling dan voor zijn werk eigenlijk nodig was in het werk van technici en gerechtsartsen verdiepte. Zijn filosofische aanleg stuurde zijn gedachten vaak in zeer onconventionele banen, wat meer dan eens tot een onverwachte doorbraak in een onderzoek had geleid.

Jacob en Henrik roerden zwijgend in hun koffie.

'Wat gebeurt hier toch, Henrik? Wie schiet er nou een jong, lief meisje in een buurtwinkel overhoop? Als ik het goed heb begrepen is er niets gestolen?'

Vadh schudde zijn hoofd. 'Nee, nog geen pakje sigaretten. Het gaat hier om iets anders.' Vadhs staalgrijze ogen ontmoetten die van Jacob. Ogen om te vertrouwen als je zijn vriend was. Ogen om zenuwachtig van te worden als je iets te verbergen had.

Jacob herhaalde zijn vraag: 'Wat gebeurt hier toch? Is de hele wereld bezig gek te worden?'

'Ik weet het niet, maar ik heb er al heel wat over nagedacht. De laatste jaren is het aantal internetgerelateerde misdaden fors gestegen. Brieven uit Nigeria, afpersing van bedrijven. En nu zien we steeds meer moorden zonder duidelijk motief, zonder getuigen, zonder enige verdachte in de omgeving van het slachtoffer.'

'Heb je een theorie?'

'Nog niet, nee.' Vadh nam een slok koffie. 'Dat komt misschien nog. Ik heb het gevoel dat hier op de een of andere manier verband tussen bestaat. Met een beetje mazzel valt het kwartje wel een keer. Het kan weken duren of maanden, maar ik denk dat het uiteindelijk wel gebeurt...'

Jacob knikte. 'Maar nu tasten we toch in het duister.'

'De duisternis is nooit compleet, Jacob,' zei Vadh schouderophalend. 'Als we tot die conclusie komen, is het met ons gedaan. Maar op dit moment zien we het inderdaad even niet. Deze nieuwe vorm van computercriminaliteit groeit zo snel en vereist zo veel specifieke kennis dat jongens als jij en ik buitenspel staan en het droevige is dat de boeven betere IT'ers lijken te hebben dan wijzelf...'

'Precies. Maar moord is moord en tot nu toe heb ik daar nog nooit iemand een computerprogramma voor zien gebruiken...'

Vadh keek hem aan. 'Weet je het zeker?'

'Hoe bedoel je?' Jacob leegde zijn koffiebekertje.

'Ik bedoel dat het nu zo snel gaat dat jij en ik en wie dan ook bij de politie het niet meer kunnen bijbenen. Ik ben uitermate wantrouwend over wat er in Oost-Europa gebeurt. De criminelen daar zijn jong en hongerig, en laten geen kans onbenut om de allergrootsten te worden. Sinds de ineenstorting van de Sovjet-Unie slagen ze erin ons te overvoeren met drank, sigaretten, drugs en jonge hoertjes – en we kunnen er niets tegen beginnen. Ze staan elke keer te juichen en te klappen als de EU besluit de grenzen weer verder open te stellen.'

Jacob dacht even na. 'Daar zit misschien wat in. Ik weet alleen niet hoe we daar greep op moeten krijgen en dat is verrekte frustrerend!'

'Absoluut. Maar tot die tijd moeten we maar gewoon ouderwets degelijk politiewerk bedrijven en zien hoe ver we daarmee komen. In het verleden is dat toch redelijk goed gegaan, niet dan?' Vadh keek Jacob glimlachend aan.

'Dat wel, maar nu staan we toch onder druk. Je hebt vast wel gehoord wat er daarboven gaande is?'

'Je bedoelt dat de ministers zenuwachtig worden?'

Jacob knikte.

Vadh trok een grimas die een glimlach moest voorstellen. 'Dat is misschien maar goed ook. Het is wel leuk om het tot minister te schoppen, maar je moet niet vergeten dat je soms ook verantwoordelijkheden hebt.'

Jacob wist heel goed dat Vadh vooral doelde op de minister van Justitie, en hij was het met hem eens.

De beide rechercheurs stonden op. Vadh zette zijn mok in de afwasmachine, Jacob vulde de zijne opnieuw en nam hem mee toen ze naar hun beider kantoren terugliepen.

Toen Jacob weer achter zijn bureau zat, bekeek hij de foto's van het doodgeschoten meisje nog eens. Vervolgens las hij de rapporten van de plaats delict. 's Nachts en 's morgens waren de eigenaars van de winkel, de ouders van het meisje, haar buren en een paar van haar vrienden en vriendinnen aan de universiteit gehoord. Zonder dat iemand daar wijzer van werd.

Jacob Colt legde de rapporten weg en leunde met zijn kin op zijn handen en met zijn ellebogen op het bureau. De telefoon ging.

'Recherche, Colt.'

'Hallo, telefooncentrale hier, met Karlsson. Ik heb een verslaggever van *Dagens Nyheter* aan de draad. Hij vraagt of er nieuws is over de moord in Hässelby en hij wil met een rechercheur praten.'

'Daar heb ik op dit moment even géén behoefte aan! Zeg maar dat we zitten te vergaderen, dat het goed gaat met ons onderzoek, maar dat we op dit moment om onderzoekstechnische redenen nog niet meer bekend kunnen maken. Er komt wel een persconferentie.'

'Oké!'

Colt hing op, leunde achterover in zijn stoel en vouwde zijn handen achter zijn hoofd. Na de middelbare school en zijn diensttijd had Jacob, die toen nog Jacob Jörgensen heette, al het geld dat hij tijdens zijn schooltijd met bijbaantjes had verdiend bij elkaar geschraapt, zijn ouders overgehaald hem een lening te geven, en was naar de Verenigde Staten vertrokken om daar te studeren. Hij ging twee jaar naar de UCLA in Los Angeles en daar ontmoette hij Melissa. Ze was net zo oud als hij en het was liefde op het eerste gezicht. Toen het voor Jacob tijd werd om naar Zweden terug te gaan, werd het ook tijd voor een paar serieuze gesprekken.

Jacob en Melissa hielden van elkaar. Maar ook al had Jacob het naar zijn zin met zijn rechtenstudie in Los Angeles, hij wilde niet leven en werken in de Verenigde Staten. Hij hield van Zweden en verlangde naar huis. Hij wilde graag naar Amerika terug als toerist of om weer een tijdje te studeren, maar meer ook niet.

Melissa twijfelde geen seconde. Haar liefde voor Jacob was sterker dan alles en na twee jaar samen kon ze zich geen leven zonder hem meer voorstellen. Op een avond toen ze na een romantisch etentje in een restaurant aan zee in Santa Monica in bed waren gekropen, vroeg Melissa of Jacob met haar wilde trouwen. Hij was gelukkig en verbaasd, antwoordde dat hij van haar hield en heel graag met haar wilde trouwen, maar zei herhaaldelijk, bijna wanhopig, dat hij terug wilde naar Zweden.

Toen glimlachte Melissa, verklaarde dat ze bereid was met hem mee te gaan naar Zweden en verleidde hem.

Melissa was in de jaren dat ze met Jacob omging steeds meer geïnteresseerd geraakt in Zweden en had er niets op tegen om in zijn vaderland te trouwen. Het gevolg was dat het paar, tot groot verdriet van Melissa's ouders, naar Zweden verhuisde – en daar trouwden ze algauw. Jacob zag toen meteen zijn kans schoon om van de achternaam waaraan hij altijd een hekel had gehad af te komen en tegelijkertijd Melissa te bewijzen hoezeer hij het waardeerde dat ze haar land omwille van hem had verlaten. Hij nam haar naam aan: Colt.

Ze vonden een tweekamerappartement in Tureberg in Sollentuna, even ten noorden van Stockholm. Melissa, die heel intelligent en ambitieus was, kreeg een baan als secretaresse op de Amerikaanse ambassade. Jacob dacht een poosje na over wat hij zou gaan doen, ook al wist hij in zijn hart dat hij eigenlijk maar één ding wilde. Hij wilde in zijn vaders voetsporen treden, al sputterde die nog zo hard tegen.

Jacob meldde zich aan bij de politiehogeschool, slaagde er met glans en deed in Stockholm het vuile werk bij de metropolitie, de ME en de drugsbrigade. Intussen smaakte hij het genoegen voor de eerste keer vader te worden. Melissa en hij besloten hun zoon Stephen te noemen, naar Melissa's vader, en Hans, naar Jacobs vader.

Melissa en Jacob hadden hun tweekamerwoning verruild voor een driekamerappartement, en toen hun dochter Elin werd geboren kochten ze een rijtjeshuis in Sollentuna.

Jacob solliciteerde bij de recherche.

Nu was hij al meer dan vijfentwintig jaar bij de politie en hij vroeg zich af wat dat eigenlijk waard was. Had hij de goede keuzen gemaakt in zijn leven? Had hij een blijvende verandering teweeggebracht? Die laatste vraag kon hij ontkennend beantwoorden. De samenleving werd steeds ruwer, steeds crimineler. Aan de andere kant was het er zeker niet beter op geworden als hij zich níet met de misdaadbestrijding had bemoeid. Hij had gedaan wat hij kon om de wet en de moraal te handhaven. Maar er waren momenten dat hij er echt over dacht om zijn dienstwapen en zijn politiepenning op zijn stoel te leggen, zijn jas aan te trekken en het politiebureau te verlaten om nooit meer terug te komen. Toch was hij steeds weer door de werkelijkheid teruggeroepen. De rekeningen moesten betaald worden en de arbeidsmarkt zat niet bepaald te springen om negenenveertigjarige politiemannen.

Hij zette deze gedachten van zich af en concentreerde zich weer op de paperassen en de foto's voor zich. Er waren geen overeenkomsten – en toch waren ze zo duidelijk. Een serie moorden in een beperkte periode, waarbij de dader of de daders in grote lijnen dezelfde methoden had of hadden gebruikt. Een eenzame gek of een uitgekookte moordenaar die om de een of andere reden wist dat hij niet gepakt kon worden? Niet waarschijnlijk.

Dit was groter.

3

En zware oktoberregen daalde neer op de stad, waardoor alles er nog grijzer uitzag dan anders. Maar dat maakte niet veel uit. Hij hield van Leningrad.

Vanwege de buiige wind knoopte hij het bovenste knoopje van zijn versleten, halflange vilten jas dicht. Hij wandelde langzaam langs de Nevskij Prospekt, met zijn handen diep in zijn broekzakken, zich schijnbaar onbewust van het verkeerslawaai en de gehaaste mensen die hij op het trottoir tegenkwam. Hij keek hen niet aan, merkte niets van het gedrang.

Toch zag hij hen wel. Van kinds af aan was hij al geïnteresseerd in mensen, hun daden en doen, maar dan wel op zíjn manier. Hij drong zich nooit op, vroeg zelden iets. Zijn ervaring thuis had hem geleerd stil te zijn, te luisteren, te observeren. Uit wat hij hoorde en zag vormde hij zijn eigen opvattingen. Hij dacht veel en diep na, maar gaf zijn gedachten zelden bloot.

Er liepen een paar vuile regendruppels via zijn haar over zijn wangen. Hij stak zijn ene hand in zijn jaszak en haalde er een sigarettenpeuk uit. Hij hield een man staande die hem tegemoet kwam, vroeg om vuur, nam een paar diepe trekken en liep door.

Nikolaj Schenizin was vijftien jaar en bezat niet meer dan zijn gedachten, zijn fantasie en zijn illusies. Op school was hij een einzelgänger. Hij zat niet op een sportclub en voelde zich nergens echt thuis.

Hij wist niet precies wat voor werk zijn vader deed; hij wist alleen dat het iets met politiek te maken had. Hij had het een keer voorzichtig gevraagd, maar had alleen maar wat gemompel ten antwoord gekregen. Maar op grond van de mensen met wie zijn vader omging en de levensstandaard van het gezin begreep Nikolaj dat Igor Schenizin niet op het hoogste niveau van de sovjetpolitiek acteerde. Dit irriteerde Nikolaj, omdat hij geïnteresseerd was in politiek en grootse ideeën had over hoe de sovjetstaat beter zou kunnen functioneren. De samenleving die na de revolutie van 1917 was ontstaan, kon de rest van de wereld volgens de jonge Nikolaj laten zien dat solidariteit en rechtvaardigheid het fundament waren van het leven van alle mensen. Natuurlijk zaten er flinke barsten in het systeem, maar niet zo erg dat het niet hersteld kon worden, als de juiste mensen maar aan de macht kwamen. Nikolaj vroeg zich af of hij op een dag een van hen zou zijn. Hij wilde dat hij een vader had gehad tegen wie hij kon opkijken.

Zijn moeder Anna zag er meestal bezorgd uit; ze zei niet zo veel, maar behandelde haar kinderen altijd met tederheid en respect en liet zien dat ze erg van hen hield. Zijn broer Leonid en zijn zus Larisa deden net als hij: ze hielden zich zoveel mogelijk buiten de krappe flat. De gezamenlijke avondmaaltijden werden doorgaans in stilte genuttigd. Als iemand iets zei was het zijn vader, vaak kortaf, stuurs.

Nikolaj en zijn jongere broer en zus werden geacht onmiddellijk na het eten naar bed te gaan en het licht uit te doen. Ze sliepen in stapelbedden tegen de ene lange muur van de kamer. Tegen de andere stonden de bedden van vader en moeder, met de hoofdeinden tegen elkaar.

Als de kinderen in bed lagen, kwamen vaders kennissen op bezoek. Igor ontving hen in de andere kamer van de flat, terwijl moeder meestal iets aan het doen was in de keuken.

De andere kamer heette 'de mooie kamer', maar Nikolaj had nooit begrepen waarom. Er zat wel iets in, want de meubels daar waren mooier dan in de kale ruimte waarin de hele familie sliep. Maar toch was het er voor normale sovjetbegrippen helemaal niet mooi, vond Nikolaj, die bij vrienden thuis bepaald wel mooiere kamers had gezien.

Er stonden maar weinig meubels in de mooie kamer. Naast een leren fauteuil die zijn beste tijd had gehad, stond een tamelijk aftandse bank met een donkerbruine stof die ooit heel egaal was geweest, maar die nu steeds meer strepen en stippels vertoonde. Op de zwaar gehavende, ruwe houten vloer lag een kleed met een patroon van rode, groene en blauwe tinten waarin diverse gaten en zwarte schroeiplekken van sigaretten zaten. Tegen de ene muur stond een donkerbruin boekenkastje met meer familiefoto's en porseleinen figuurtjes dan boeken. Op een van de planken stond een cassetterecorder met twee luidsprekers en de plank daaronder werd in beslag genomen door cassettes met sovjetliedjes.

De weinige keren dat vader en moeder de avond samen in de mooie kamer doorbrachten, hoorde Nikolaj hoe ze zacht pratend kaartten en de ene cassette na de andere draaiden. Soms, op vrijdag- en zaterdagavond, wanneer ze samen wodka hadden gedronken, zongen ze wel met de liedjes mee. Nikolaj hoorde die liedjes al van jongs af aan. De teksten gingen over geluk en vrijheid, over sovjetrecht en -veiligheid, over de plicht die iedereen had om zijn steentje bij te dragen. Hij glimlachte altijd in het donker als hij die woorden hoorde. Ze symboliseerden alles wat hij had geleerd en waarin hij geloofde.

Aan de muren hingen een paar schilderijen in dunne, donkere houten lijstjes. Nikolajs moeder had hem verteld dat een ervan een plek in de buurt van de Zwarte Zee voorstelde, waar ze in haar jeugd een keer was geweest. Er was een heel grote en zo te zien zeer chique datsja op afgebeeld in mooie natuur dicht bij de zee. De zon ging onder boven het prachtige huis, de zee zag er schoon en fris uit, maar er waren geen mensen te zien. Als hij alleen in de flat was, stond Nikolaj vaak in de mooie kamer naar dat schilderij te kijken en dan vroeg hij zich af wat er in die datsja gebeurd was en wat zijn moeder daar had gedaan.

Maar hij had het nooit gevraagd.

Als Nikolaj 's avonds niet in slaap kon komen terwijl de kleintjes wel al sliepen en zijn moeder in de keuken bezig was, kon hij het gerinkel van glazen en flessen in de mooie kamer horen. Vaak werden zijn vader en de gasten luidruchtig, maar ze spraken niet zo duidelijk dat hij kon verstaan waar ze het over hadden. Als Anna hen tot stilte maande, werd ze bars weggestuurd door Igor en zijn gasten en dan ging ze weer naar de keuken.

Uren later, als Nikolaj nog altijd wakker lag, kwam zijn moeder binnen en sloop naar haar bed. Nikolaj hoorde hoe de wc werd doorgespoeld en hoe Igor zich mopperend uitkleedde. Soms lag zijn vader een paar minuten later al zwaar te snurken. Soms liep hij in het donker op de tast meteen door naar het bed van Anna.

Dat geluid had Nikolaj al heel vaak gehoord. De fluisterende smeekbedes van zijn moeder, de onenigheid, het gekraak van het bed onder hun beider gewicht, zijn vaders gekreun en zijn aanhoudende steunen wanneer hij zijn vrouw met geweld nam. Dan kneep Nikolaj zijn ogen extra hard dicht en stopte hij zijn vingers in zijn oren tot het voorbij was.

Hij had ontelbare keren voor de ogen van zijn moeder en de kleintjes een aframmeling gekregen met zijn vaders broekriem omdat hij volgens zijn vader zijn huiswerk of een ander klusje niet goed had gedaan. De vernedering en de onrechtvaardigheid brachten hem diepere wonden toe dan de riem.

Nikolaj haalde zijn handen door zijn dikke, door de regen nat geworden haar en streek het naar achteren. Hij had dorst.

Hij stopte bij een van de vele lekkende sapautomaten langs de paradestraat van Leningrad. Onder uit de automaat stroomde een gele vloeistof. Boven op de machine stond ondersteboven een glas dat afgewassen werd als je het tegen een metalen plaatje duwde, waarna een dun straaltje water de bodem van het glas probeerde te bereiken. De randen van het glas zaten onder de vingerafdrukken, huidschilfers, vuil, bacillen en speekselresten van duizenden Leningraders. Nikolaj zocht in zijn zakken. Hij had niet eens vijf kopeken voor een glas sap. Hij had niets.

Hij wilde juist zijn vaste truc uitvoeren – het glas vullen met het water dat bedoeld was om het schoon te maken – toen hij hen zag. De man en de jongen waren allebei blond. De jongen had een Amerikaanse spijkerbroek aan en precies zo'n jeansjack als Nikolaj op foto's had gezien en waar hij van droomde. De vrouw droeg een fleurig mantelpakje en had een kapsel dat je in Leningrad nooit zag. Ze hadden alle drie mooie, schone schoenen. Ze kwamen kennelijk uit het westen.

Het westen, zo dichtbij en toch zo onbegrijpelijk ver weg.

4

De bureaustoel van Vadim Fetisov was niet nieuw en ook niet van leer, maar toch was Vadim heel tevreden over zijn bestaan. Hij wierp een blik uit het raam. De regen gutste over de straten en de mensen in St. Petersburg, maar niets kon hem uit zijn humeur brengen. Het duurde toch nog uren voordat hij naar buiten moest.

Hij had drie pc-schermen voor zich en de middelste was op dit moment het interessantst. Daarop zag hij wat zijn kat-en-muisspel had opgeleverd.

Vadim maakte gebruik van Botnets, een gigantisch netwerk van afzonderlijke computers die hij gekaapt had zonder dat de eigenaars er ook maar enig idee van hadden. Hij koos meestal voor simpele methoden, mailde geintjes en porno rond waarop nietsvermoedende gebruikers zonder virusbescherming en firewalls klikten. Precies op het moment waarop de mail werd geopend, nam Vadim de computer over. Niemand merkte er iets van.

Doordat hij wereldwijd honderdduizenden pc's controleerde en op afstand bediende, kon Vadim ook de servers van iedere willekeurige onderneming overbelasten.

Zoals nu. Hij was snel tot diep in het besturingssysteem van World-Book.com in Miami, Florida, doorgedrongen en keek vergenoegd toe hoe het aantal bezoekers van 's werelds grootste internetboekhandel toenam.

Als die mensen WorldBook hadden bezocht om aankopen te doen, waren die kapitalistische klootzakken daar in Miami ongetwijfeld heel gelukkig geweest, dacht Vadim. Maar nu gingen ze er massaal naartoe zonder dat ze het zelf wisten. Hij bestudeerde de stroom bezoekers aan de internetboekhandel. Zodra de stijging van het aantal bezoekers stokte, leidde hij er meer verkeer heen, zoals een kind zijn speelgoedbootje over een klein plasje op straat laveert.

'Dat wordt geen lunch bij McDonald's vandaag, mannen.' Hij lachte voor zich uit toen hij zag dat het aantal bezoekers boven de vijftienduizend kwam.

Vadim Fetisov at salade, dronk ijswater en werkte door. Voor hem was dit een spelletje dat maar op één manier kon eindigen. Als hij wilde, kon hij honderdduizend bezoekers in één keer naar binnen werken en de server direct laten crashen – dat deed hij ook vaak. Maar soms vond hij het leuk om met zijn tegenstanders te spelen. Hij had er lol in om hun onhandige verdedigingspogingen te bekijken en hij kon zich voorstellen hoe het zweet aan de andere kant van de aardbol over de voorhoofden liep. Achttienduizend en zevenhonderd nu. De yanks leken een manier te hebben gevonden om een aantal van de bezoekers die hij hun bezorgde te lozen, maar niet in hetzelfde tempo waarmee hij nieuwe aanvoerde. Hij lachte vergenoegd toen hij zag dat het bezoekcijfer van de boekhandel de twintigduizend-lijn raakte. Zou hij ze nog even op de pijnbank laten liggen of zou hij korte metten maken?

Hoe dan ook, Nikolaj zou tevreden zijn.

Vadim grijnsde. Het ging ongeveer zoals verwacht. Toen hij zo veel bezoekers naar WorldBook stuurde dat de meter de tweeëntwintigduizend passeerde, sloten ze de server. Hij vroeg zich af wat ze daarmee dachten te bereiken. Nu lag alle bedrijvigheid stil. Ze waren zojuist een groot aantal orders kwijtgeraakt en ze verloren per seconde groene dollarbiljetten. Het goede eraan was dat hij nu tijd had om zijn salade in alle rust op te eten en een kop thee te halen. Daarna werd het pas echt leuk.

Ongeveer een halfuur later kwam Nikolaj binnen. Zoals altijd voelde Vadim zich even heel ongemakkelijk onder Nikolajs blik. Hij had het gevoel dat Nikolaj tot zo ongeveer alles in staat was en hij wilde hem beslist niet tot vijand hebben.

Vadim Fetisov had zijn geboortestad Kiev verlaten om in Moskou naar de universiteit te gaan, en daar had Nikolaj hem gerekruteerd. Vadim stond, ondanks zijn tweeëntwintig jaar, bekend als een van de beste computerexperts van de universiteit. Hij had nog een paar jaar door willen studeren om dan hopelijk een fatsoenlijke baan te krijgen bij een van de bedrijven die sinds de ineenstorting van de oude Sovjet-Unie waren overgenomen en geprivatiseerd.

Maar Nikolaj had hem op andere gedachten gebracht.

Ze waren elkaar op een avond in een café tegengekomen. Nikolaj had verteld over zijn teleurstelling in het nieuwe Rusland, over zijn visioenen. Vadim had meteen begrepen wat hij bedoelde. Hij deelde veel van Nikolajs meningen. Bovendien werd hij in verleiding gebracht door de ongehoord goede arbeidsvoorwaarden die Nikolaj hem bood. In die tijd lag het gemiddelde salaris van een goede computerexpert in Rusland op ongeveer vijfhonderd dollar per maand. Nikolaj bood hem het drievoudige plus – en dat was misschien het belangrijkste – de kans om met de nieuwste en snelste computers en de beste software te werken.

Vadim stopte met zijn universitaire studie en verhuisde naar St. Petersburg.

Nu waren ze al een jaar verder en alles liep soepeltjes. Vadim was zich er volledig van bewust dat het crimineel was wat hij deed. Maar de kans om gepakt te worden was, dankzij zijn grote kwaliteiten, vrijwel nihil. Hij was zich er ook volledig van bewust hoeveel geld Nikolajs organisatie dankzij hem verdiende, maar dat kon hem niet zo veel schelen, aan de ene kant omdat hij zelf goed betaald werd en aan de andere kant omdat hij wist dat het grote geld op een dag de strijd om het werkelijke doel zou financieren.

Vadim begreep dat hij zijn bestaan elke dag moest waarmaken, dat hij in de organisatie lang niet de enige was met dit soort kwaliteiten. Hij was te slim om vragen te stellen, maar hij vermoedde toch wel dat er ook in andere flats in St. Petersburg jongens aan de diverse projecten van Nikolaj werkten. Nikolaj zou het heus wel vertellen wanneer het tijd werd om aan een nieuw project te gaan werken. En hij hoopte dat hij een cruciale rol zou spelen als het tijd was om de macht te grijpen.

'Hoe gaat het?' Nikolajs stem was zoals altijd kil relaxed. Maar Vadim kon aan hem zien dat hij een zware nacht achter de rug had, zoals zo vaak. Hij hoorde wel eens geruchten over Nikolajs uitspattingen en over zijn dubbelrol. Nikolaj kon de perfecte huisvader en het perfecte voorbeeld voor zijn kinderen spelen. Maar hij kon ook een ongevoelige rat zijn die een ijskoud spel speelde waarin alleen macht en geld telden en mensen – vooral jonge meisjes – behandeld werden als handelswaar.

'Goed,' antwoordde Vadim. 'Ze hebben net de server gesloten. Dat geeft aan dat de situatie ze boven het hoofd groeit. Ze verliezen nu ongeveer zeventienduizend dollar per uur, dus het zal niet lang duren voordat ze het systeem weer zullen proberen op te starten.'

Nikolaj knikte. Precies op dat moment popte er op Vadims scherm nieuwe informatie op.

'Kijk eens aan,' zei hij en hij glimlachte naar Nikolaj. 'Ze zijn weer in de lucht. Zal ik ze nog even laten spartelen of zullen we ze meteen opblazen?'

Nikolaj staarde naar de cijfers op het scherm.

'Blaas ze maar meteen op. Ik heb meer te doen dan hier te staan kijken hoe jij geniet. Laat zien dat er wat gebeurt. Stuur een mailtje!'

Vadim stopte een kauwgumpje in zijn mond en keek kauwend naar het scherm. WorldBooks interne informatie gaf aan dat alles weer normaal was. Er waren ruim zesduizend bezoekers op de site en ongeveer een op de tien deed een bestelling. Vadim keek Nikolaj even aan: 'Oké, daar gaat-ie...'

Vijftien minuten later was de server van WorldBook bezweken, doordat er meer dan vijftigduizend bezoekers naar de site waren gedirigeerd.

Bij Stephen Wayda, operationeel manager van WorldBook.com, rinkelde de telefoon bijna onophoudelijk. Hij belde op zijn beurt bijna onophoudelijk naar Stone van de computerafdeling. Het was een gruwelijke chaos. Wayda was niet zo stom dat hij niet wist wat een storing kostte en hij wist wie de rekening zou moeten betalen. Hij voelde weer een steek in zijn maag.

Hij hoorde het welbekende 'pling' en ging snel naar zijn mailbox om te zien of zijn geïrriteerde chef nu niet alleen belde, maar ook nog mailde.

Heb je problemen, Chris? stond er in de onderwerpregel. Afzender: *Troubleshooter.*

Wat had dat verdorie te betekenen? Hij herkende het adres niet en normaal gesproken zou hij nooit een mailtje van een onbekende afzender openen, maar iets zorgde ervoor dat hij deze keer een uitzondering maakte. Hij las de korte tekst van de mededeling en voelde zich misselijk worden.

Aan Chris Wayda, operationeel manager, WorldBook.com, Inc.

Zoals u de afgelopen uren hebt gemerkt, is uw computersysteem niet beveiligd tegen indringers.

De problemen die vanmiddag ontstonden, zijn nog maar een voorbeeld van wat er zou kunnen gebeuren als iemand echt kwaad zou willen.

Troubleshooter biedt u volledige bescherming tegen herhaling van dergelijke – en nog ernstiger – acties.

Voor slechts $ 100.000 garanderen wij dat uw site en uw verkoopsysteem binnen een uur nadat wij het geld hebben ontvangen weer feilloos functioneren, en dat u niet opnieuw slachtoffer van zulke indringers wordt.

In aanmerking genomen dat u op dit moment gemiddeld $ 17.000 per uur verliest, is dit een zeer genereus aanbod.

Wij verzoeken u het geld zo spoedig mogelijk over te maken aan Troubleshooter, Inc, rekening nr. ...

De zin eindigde met een nummer van een rekening bij een Zwitserse bank.

Wayda kreunde en greep naar zijn maag. Hij pakte de telefoon en toetste een nul in. Toen de receptioniste opnam, zei hij: 'Met Wayda. Verbind me door met het kantoor van Mr. Hagen. Het is belangrijk.'

'Maar Mr. Hagen zit in vergadering en –'

'Luister! Als je me niet onmiddellijk doorverbindt kán hij straks niet eens meer vergaderen. Het is van levensbelang.'

Dertig seconden later had hij een duidelijk geërgerde vicepresident aan de lijn.

'Met Hagen. Wat is er aan de hand?'

'Met Chris Wayda, Mr. Hagen. We zijn slachtoffer geworden van een internetaanslag en van afpersing. Ze hebben ons hele externe besturingssysteem opgeblazen, onze server is overbelast en de hele handel ligt stil. Iemand, ik weet niet wie, is in staat ons met zo veel bezoekers te bombarderen dat ons systeem uitvalt. Ik heb een mailtje gekregen van afpersers die honderdduizend dollar willen hebben om weer op te kunnen starten en om ons met rust te laten...'

Het was een paar seconden stil aan de andere kant van de lijn. Toen: 'Wie kan verdomme –?'

'Ik weet het niet, Mr. Hagen. De IT'ers weten het niet. Niemand weet het. Ik kan natuurlijk de politie waarschuwen, maar die kan niets doen. Intussen verliezen we zeventienduizend dollar per uur. Wat moeten we doen?'

Weer stilte. En toen: 'Ik kom zo bij je terug.'

Hij hing op.

Wayda stond op en haalde koffie. Het zou hoogstwaarschijnlijk een lange avond worden. Of nacht.

Nikolaj Schenizin stak een sigaret op en bekeek Vadim aandachtig. Die kauwde onafgebroken op zijn kauwgummetje en hamerde af en toe op het toetsenbord. Nikolaj kon zien dat de jonge it-fanaat met volle teugen genoot. Hij was echt een goede investering geweest.

Nikolaj inhaleerde diep. 'Hoelang denk je dat het duurt?'

Vadim grijnsde. 'Niet zo lang. Als er iemand kan rekenen, dan wel een kapitalist. Ze gaan binnen vijfenveertig minuten betalen.'

Nikolaj nam nog een paar trekjes en keek naar Vadim. 'Oké. Ik ga eten. Ik kom straks terug.'

Met een stapel kranten onder zijn arm en geëscorteerd door vijf lijfwachten ging Nikolaj Schenizin naar restaurant De Zwarte Gans. De gerant boog, bracht hem naar zijn stamtafel en had zoals gewoonlijk een tafel naast hem gereserveerd voor zijn lijfwachten. Nikolaj bekeek het menu, bestelde zalm met gekookte aardappelen, witte wijn en wodka. Hij genoot van het eten terwijl hij door de kranten van die dag bladerde en extra veel aandacht besteedde aan de pagina's over economie en wereldhandel.

Alles liep momenteel op rolletjes. In zijn kleine imperium was geen branche waarmee het slecht ging, maar hij had ook hard gewerkt om het op te bouwen. En het zou nog beter worden, veel beter. Zijn hoofd tolde van de ideeën terwijl hij langzaam zijn dessert at en een kopje thee dronk.

Op hetzelfde moment waarop Morgan Hagen Chris Wayda meedeelde dat WorldBook.com zou toegeven aan de eisen van de afpersers en dat hij onmiddellijk honderdduizend dollar op het aangegeven rekeningnummer moest storten, slaagde de it-afdeling erin het ip-adres van de afpersers te achterhalen. Volgens hun gegevens kwam dat mailtje van een computer in Kaapstad, Zuid-Afrika.

5

Miami, Verenigde Staten
Woensdag 11 januari 2006

De aangifte van WorldBook bij de financiële politie van Miami werd doorgestuurd naar de FBI en leidde tot een onderzoek dat zes maanden later werd gestaakt.

De Zwitserse bank had het schrijven van de FBI beleefd beantwoord. Helaas kon de bank niet onthullen wie de houder van de betreffende rekening was, aangezien er geen enkele verdenking bestond dat deze rekening werd gebruikt voor criminele doeleinden en er geen opzienbarende bedragen werden overgeschreven.

Hector Venderaz van de FBI in Miami, afdeling Internetgerelateerde Criminaliteit, had maar één reactie op dit antwoord: 'Verdomde kaasboeren!'

Venderaz was geboren en getogen in een gezin met zes kinderen in South Central Los Angeles, waar alleen de sterksten overleven, waar bendeoorlogen heersen en drugsbaronnen regeren. Hij besefte al vroeg dat er voor een jongen van Latijns-Amerikaanse afkomst uit het zuiden van Los Angeles in principe maar twee mogelijkheden waren: een arme fruitplukker worden, zoals zijn vader, of cocaïne gaan verkopen en mensen doodschieten, zoals veel van zijn klasgenoten en familieleden deden.

Geen van beide mogelijkheden sprak hem aan.

Daarom zat Hector zoveel mogelijk in de bibliotheek. Hij las, was weetgierig en stelde zo veel vragen dat zowel zijn leraren als de bibliothecarissen er doodmoe van werden.

In zijn laatste jaar op de *high school* kreeg hij een beurs – een kans om door te studeren – en die greep hij onmiddellijk. Zijn talent als basketbalspeler in het schoolteam had de aandacht getrokken van een trainer van de Universiteit van Miami, en die bood hem een beurs aan.

Daarna legde Venderaz een voorspoedig traject af: eerst de universiteit, toen de politieschool en vervolgens de leerjaren als smeris op de smerige straten van Miami. Tegelijkertijd ging hij terug naar de universiteit en deed hij 's avonds allerlei aanvullende studies economie en informatica. Toen hij de kans kreeg om het vuile werk op straat achter zich te laten, specialiseerde hij zich in economische en computergerelateerde criminaliteit en solliciteerde bij de FBI. Hij werd beschouwd als een van de allerbesten op zijn terrein, hij hield lezingen en werd door politieautoriteiten uit alle delen van de Verenigde Staten geraadpleegd als expert in het opzetten van een politieorganisatie die gelijke tred probeert te houden met de georganiseerde misdaad.

Ondanks de omstandigheden waarin hij was opgegroeid – of misschien juist daardoor – was Hector heel conservatief. Hij beschouwde zichzelf als een goede patriot, maakte er geen geheim van dat hij republikein was en had waardering voor de harde aanpak van president Bush in zijn ambtsperiode. Volgens Hector waren de meeste Europeanen verdomde communisten, ongeacht of sommigen het tegendeel beweerden, en hij had nooit enig begrip gehad voor de slapheid waarmee ze het criminele uitschot aanpakten. Europeanen waren experts in therapieën, korte straffen en gevangenissen waar iedereen zomaar uit kon ontsnappen. Het ergste waren ze in Noord-Europa: Venderaz was een keer op studiereis naar collega's in Denemarken geweest en hij moest haast kotsen van wat hij daar had gezien. Niet alleen hadden ze kleuren-tv in de cellen van de luxe hotels die daar voor gevangenissen doorgingen, ze kregen er ook gebak!

Venderaz drong er bij zowel Interpol als Europol op aan de Zwitserse bank onder druk te zetten, want die was volgens hem net zo crimineel als de afpersers. Intussen had de computerafdeling van de FBI aan de hand van de gegevens van de IT-afdeling van WorldBook doorgezocht naar het IP-nummer van de afpersers. Toen Venderaz die informatie op zijn bureau kreeg, zuchtte hij diep en begreep dat hij hier te maken had met professionele criminelen van de nieuwe tijd.

Het spoor van het IP-nummer had hen met behulp van de Zuid-Afrikaanse provider naar een 65-jarige Amerikaanse geleid, die gastonderzoeker was aan het Biologisch Instituut in Kaapstad en die haar pc gebruikte voor haar werk en om contact te houden met haar kinderen in de VS. Hectors Zuid-Afrikaanse collega's hadden de vrouw gehoord en een rapport naar Venderaz gestuurd, die haar vervolgens zelf ook nog had gebeld om haar informatie dubbel te checken.

Georgina Chavel was een gerespecteerd biologe, zowel in Kaapstad als thuis in Dallas, Texas, en Hector begreep algauw dat ze bepaald niet dom was. Chavel was geschokt toen ze hoorde dat haar pc gekaapt was en ingezet voor criminele doelen. Ze had onmiddellijk contact opgenomen met de afdeling IT van de universiteit, waar men echter de schouders had opgehaald en gezegd: 'Dat gebeurt nou eenmaal.' Ze vertelde Venderaz dat ze van plan was voortaan twee computers te gebruiken: één om te mailen en een 'veilige' laptop, die ze nooit aan internet of e-mail zou koppelen, waar ze haar onderzoeksresultaten veilig kon bewaren. Venderaz had iets gemompeld als dat dat heel verstandig was, terwijl hij poppetjes op zijn schrijfblok tekende en zijn hersens onder hoogspanning liet werken. Hij had heel nauwkeurig geluisterd naar de nuances in de stem van de vrouw en was er zeker van dat zijn vermogen om mensen te beoordelen ook in dit geval naar behoren functioneerde, ook al was het op afstand. Dat Georgina Chavel bezig was een Amerikaans bedrijf af te persen, was volkomen uitgesloten. De afpersers, wie het dan ook waren, hadden een Trojaans paard gebruikt, een vijandige code om haar pc over te nemen.

Na veel aandringen door Interpol en Europol, die allebei konden aantonen dat het hier om criminele activiteiten ging, gaf de Zwitserse bank uiteindelijk toe en werkte mee. De bank deelde mee dat de betreffende rekening, die overigens op de dag van de afpersing was leeggehaald en opgeheven, had toebehoord aan een bedrijf met een postbusadres in Paraguay. Het geld dat op de rekening stond, exact 1.275.000 dollar, was overgeboekt naar een bank in Venezuela. Bij navraag bij de bank in Venezuela – het kostte Venderaz overigens ruim twee maanden en een hele serie mailtjes en telefoontjes voor hij erin slaagde antwoord te krijgen van die verdomde indianen daarginds – bleek dat het geld uit Zwitserland nog dezelfde dag was doorgestuurd naar een bank op de Caymaneilanden.

Toen Venderaz dit bericht kreeg, had hij een diepe zucht geslaakt en begrepen dat hij zich hoogstwaarschijnlijk in een doodlopende straat bevond. Voor alle zekerheid nam hij contact op met de bank op de Caymaneilanden, maar met het verwachte resultaat. Ondanks herhaalde verzoeken kreeg hij geen antwoord en hij wist dat geen enkele andere autoriteit dat wel zou krijgen.

Venderaz rondde zijn onderzoek af. In zijn rapport schreef hij dat het gebeurde hoogstwaarschijnlijk slechts een klein onderdeel was van een veel grotere, uitermate goed georganiseerde computercriminaliteit, maar dat het om economisch-politieke redenen niet mogelijk was het geld te herleiden tot de schuldigen. Dit, schreef Venderaz, was een probleem waaraan politici wereldwijd serieus aandacht moesten besteden als het hun ernst was met het verbeteren van de wereld. Diezelfde politici, schreef hij, zouden ook veel meer belangstelling moeten krijgen voor de toenemende macht en invloed van computers en internet.

Voor alle zekerheid stuurde Venderaz kopieën van zijn vrij lange rapport ter kennisneming aan Interpol, aan Europol in Brussel en aan het Center for Internet Related Crime (CIRC) in Nevada. Niet dat hij ook maar enige hoop had dat het ergens toe zou leiden. Alleen maar voor de volledigheid.

Vooral als curiositeit stuurde hij ook een mailtje over de zaak naar zijn collega Jacob Colt in Stockholm. Jacob was een van de weinige Europeanen die hij kende met gezond verstand, en ze wisselden regelmatig – soms per mail, soms telefonisch – ervaringen uit over allerlei misdaadonderzoeken.

Ze hadden elkaar een paar jaar eerder in Miami ontmoet op een politieconferentie over wereldwijde drugssmokkel. Venderaz had vanaf het begin waardering voor de intelligentie, de gevatheid, de humor en de eerlijkheid van de Zweed. Het feit dat Jacob de goede smaak had gehad om in Hectors geboortestad te studeren en bovendien nog te trouwen met een meisje daarvandaan, bewees wel dat hij een goed oordeelsvermogen had, vond Hector.

Gedurende de tien dagen dat de conferentie duurde, waren ze zowel overdag als 's avonds veel met elkaar omgegaan. Hector had Jacob meegenomen naar zijn favoriete cafés en Jacob had op eigen verzoek ook een rondleiding gekregen in de slechtste buurten van Miami én op het hoofdkwartier van de FBI.

De beide dienders hadden in die korte tijd een goede vriendschap en wederzijds respect opgebouwd, en in tegenstelling tot andere toevallige contacten, die in de loop der jaren verflauwden, werd dit een duurzame band. Ze hadden minstens eenmaal per maand contact per e-mail of telefoon en bovendien wisselden ze vriendschappelijkheden uit in de vorm van kerstkaarten en vakantiekaarten.

Hector wist dat Jacob zeer geïnteresseerd was in economische en computergerelateerde misdaad en toen hij zijn onderzoek als bijlage bijvoegde en op de verzendknop klikte, deed hij dat met een glimlach. 'Zet daar je tanden maar eens in, jongen,' zei hij met een grijns.

6

In de zes maanden waarin Hector Venderaz aan het onderzoek werkte – waarvan hij vond dat het nog het meest op taaie kauwgum leek – zat Vadim Fetisov op zijn manier net zo ambitieus achter zijn pc in St. Petersburg.

Bedrijven in de Verenigde Staten, Engeland, Australië en Japan waren door soortgelijke aanvallen op hun e-winkels getroffen als World-Book. De aanvallen leidden tot miljoenenverliezen, en het scenario dat zich in Miami afspeelde, herhaalde zich bij alle getroffen bedrijven. Iedereen betaalde. Niemand zag een andere uitweg dan de hevig bloedende economische wond die Vadim veroorzaakte gauw te herstellen.

Vadim bewerkte – zo noemde hij het liever – gemiddeld twee bedrijven per week. De rest van de tijd bracht hij door met surfen op het net, geschikte bedrijven zoeken, zich in hun intranet naar binnen hacken en nauwkeurig registreren hoe hun handel, hun computernetwerk en hun beveiliging werkten. Wat dat laatste betrof, ging het meestal om hoe het níét werkte, constateerde Vadim glimlachend.

Vadim leefde zijn hele volwassen leven al met internet. Hij had er ook meer dan anderen over gefilosofeerd of het net nu meer goed deed of meer kwaad. Hij zag enorme voordelen in internet voor wat betreft communicatie tussen mensen, kennisuitwisseling, het verspreiden van belangrijke informatie en de ontwikkeling van de democratie, ook al had hij juist op dat laatste punt ook wel wat twijfels, omdat het systeem waarop hij eigenlijk blind vertrouwde in wezen nauwelijks op democratie gebaseerd was.

Maar hij zag ook de gevaren. Hij zag dat bepaalde groepen of individuele personen met behulp van internet in korte tijd meer macht konden verwerven dan mensen vroeger met behulp van dreiging, pistolen en kanonnen konden doen.

Internet was een scherp wapen en je moest aanvallen voordat je aangevallen werd.

Vadim besteedde per etmaal heel wat werktijd aan het overnemen van computers. Zijn langeafstandsbesturing van pc's moest zelfs de meest deskundige en meest ambitieuze computerexperts van de politie op een hopeloos dwaalspoor brengen. Hij wist dat hij een flinke voorsprong had op degenen die naderhand moesten uitzoeken hoe hij te werk gegaan was. Hij had tijd genoeg om heel wat sporen uit te wissen, hij had waarschijnlijk meer computerkennis dan de meeste politiemensen en anders dan zij bracht hij iedere dag al zijn werktijd door achter de computer, waardoor hij steeds nieuwe dingen leerde over internet en de mazen in het beveiligingsnet.

Hij surfte ook over de miljoenen pornosites van het kapitalisme, waar eindeloze aantallen imbecielen op bedevaart naartoe gingen en betaalden om naar iemands vernedering te kijken. Vadim beschouwde dit verschijnsel als een van de vele zwarte kanten van de imperialistische samenleving. Porno was slechts een van de vele kankergezwellen die bestreden en uiteindelijk vernietigd moesten worden zodat er een betere samenleving kon worden opgebouwd, maar de weg daarheen was lang. Hij had vergevorderde plannen om de pornoprofiteurs veel zwaarder af te persen dan andere bedrijven. Maar Nikolaj had tegen hem gezegd dat hij voorlopig geen pornosites mocht aanvallen.

Vadim had verbaasd gereageerd, maar Nikolaj had hem met zijn rustige, kille stem verzekerd dat hij daar een reden voor had, en Vadim was verstandig genoeg om zoiets niet in twijfel te trekken. Dus concentreerde hij zich op kwetsbare internationale bedrijven die zeker zouden betalen, niet in de laatste plaats omdat zijn 'diensten' goedkoop waren in verhouding tot de verliezen die hij de bedrijven zou kunnen bezorgen. Degenen die niet binnen een uur betaalden om hun e-handel weer op gang te krijgen, zagen algauw in dat dat een dure vergissing was wanneer de rest van hun computersysteem bij stukjes en beetjes uitviel. Vroeg of laat betaalden ze, maar elke keer dat ze twijfelden werd het bedrag hoger.

Twee betalende bedrijven per week betekende minstens achthonderdduizend dollar per maand. Toen Vadim zijn statistieken bestudeerde, zag hij dat hij de afgelopen zes maanden meer dan vierenhalf miljoen dollar had gegenereerd, terwijl hij zelf niet meer kostte dan zijn salaris.

Intussen regelde Nikolaj – met behulp van andere medewerkers, nam Vadim aan – het registreren en opheffen van een oneindige reeks kortlevende bedrijven, het openen en afsluiten van bankrekeningen en het overschrijven van gelden.

Het enige waar Vadim zich druk om hoefde te maken waren zijn computers. Hij hoopte binnenkort een nieuwe te krijgen. Hij had gelezen over de recentste, slimste processors en de nieuwste software, een revolutie voor veel IT-werk.

Het speet hem dat niemand in zijn eigen land een behoorlijke computer kon bouwen. Hij dacht aan de tijd dat de Sovjet-Unie een pionier in de ruimte was geweest, en in het zonnestelsel kat en muis speelde met de Amerikaanse imperialisten. Een wereldmacht, met een van de grootste en beste oorlogsmachines aller tijden. En nu konden ze hier niet eens een computer ontwikkelen.

De Chinezen, op wie de hoop in de strijd met de Amerikanen ook gevestigd was, konden het verbazend genoeg evenmin. Of was dat maar tactiek? Wilden ze het niet? Of konden ze het wel, maar wilden ze hun technische kennis nog niet prijsgeven? Vadim wist het niet.

De Chinezen waren in korte tijd dominant geworden op de wereldmarkt als het ging om kleding, meubels en allerlei elektronica. De kapitalisten hadden ook autofabrieken gebouwd in Korea en zetten nu auto's in elkaar die 'Chevrolet' heetten, maar die werden gebouwd door Koreanen die veranderd waren in ideologisch twijfelende, kapitaalbeluste ex-communisten. Binnen een decennium zou China de Verenigde Staten definitief hebben overvleugeld als niemand anders het eerder deed, en Vadim was van harte bereid om hen een zetje te geven, met behulp van Amerikaanse computers en Amerikaanse software.

Hij had Koreaanse computers uitgeprobeerd, maar moest vaststellen dat die onder de maat waren. De Amerikaanse en de Japanse apparaten waren het beste, en hij gaf met tegenzin toe dat Bill Gates' aloude Microsoft – dat hij overigens maar wat graag wilde aanvallen – nog altijd vrijwel de enige software leverde die de moeite waard was.

Vadim stond op en rekte zich uit. Het was zes uur 's avonds en het was vrijdag. Hij trok zijn fleece jack en zijn gymschoenen aan, verliet het kantoor en ging de trap af naar de straat. Een licht regentje spoelde St. Petersburg schoon en hij zag mensen die zich onder hun paraplu naar huis haastten. Mensen die het waarschijnlijk aanzienlijk beter hadden gehad als het oude Sovjetsysteem nog bestond en was geworden zoals het altijd al was bedoeld. Maar het was nog niet te laat om een zinnige samenleving op te bouwen, ook al was het gezwel van het kapitalisme zich al in zijn geliefde Rusland aan het invreten. Hij beloofde zichzelf dat hij alles zou doen wat in zijn vermogen lag om te helpen.

Hij begon te hollen in de richting van het Tavricheskipark en genoot van de vochtige lucht die hij in zijn longen zoog en van de zuurstof die zijn gedachten een nieuwe impuls gaf. De beste ideeën over hoe je het kapitalisme ten val kon brengen, ontstonden in de regen, meende Vadim.

7

Vladimir Karpov keek neer op miljoenen lichtjes die langzaam groter werden, toen het toestel van Aeroflot op zondagavond daalde
boven vliegveld Heathrow. Hij was nog nooit in Londen geweest en vond
het fijn de Engelse hoofdstad te kunnen bezoeken, ook al zou hij ongetwijfeld meestentijds naar lezingen en discussies moeten luisteren tijdens de politieconferentie over internationale criminaliteit waarheen hij
afgevaardigd was.

Als plaatsvervangend chef van de politie van St. Petersburg, hoofd
Operaties van de afdeling Georganiseerde Misdaad, met al bijna vijfentwintig jaar ervaring als politieman in wat tegenwoordig een van de
meest criminele steden ter wereld was, mocht Karpov als een van de
weinige Russische politiemensen op reis naar activiteiten ter bevordering van internationale politiesamenwerking.

Hij leunde met zijn hoofd tegen de hoofdsteun. Zijn vrouw Lydia en
hun tienjarige dochter Katja waren nog nooit in het buitenland geweest
en hij droomde van de dag dat ze samen eens een buitenlandse reis konden maken. Maar ook al was hij chef, zijn loonzakje was bepaald niet
dik en Lydia's salaris op het kantoortje waar zij werkte was belachelijk
laag, dus hij was bang dat die reis nog even op zich zou laten wachten.
Voorlopig moesten ze er genoegen mee nemen dat ze in een behoorlijk
grote, prettige flat woonden, geld hadden voor een auto en in de vakantie naar een datsja van vrienden aan de Zwarte Zee konden.

Het vliegtuig landde en terwijl het naar de terminal taxiede zocht Vladimir zijn handbagage bij elkaar om zo snel mogelijk weg te zijn. Zodra hij in het hotel kwam, zou hij Jacob Colt een seintje geven en vragen of hij zin had om samen een biertje te gaan drinken. Ze hadden
elkaar niet meer gezien sinds de drugsconferentie in Helsinki, een paar

jaar geleden, en sindsdien nog maar sporadisch mailcontact gehad. Maar Vladimir had Jacob meteen gemogen, en hij had het fijn gevonden toen de Zweed hem een mailtje stuurde met de vraag of hij ook naar de conferentie in Londen ging.

Angela van der Wijk nipte aan haar wijn en bladerde door het conferentieprogramma toen ze plotseling werd gestoord.

'Pardon, is deze plaats vrij?'

De man leek in de veertig, zag er goed uit en glimlachte naar haar. Hij maakte met zijn hand een gebaar naar het programma dat opengeslagen voor haar op een tafeltje in de bar lag. 'Wij zitten in dezelfde branche, denk ik. Silvio Bondi, commissaris sectie Geweldsdelicten Milaan.'

Angela glimlachte terug en stak haar hand uit. 'Aangenaam! Angela van der Wijk, recherche Amsterdam.'

'Mag ik u een glas wijn aanbieden?'

'Ja graag, dank u.'

Bondi ging zitten, wenkte de ober en bestelde een glas wijn voor Angela van der Wijk en zichzelf. Hij wees nogmaals op het opengeslagen programma. 'Dat worden waarschijnlijk hectische dagen hier.'

'Ja, beslist.' Angela las voor: 'Het doel van de conferentie is breed inzicht te verschaffen over de veranderingen die zich de afgelopen jaren in steeds hoger tempo in de internationale criminaliteit hebben voorgedaan. In een groot aanbod van lezingen en workshops, gegeven door erkende specialisten op hun vakgebied, zullen onder meer worden behandeld: fraude, smokkel, mensenhandel, slavenhandel, prostitutie, afpersing, moord, illegaal kopiëren en verschillende vormen van internetgerelateerde criminaliteit...'

Bondi sloeg zijn ogen ten hemel en lachte: 'Ik word al moe als ik het hoor. Denkt u dat we nog kans krijgen om ook iets van Londen te zien?'

'Geloof maar van wel. Ik ga hier niet weg zonder dat ik de Tate Gallery heb bezocht en even bij Harrods heb kunnen shoppen.'

'Proost, kerel, leuk om je weer te zien! Hoe is het met Melissa en de kinderen?'

Jacob hield zijn glas whisky omhoog en nam een slok. 'Tja, het is al een tijdje geleden dat we elkaar gezien hebben. Met Melissa en de kinderen gaat het prima. En met mij ook, trouwens.'

Hector Venderaz grijnsde. 'Dat gaat wel allemachtig goed, zeg! Waarom maak je niet een gelukkige film over jezelf?'

Jacob lachte. Zijn mobiele telefoon ging en hij nam op. 'Hé, Vladimir, ben je goed aangekomen? Waar, in het hotel? Oké, ik zit nu bij een goede vriend van de FBI op zijn kamer whisky te drinken. Zullen we straks afspreken in de bar? Het lijkt me goed dat jullie ook kennismaken.'

Venderaz keek Jacob vragend aan toen hij zijn mobiel opborg.

'Vladimir Karpov,' lichtte Jacob toe. 'Hoofd Georganiseerde Misdaad bij de politie van St. Petersburg. Goeie vent. Ik heb hem een paar jaar geleden ontmoet op een drugsconferentie in Helsinki en sindsdien hebben we contact gehouden.'

Venderaz leegde zijn whiskyglas. 'Tja, je weet wat ik van die communisten vind. Maar oké, ik ga wel mee om jou een plezier te doen...'

Een paar uur later was de bar van Hotel Continental in Londen een van de slechtste plekken waar een crimineel zich zou kunnen vertonen. Aan de bar en aan de vele tafeltjes gonsde het van de politiegesprekken, in het Engels en in andere talen.

Jacob, Hector en Vladimir waren toevallig terechtgekomen aan het tafeltje van Angela van der Wijk en Silvio Bondi. Na verloop van tijd was het gesprek op moord gekomen.

'Ik las op weg hierheen in *The Times* dat de Engelse politie de afgelopen jaren een sterke stijging van het aantal onverklaarbare moorden heeft genoteerd,' zei Jacob. 'En wij hebben in Zweden al een tijdje hetzelfde probleem. We hebben een serie moorden gehad waarbij we geen motief en geen dader kunnen vinden. De enige overeenkomst lijkt de manier te zijn waarop de dader te werk is gegaan: bijna alle slachtoffers zijn op dezelfde wijze van dichtbij doodgeschoten of met een auto doodgereden. En sommige zijn overleden aan een overdosis heroïne zonder dat ze verslaafd waren en zonder dat we de spuit of de naald konden vinden...'

'Wat zeg je daar?' riep Silvio Bondi uit. 'Wij hebben het afgelopen jaar alleen al in Rome en Milaan zeker vijf, zes van dat soort moorden gehad. Waarom heeft Europol geen systeem ontwikkeld dat zulke dingen signaleert?'

'Interessant dat je dat zegt.' Angela van der Wijk fronste haar wenkbrauwen. 'Ik heb daar met ze over gesproken en als ik het goed begrijp is dat technisch zo goed als onmogelijk. Het systeem van Europol is erop gebaseerd dat wij tips en waarnemingen doorgeven, bijvoorbeeld als we reden hebben om aan te nemen dat een bende internationaal opereert. Daarnaast moeten verschillende stukjes informatie aan elkaar worden gekoppeld, zodat je, als je op een naam zoekt, ook kunt zien dat die persoon in verband is gebracht met een bepaald wapen of een bepaalde auto. Maar als wij ook alle afzonderlijke moorden bij Europol zouden melden, zou de computer de moorden die op elkaar lijken er niet uit kunnen halen en als een samenhangend geheel aan ons presenteren. Mensen zijn daar goed in, computers helaas niet.'

Angela vervolgde: 'Wat die moorden betreft, zien wij in Nederland hetzelfde scenario als jullie. De afgelopen jaren is het aantal moorden met bijna tien procent gestegen, en ze vertonen dezelfde overeenkomsten als waar jij het over hebt: een reeks onverklaarbare, op dezelfde manier gepleegde moorden. Dat kan toch geen toeval zijn? Zou het de maffia zijn?'

'Allicht!' riep Venderaz en hij hief zijn glas om te proosten. 'De Russische maffia, uiteraard, natuurlijk zit die erachter!'

Hij knipoogde naar Karpov, die glimlachte en zijn glas ook omhooghield.

'Ach, Venderaz, in theorie is dat misschien zo, maar is het niet wat vreemd dat wij in Rusland van dit soort moorden geen last hebben? Proost!'

In de uren die volgden deden de collega's hun best om over iets anders dan hun werk te praten, al was het alleen maar om wat hun de komende dagen nog te wachten stond.

Maar Jacob Colt kon niet zo goed loslaten wat hij in *The Times* had gelezen en wat Angela van der Wijk en Silvio Bondi hadden verteld. Veel moorden. Gelijksoortige moorden. Op dezelfde manier uitgevoerd. Geen motief. Geen moordenaar. Te vreemd om toeval te kunnen zijn.

8

Twee zware dagen lang luisterden de vijf rechercheurs met een honderdtal andere collega's uit dertig landen naar een reeks lezingen waarvan de meeste een zwarte wereld schilderden.

'Je kunt van minder in een depressie raken,' fluisterde Jacob tegen Angela tijdens een lezing over de toenemende gevallen van vrouwenhandel van oost naar west. 'Ik kan ermee leven dat mensen illegale kopieën maken van liedjes of films, maar het doet me veel meer dat er duizenden jonge meisjes worden geëxporteerd als seksslaven. Is de wereld de afgelopen tweehonderd jaar dan niks opgeschoten? En waarom gebruiken ze in hemelsnaam zo'n onschuldig woord als *trafficking* voor vrouwenhandel, een van de weerzinwekkendste dingen die de mens heeft bedacht? Het gaat verdorie om slavernij, groepsverkrachting en mishandeling van jonge meisjes!'

Angela knikte. 'Ik ben het hélemaal met je eens! Als het aan mij lag zouden we hier veel meer mensen voor inzetten en zouden de straffen voor degenen die van de meisjes profiteren een stuk strenger zijn. En helaas staat het er in de drugsscene ook heel slecht voor,' vervolgde ze. 'Hoe meer mensen we inzetten, hoe meer we tegenkomen. Ik vraag me af hoeveel harddrugs de markt bereiken zonder dat wij ervan weten...?'

'Waarschijnlijk meer dan we wíllen weten,' antwoordde Jacob met een grimas.

's Avonds gingen Jacob, Hector, Vladimir, Angela en Silvio samen naar een Indiaas restaurant.

'Wat een mazzel dat deze stad een internationale keuken heeft,' zei Hector. 'Want in de hel komt de kok uit Engeland, heb ik gehoord.'

'Nou,' reageerde Vladimir Karpov spottend, 'wil je beweren dat de Amerikaanse keuken zo veel beter is, áls die al bestaat?'

'Ach, hou toch je mond, ouwe communist!' Venderaz gaf Karpov een vriendschappelijke por. 'Je bent gewoon jaloers omdat jullie in Rusland geen McDonald's hebben.'

'Het is al tien, twaalf jaar geleden dat de eerste geopend werd,' zei Karpov, 'maar ik weet niet of we daar veel gelukkiger van zijn geworden.'

De vijf collega's bestelden hete Indiase gerechten, dronken wijn en raakten druk in gesprek over hun ervaringen tijdens de eerste twee dagen van de conferentie.

'Wat me eigenlijk het meest van alles interesseert, is het programma van morgen,' zei Jacob.

'Je bedoelt de internetcriminaliteit?' vroeg Silvio. 'Waarom ben je daar zo in geïnteresseerd? Ik dacht dat jij je met verkrachting en moord bezighield?'

'Dat is zo. Maar we leven nou eenmaal in een wereld die ongelooflijk snel verandert, waarin computers en internet steeds belangrijker worden, op alle terreinen, en niet in de laatste plaats ook in de criminaliteit. Ik zei laatst voor de grap tegen een collega dat je tenminste geen mensen kunt vermoorden met internet, maar er is zo veel andere shit...'

'Het lijdt geen twijfel dat de georganiseerde misdaad veel profijt heeft van internet,' zei Angela. 'Nog niet zo lang geleden hebben wij een drugskartel opgeblazen dat net zo goed geautomatiseerd was als ieder ander serieus bedrijf. Iedere gram cocaïne en heroïne was geregistreerd en geadministreerd!'

Vladimir Karpov knikte. 'Die ervaring heb ik ook van onze invallen in St. Petersburg. We hebben veel jonge talenten op IT-gebied en helaas begrijpen de meesten dat ze meer kunnen verdienen in criminele netwerken dan bij een eerlijk bedrijf – triest maar waar. Wat zeg jij ervan, Hector, jij houdt je toch uitsluitend bezig met internetgerelateerde criminaliteit?'

'Ja, en dat levert geen fraai beeld op, dat kan ik je verzekeren.' Venderaz knikte, kauwde en slikte. 'Als jullie eens wisten waar je computers allemaal voor kunt gebruiken: diefstal, afpersing, smokkel, bedreiging. Maar daar horen we morgen vast wel meer over als Friedman komt.'

Jacob keek verbaasd. 'Friedman?'

'Uh-uh,' zei Venderaz. 'Heb je het programma niet bekeken? 's Morgens spreekt er een of andere universiteitspief over hoe IT de samenleving verandert – ten nadele, mag je verwachten. 's Middags komt er een knaap die voor de afdeling Internetgerelateerde Criminaliteit van de FBI werkt, net als ik. Hij zit in Boston, dus ik heb hem nog nooit ontmoet, maar ik heb gehoord dat hij heel goed weet waar hij het over heeft. Hij schijnt een van de besten op zijn gebied te zijn.'

'O ja, nu weet ik het weer.' Jacob knikte. 'Interessant om te horen wat hij te vertellen heeft. Maar alles goed en wel, het wordt langzamerhand tijd om naar bed te gaan, als we morgen in staat willen zijn om naar al die ellende te luisteren.'

'De sheriff is niet eens doodgeschoten. Er is er nooit één geweest in het digitale wilde Westen – en Oosten – dat nu in razend tempo ontstaat. En als we er niet snel één benoemen, vrees ik dat we heel, heel grote problemen krijgen!'

Ian McLean keek uit over de verzamelde politiemensen in de conferentiezaal.

'Hij ziet er echt uit als een professor,' fluisterde Angela tegen Hector. 'Grijs haar, dikke brillenglazen, baard. Alleen de pijp ontbreekt...'

'Mm... en zo'n rok, hoe heet zo'n ding?' fluisterde Venderaz terug. 'Want het is toch een Schot?'

'Jazeker, econoom en professor politicologie aan de Universiteit van Edinburgh.'

Ian McLean ging door. 'Informatietechnologie is een heel breed begrip, en iets wat het leven voor de meesten van ons heeft vereenvoudigd en verbeterd. U kunt zich waarschijnlijk nog maar moeilijk een leven voorstellen zonder bijvoorbeeld mobiele telefoon, e-mail en internet. Maar zoals alles heeft ook IT een keerzijde, en ik geloof niet dat iemand had kunnen voorzien hoezeer deze technologie zou worden misbruikt.'

De professor laste een kunstmatige pauze in en dronk een half glas water voordat hij verder praatte. Twee uur lang legde hij tot in detail uit hoe de nieuwe IT-samenleving ook een verzamelplaats voor 's werelds meest geslepen misdadigers was geworden. Af en toe onderbrak hij zijn lezing om sheets te laten zien op een groot scherm: daarop spraken misdaadcijfers een ondubbelzinnige taal.

Hij vatte samen: 'In een historisch gezien zeer korte tijd heeft de IT in veel opzichten de nationale grenzen uitgewist. Vroeger gaf het posten telefoonmonopolie staten veel controle over wat er gecommuniceerd werd en hoe. Bovendien was er een goed ontwikkeld douanesysteem, en de enige mogelijkheid om criminaliteit over de grens te begaan was fysieke smokkel van mensen en goederen. Maar de deregulering van de afgelopen jaren en de razendsnelle ontwikkeling van de digitale communicatie heeft de macht van de staten drastisch teruggebracht. Zoals u allen weet kan een pedofiel vandaag de dag met één druk op de knop duizenden kinderpornofoto's versturen, en daarbij ook nog volkomen anoniem blijven. Digitale misdadigers – of het nu pedofielen, mensensmokkelaars of drugsdealers zijn – hebben de beschikking over talloze hypermoderne middelen. Omdat er geen georganiseerde, wereldwijd opererende politiemacht is, leven wij in een wereldomvattend, wetteloos land – een digitaal wilde Westen. Terwijl de rechtssystemen van alle landen afzonderlijk machteloos staan tegenover de digitale aanvallen van buitenaf. Met andere woorden: een criminele organisatie is – vooral als ze opereert vanuit een zwakke rechtsstaat en weet hoe men zich achter betrekkelijk eenvoudige technische snufjes kan verstoppen – vrijwel onaantastbaar voor politie en justitie. Er wordt ze geen strobreed in de weg gelegd.'

Hector Venderaz boog opzij naar Jacob. 'Als ik niet beter wist, zou ik zeggen dat die vent uit zijn nek staat te kletsen. Maar sommige van de onderzoeken waar ik de laatste tijd bij betrokken ben geweest, bewijzen helaas dat hij gelijk heeft...'

Karpov, die meeluisterde, knikte. 'Ik ook. En helaas woon ik in een van de landen waar de IT-criminaliteit vrijwel ongebreideld kan woekeren, tot nu toe althans. Ik zou daar graag verandering in helpen te brengen.'

Professor McLean vervolgde met een serie voorbeelden van IT-criminaliteit die een steeds grotere bedreiging voor de wereld vormen. 'Het gaat bijvoorbeeld om verschijnselen als spam, virussen, Trojaanse paarden, phishing, namenapping en van die brieven uit Nigeria. Sommige daarvan kent u vast wel, maar misschien niet allemaal. Ik weet dat er vanmiddag iemand een lezing geeft die iets dieper zal ingaan op de vraag hoe dit puur technisch in zijn werk gaat. Maar het gaat om welbekende verschijnselen als afpersing, bedrijfsspionage, verkoop van privégoederen, illegale drugs en medicijnen. Het gaat om binnendringen in andermans handelsmerken, het bekijken van andermans e-mail en daar belangrijke informatie stelen. Het gaat om vervalsing, misbruik van creditcards, schending van persoonlijke integriteit en diefstal van auteursrechten. Het gaat om particulieren en bedrijven over de hele wereld die miljarden dollars verliezen – iedere dag!'

'Mama mia,' fluisterde Silvio Bondi.

Professor McLean keek op zijn horloge. 'Ik zie dat de tijd vliegt en dat we nog maar een paar minuten hebben. Maar als iemand een vraag heeft, zal ik proberen die te beantwoorden...'

Jacob, die lange tijd zwijgend en diep in gedachten verzonken had zitten luisteren, stak nu snel zijn hand op.

'Jacob Colt, regionale recherche, Zweden. Veel van wat u vertelde wist ik al, maar niet alles. Wat ik me nu afvraag is: welke gevolgen kan deze criminaliteit vanuit mondiaal oogpunt hebben?'

Ian McLean knikte. 'Een zeer terechte vraag, Mr. Colt. Maar ik denk niet dat u blij zult zijn met mijn antwoord. Het is natuurlijk allemaal verschrikkelijk ingewikkeld, maar in het kort zou ik willen stellen dat de belangrijkste groei die de wereld de afgelopen decennia heeft doorgemaakt, tot stand is gekomen dankzij computers, internet en mobiele telefonie. Als het vertrouwen in deze systemen afneemt of zelfs verdwijnt doordat bedrijven hoge beveiligingskosten en een lagere productiviteit krijgen, bijvoorbeeld doordat medewerkers niet meer vanaf andere plaatsen dan veilige kantoren mogen mailen, zal dat leiden tot negatieve groei. En die kan dan weer zelfversterkend werken en zelfs leiden tot een globale depressie die nog veel erger zal zijn dan die in de jaren dertig van de twintigste eeuw. Ik weet dat dat misschien overdreven klinkt, maar volgens mij is dat zonder meer mogelijk. U kunt zich wel voorstellen dat uw werk veel minder effectief zou zijn als u geen gebruik meer zou kunnen maken van mobiele telefoons, computers en internet. In mijn visie gaan we de ergste economische crash van deze tijd tegemoet als we de internetgerelateerde criminaliteit niet onder controle krijgen!'

Een halfuur later verzamelden de vijf politiemensen zich aan een tafel in het restaurant van het conferentieoord.

'Dat was interessant, hè, wat die professor vertelde,' zei Angela. 'Maar toen hij over een aanstaande wereldwijde depressie begon, ging ik toch twijfelen. Zijn de scenario's die zulke onderzoekers schetsen om hun lezing interessant te maken niet wat erg fantasierijk?'

'Dat wéét ik niet...' Jacob haalde zijn schouders op. 'We zien toch wat er aan computercriminaliteit plaatsvindt in de landen waar wij vandaan komen, maar ik vind het moeilijk greep te krijgen op de omvang ervan in de wereld en op de mogelijke gevolgen.'

Bondi sloeg zijn ogen ten hemel. 'Ik ben ervan overtuigd dat die Schot gelijk heeft. Als er maar genoeg schurken ontdekken hoeveel geld er op deze manier te verdienen is en als bedrijven echt bang worden, dan is het angstbeeld dat hij schetste niet eens meer zo ver weg!'

Venderaz knikte. Ik had laatst een onderzoek naar een internetboek-handel die slachtoffer van afpersing was. De boeven blokkeerden de internetwinkel, waardoor die crashte, en de boekhandel moest honderd-duizend dollar betalen om met rust te worden gelaten. We konden ze verdomme met geen mogelijkheid opsporen en het is een kwestie van tijd voordat ze terugkomen en hetzelfde bedrijf meer geld afpersen.'

'Tja, het is niet meer zo makkelijk om aan de goede kant te staan,' zei Vladimir Karpov in een poging de stemming op te klaren. 'Nu moeten we niet alleen op gewone boeven jagen, maar ook nog onzichtbare boeven in cyberspace zien te vinden. Ik kijk uit naar de lezing na de lunch. Het lijkt me boeiend om meer te horen over de technische kant van de zaak.'

9

Londen, Groot-Brittannië
Dinsdag 23 mei 2006

'Welkom allemaal! Mijn naam is Larry Friedman. Ik ben van oorsprong jurist en ik werk sinds vijf jaar op de afdeling Internetgerelateerde Criminaliteit van de FBI in Boston. Ik zal proberen de lezing van professor McLean van vanmorgen aan te vullen met wat meer concrete informatie over hoe de cybercriminelen van tegenwoordig te werk gaan.'

Friedman liep naar een whiteboard. Dat werd door twee camera's gefilmd en het beeld werd geprojecteerd op grote schermen in de zaal. Hij zette een horizontale streep op het witte bord en daarna ging hij verder met kleurenstiften. 'We kunnen de internetgerelateerde criminaliteit grofweg in twee categorieën verdelen. Aan de ene kant hebben we "crackers" – die vaak op één hoop worden gegooid met "hackers" – mensen die om ideologische of prestigeredenen proberen in andermans computer binnen te dringen of virussen verspreiden die grote schade toebrengen. Een voorbeeld daarvan, en ook een voorbeeld van de kwetsbaarheid van onze ogenschijnlijk zo geavanceerde computersystemen, is de Zweedse jongeman die er een paar jaar geleden in slaagde de geheimste computer van het Pentagon te hacken.'

Jacob boog opzij naar Hector Venderaz, porde hem zachtjes met zijn elleboog in de zij en fluisterde: 'Heia Zweden!'

Hij kreeg een grimas als antwoord. Venderaz haalde een pakje kauwgum tevoorschijn, stopte twee kauwgumpjes in zijn mond en hield vervolgens Jacob en de andere politiemensen in zijn buurt het pakje voor.

Larry Friedman ging door. 'Deze crackers – een droevig mengsel van ontspoorde jongeren, grapjassen en psychisch beschadigde maar uitzonderlijk begaafde mensen – werken alleen en hebben niet de ambitie geld te verdienen met hun activiteiten. Ze willen aandacht, in welke vorm dan ook, en bij het zoeken daarnaar veroorzaken ze grote schade en hoge kosten: politieonderzoek, reparaties en nieuwe, betere beveiligingsprogramma's.'

Friedman trok ook een verticale lijn over het whiteboard, ging er midden voor staan en begon rechts van de lijn trefwoorden te schrijven.

'Hier wordt het pas echt serieus. Hier vinden we de criminelen die eropuit zijn om geld te verdienen. Ze komen voor in alle denkbare gedaanten, van kleine zelfstandigen tot gecompliceerde, goed georganiseerde misdaadsyndicaten. Ze hebben gemeen dat ze een onvoorstelbaar grote, virtuele gereedschapskist tot hun beschikking hebben, en het grote voordeel is dat ze hun werkzaamheden overal ter wereld kunnen uitoefenen en dat ze zich op elk deel van de wereld kunnen richten zonder dat ze hoeven te reizen, een paspoort nodig hebben of een fysieke confrontatie met douane of politie riskeren.'

Friedman liep snel weer terug naar het podium, dronk wat water en keek uit over zijn publiek.

Jacobs hersens werkten op volle kracht. Hij voelde intuïtief dat wat McLean en Friedman vertelden van groot belang was, en dat het op de een of andere manier samenhing met de problemen waar ze in Zweden mee geconfronteerd werden. Maar hij begreep niet hoe of waarom, en dat zat hem dwars.

Friedman ging verder. 'Er is een hele lange reeks voorbeelden van computercriminelen die in korte tijd enorme sommen geld verdienen en die een verwaarloosbaar risico lopen om gepakt te worden. Ik zal een paar methoden bespreken, dan nemen we een korte koffiepauze en daarna mag u vragen stellen.'

Hij ging weer voor het whiteboard staan en schreef er een 1 op, gevolgd door het woord 'virus'.

'Een virus maken en verspreiden is waarschijnlijk de gebruikelijkste methode. Sommige virussen kunnen computers helemaal op slot gooien en dan moeten de bedrijven waar die computers staan, betalen om de controle over hun eigen informatie terug te krijgen. Andere virussen, zogeheten 'Trojaanse paarden', worden gebruikt om computers over de hele wereld over te nemen en van afstand te besturen voor eigen doeleinden, bijvoorbeeld om spam te versturen of websites te overbelasten. De mensen van wie deze gekaapte computers zijn, hebben er geen idee van dat dat gebeurd is en voor de politie houdt het spoor bij de onschuldige eigenaars op.

Friedman zei met een scheef glimlachje: 'Boze tongen beweren zelfs dat de eigenaars van computerbeveiligingsbedrijven virussen maken en daar andere bedrijven mee bombarderen om dan later van pas te komen bij hun "redding". En ik durf niet te zweren dat dit leugens zijn. U herinnert zich vast nog wel de krantenartikelen over graffitiverwijderingsbedrijven die graffiteurs hadden aangesteld om muren te beschilderen – en waarom zou je die methode niet virtueel kunnen toepassen?'

Friedman vervolgde: 'Wat betreft die beroemde brieven uit Nigeria...'

Jacob herinnerde zich nog uit de tijd dat hij bij Oplichting werkte – lang voor het computertijdperk – dat gewone, eerbare Zweden werden bedrogen door middel van brieven uit Nigeria.

De inhoud was altijd hetzelfde. Een rijke Afrikaanse politicus was in een ver land overleden en omdat de regering corrupt was had zijn onschuldige en goedbedoelende familie problemen om de erfenis van, zeg, vijfenveertig miljoen dollar het land uit te krijgen. De Zweed hoefde alleen maar zijn bankrekeningnummer op te geven, en als dank voor zijn hulp zou hij twintig procent van het geld krijgen. Jacob had meegemaakt dat argeloze Zweden miljoenen hadden voorgeschoten voor de 'kosten' van de Afrikaanse erfgenamen, in de hoop dat ze uiteindelijk een belastingvrije beloning zouden krijgen van vijftig, zestig miljoen Zweedse kronen. Niet zelden eindigde de geschiedenis met zelfmoord of andere drama's. Degenen die 'alleen' hun spaargeld van een paar honderdduizend kronen kwijt waren, kwamen er nog het beste af. Veel zaken werden uit schaamte nooit bij de politie aangegeven.

Nu luisterde Jacob met een gevoel van berusting naar Friedmans uiteenzetting over de manier waarop de moderne techniek werd gebruikt om de Nigeriabrieven te verfijnen en nog veel uitgebreider over de aardbol te verspreiden, wat de oplichters natuurlijk ook een veelvoud aan winst opleverde.

'Phishing,' vervolgde Friedman, 'is de benaming van een methode om mensen geld uit de zak te kloppen door hen persoonlijke informatie te laten opgeven of door te bedelen om geld voor "goede doelen". De criminelen nemen contact op met mensen, beweren dat die een reis en een geldbedrag hebben gewonnen en dat het geld wordt overgemaakt zodra de betrokkenen hun rekeningnummer en adres hebben gegeven. Of ze vragen om geld ter ondersteuning van de slachtoffers van de aanvallen van 11 september of van natuurrampen. En dat werkt: aardige, ar-

geloze mensen geven geld aan boeven en dat kan er uiteindelijk toe leiden dat hun bankrekening wordt geplunderd. En nu, vrienden, nemen
we een korte koffiepauze. Daarna mag u vragen stellen over andere criminele methoden.'

Jacob, Hector, Vladimir, Silvio en Angela gingen gezamenlijk naar het
buffet waar koffie, koekjes, water en fruit werden geserveerd.

'Interessant,' zei Bondi, 'dat de creativiteit vaak beter ontwikkeld lijkt
te zijn bij criminelen dan bij eerlijke mensen.'

Ze moesten allemaal lachen, maar waren zich er tegelijk van bewust
dat wat ze net gehoord hadden geen reden was tot vrolijkheid.

'Als iets me het gevoel geeft dat ik oud ben, is het internet,' zei Angela van der Wijk. 'Ik heb geen tijd en geen zin om in mijn vrije tijd ook
nog voor de pc te zitten en het weinige dat ik van surfen, websites en
zo weet, leer ik van de kinderen van mijn zus. Die zijn pas tien en twaalf,
maar voor mij lijken het al echte hackers.'

Vladimir Karpov knikte. 'Mijn dochter Katja is ook pas tien, maar ze
weet al veel beter de weg op het net dan ik. Ik ben bang dat wij van onze generatie te oud en te moe, te conservatief en misschien ook, ja, te
bang zijn om nog belangstelling op te brengen voor die hele wereld van
computers en internet. Jammer genoeg geldt dat kennelijk niet voor
misdadigers van onze leeftijd. Die lijken veel, laat ik zeggen "beter ge-
motiveerd" te zijn...'

De politiemensen pakten water, fruit en koffie en gingen toen terug
naar hun plaatsen, terwijl Larry Friedman zijn whiteboard schoon-
maakte.

Toen iedereen weer zat, vervolgde hij zijn verhaal. 'Ik had het over virussen, brieven uit Nigeria en phishing als voorbeelden van computercriminaliteit. Nu ben ik benieuwd naar wat u ervan weet. Kan iemand
nog andere voorbeelden geven?'

Hector Venderaz stak zijn vinger op, Friedman knikte en wees naar
hem. 'Hi Larry, wij zijn collega's. Ik zit bij Internetgerelateerde Criminaliteit van de FBI in Miami. Ik wil in dit verband afpersing noemen:
een aloude klassieker die dankzij de computer opnieuw tot bloei is gekomen.'

'Een goed voorbeeld!' zei Friedman met een lachje. 'Criminelen gebruiken in dat geval het net om de websites van bedrijven te overbelasten, zodat die hun webwinkels moeten sluiten en miljoenenverliezen lij-

den. Ze infecteren de computers van die bedrijven met een virus en dringen op allerlei manieren binnen in het systeem. De bedrijven moeten enorme bedragen betalen om niet gesaboteerd te worden en met rust te worden gelaten, net zoals de winkels in de tijd van Al Capone in Chicago destijds moesten betalen voor "bescherming" door de maffia. Het verschil is dat de criminelen het heden ten dage doen met een paar simpele drukken op de knop!'

Jammer, dacht Jacob, dat wij de misdaad niet net zo eenvoudig met een paar drukken op de knop kunnen bestrijden. Maar zo is het waarschijnlijk altijd al geweest: bij de politie loop je altijd een stap achter.

Friedman vervolgde: 'Nog iemand die andere voorbeelden van computercriminaliteit kan geven?'

Er ging een arm omhoog. 'Victor Hera, Fraudezaken, Madrid. Wij hebben heel wat aangiftes gehad wegens namenapping...'

'Ook een goed voorbeeld.' Friedman knikte. 'Namenapping is een vorm van afpersing die in het grijze gebied ligt. Het is geen pure criminaliteit, maar eerder een vorm van immoreel zakendoen. Er worden domeinen met bekende bedrijfsnamen geregistreerd voordat die bedrijven dat zelf kunnen doen of er zelfs maar aan gedacht hebben. Daarna zorgt men ervoor dat deze domeinen worden gevuld met porno of sturen ze mail door naar de concurrenten van het bedrijf. Wanneer bedrijven op een gegeven moment ontdekken hoeveel schade ze lijden, is de "oplossing" voor het probleem dat ze hun eigen domeinnaam voor een absurd hoog bedrag mogen kopen.'

Friedman had het whiteboard vol gezet met cirkels in diverse kleuren. In de cirkels had hij geschreven 'virus', 'Nigeriabrieven', 'phishing', 'afpersing' en 'namenapping'. Hij liep weer naar het bord, pakte een viltstift, tekende nog een cirkel en schreef daarin 'bedrijfsspionage'.

'De klassieke bedrijfsspionage is dankzij de moderne techniek veel gemakkelijker geworden. De spionnen hoeven niet meer fysiek bij bedrijven in te breken om toegang tot vertrouwelijke informatie te krijgen, maar stelen die gewoon uit de computer. Veel bedrijven zijn naïef als het gaat om computerbeveiliging. Ze versturen belangrijke offertes per e-mail, de spionnen pikken die offertes op en verkopen ze gauw aan de concurrentie, die meteen "volgens de regels" met een lager bod kan komen. De spionnen kunnen ook binnendringen in de computers van een bedrijf en een hoop gevoelige informatie vinden die ze kunnen gebruiken voor afpersing of om door te verkopen aan de concurrentie.'

Friedman bleef cirkels trekken op het bord: 'binnendringen in handelsmerken', 'illegale verkoop van drugs en medicijnen', 'vervalsing', 'bedrog met creditcards', 'bankrekening leeghalen'.

'Helaas,' zei hij, 'is er geen whiteboard waarop alle misdrijven passen die met behulp van computers kunnen worden gepleegd. Zoals u ziet is het een mooie mix van vrij klassieke misdrijven en ook heel wat volledig nieuwe. Maar zoals professor McLean eerder al zei, is het meest beangstigende dat we ons niet meer met de traditionele landsgrenzen, douanes en politieorganisaties kunnen beschermen. De globalisering waarvan veel mensen de mond vol hebben, heeft ook een bijna grenzeloze markt voor criminaliteit op hoog, internationaal niveau mogelijk gemaakt. En als afzonderlijke politiediensten zijn we tamelijk machteloos, al streven we natuurlijk altijd naar goede samenwerking. Ik hoop dat Interpol en Europol nu snel één overkoepelende, krachtige eenheid in het leven roepen die ruime middelen krijgt om de internetgerelateerde criminaliteit tegen te gaan voordat het te laat is. Als het dat niet al is.'

Friedman wierp een blik op zijn horloge.

'Ik denk dat dit genoeg is voor vandaag en ik hoop niet dat ik u de eetlust heb ontnomen. Maar ik weet ook dat u allemaal van de politie bent en dat u heus niet naar Londen bent gekomen om naar goed nieuws te luisteren. Ik kan u alleen maar aanraden om elke kans op bijscholing in IT aan te grijpen en ik hoop dat u beseft dat een steeds groter percentage van de criminaliteit in uw land wordt uitgevoerd door mensen achter beeldschermen. Daarom is het ook belangrijker dan ooit om te proberen een netwerk te vormen met collega's, zowel in binnen- als buitenland. Dank u voor uw aandacht. Ik wens u nog een fijn verblijf in Londen en een veilige reis naar huis. Ik laat hier op het podium een stapel visitekaartjes liggen voor het geval u later contact met mij op wilt nemen. Ik zal ook graag antwoord geven op vragen via e-mail en ik geef met alle plezier advies over het opzetten van lokale politienetwerken tegen computercriminaliteit. '

Een uur later troffen Jacob, Vladimir, Angela, Hector en Silvio elkaar in de hotelbar voor een aperitief. Daarna aten ze met zijn vijven een voortreffelijk diner in een Italiaans restaurant dat Silvio had uitgezocht.

Jacob nam een slokje van de Chianti die ze daarbij dronken. 'Tja, vrienden. Nu hebben we nog één dag om te doen wat we willen. Wat zijn jullie plannen?'

'Ik weet niet of ik al verteld heb dat ik de zwarte band heb in shoppen?' vroeg Angela lachend. 'Maar ik ben van plan morgen als eerste voor de deur te staan bij de Tate Gallery. Daarna wil ik alle winkels in Oxford Street afwerken en ten slotte doe ik nog een rondje Harrods!'

'Vrouwen,' zei Silvio Bondi, 'zijn ook overal hetzelfde. Ik vind het leuk om een oude vriend op te zoeken die twintig jaar geleden uit Italië is vertrokken. Hij is hiernaartoe verhuisd en heeft carrière gemaakt in de financiële wereld. Maar voor morgenavond heb ik geen plannen. Hebben jullie zin om nog een keer samen te eten voordat we uit elkaar gaan?'

'Dat komt mij heel goed uit.' Hector knikte. 'Ik heb geen speciale plannen voor morgen. Ik wilde wat rondslenteren. Wat ga jij doen, Vladimir?'

De Rus haalde zijn schouders op. 'Ik heb ongeveer net zoveel gepland als jij. Als jij gaat wandelen, wil ik graag met je meegaan als dat mag.'

'Met alle plezier, kerel. En jij, Jacob?'

Jacob hief zijn glas. 'Ik sluit me aan bij de wandelclub van de nietplanners. Maar zullen we voor de zekerheid afspreken dat we elkaar om een uur of zeven morgenavond in de bar van het hotel zien? Dan nemen we een drankje en eten gezellig samen een hapje. En om een beetje te jennen: ik vind dat Hector aan de beurt is om een restaurant te kiezen. En, Hector, het mag géén McDonald's zijn!'

Iedereen lachte. Hector stak zijn duim omhoog: 'Ik zal iets goeds uitzoeken.'

De volgende avond troffen de vijf collega's elkaar weer in de bar van het hotel en bespraken ze hun belevenissen van die dag bij een drankje. Jacob keek tersluiks naar Angela van der Wijk. Hij vond haar al vanaf het begin aantrekkelijk, maar vanavond was ze mooier dan ooit. Haar donkere, glanzende haar golfde over haar schouders en vormde een opvallend contrast met de mooie, nauwsluitende, wijnrode zijden jurk die ze aanhad.

'En, Angela,' zei Jacob, 'hoeveel zakken heb je vandaag bij elkaar geshopt?'

'Meer dan ik in mijn koffer kan krijgen in elk geval. En de inhoud van een ervan heb ik vandaag aan, als de heren dat nog niet gemerkt hadden.'

Silvio Bondi maakte een buiging in haar richting. 'Signorina, door uw schoonheid vallen uw kleren niet op, hoe mooi ze ook zijn!'

'Proost, vrienden, op een paar gezellige dagen,' zei Hector. 'Jammer dat we morgen naar huis gaan. Ik had hier nog wel een paar vrije dagen met jullie willen doorbrengen. Maar hopelijk doet die kans zich gauw weer ergens anders voor.'

Vladimir Karpov hief zijn glas. 'Ik kan alleen maar instemmen met mijn Amerikaanse collega. Voor mij was het de eerste keer in Londen en ik hoop hier vaker te komen. Maar nu hoop ik nog meer dat wij elkaar weer zullen ontmoeten. Het was erg plezierig!'

'Ik sluit me daarbij aan, Vladimir.' Angela knikte. 'Het zou leuk zijn om elkaar de volgende keer bij jou te zien! Ik ben nog nooit in Rusland geweest!'

Jacob richtte zich tot Hector Venderaz. 'En, Hector, wat wordt het vanavond met het eten?'

Venderaz grijnsde. 'Geloof het of niet, jongens, maar met hulp van de portier heb ik een All American Bar met een goede reputatie gevonden, op taxiafstand. Jullie kunnen daar kiezen uit heerlijke Texas-steaks, spareribs, cajunspecialiteiten uit New Orleans en wat dies meer zij. Ik denk niet dat het jullie zal teleurstellen!'

Silvio Bondi wilde juist een uiteenzetting beginnen over de Amerikaanse keuken vergeleken met de Italiaanse, toen hij werd onderbroken door beltonen van de mobiele telefoon van Vladimir Karpov. Karpov keek verontschuldigend, pakte zijn telefoon en bekeek het nummer.

'Die moet ik helaas wel aannemen, het is van mijn werk.' Hij drukte op de antwoordknop en zei kortaf: 'Da...?'

De anderen nipten aan hun drankjes en fluisterden onderling, terwijl ze naar Vladimir Karpov keken, die luisterde en snel praatte in het Russisch, steeds geagiteerder. Ze zagen de kleur uit zijn gezicht wegtrekken. Toen liet hij de hand met de telefoon op zijn schoot vallen en staarde voor zich uit.

Jacob draaide zich naar hem toe en keek hem aan. 'Vladimir! Vladimir, wat is er?'

Karpov gaf geen antwoord. Hector, Angela en Silvio keken naar zijn geschokte gezicht. Hector pakte Karpov bij zijn schouder en schudde hem zachtjes door elkaar terwijl Jacob zijn vraag herhaalde. 'Vladimir, wat is er?'

Karpov stond langzaam op uit zijn stoel en zijn mobiele telefoon viel met een klap op de plavuizen. Hij stond op, staarde leeg voor zich uit en leek te waggelen alsof hij zwaar beschonken was. Zijn Engels leek ineens een stuk slechter dan voorheen toen hij uitbracht: 'Mijn kleine Katja, mijn geliefde Lydia, een autobom... Ze hebben mijn gezin vermoord!'

Karpov viel achterover, belandde half liggend op de stoel en sloeg zijn handen voor zijn ogen, terwijl hij onsamenhangend vertelde: 'De maffia, een bom, ze moesten mij hebben... Lydia en Katja gingen naar een speelgoedwinkel om een cadeautje voor Katja te kopen... meteen dood... niets meer van over...'

De rest van de avond verliep chaotisch. Terwijl Angela en Silvio Vladimir naar zijn kamer hielpen en een dokter lieten komen die hem onderzocht en hem een kalmerend middel gaf, belden Jacob en Hector in een kamer die ze van het hotel mochten gebruiken met Vladimirs collega's in St. Petersburg om het hele verhaal te horen.

Vladimir Karpov werkte al jaren tegen de georganiseerde misdaad in St. Petersburg, met steeds meer succes, en daarmee had hij veel vijanden gemaakt. Toen zijn vrouw Lydia met hun tienjarige dochtertje Katja de stad in wilde gaan om speelgoed te kopen, gebeurde wat Karpov in stilte allang had gevreesd voor zichzelf en zijn gezin. Toen Lydia het contactsleuteltje omdraaide, explodeerde hun kleine Lada. Door de geweldige explosie waren Lydia en Katja op slag dood. De politie van St. Petersburg had geen directe sporen van de daders omdat alles om de plaats delict heen letterlijk in rook was opgegaan, maar had alle denkbare mankracht en middelen ingezet in de jacht op de schuldigen en wilde de onderste criminele steen boven halen om hen te arresteren.

Jacob legde op en keek Hector aan, die met lege ogen voorover leunde.

'Hector?'

'Jacob, doe me een plezier. Vergeet al mijn communistengrappen. Vladimir is een van de meest integere politiemensen die ik in jaren heb ontmoet en wat hem nu overkomt is zo verdomd weerzinwekkend dat ik er geen woorden voor heb. Ik wou dat we met hem mee konden naar

St. Petersburg om hem bij te staan en hem te helpen met de jacht op de daders. Maar dat zal wel niet kunnen?'

Jacob schudde zijn hoofd.

'Nee, Hector, ik denk niet dat dat kan. Ik moet dezelfde kant op. Ik zal nagaan of ik met hem naar Rusland kan vliegen en hem bij zijn collega's kan brengen voordat ik doorreis naar huis. Maar wat de jacht op de daders betreft, vrees ik dat we ons niet in hun zaken moeten mengen. Laten we hem zoveel mogelijk proberen te helpen als vrienden!'

De stemming was bedrukt toen de collega's de volgende dag afscheid van elkaar namen. Jacob had na een paar telefoontjes met vliegtuigmaatschappijen, de recherche in Stockholm en de politie van St. Petersburg zijn vlucht kunnen omboeken. Hij zou met Vladimir naar St. Petersburg vliegen, waar diens collega's hem op het vliegveld zouden opwachten. Daarna zou Jacob het eerstvolgende SAS-vliegtuig naar Stockholm nemen.

Nadat hij een paar uur had geslapen, belde hij Melissa en vertelde wat er gebeurd was.

'O god! Jacob, in wat voor wereld leven we? Ik begrijp dat je met hem mee moet naar St. Petersburg, schat, maar beloof me dat je daarna direct naar huis komt, beloof me dat je echt komt!'

Jacob slikte een paar keer. 'Ik beloof het, schat. Ik stuur je een sms'je als ik weet hoe laat mijn vliegtuig precies uit St. Petersburg vertrekt, dan kun je me ophalen op Arlanda. Ik wil graag dat je komt...'

Melissa viel ongemerkt terug op haar moedertaal, zoals vaak in moeilijke situaties: *'I'll be there, honey, I'll be there. Have a safe trip, I love you!'*

'Ik hou ook van jou,' zei Jacob en hij hing op.

Hij pakte zijn laatste spullen, deed zijn koffer dicht en bereidde zich voor op de zwaarste reis van zijn leven.

De volgende maanden werden moeilijk voor de vijf collega's die het samen zo goed konden vinden in Londen – voor iedereen op een andere manier.

Voor Angela van der Wijk was Vladimirs lot een tragische herinnering aan wat haar zelf twee jaar geleden was overkomen, toen ze haar man en hun tweeling had verloren bij een verkeersongeluk, aangereden door een dronken automobilist. Avonden en nachten lang gaf ze toe aan het verdriet dat weer opengereten was, vermande zich om overdag buitengewoon professioneel te zijn en hield contact met Vladimir om hem te steunen, en met de andere vrienden van de conferentie.

Silvio Bondi, die ernstige huwelijksproblemen had en vlak voor de conferentie in Londen op het punt stond te gaan scheiden, herzag zijn mening over het – getrouwde – leven en ging aan het werk om zijn huwelijk te redden. Via de e-mail opende hij zijn hart voor zijn collega's uit Londen en hij kreeg krachtige steun terug. Hij voelde dat dit zijn zintuigen in zijn werk aanscherpte, alsof de woede over wat Vladimir was overkomen hem extra energie gaf.

Hector Venderaz, de harde einzelgänger, ontdekte tot zijn verbazing hoe ongekend diep hij geraakt werd door het lot van zijn pas verworven Russische vriend. Venderaz voelde zich machteloos, maar deed wat hij kon om Vladimir per e-mail te steunen, en daarbij gaf hij meer van zijn gevoelens bloot dan hij ooit voor iemand anders had gedaan.

Jacob Colt hield nauw contact met Karpov, de eerste weken nadat hij hem bij zijn Russische collega's had afgeleverd op het vliegveld van St. Petersburg. Vladimir had ziekteverlof – te kort, vond Jacob – om de praktische zaken te regelen na de moord op zijn vrouw en dochter. Het speet Jacob heel erg dat hij niet bij de begrafenis kon zijn, maar dat leverde te veel praktische en formele problemen op.

'Het lijkt wel,' zei Jacob op een avond tegen Melissa toen ze koffie zaten te drinken, 'of Vladimir in één klap een heel ander mens is geworden. Hij is nog net zo vriendelijk en aardig tegen me als altijd, maar ik hoor nu verbittering en haat in zijn stem.'

Melissa had tranen in haar ogen toen ze antwoordde: 'Vind je dat gek?'

Vladimir Karpov bracht twee maanden door met huilen, schreeuwen, verdrietig zijn, haten, zuipen, instorten en weer opkrabbelen. Het moeilijkste moment van zijn leven was toen hij bij de begrafenis de kist kuste waarin zijn vrouw en zijn dochtertje rustten.

Daarna verzamelde hij zijn naaste manschappen en begon een nieuwe strategie te plannen voor de bestrijding van de georganiseerde misdaad in St. Petersburg.

Binnenkort zouden de maffiabazen, de grote en de kleine, merken dat er een andere wind waaide...

10

Hier kon hij met zijn verstand niet bij. Toen hij moest betalen voor het rode worstje dat met brood, mosterd en ketchup op een papieren bordje werd geserveerd, haalde hij automatisch zijn eurobiljetten tevoorschijn. Maar toen de ronde Deen lachend zijn hoofd schudde, wist hij het weer en wroette in zijn zak tot hij de andere briefjes vond.

Deense kronen.

Giuseppe Degente begreep niet waarom een land dat bij de Europese Unie hoorde de euro niet als valuta wilde hebben. In zijn ogen ging het bij die samenwerking nou juist om de euro en hielden alleen gekken uit sentimentele overwegingen vast aan hun eigen munteenheid.

Hij had genoeg tijd in Brussel doorgebracht om te weten dat de macht van de EU groot was. Het geduld met dispensaties werd minder en in de nabije toekomst zouden landen die hun eigen weg gingen op de knieën worden gedwongen. Allemaal in hetzelfde gareel. Dat kon niet anders.

Nu er steeds meer Oost-Europese landen mochten toetreden tot de EU, zou er een imperium ontstaan dat Hitler of Mussolini zich niet had kunnen voorstellen, en helderzienden uit deze tijd trouwens ook niet. Degente schatte in dat Europa binnen tien, vijftien jaar zo veel macht zou hebben dat het de Verenigde Staten en zelfs China serieus in de problemen zou kunnen brengen als die landen niet op redelijke voorwaarden wilden samenwerken. En Giuseppe Degente had zeer gedecideerde plannen om zelf in die komende EU wereldmacht een factor van belang te worden.

Hij nam een paar hapjes van de worst en keek om zich heen. Hij had altijd al gehouden van vliegvelden, havens en stations. Hij hield ervan om naar mensen te kijken, te fantaseren waar ze naartoe gingen of vandaan kwamen, en waarom. Plaatsen die gonsden van het leven bezorgden hem spanning en inspiratie. Het centraal station van Kopenhagen was zo'n plaats.

Hij had de trein van Berlijn naar Hamburg genomen, was daar een nacht gebleven en was toen op de trein naar Kopenhagen gestapt. Hij had alles behalve het hoogst noodzakelijke in het hotel in Hamburg achtergelaten en was van plan daar op de terugweg nog een nacht te blijven om het te vieren. De meisjes in Hamburg waren mooi en de gedachte aan wat ze samen konden doen wond hem op.

In de aankomsthal van het station kwam hij langs een spiegel en hij kon het niet laten om even naar zichzelf te kijken. Zo zag je Giuseppe Degente normaliter niet. Gewoonlijk droeg hij onberispelijke kostuums van klassieke Italiaanse snit, op maat gemaakte witte overhemden en welhaast conservatieve maar unieke zijden designstropdassen. Nu had hij een piqué shirt aan, een vlotte spijkerbroek, bootschoenen en een leren jack. Hij had geen tas bij zich. Alles wat hij nodig had, zat in de zakken van zijn jack en zijn jeans. En wat hij niet had, zou hij iemand hem gauw bezorgen.

Hij keek op zijn horloge. Nog een uur totdat hij de auto moest halen en moest gaan rijden. Tijd genoeg om in een café te gaan zitten, een paar koppen koffie te nemen en zich te concentreren. Hij haalde de kaart van Kopenhagen uit zijn zak, vouwde hem open en bestudeerde hem zorgvuldig. Zijn gps kon hem nu niet schelen. Die werd later belangrijk. Op dit moment kon hij heel goed uit de voeten met de kaart.

Hij ging het station uit en wandelde langs Tivoli, ging het winkel- en voetgangersgebied Strøget in, en verbaasde zich er enigszins over hoeveel mensen er zo in de loop van de middag vrij leken te hebben. Hij deed er tien minuten over om op Kongens Nytorv te komen, het plein aan het eind van Strøget. Hij vond een café, bestelde koffie en verzonk in gedachten. Straks zou hij een van de belangrijkste opdrachten van zijn leven uitvoeren, zoiets had hij nog nooit gedaan.

Het was heel belangrijk dat hij niets verkeerd deed.

Toen hij Claudia een paar dagen eerder gedag had gezegd en op haar wang had gezoend, had hij zich verdrietig en weemoedig gevoeld, ook al was alles heel goed doordacht.

Ze hadden tien jaar samengeleefd en ooit was hij er volkomen van overtuigd geweest dat hij de rest van zijn leven met deze vrouw zou delen. Maar nu niet meer. Hij had gedacht dat ze begreep hoe belangrijk zijn werk was en wat voor schitterende toekomst hem wachtte. Hij had gedacht dat ze trouw aan zijn zijde zou staan en hem zou steunen totdat hij premier was. Maar nee, ze was begonnen te zeuren dat ze kinderen wilde, dat ze allebei minder lange dagen moesten maken en dat ze meer tijd voor elkaar, voor het huis en voor de toekomstige kinderen moesten hebben. Misschien moesten ze een hond of een kat nemen? Of allebei? En een zomerhuis aan het Gardameer zou ook wel leuk zijn. Daar konden ze dan 's zomers zijn als het eerste kind er was. Verder wilde ze vaker seks hebben, want dan had ze meer kans om in verwachting te raken.

Ze was niet goed snik.

Giuseppe was veertig, hij was bezig met een schitterende carrière en hij had tot nu toe niet één serieuze misstap begaan. Alles wees erop dat hij binnen enkele jaren partijleider zou worden. Daarna zou hij het, als de politiek in Italië zich naar verwachting zou ontwikkelen, soepeltjes tot premier brengen. En in die situatie wilde Claudia kinderen en een zomerhuis!

Hij had herhaaldelijk geprobeerd haar op andere gedachten te brengen, haar te laten beseffen hoe belangrijk het was dat hij het in Italië voor het zeggen zou krijgen, welke enorme machtsfactor hij kon worden, samen met haar vader en diens industriële contacten in heel Europa. Maar ofwel ze begreep het niet – wat hij betwijfelde, want ze was bepaald niet dom – ofwel het interesseerde haar niet.

Claudia's biologische klok maakte dat hij niet meer op haar kon rekenen, en dat was nu een groot probleem.

Tien jaar geleden was hij razend verliefd op haar geweest. Vijf jaar geleden hield hij nog altijd van haar, maar dacht hij daar niet zo vaak aan. Een jaar of twee geleden was hij tot het besef gekomen dat hij waarschijnlijk niet meer van haar hield, maar dat hij heel goed met haar verder kon leven. Hij was erg ambitieus en zij was representatief, wist zich te gedragen en verschafte hem bovendien toegang tot Alessandro Armando. Die had hij hard nodig. De conclusie was dat hij met haar verder zou leven in een soort vriendschappelijke relatie.

Hij had haar nooit verteld wat hij in bed werkelijk wilde, maar had zich ingehouden als ze seks hadden. Ze was goed in bed, echt goed. Maar ze had er natuurlijk geen idee van dat dat voor hem niet voldoende was. Als ze vrijden, deed hij zijn ogen dicht en fantaseerde over het enige waar hij echt heet van werd om klaar te kunnen komen. Dat ging goed. Ze merkte niets.

Naarmate hij hoger opklom in de partij dacht hij meer na over zijn relatie met Claudia. Thuis gedroeg ze zich net als altijd, ze nam hem in beslag zodra hij thuiskwam, zanikte over bij elkaar zijn en vooral dat ze met hem naar bed wilde. Maar hij wist wat ze wilde en zei steeds vaker dat hij moe was. De paar keer dat hij er niet onderuit kwam, slaagde hij erin buiten haar klaar te komen. Het laatste wat hij wilde was dat ze nu zwanger zou worden. Dat zou alles bederven. Natuurlijk hadden ze in therapie kunnen gaan, maar Claudia kennende zou ze daar geen genoegen mee nemen. En als ze zich ongelukkig bleef voelen, zou hij Alessandro tegen zich krijgen in plaats van voor zich. Dat mocht niet.

Maar iets had zijn wantrouwen gewekt, hem het idee gegeven dat Claudia misschien geen genoegen nam met haar rol als verwaarloosde vrouw van een carrièremakende man. Wantrouwen, meer niet. Maar dat was voldoende.

Via contacten bij de politie had hij vernomen wie de beste, betrouwbaarste privédetectives van Rome waren en hij had een van hen de opdracht gegeven om wanneer hij weg was – en dat was vaak – in het diepste geheim een oogje op zijn mooie vrouw te houden.

De detective, die een flat bijna pal tegenover die van Giuseppe en Claudia wist te huren, kon de eerste weken niet veel meer melden dan dat hij Claudia door zijn verrekijker vrijwel iedere avond voor de pc zag zitten. Overdag ging ze zoals altijd naar haar werk, bleef daar negen à tien uur en ging dan weer naar huis. Dat met die pc verbaasde Giuseppe.

Claudia had vroeger in haar vrije tijd nooit enige belangstelling voor de computer gehad, integendeel. Ze zat op haar werk meer dan genoeg achter de computer, zei ze.

Toen had de detective een uiterst sterk teleobjectief op zijn digitale camera gemonteerd. Daarmee kon hij in grote trekken zien welke sites Claudia bezocht, ook al was dat niet zo nauwkeurig dat hij exact kon lezen wat ze schreef of wat er in de berichten stond die ze kreeg.

Claudia's eerste ontmoeting met een andere man was daarentegen des te beter vastgelegd, op foto's en in tijd. De detective was haar met zijn digitale camera discreet gevolgd en had Giuseppe foto's overhandigd die lieten zien dat het tweetal dineerde en daarna een hotel binnenging. In het schriftelijke rapport dat de detective Giuseppe stuurde, stonden de droge feiten: de man was Paolo Corbani, een veertigjarige onderzoeker van het wetenschapsinstituut van de Universiteit van Rome.

Giuseppes Italiaanse ziel en trots waren gekwetst. Zijn vrouw in de armen van een andere man, en dan nog wel zo'n vuile academicus uit Rome! Toch besloot hij na rijp beraad niets te zeggen en de kwestie te laten passeren. Er stond te veel op het spel, hij kon zich geen scène over één keertje vreemdgaan veroorloven.

Hij had de detective opgedragen Claudia net zo nauwgezet te blijven bewaken als voorheen. Ruim drie maanden later had de detective meer dan dertigduizend euro gekost, en Giuseppe stelde bedroefd vast dat het geld goed besteed was.

In zijn eindrapport, waar een flink aantal compromitterende foto's bij waren gevoegd, trok de detective de conclusie dat de man die Claudia nu had ontmoet Luigi Castelli was: negenendertig jaar, werkloos musicus en door velen beschouwd als een waardeloze leegloper.

Nu eens huilde Giuseppe van verdriet, dan weer werd hij ziedend als hij naar de foto's keek waarop zijn vrouw onder een lantaarnpaal stond te zoenen met die langharige nietsnut, zijn handen op haar lichaam. Ze had hem niet alleen meerdere keren bedrogen, met verschillende mannen, en daarmee zijn trots gekrenkt. Ze had ook nog een bijzonder slechte smaak aan de dag gelegd. Een hoer zonder smaak. Dat was te veel voor Giuseppe.

Het had hem maanden gekost om een oplossing voor het probleem te bedenken. Daarna duurde het nog een paar maanden om uit te vinden hoe het puur praktisch moest worden geregeld. Hij had het probleem om begrijpelijke redenen niet willen bespreken met de detective, zijn contacten bij de politie of een van zijn vrienden. In dit geval kon hij alleen maar op zichzelf vertrouwen.

Het mailtje kwam op een heel gewone dinsdag toen hij zijn pc aanzette en Outlook opende. Te midden van de stroom spam voor potentieverhogende middelen, niet van echt te onderscheiden Rolexen, valse doctorstitels en dergelijke zag hij de woorden in de onderwerpregel voorbijkomen.

Zoekt u een definitieve oplossing voor uw probleem?

De vrees dat hij een virus in zijn computer haalde had hem er een hele tijd van weerhouden het mailtje aan te klikken en te openen. Maar ten slotte won zijn nieuwsgierigheid het. Hij las het mailtje, klikte op de link die erin stond en kwam op de website die zijn leven zou veranderen.

Eigenlijk was het onbegrijpelijk. Over een paar dagen zou hij een rijk man zijn en niets zou hem meer hinderen op zijn pad naar nog meer macht en succes. Hij keek op zijn horloge, stond op en ging de straat op.

Dat was precies volgens de instructies in de e-mail die hij had gekregen. Op de Store Kongensgade, niet ver van Kongens Nytorv, stond de witte Opel Vectra geparkeerd. Hij had al een parkeerbon, maar dat maakte niet uit.

Giuseppe trok zijn dunne, leren handschoenen aan, pakte de parkeerbon, stapte in de auto en deed het portier dicht. Hij haalde zijn navigatiesysteem uit zijn zak, voerde de nodige gegevens in, spuugde op het zuignapje en bevestigde dat op zijn dashboard.

Giuseppe startte de motor en draaide weg van de stoeprand. Het verkeer was nog steeds vrij rustig en het kostte niet meer dan twintig minuten om de brug te bereiken. Terwijl hij zijn Opel over de Öresundbrug stuurde, bewonderde hij niet alleen het uitzicht op de Sont, maar ook de imposante constructie van de brug. Toch vroeg hij zich onwillekeurig ook af of het nut van de brug wel in verhouding stond tot wat hij gekost had. Hoe EU-vriendelijk hij ook was, Giuseppe begreep niet helemaal wat de lol ervan was om ten koste van alles een verbinding te willen hebben tussen het continent en dat shitlandje daar in het noorden.

Toen hij Svågertorp aan de Zweedse kant passeerde was het op zijn horloge halfzes. Hij had alle tijd. Volgens zijn informatie kwam de man nooit voor zeven uur uit zijn werk.

Even later parkeerde hij zijn Opel op een bedrijventerrein aan de kant van de weg. Hij keek naar de overkant en stelde vast dat hij goed zicht had op de hele gevel van het pand met het opschrift EK & MELANDER AB. De enige ingang, afgezien van de goedereningang aan de achterkant, zat ongeveer in het midden. Schuin daartegenover, aan dezelfde kant als waar Giuseppe geparkeerd stond, zag hij een donkerblauwe Audi geparkeerd staan. Het kenteken klopte met zijn informatie.

En dan nu maar wachten.

11

Het sneeuwde hevig. De thermometer gaf ruim veertig graden onder nul aan toen Marina Petrova op die woensdagnacht in december in de verloskamer van het ziekenhuis van Ussuriysk schreeuwend een jongetje uit haar lichaam perste.

Ruslan Petrov liep op de gang nerveus te ijsberen. Toen de verpleegster eindelijk naar buiten kwam en het knaapje, in een warme deken gewikkeld, in zijn armen legde, was Ruslan trots, gelukkig en bezorgd tegelijk. Hij keek neer op het huilende kind, zijn zesde. 'Sergej,' fluisterde hij. 'Sergej zul je heten, en ik voel dat je iets groots zult verrichten.'

Ruslan Petrov ging terug naar zijn dorp om zijn werk in de kolchoz te doen, terwijl Marina en het jongetje nog een paar dagen in het ziekenhuis bleven. Toen hij terugkwam om hen te halen, sneeuwde het net zo hevig als in de nacht waarin Sergej was geboren en Ruslan vroeg zich af of dat soms een teken was. Zodra hij in het dorp terugkwam, in zijn kolchoz en in het kleine, kille huisje waar zijn andere vijf kinderen op hem wachtten, won zijn bezorgdheid het van zijn trots en blijdschap. Hij had al moeite zijn gezin te onderhouden. De kolchoz was geen schaduw meer van wat hij vroeger was, en Ruslan was langzaam maar zeker tot het sombere inzicht gekomen dat de sovjetstaat schudde op zijn grondvesten.

Wat moest er van hem worden, van zijn gezin, van de landbouw? Welke ideeën zouden de nieuwe machthebbers aanhangen? Welke alleenheersers zouden ten koste van anderen naar voren weten te dringen?

Precies achttien jaar later leunde Sergej met zijn hoofd tegen het koude treinvenster en probeerde zich dingen te herinneren. Hij probeerde zich de boerderij te herinneren, de andere arbeiderskinderen, de spelletjes, de dieren, de zomergeuren en de stank van de armoede.

Het lukte niet erg. De afgelopen vijf jaar had hij bij familie in Vladivostok gewoond. De kans om naar Ussuriysk en zijn eigen dorp te gaan deed zich steeds minder vaak voor. En nu – Moskou. Hoe het precies gegaan was, begreep hij nog steeds niet, maar kennelijk was zijn vader er op de een of andere onbegrijpelijke manier in geslaagd een beetje geld te sparen en van verre familie in Moskou de toezegging te krijgen dat Sergej bij hen mocht wonen.

Een paar jaar geleden had Sergej voor het eerst, op school, kennisgemaakt met een computer. Het was een aftands, lelijk en allesbehalve modern ding, maar Sergej was er vanaf het begin volkomen door gefascineerd en had sindsdien ieder vrij uur aan de computer gewijd, terwijl zijn vriendjes andere dingen deden. Hij begreep algauw welk voordeel hij bij zijn studie van de computer kon hebben, en kreeg snel een voorsprong.

In de loop der tijd had de school wat modernere computers gekregen, en op een gegeven ogenblik kwam ook de koppeling aan internet. Sergej verdween helemaal in een andere wereld. Hij deed extra avondcursussen Engels, onder meer om internet en de computerprogramma's beter te begrijpen. Hij las alles wat hij over computers te pakken kon krijgen. Via internet legde hij vanuit Vladivostok contact met Hongkong, Los Angeles, Tokio, Berlijn en natuurlijk Moskou.

De reis met de Transsiberische spoorlijn van Vladivostok naar Moskou duurde bijna acht dagen. Sergej overleefde op brood, fruit en water, vastbesloten de weinige centen die hij had te bewaren. Hij had tijd om alle stukgelezen en beduimelde computerlectuur die hij had nogmaals te lezen, ook al kende hij het meeste nu wel uit zijn hoofd. De droom van een geheel eigen computer zat nog steeds diep in zijn hoofd.

Al toen hij op station Jaroslavski uitstapte, voelde Sergej dat hij Moskou geen fijne stad vond. Zijn familie stond hem bij de trein op te wachten. Hij had hen nog nooit gezien, zelfs niet op een foto; hij kende hen alleen uit het weinige wat zijn vader en moeder over hen gezegd hadden. Hun welkom was tamelijk koel en hij had sterk het gevoel dat ze hem niet mochten.

De eerste tijd op de universiteit leek nog het meest op een nachtmerrie. Zijn Aziatische trekken bezorgden hem schimpscheuten, en nieuwe vrienden vinden leek totaal onmogelijk. Hij begreep dat hij een buitenlander in eigen land was en dat hij waarschijnlijk altijd als minderwaardig zou worden behandeld. Dit inzicht, dat strijdig was met alle idealen waarmee hij opgevoed en opgegroeid was, maakte hem woedend, maar hij verborg zijn gevoelens en liet nooit iets merken.

De studenten aan de Universiteit van Moskou waren heel anders dan zijn vroegere vrienden in Vladivostok. De Moskouse studenten leken alles wat leek op idealen en moraal te hebben verloren. Ze brachten hun vrije tijd door bij McDonald's, dronken Coca-Cola en gebruikten alle drugs die ze te pakken konden krijgen. Ze luisterden naar Amerikaanse popmuziek, kleedden zich zo Amerikaans als ze maar konden en praatten alleen maar over Amerika.

Sergej minachtte hen intens. Alleen idioten konden zich door die imperialistische wegwerpcultuur laten imponeren. Maar hoe kon dat ook anders, nu Rusland een volstrekt tandeloze leider had, die zichzelf en Rusland met plezier aan het westen verkocht? Poetin was niet meer dan een sukkel die voor de schijn de macht in een paar uitdagende republieken terug probeerde te krijgen, maar die Rusland nooit als grote natie bij elkaar kon houden.

Lenin had de sovjetstaat gevormd waarin Sergej was geboren en getogen en waarin hij vertrouwen had. Sergej had goed opgelet hoe de leiders na Lenin hadden geopereerd en had alle vertrouwen in Stalin, Chroesjtsjov en – gedeeltelijk – Brezjnev. Andropov was, net als Tsjernenko, een kluns geweest en als het aan Sergej had gelegen was Gorbatsjov voor de krijgsraad gebracht en geëxecuteerd wegens vernieling, uitverkoop en totale vernietiging van een van de grootste landen ter wereld.

De paar keer dat hij deze mening tijdens colleges en discussies op de universiteit ventileerde, werd hij uitgelachen. Hij ging daarom naar communistische clubjes buiten de universiteit, maar merkte algauw dat die klein en zwak waren en de leden ervan dwazen die nooit iets zinvols zouden kunnen doen in de strijd voor een beter Rusland. Als hij iets wilde, moest het anders. De universiteit had computers zoals hij ze nog nooit had gezien, en dat woog overal tegenop. Hij bracht zo veel tijd in de computerzaal door als hij maar kon en ging pas weg als de bewakers hem daar rond sluitingstijd toe dwongen. Hij printte zoveel hij mocht en nam die stukken mee naar huis. Zijn familie had hem een kamer gegeven – nou ja, liever gezegd een hok – achter in de flat aan de Poltavastraat. Achter zijn gesloten deur studeerde Sergej 's avonds en 's nachts bij het schijnsel van een zwakke lamp. Hij werd algauw lid van een reeks Russische en buitenlandse netwerken. In een daarvan vond hij de advertentie die zijn leven zou veranderen.

Wil jij werken aan een nieuw, beter Rusland? Wil jij iets doen wat spannend is en ook nog goed betaalt? Beheers je Linux, internet, databases en kun je op professioneel niveau programmeren? Wil je werken met de nieuwste, beste apparatuur en veel geld verdienen? Reageer dan!

Sergej had onmiddellijk geschreven.

Nikolaj Schenizin had een paar dagen later contact met hem opgenomen. Ze mailden wat heen en weer en Nikolaj vroeg hem al meteen zeer voorzichtig te zijn.

Sergejs zesde zintuig vertelde hem onmiddellijk dat dit het begin van iets nieuws, groots en goeds was.

Toen Nikolaj na twee weken berichtte dat hij naar Moskou zou komen om Sergej te ontmoeten, voorvoelde Sergej al waar het op uit zou draaien.

Ze ontmoetten elkaar in een sjofel café in een verpauperde buurt in Moskou. Nikolaj gaf als verklaring voor deze ontmoetingsplek dat hij niet wilde dat ze samen gezien zouden worden. Hij lichtte zijn politieke plannen in grote lijnen toe en Sergej voelde een warm gevoel in zich opkomen. Was dit de nieuwe politieke leider op wie hij al zo lang hoopte, naar wie hij verlangde? De man die het droevige restant van het versplinterende Rusland kon redden en het land weer op de wereldkaart kon zetten? Misschien.

Nikolaj bood hem heel goede arbeidsvoorwaarden. Hij vroeg of Sergej bedenktijd nodig had. Toen Sergej zijn hoofd schudde, gaf Nikolaj hem een voorschot dat overeenkwam met duizend dollar. Sergej slikte. Hij had zijn hele leven nog niet zo veel geld bij elkaar gezien en hij begreep dat dit nog maar het begin was.

Binnen een week had hij de universiteit verlaten en zijn familie thuis in het dorp laten weten dat hij naar St. Petersburg verhuisde. Hij lachte wat weemoedig toen hij de brief op de bus deed – aan zijn familie die geen telefoon of computer, laat staan internet had. Wat leefden ze nu in verschillende werelden!

Maar voor Sergej maakte dat niet uit. Hij zou altijd evenveel liefde en respect voor zijn familie houden, ongeacht wat en wie hij werd; dat wist hij zeker. Zijn familie in Moskou kon hem daarentegen niet veel schelen en dat was duidelijk wederzijds. Ze leken vooral blij met zijn mededeling dat hij ging verhuizen en van een afscheidsfeestje was geen sprake.

Sergej stopte zijn weinige eigendommen in een tas en nam de trein naar St. Petersburg, waar hij werd opgevangen door mensen van Nikolaj, die hem naar zijn nieuwe woonplaats en zijn nieuwe leven brachten. Zijn mond viel open van verbazing toen hij de computers zag. Hier stond alleen het allernieuwste, wat hij wel op internet had gezien maar nog nooit van dichtbij. Blij als een kind stortte hij zich op zijn nieuwe speelgoed, configureerde alles zoals hij het hebben wilde en testte alle nieuwe programma's die er waren.

De volgende dag kwam Nikolaj op bezoek. Ze lunchten samen en Nikolaj legde uit wat hij wilde dat Sergej zou doen. Toen Nikolaj klaar was met zijn tamelijk lange verhaal, glimlachte Sergej alleen maar en knikte. 'Da...'

12

Christopher Ek deed het licht uit, stopte zijn agenda met leren omslag in zijn attachékoffer en deed die dicht. Hij keek rond in de pietluttig opgeruimde kamer. Zijn vader zou trots op hem zijn geweest.

Het deed hem verdriet dat de zaken er zo voor stonden en hij had geen idee hoe hij uit deze situatie moest komen. De waanzinnige ideeën van zijn compagnon konden het hele bedrijf op het spel zetten en hij zou zichzelf niet meer recht in de ogen durven kijken als er iets misging met zijn vaders levenswerk. Hij dacht terug aan de discussie van die dag in de directie. Helaas leek Jan-Anders Melander steun voor zijn ideeën te krijgen. Hij zuchtte zwaar en liep door de gang naar de trap.

Giuseppe Degente had gezien dat er maar in één raam licht brandde. Toen het licht uitging, ging hij rechtop zitten en startte de motor. Hij keek gespannen naar de glazen toegangsdeur. Er werd een gestalte zichtbaar en ondanks de afstand kon Giuseppe zien dat het de man was die hij op foto's gezien had: Christopher Ek.

Giuseppe schakelde en hield de koppeling ingetrapt.

Christopher Ek sloot de deur af en deed een stap opzij om de alarmcode in te toetsen in het kastje naast de deur. Toen hij zag dat het alarm aanstond, liep hij snel naar de straat om die over te steken.

Precies toen Christopher Ek de eerste twee stappen op straat had gezet, gaf er rechts van hem een auto plankgas. Verblind door de lichten stond hij een paar seconden als versteend. Toen zei zijn intuïtie hem dat hij zich opzij moest gooien om niet overreden te worden. Maar het was te laat.

Giuseppe trapte het gaspedaal tot op de bodem in en kreeg hem niet eens in de tweede versnelling. Hij hoorde een doffe klap, voelde iets tegen de auto slaan, zag het lichaam voor de motorkap opzij vallen en een attachékoffertje door de lucht vliegen. Hij trapte op de rem en hoorde een raar geluid onder de auto.

Het lichaam was onder de auto terechtgekomen en zat daar nu vast! Giuseppe had al zijn zelfbeheersing nodig om niet in paniek te raken. Hij voelde dat het zweet hem op het voorhoofd stond toen hij de auto in zijn achteruit zette en weer plankgas gaf. De wielen van de Opel draaiden wild rond en de auto vloog achteruit. Giuseppe zag een levenloos lichaam op straat liggen. De man lag voorover en op zijn zij. Gelukkig lag hij niet met zijn gezicht naar Giuseppe toe, die zich misselijk voelde worden.

Hij zette de auto weer in zijn één, liet de koppeling los en gaf opnieuw gas. Ditmaal maakte hij een bochtje in een poging met zijn rechtervoorwiel het hoofd te raken.

Het geluid was afschuwelijk, alsof er iets werd vermalen, en maakte hem nog misselijker. Hij had het gevoel dat hij moest overgeven.

Giuseppe moest het zeker weten. Er stond te veel op het spel. Hij stopte, stapte uit de auto en liep naar het levenloze lichaam. Hij moest vechten tegen de misselijkheid toen hij straaltjes bloed uit de oren en mond van de man op het asfalt zag stromen.

Hij rukte zijn rechterhandschoen uit en legde twee vingers op de halsslagader van de man. Geen teken van leven. De man was ongetwijfeld dood. Plotseling schrok hij op. Niet ver weg, in de volgende straat misschien, werd een auto gestart.

De paniek welde weer in hem op.

13

Hamburg, Duitsland
Woensdag 24 mei 2006

Giuseppe Degente klokte met een grimas zijn whisky in één teug naar binnen. De drank deed hem het meeste aan benzine denken, maar op dit moment kon bijna alles ermee door.

De bar aan de Reeperbahn was niet bepaald exclusief te noemen. Alles zag er nogal smerig uit, ook de dames, wier gemiddelde leeftijd veel te hoog was naar Giuseppes smaak. De muren waren bekleed met rood fluwelen medaillonbehang. De verlichting, ook roodachtig, was net voldoende gedempt om de ergste ongerechtigheden aan het oog te onttrekken. Slechte covermuziek schalde uit de luidsprekers en op het minuscule podiumpje deed een verlepte vrouw van in de vijftig onhandige pogingen zich op de muziek te bewegen terwijl ze om een metalen stang heen draaide die tussen de vloer en het plafond was bevestigd. Ze gunde Giuseppe en de andere vier mannen in de zaak geen blik, maar concentreerde zich op haar eigen beeld in de grote wandspiegel, die vol vingerafdrukken zat van collega's die eerder hadden gedanst.

Giuseppe stak een sigaret op. Hij hoorde hier eigenlijk niet te zijn. Hij hoorde op zijn hotelkamer te zijn met een veel jongere en mooiere vrouw. Of zelfs twee. Maar om van die spelletjes te kunnen genieten, moest hij rustig zijn. En het zou nog wel even duren, nog een paar sigaretten en een paar glazen whisky, voordat hij dat stadium bereikte.

'*Guten Abend, kann ich Ihnen Gesellschaft leisten?* Goedenavond, mag ik u gezelschap houden?'

Giuseppe keek op. Het kostte hem moeite zijn weerzin te verbergen. De vrouw was beslist niet ouder dan vijfendertig, maar flink afgetakeld. Haar haar zat vol klitten en was aan de punten uitgedroogd door te veel bleken. De zware make-up kon niet verhullen dat ze een slechte huid had, en bij haar ene oog zag Giuseppe blauwtinten die erop wezen dat

70

ze onlangs een flinke klap had gekregen. Ze droeg zwarte laarzen, zwarte kousen met jarretelles, een zwart slipje en een wijnrood korset met zwart kant. Haar borsten deden hun best om zich uit het korset te persen, maar Giuseppe was meer geïnteresseerd in haar onderarmen, waar hij aan de binnenkant van de elleboog prikplekken van injectienaalden vermoedde. Hij wees haar af met een licht handgebaar en knikte naar het podium, alsof de vrouw daar de enige was die hem interesseerde.

De vrouw die het gevraagd had, maakte een verontwaardigde beweging met haar hoofd en ging op een oudere man aan het volgende tafeltje af. Vanuit zijn ooghoeken kon Giuseppe zien dat ze ging zitten, en even later bracht een andere vrouw een fles 'champagne' naar hun tafeltje.

Giuseppe vond het al erg genoeg dat hij veertien euro per glas moest betalen voor drank die beter in een benzinetank gegooid kon worden, en hij durfde niet eens te denken aan wat deze striptent in rekening bracht voor een fles appelsap die ze champagne noemden. Hij wist echter heel goed wat er gebeurde als je achteraf weigerde te betalen.

Veel bars aan de Reeperbahn hadden bij de ingang een bordje waarop in piepkleine lettertjes stond wat alles kostte en waarschuwde dat men door dit etablissement te betreden aangaf ook bereid te zijn de gehanteerde prijzen te betalen voor wat men consumeerde. Daardoor ontstonden er zelden lange discussies wanneer de politie naar een bar werd geroepen omdat een gast weigerde te betalen. Als je een afspraak had gemaakt, dan had je een afspraak.

Dat was, dacht Giuseppe, eigenlijk wel slim, afgezien misschien van het feit dat de meerderheid van de gasten al bij aankomst zwaar dronken was, het onopvallend opgehangen bordje niet zag en niet echt verwachtte dat een fles appelsap zestienhonderd euro kostte. Aan de andere kant was hij van mening dat alle mensen verantwoordelijk waren voor hun eigen handelingen, wat hem weer in gepeins deed verzinken over de handeling die hijzelf een paar uur eerder had verricht.

Hij verbaasde zich over zichzelf. Het bezorgde hem geen slecht geweten dat hij iemand van het leven had beroofd. Hij voelde niets en het was ook goed gegaan. Toen hij het geluid van een auto hoorde, was hij in de Opel gesprongen en er plankgas vandoor gegaan. Hij was de eerste de beste zijstraat ingeslagen, een blok verder gereden en toen een andere zijstraat ingegaan. Daar was hij langs de stoeprand gestopt, had de motor afgezet, zijn navigator losgerukt en die in zijn zak gedaan. Daarna had hij de auto verlaten en was hij snel weggelopen. Hij was al snel bij grotere wegen en het duurde maar een paar minuten voordat er een lege taxi aankwam.

Hij zei onderweg niets en gaf ook geen opmerkelijk grote fooi toen ze bij station Malmö Centraal kwamen. Daar waste hij op een toilet zijn gezicht met koud water, kocht een treinkaartje en reed algauw weer over de Öresundbrug. Op Kopenhagen Centraal kocht hij contant een enkeltje voor de avondtrein naar Hamburg.

Nu was het haast middernacht en kon hij opgelucht ademhalen. Zijn opdracht was volbracht. De kans dat de Zweedse politie hem met de moord in verband zou kunnen brengen was minimaal. Hij wist niet eens wie de man was die hij overhoop had gereden. Hij wist ook niet waarom die man dood moest. Eerlijk gezegd kon hem dat ook niets schelen. Het belangrijkste was nu dat zijn eigen vrouw stierf. Dat moest, hoe tragisch het ook klonk, gevierd worden. En hij zou het vieren met datgene waar hij het meeste van hield. Hij wenkte de verlepte vijfendertigjarige vrouw en vroeg om de rekening.

Een uur later bevond hij zich op een hotelkamer met twee meisjes van een jaar of vijfentwintig. Hij had hen van de straat geplukt nadat hij had vastgesteld dat ze knap genoeg waren en aan de gebruikelijke betaalnormen in Hamburg voldeden – dertig euro per halfuur, ongeacht wat ze moesten doen.

Hij vond dat echt een goed principe. Als hij op een hotelkamer de ontdekkingen van Da Vinci met zo'n meisje wilde bespreken, moest hij haar zestig euro per uur betalen om te luisteren. Als hij iets anders wilde, was de prijs gelijk.

Nu wilde hij iets anders. Al op straat had hij gezinspeeld op waar hij zin in had. Het ene grietje, Renate, had het door en had de uurprijs snel verhoogd tot tachtig euro. Haar vriendin had getwijfeld en hem afgewezen. Dat maakte Renate een beetje bezorgd, maar toen Giuseppe naar haar glimlachte en de vergoeding uit eigen beweging verhoogde tot negentig euro was ze snel een andere vriendin gaan zoeken die er wel oren naar had om samen met haar te spelen en een Italiaan te bevredigen.

Het was vrij snel gegaan. Op het laatst hadden de meisjes hem met de vlakke hand op de kont geslagen, en hij had hun toegeschreeuwd dat het harder moest. Daarna was hij op zijn rug gaan liggen. Hij voelde de verboden, bittere, wrange smaak nog steeds in zijn mond. Hij genoot van de vernedering. Het was echt een goeie dag geweest.

14

Claudia Armando-Degente was gelukkig. Het briesje streelde haar door haar dunne avondjurk heen en ze neuriede stilletjes die melodie waarvan ze nooit op de naam kon komen, maar die haar vader al voor haar zong toen ze nog klein was.

Papa. Claudia glimlachte toen ze aan hem dacht. Alessandro Armando was nu niet bepaald de meest aanwezige vader geweest die er bestond, en voor buitenstaanders had het kunnen lijken alsof hij alleen maar een keer per jaar een tussenlanding in Milaan maakte om zijn vrouw zwanger te maken.

Alessandro's designmeubels hadden Europa stormenderhand veroverd en jarenlang was hij meer dan 200 dagen per jaar op zakenreis. Toch slaagde hij er op de een of andere manier in zijn grote gezin gelukkig te maken, en op de dagen dat hij thuis was, besteedde hij al zijn tijd aan zijn kinderen.

Claudia hield van niemand zo veel als van haar vader, en dat gold ook voor Alessandro's andere kinderen. Hij had in de loop der jaren een aanzienlijk vermogen opgebouwd en was van mening dat geld moest rollen. Daarom had hij ook al in een vroeg stadium flinke sommen geld voor zijn kinderen opzijgezet; wel had hij hun duidelijk gemaakt dat het hun eigen verantwoordelijkheid was om goed met dat geld om te gaan en dat er niets meer viel te halen als het op was.

Toen ze achttien werd, was Claudia in het bezit gekomen van een Zwitserse rekening met daarop een half miljoen dollar. In de twintig jaar die sindsdien verstreken waren, hadden de beleggingsadviseurs van de bank haar vermogen weten op te voeren tot ruim vier miljoen dollar, hoewel ze toch ook flinke bedragen had uitgegeven aan reizen en later aan de aanschaf van auto's, meubels, kleding en sieraden.

Alessandro hield van zijn eerstgeboren dochter en was mateloos trots op haar. Maar om die reden had hij ook plannen met haar die voor Claudia de keerzijde van de medaille zouden blijken te zijn. Alessandro Armando ging met de meest vooraanstaande politici en zakenlieden om. Dat zijn dochter op den duur zou trouwen met iemand anders dan een intelligente, invloedrijke man was uitgesloten. Alessandro hield nauwkeurig in de gaten welke jonge knapen er in de directies van bedrijven en in de juiste politieke wandelgangen opdoken. Een van hen was Giuseppe Degente.

Toen ze op 28-jarige leeftijd aan hem werd voorgesteld op een groot feest waarvoor ze samen met haar vader was uitgenodigd, viel ze als een blok voor hem. Giuseppe, slechts twee jaar ouder dan zij, was knap, intelligent, had een gedegen opleiding en was al bezig de ladder te beklimmen in de partij waarvan haar vader altijd lid en steunpilaar was geweest. Ze trouwden minder dan een jaar later. Claudia zat al in de leiding van Armando Design, Giuseppe deed goed zijn best in de politiek en had een geweldig gevoel voor welke handen je moest schudden als je hogerop wilde.

Waar het precies was misgegaan wist ze niet, ook al had ze er nachtenlang over liggen piekeren en huilen. Ze had de droom gehad dat ze gas terug zouden nemen, een gezin zouden stichten. Ze kwam uit een groot gezin en kon zich geen leven zonder kinderen, drukte en bedrijvigheid voorstellen. Financieel gezien had ze haar schaapjes al op het droge. Ze had een vermogen en zou waarschijnlijk directeur van haar vaders bedrijf worden als hij zich terugtrok.

Maar Giuseppe toonde geen begrip voor haar wensen. Hij had een lange weg naar boven afgelegd, van een eenvoudig gezin naar de top van de politiek, en hij had geen zin om het rustiger aan te gaan doen. Het aangename leven van macht, welstand, diners, reizen en vergaderingen met intellectuelen beviel hem wel. Hij raakte soms in vervoering door de macht die hij al kon uitoefenen door middel van infiltratie en manipulatie. Hij durfde er nauwelijks aan te denken hoe het zou zijn als hij eenmaal partijleider en zelfs premier werd.

Nu waren er tien jaar verstreken en Claudia begon de hoop op te geven. Ze had zich naar Italiaanse gewoonte regelmatig bij haar vader beklaagd, maar Alessandro had veel vertrouwen in zijn schoonzoon en zag met genoegen hoe de jongeman naar een positie opklom waarin niemand tegen hem op kon.

'Rustig maar, *bella*,' zei hij altijd terwijl hij Claudia omhelsde. 'Je bent nog jong. Jullie krijgen een heleboel kinderen! Kijk maar naar mama en mij – we waren al oud toen je broertjes en zusjes kwamen...'

De afgelopen jaren was Giuseppe steeds vaker van huis geweest. Hij reisde veel en bracht menige avond en nacht door met politieke bijeenkomsten en discussies. De keren dat ze toenadering tot hem zocht, leek hij met zijn gedachten vaak ergens anders te zijn en antwoordde hij afwezig. Hun seksleven werd steeds slechter en ten slotte doofde het helemaal uit. Claudia was er vrij zeker van dat Giuseppe naast haar ook andere vrouwen had. Die gedachte maakte haar razend van jaloezie, maar ze slaagde er nooit in sporen te vinden of iets te bewijzen. Eén keer had ze hem, na een reis, met zijn rug tegen de muur gezet en openlijk beschuldigd van ontrouw. Giuseppe had er niets van begrepen en eerst geprobeerd rustig te discussiëren, maar toen was hij net zo agressief geworden als zij, liep uiteindelijk het huis uit en sloeg de deur achter zich dicht. Die keer was hij twee dagen weggebleven en ze vroeg zich af waar hij had geslapen. Het idee om een privédetective in te huren was in haar opgekomen, maar ze wilde zich niet belachelijk maken.

Ze was gedeprimeerd geraakt door de situatie. Het huwelijk waarvan ze had gehoopt dat het goed en gelukkig zou worden, had zich ontwikkeld tot iets heel anders, en ze zag geen lichtpuntjes meer in haar privéleven. Claudia zocht hulp bij een arts, die haar antidepressiva voorschreef. In diezelfde tijd begon ze tijdens al die eenzame avonden steeds meer belangstelling te krijgen voor internet.

Een vrouwelijke collega in een netwerk voor vrouwelijke Italiaanse ondernemers raadde haar aan lid te worden van een datingsite: *Amore.it*. Ze had lang getwijfeld, niet in het minst uit angst voor wat er zou kunnen gebeuren als uitkwam dat ze lid was van zo'n site. Maar toen haar collega haar had verzekerd dat ze anoniem zou blijven, had ze voor de lol een naamloos, maar eerlijk profiel van zichzelf geschreven en die geüpload, zonder foto natuurlijk.

Ze was verbaasd hoeveel belangstelling haar presentatie blijkbaar wekte. Binnen een paar dagen kreeg ze meer dan honderd berichten van mannen die op allerlei manieren belangstelling voor haar toonden. Ze besefte algauw dat ze hen grofweg in drie groepen kon verdelen. Een grote groep hufters begon de conversatie met zinnen als: 'Hoi, wil je neuken?' Die gooide ze weg en blokkeerde ze onmiddellijk. De tweede groep bestond uit aardige mannen, die echter intellectueel tekortschoten of op een andere manier niets met haar gemeen leken te hebben.

De derde en kleinste groep bestond uit keurige mannen met een goed verstand en met een belangstelling die zij deelde. Binnen een maand communiceerde ze regelmatig met enkelen van hen. Ze raakte zo geïnteresseerd in een onderzoeker uit Rome dat ze met hem uit eten ging toen hij op bezoek was bij collega's in Milaan. Paolo was aantrekkelijk en intelligent. Ze voelde zich vrolijk, opgewonden zelfs, door zijn belangstelling en de avond was ermee geëindigd dat ze met hem meeging naar zijn hotel. Ze had al meer dan een halfjaar geen seks meer met Giuseppe gehad, ze was er niet op voorbereid en ze was half dronken. Misschien ging het daardoor juist zo goed.

Paolo was als een wild dier geweest. Hij had haar jurk van haar af getrokken en zijn aanraking had haar enorm opgewonden. Terwijl ze elkaar wild kusten, had ze hem zijn kleren uit weten te trekken; daarna had hij haar gewoon op het grote bed gegooid en was hij met één stoot in haar binnengedrongen. Hij had haar in een razend tempo genomen en voor het eerst sinds jaren had ze een paar orgasmes achter elkaar.

Ze was 's morgens vroeg uit zijn hotelkamer weggegaan, gelukkig en voldaan. Maar ook ongerust om haar gedrag, bezorgd dat iemand hen had gezien, dat iemand bij de receptie van het hotel haar herkend had. Per slot van rekening was ze een publieke persoon in Milaan. Daarom had ze zich pas dagen later een beetje kunnen ontspannen. Claudia was ook bang dat ze misschien zwanger was geraakt. Omdat ze zo graag kinderen wilde, was ze al jaren geleden gestopt met voorbehoedsmiddelen. Desondanks was ze niet in verwachting geraakt van Giuseppe, en ze had zich vele malen afgevraagd of dat aan hem lag of aan haar. Daarom had ze op het *moment suprême* met Paolo ook niet aan voorbehoedsmiddelen gedacht. Gelukkig werd ze een week later ongesteld en kon ze opgelucht ademhalen.

Ze was doorgegaan met haar internetcontacten zodra ze alleen was, soms ook wanneer Giuseppe thuis was. Het leek hem niet te kunnen schelen. Zodra ze gegeten hadden, vaak in stilte of tijdens een geforceerd gesprek, trok hij zich terug achter zijn grote bureau en begroef zich in stapels papier, waarmee hij tot diep in de nacht aan het werk bleef.

Zij ging door met chatten en berichten uitwisselen met de paar mannen die ze interessant vond op *Amore.it*. Paolo was verschrikkelijk heftig. Hij schreef dat hij haar niet kon vergeten en wilde haar beslist weer ontmoeten; hij sprak zelfs serieus over een relatie.

Claudia was ontzet. Wat alleen maar een gezellig etentje had moeten zijn, werd nu een probleem. Ze voelde zich om allerlei redenen zeker aangetrokken tot Paolo. Dat ze met hem naar bed was geweest, was daarvan wel het bewijs. Ze had altijd een strenge seksuele moraal gehad en was normaal gesproken niet iemand die de eerste avond met iemand in bed dook.

Maar ze hield niet van Paolo. Ze had haar gevoelens voor hem geanalyseerd en tactvol geprobeerd hem uit te leggen dat ze hem zeer waardeerde en hem aantrekkelijk vond, maar dat dat wat haar betrof nog bepaald geen liefde betekende, en dat ze bovendien vast zat in een huwelijk dat ze om allerlei redenen niet zou kunnen verlaten, zelfs al zou ze dat willen.

Paolo had haar 'nee' niet geaccepteerd. Hij was steeds hardnekkiger geworden en op het laatst onaangenaam. Toen ze zich meer gedecideerd tegen zijn liefdesaanvallen ging verweren, werd hij zelfs bedreigend. Ze blokkeerde hem, logde uit en durfde *Amore.it* wekenlang niet meer te bezoeken.

Op een avond, toen ze voorzichtig weer inlogde, kwam ze Luigi tegen. Toen ze elkaar een paar avonden hadden geschreven, kreeg ze een nieuw, ander, warm gevoel vanbinnen. Voelde ze iets nieuws, iets wat ze nog nooit eerder gevoeld had voor iemand met wie ze via internet communiceerde? Was het warmte, vriendschap, liefde, opwinding – of alles tegelijk? Ze kon het gevoel niet goed omschrijven. Ze wist alleen maar dat het iets was wat ze nader wilde onderzoeken.

Luigi was een duivelskunstenaar. Hij was opgeleid als concertpianist, maar voorzag in zijn levensonderhoud door in de bar van een paar betere hotels in Milaan te spelen. Hij hoopte dat iemand zijn talent op een dag zou ontdekken, zodat hij de hele dag kon pianospelen.

Zijn artistieke instelling sprak haar aan. Bovendien was hij filosofisch aangelegd en ze had waardering voor zijn gedachten over het leven en de liefde. Hij had een foto naar haar gemaild en ze kreeg het al warm als ze ernaar keek. Hij was knap. Ze voelde dat ze hem wilde ontmoeten. Ze had zichzelf precies ingeprent hoe het moest, maar wist tegelijkertijd dat het niet zo zou gaan. Ze zou de eerste avond niet met hem naar bed gaan. Desondanks koos ze haar mooiste ondergoed uit, omdat de avond natuurlijk toch zou eindigen met seks.

Ze wist dat hij armoedig woonde, en wilde dat niet zien. Ze had zich geschaamd toen ze, zonder het hem te vertellen, op een andere naam een kamer had gereserveerd in een middelmatig hotel aan de rand van de stad. Ze hadden gegeten in een eetcafé in een risicoloze buurt. Ze hadden uren gepraat en waren nog dichter bij elkaar gekomen. Hij had vragend gekeken toen ze hem de taxi in trok, maar had niets gezegd toen ze bij het hotel kwamen.

Niemand had haar zo gekust, gestreeld, bemind als Luigi. Ze zou hun eerste ontmoeting nooit vergeten en wist dat er nog veel zouden volgen. Het was tegen beter weten in en het zou op een ramp uitlopen, maar ze kon nergens anders aan denken dan aan Luigi. Het was nu buigen of barsten.

15

Al vroeg was duidelijk geworden hoe verschillend de zusjes waren. De drie jaar oudere Rebecca was mooi, muzikaal en een kei op school. Haar ouders pronkten met haar als ze bezoek hadden. Dan speelde ze viool voor de gasten, die zuchtten van verrukking. Erika hield zich stilletjes op de achtergrond, voelde zich lelijk en mislukt.

In hun tienerjaren werden de verschillen nog opvallender. Rebecca kreeg al snel vriendjes. Het lelijke eendje had niet eens echte vriendinnen, laat staan vriendjes, en verloor zich in de wereld van de boeken.

Erika stelde met weerzin vast dat haar zus het deed met iedere vent die haar wilde hebben. Op school gonsde het van de geruchten over Rebecca's seksuele veroveringen. Er werd beweerd dat ze niet alleen met veel jongens naar bed was geweest, maar ook met een van de leraren. Hoewel haar ouders geheimzinnig gingen doen zodra zij in de buurt kwam, had Erika hier en daar toch wel wat gefluister opgevangen. Haar moeders vertwijfelde: 'Wat moeten we doen? Ze is toch pas zestien?' En haar vaders bezorgde maar besliste: 'Het kan niet anders, ze moet abortus laten plegen...'

Toen Erika een jaar of vijftien was en in de hoogste klas van de negenjarige basisschool zat, wist ze dat ze lesbisch was. Al zo lang ze zich serieus bewust was van haar gevoelens en haar seksualiteit, had ze gevoeld dat ze anders was. Jongens interesseerden haar niet, ze was zelfs bang voor hun lompe tienergedrag. Ze voelde zich daarentegen wel tot meisjes aangetrokken en had het idee dat ze voor sommige meer dan vriendschap voelde.

De meisjes in haar klas vonden Erika maar raar. Ze maakte zich niet op, kleedde zich stom en toonde geen belangstelling voor het belangrijkste van alles: jongens.

Toen ze naar het voortgezet onderwijs ging en dus van school moest veranderen, meldde Erika zich aan bij een andere school dan haar zus. Het gerucht had haar bereikt dat Rebecca zich nog net zo losbandig gedroeg als op de basisschool.

Erika zag haar zus bij het ontbijt en bij het avondeten, maar meer deden ze niet samen. Ze praatten haast nooit met elkaar. Wanneer Rebecca vrienden mee naar huis nam, zaten ze altijd te giechelen en met veelzeggende blikken naar Erika te kijken.

Erika volgde het profiel natuur en techniek en ze had uitstekende cijfers voor alle vakken behalve gymnastiek en beeldende vorming. Bij de Vereniging voor Biologische Wetenschap leerde ze Anna kennen. Anna was tien jaar ouder, maar Erika voelde meteen een diep wederzijds begrip. Hun vriendschap begon met discussiëren tijdens de clubavonden, maar ze gingen algauw privé met elkaar om. Ze aten in restaurants, ze gingen naar de bioscoop en na de film dronken ze thee en aten ze broodjes in Anna's kleine zolderappartementje aan het Möllevångstorg.

Erika's ouders zagen dat hun dochter plotseling opleefde en een veel gelukkiger mens leek te worden. Ze begrepen dat Erika nu, op haar zeventiende, misschien voor het eerst van haar leven echte vriendschap kende, en waren blij voor haar.

Een klein jaar later zaten ze aan haar bed op de Eerste Hulp van het algemene ziekenhuis van Malmö. Erika had geprobeerd haar polsen door te snijden en was volgens de dokters in zo'n slechte psychische conditie dat haar ouders in de buurt moesten blijven, maar niet met haar mochten praten over wat er gebeurd was.

Op een avond in de late herfst had Anna Erika in haar flat onder de hanenbalken verleid. Toen Erika voor het eerst in haar leven ook de lichamelijke liefde ontdekte waarover ze altijd had gedacht en gedroomd en waarnaar ze al jaren verlangde, was haar geluk compleet. Haar hart barstte uit elkaar van ingehouden liefde. Ze belde Anna een paar keer per dag op haar werk, stuurde massa's mailtjes met liefdesbetuigingen, en kocht bloemen en cadeautjes voor de vrouw die ze liefhad.

Op een avond kwam Anna niet naar de clubavond. Ze beantwoordde Erika's sms'jes niet en haar mobiele telefoon stond uit. Erika rende buiten zichzelf van ongerustheid het hele eind naar Anna's flat, alleen maar om te ontdekken dat er geen licht brandde en dat niemand de deur opendeed toen ze aanbelde. Toen Erika de volgende ochtend met pijn in haar buik haar pc aanzette, trof ze daar een kort maar overduidelijk mailtje van Anna aan. Het was uit. Of liever gezegd: het was nooit aan geweest. Anna had al jaren een relatie met een andere vrouw, even oud als zij. Ze mocht Erika graag en voelde zich seksueel tot haar aangetrokken. Maar ze wilde niet met haar samenleven. Ze wilde doorgaan met haar eigen leven, en het was maar het beste als Erika en zij niets meer van elkaar hoorden.

Erika's hele wereld stortte in. Ze ging die dag niet naar school en toen haar moeder thuiskwam van haar werk, vond ze Erika op de keukenvloer, bewusteloos en badend in haar eigen bloed.

Erika's kijk op vrouwen, liefde en vertrouwen veranderde voor altijd en wat haar betreft zou ze nooit meer een relatie krijgen. Ze studeerde met glans af en wijdde zich daarna aan de Universiteit van Lund aan onderzoek. Ze specialiseerde zich in borstkanker en deed gastonderzoek aan tal van buitenlandse instituten. Haar rapporten werden gepubliceerd in de meest vooraanstaande tijdschriften en ze werd zelden tegengesproken, zelfs niet door hoogleraren met veel meer ervaring.

Erika kocht een eenkamerwoning in Lund en leefde een eenvoudig leven in eenzaamheid. Ze probeerde niet aan haar pijnlijke ervaringen te denken en constateerde zakelijk dat ze gewoon tevreden was met het leven dat ze voor zichzelf had gecreëerd.

Haar zus had haar aard niet verloochend. Rebecca was met middelmatige cijfers van school gekomen en bleef profiteren van haar uiterlijk. Ze had een bijbaantje als mannequin en fotomodel, deed mee aan een paar afgrijselijke docusoaps op tv en begon in de roddelbladen te verschijnen, steeds in gezelschap van een andere, meestal welgestelde man. Erika beschouwde haar zus als een slet en was blij dat ze geen contact met elkaar hoefden te hebben. De enige keer dat ze elkaar zagen, was bij familieaangelegenheden in het ouderlijk huis, waar het avondeten in pijnlijke stilte werd genuttigd.

Toen haar moeder op een dag belde en zei dat ze met haar wilde praten, was Erika verbaasd geweest, omdat Rebecca altijd de nauwste band met hun moeder had gehad. Erika had vrij genomen van haar werk om naar haar ouderlijk huis te gaan, een groot vrijstaand huis even buiten Lund.

Het ging over ernstige ziekte. Zowel haar vader als haar moeder leed aan kanker in een tamelijk vergevorderd stadium en de artsen konden niet zeggen hoelang ze nog hadden. Het ging ook over geld, veel meer geld dan Erika zich ooit had kunnen voorstellen: twintig miljoen kronen. Geld dat de zussen zouden erven, wat haar moeder nog meer zorgen baarde dan ziekte en dood.

'Je weet dat je zus een gat in haar hand heeft. Ze had als tiener al dure gewoonten en misschien was dat onze schuld wel, ik weet dat we haar hebben verwend. Maar dat ze die Stenhag heeft ontmoet, heeft de zaak er ook niet beter op gemaakt. Wij hebben in feite het geld verschaft voor dat grote huis van ze en ik weet niet hoe vaak we ze hebben moeten helpen de hypotheek te betalen. Ze hebben altijd ver boven hun stand geleefd en Ulrik heeft bij dat bedrijf niet zo'n topfunctie als hij iedereen wil doen geloven. Maar misschien leven ze wel op zo grote voet omdat ze nooit kinderen hebben kunnen krijgen. Daar hebben ze al heel lang veel verdriet van. Het was misschien verkeerd, maar we vonden dat we ze moesten helpen.'

Erika had het wel willen uitschreeuwen: 'Zíj veel verdriet? Hoeveel verdriet denk je dat ík heb gehad, dan? Hoe denk je dat het is om als lelijk eendje door het leven te gaan en thuis altijd op de tweede plaats te komen? Hoe denk je dat het is als niemand met je bevriend wil zijn? Hoe denk je dat het is om op je vijftiende te ontdekken dat je lesbisch bent? En hoe denk je dat het is om misbruikt en verraden te worden door een oudere vriendin die alleen maar met je gevoelens en met jong vlees wil spelen?'

Maar Erika schreeuwde niet. Ze zei niets.

Om kort te gaan: haar moeder wilde dat Erika de gemeenschappelijke erfenis ging beheren als haar ouders er niet meer waren, zodat het geld niet meteen weg was.

'Je hebt geen idee hoe hard we hebben gewerkt om zo ver te komen sinds we de plaatijzerfabriek van mijn vader hebben overgenomen. Opa en oma hebben ook altijd hard voor het geld moeten werken. We willen niet dat het nu op gaat aan feesten, drank, reizen en dure kleren.'

Erika probeerde haar moeder geduldig uit te leggen wat er in de wet stond. Als haar ouders niet aan iets of iemand anders geld wilden nalaten, zou haar zus recht hebben op haar wettelijk erfdeel. Maar ze konden natuurlijk altijd de helft aan een goed doel nalaten – onderzoek naar borstkanker bijvoorbeeld. Haar moeder had lang nagedacht en haar verzekerd dat papa en zij wilden dat hun dochters het geld zouden krijgen, maar het was wel de bedoeling dat ze er iets verstandigs mee deden.

'We begrijpen wel dat een deel jouw onderzoek ten goede kan komen, en dat is natuurlijk goed,' zei haar moeder. 'We hoopten alleen dat Rebecca's aandeel ook voor iets zinnigs zou worden gebruikt, maar ik ben bang dat zij en Ulrik het gaan verspillen, en dat willen we absoluut niet. Och hemel, hoe moet dat nu toch?'

Erika gaf geen antwoord. Er was zojuist een gedachte in haar opgekomen.

16

Erika Svärd boog voorover in de auto, maakte een kommetje van haar handen zo dicht bij de sigaret als maar kon en stak hem aan. Het laatste wat ze wilde was dat iemand haar nu zou zien.

Haar handen beefden een beetje en ze zweette in de Italiaanse voorzomeravond. Hoewel het al laat was, was het toch nog zeker vijfentwintig graden, dacht ze. Ze was verschrikkelijk zenuwachtig. Ze dacht na over haar ouders, haar zus in Malmö, haar leven. Ze vroeg zich af waar ze aan was begonnen en plotseling begonnen de tranen langs haar wangen te stromen, terwijl ze met snelle trekjes rookte.

Ze wist dat ze nu niet meer terug kon. Nu was het tijd om te betalen. Ze wist wat er zou gebeuren als ze niet aan haar verplichting voldeed. En ze had geen keus gehad. Toch?

Rebecca was pas een week geleden begraven en Erika had extra veel kalmerende pilletjes moeten nemen om de begrafenis aan te kunnen. Haar aan kanker lijdende, ernstig zieke ouders waren ontroostbaar geweest. Niet alleen was hun dochter dood – ze was ook nog vermoord!

De politie had met haar willen praten en natuurlijk hadden ze gevraagd waar ze was op het tijdstip van de moord. Erika had haar uitnodiging voor de conferentie in Londen, haar vliegticket en haar hotelrekening laten zien. Ze had ook naar de internetsite verwezen waar een verslag stond van haar lezing voor onderzoekers uit twaalf landen, precies op het tijdstip van de moord.

Ze was pas een paar uur geleden geland op vliegveld Linate. Vlak voordat het landingsgestel de grond raakte, moest ze denken aan het verschrikkelijke ongeluk in oktober 2001, toen SAS-vlucht SK 686, een McDonell Douglas MD-87, tegen een in Duitsland geregistreerde Cessna botste die plotseling voor het SAS-vliegtuig op de startbaan opdook.

Er kwamen honderdachttien mensen om het leven en Erika vroeg zich af of dat een of ander doel had. Of het leven van mensen voorbestemd was, of er zelfs plaatsen waren waarop een vloek rustte. En of een hogere macht mensen voor hun daden strafte? Wat zou er dan met haar gebeuren als het Alitalia-toestel nu landde, of als ze weer naar huis vloog? Ze rilde en voelde de zachte bons waarmee het toestel de grond raakte. Ze haalde pas opgelucht adem toen het vliegtuig bij de terminal stond en de deuren opengingen.

Ze had een taxi naar het centrum genomen en zich daar georiënteerd met behulp van haar navigatiesysteem. Het kleine pakje met de injectienaald had precies gelegen waar het volgens de instructies die ze had gekregen moest liggen. Het was niet moeilijk geweest het goede nummer aan de Via dei Medici te vinden, en daarna hoefde ze alleen maar te wachten.

Ze had het paar arm in arm aan zien komen en het huis binnen zien gaan. Nu kwam de vrouw naar buiten, alleen. Erika had verwacht dat ze een taxi zou nemen. Daarom zat ze in de gestolen auto die voor haar aan de overkant van de straat geparkeerd stond. Ze zat al startklaar met haar vingers om de sleutel om haar te volgen toen ze zag dat de vrouw weg begon te lopen. Erika glipte snel de auto uit en deed het portier niet helemaal dicht, om geen geluid te maken waardoor de vrouw zich zou omdraaien. Ze liep in een kalm tempo aan de overkant van de straat achter de vrouw aan en was zichzelf dankbaar dat ze makkelijke schoenen met rubberzolen aangetrokken had.

De vrouw liep door kleine straatjes naar de Dom en kwam uit op het plein bij de kerk. Erika keek even op het schermpje van de gps om te zien waar ze waren. Nu moest ze gauw in actie komen. Als de vrouw bij haar eigen deur aan de Via Giuseppe Verdi kwam, was haar kans verkeken. De vrouw stak het plein over en uit haar onvaste lopen maakte Erika op dat ze een beetje dronken was. Dat maakte haar taak een ietsje makkelijker. Erika versnelde haar pas. Ze zweette vreselijk in de zwoele avondwarmte en haar hart bonsde. Ze ging nog sneller lopen. De vrouw liep verder door de Via San Pellico en liep langs La Scala, links van haar.

Claudia Degente dacht terug aan de afgelopen uren en ze huiverde van genoegen. Het eten was zalig geweest: romantisch en een fantastische culinaire ervaring. Ze hadden, ondanks het risico dat ze gezien zouden worden, in een van de betere restaurants van Milaan gegeten en daarna waren ze arm in arm naar Luigi's nieuwe, mooie huis gewandeld. Ze waren nog maar amper binnen of Luigi had haar adembenemend gekust, haar strakke jurkje tot boven haar heupen opgetrokken en haar van achteren tegen de muur genomen, hard en resoluut. Ze hadden in bad gezeten met champagne en kaarsjes naast het bad en waren toen op de koele, witte lakens van Luigi's grote bed opnieuw begonnen.

Het feit dat ze nu zijn huur betaalde en de hele inrichting van zijn huis had gekocht, baarde haar niet de minste zorg. Hij was een fantastische minnaar en ze kon niet genoeg van hem krijgen. Het was te riskant om elkaar altijd in hotels te ontmoeten. Ze wilde dat Luigi het goed had en dat hij niet zou vergeten wie daarvoor zorgde.

Ze had veel contacten en het duurde niet lang voordat ze een heel mooi huis van precies de juiste grootte voor hem had geregeld. Ze was dol op woninginrichting en nam trots de complimenten van Luigi in ontvangst, die onder de indruk was van het strakke, zeer smaakvolle, voornamelijk in wittinten gehouden appartement met ruim opgestelde, handgemaakte designmeubels.

Als ze Giuseppe Degente voor Luigi had kunnen verlaten, had ze geen seconde getwijfeld en was ze met slechts een klein koffertje met het hoogstnoodzakelijke bij hem ingetrokken. Maar dat kon niet; zo was het nu eenmaal. In het begin waren Luigi en zij heel discreet geweest, maar de laatste tijd waren ze soms iets te onvoorzichtig. Dat wist ze wel, maar vanavond kon het geen kwaad. Giuseppe was een paar dagen naar Berlijn voor een belangrijke politieke lobby. Ze wist zeker dat hij zich 's nachts wel zou vermaken met een paar hoertjes, en de kans dat hij tijd en geld zou uitgeven om te controleren wat zij intussen deed, was miniem. Bovendien zou hij haar niet eens verdenken van ontrouw.

Luigi wilde dat ze een taxi naar huis nam, maar ze wilde per se lopen, ook al was het laat. Het was een warme zomeravond, Milaan was op zijn mooist en ze voelde dat ze iets te veel wijn en champagne had gedronken. Een wandeling zou haar goed doen. Claudia fantaseerde nog even door. Ze stond stil, trok haar hakschoenen uit en liep glimlachend en neuriënd verder op blote voeten, met haar schoenen in haar rechterhand.

Toen Claudia door het licht van een straatlantaarn liep, twijfelde Erika heel even; ze bedacht wat voor wrede en onrechtvaardige situatie dit eigenlijk was. Deze vrouw had vast niets kwaads gedaan. Maar het was nu eenmaal niet anders. Erika versnelde nog een keer. Ze moest het gedaan hebben voordat ze bij de volgende straat waren. Ze stak haar hand in haar zak, pakte de spuit stevig vast en haalde hem tevoorschijn.

'*Excuse me*,' zei ze, hard genoeg voor de vrouw om te stoppen en zich om te keren. Ze keek vragend, geamuseerd.

Erika deed snel een paar stappen naar voren en drukte haar lichaam hard tegen de vrouw aan, terwijl ze haar mond met haar hand dichthield. Ze joeg de injectienaald in de hals van de vrouw en wist hem leeg te spuiten, hoewel de vrouw nu doodsbenauwd vocht om los te komen. Er was een raspend geluidje te horen toen de zwarte jurk aan de zijkant een stukje openscheurde.

Erika liet de vrouw los en zag haar wankelen. Ze zette een paar stappen in de richting van een huismuur en leunde daar tegenaan. Hun blikken kruisten elkaar. De vrouw keek Erika niet-begrijpend aan, met vochtige ogen.

'*Perché?*' fluisterde ze hees. 'Waarom?'

Het viel Erika op hoe mooi ze was, en ze vroeg zich opnieuw af waarom ze dood moest.

Claudia zakte langzaam in elkaar. Erika wist niet dat er heroïne in de spuit zat. Het gif verspreidde zich nu snel naar de ademspieren, die verlamd raakten. Ze zou binnen een paar minuten stoppen met ademen en zelfs als een voorbijganger de ziekenwagen zou bellen, zou er geen redding meer mogelijk zijn.

Erika weerstond de instinctieve impuls om zich over de vrouw te buigen, haar te helpen, te proberen haar te redden. Het was te laat. Ze keek snel om zich heen. Ze was alleen. Ze keerde om en liep vlug terug in de richting waar ze vandaan was gekomen. Toen ze een meter of vijftig had gelopen, zag ze de verderop de contouren van iemand vorm krijgen en toen bedacht ze dat ze de spuit nog in haar rechterhand had. Ze kneep haar hand dicht en hield hem dicht tegen zich aan terwijl ze in hetzelfde snelle tempo doorliep.

Toen ze de gestalte een halve minuut later in het donker zag, glimlachte hij alleen maar en zei: '*Buona notte...*' Een minuutje later hoorde ze opgewonden geroep achter zich. Ze ging een zijstraat in en begon te rennen.

Erika Svärd was twintig miljoen kronen rijker.

Al toen het vliegtuig van Alitalia opsteeg van vliegveld Linate en ze – voorlopig althans – zich kon ontspannen, kreeg ze een heel nieuw, heel merkwaardig gevoel.

Erika dronk zelden alcohol, maar hoorde nu zichzelf een dubbele whisky met ijs bestellen en toen de stewardess het glas glimlachend op het tafeltje voor haar neerzette, pakte ze het gauw, bracht het naar haar lippen en liet een flinke slok sterkedrank door haar keel glijden. Vanuit haar ooghoek zag ze de man in de stoel naast haar verbaasd naar haar kijken. De stewardess was nog niet eens met de drankwagen aan het lopen toen Erika haar whisky bestelde, en het duurde nog wel even voordat de passagiers eten kregen.

Erika negeerde de man. Hij mocht ervan vinden en denken wat hij wilde. Ze trok niet eens een vies gezicht toen de whisky naar beneden stroomde. Ze genoot ervan. Ze probeerde het nieuwe, andere gevoel in zichzelf te beschrijven. Ze was vrolijk, tevreden, bijna opgewonden op een manier die ze al lang niet meer had meegemaakt. Had ze zich ooit al zo gevoeld?

Ze glimlachte stilletjes, nipte van de whisky, schopte haar schoenen onder de stoel voor zich en wreef haar voeten zachtjes tegen elkaar. Genot, voldoening, geluk. Waarom nu deze gevoelens? Erika wist niet wat ze ermee aan moest. Het was logisch geweest als ze nu juist trilde van de zenuwen, omdat ze nog altijd ver van huis was, en nog lang niet veilig.

Op weg naar het vliegveld en tijdens het wachten had ze het scenario keer op keer doorgenomen; ze vroeg zich af of ze iets verkeerd had gedaan, of ze niet een klein spoortje had achtergelaten dat de politie naar haar toe zou kunnen leiden.

Misschien waren ze al op volle sterkte onderweg, misschien namen ze aan dat de moordenaar het land per vliegtuig zou proberen te verlaten. Dan zouden ze natuurlijk volgens de routine alle passagiers tegenhouden en dan had ze heel veel uit te leggen. Wat ze in Milaan te zoeken had gehad, bijvoorbeeld. Hoe het kwam dat zij, een vrouw, helemaal niets had meegenomen uit de stad die toch bekendstond als een mekka voor modeliefhebbers en als een van de belangrijkste designcentra van Europa.

Maar ze was gewend om logisch te denken en stukje bij beetje verjoeg ze de nervositeit door te constateren dat ze redelijkerwijs helemaal nergens van verdacht kon worden. Zelfs als de politie snel had gerageerd, konden ze niet al die duizenden mensen die op een vliegtuig uit Milaan wachtten tegenhouden. En het was per slot van rekening niet de vrouw van de premier die vermoord was, dacht Erika.

Waarom deze nieuwe gevoelens? Ze zou toch op zijn minst van streek moeten zijn bij de gedachte dat ze het afgelopen etmaal de grootste verandering van haar leven had doorgemaakt. Erika Svärd was nu een moordenaar.

Ze peinsde verder. Haar gevoelens hadden niets te maken met de erfenis van twintig miljoen die ze nu in feite had veiliggesteld. Daar was ze van overtuigd. Erika was niet iemand die zomaar ging shoppen, integendeel, ze leidde een spaarzaam leven. Het werk nam een groot deel van haar tijd in beslag, een sociaal leven had ze bijna niet en de liefde had ze al lang geleden afgezworen, misschien wel uit angst om zich weer te branden.

Ze dronk nog wat whisky, zette de koptelefoon op en drukte op het kanaal voor klassieke muziek. Ze genoot van Brahms en Vivaldi, terwijl ze een van de bladen die ze in de stoelzak voor zich had gevonden doorbladerde zonder dat ze echt zag wat er op de bladzijden stond.

De stewardessen kwamen met de eetwagen en Erika nam kip. Ze kreeg er een droge Italiaanse wijn bij aangeboden en nam dat enthousiast aan, vroeg zelfs meteen om nog een flesje. Juist toen ze een stukje kip in haar mond wilde stoppen, vielen de puzzelstukjes eindelijk op hun plaats. Ze slikte het hele stuk in één keer moeizaam door, leegde snel haar glas wijn, vulde het met trillende handen weer tot aan de rand en nam nog een flinke slok.

Genot. Voldoening. Geluk. Opwinding die bijna seksueel aanvoelde.

Plotseling begreep ze al haar gevoelens en voor het eerst in haar leven werd Erika Svärd bang voor zichzelf. Ze had geen enkele reden om die vrouw te haten. Desondanks had ze iemand vermoord die ze niet eens kende en zonder te weten waarom er een eind moest komen aan het leven van dit mooie schepsel. Ze had zich een recht toegeëigend dat geen mens zich hoorde toe te eigenen. En ze genoot ervan.

Erika Svärd dronk nog wat wijn. Een opmerkzame medepassagier had kunnen zien dat er een voldaan glimlachje over haar gezicht trok, terwijl ze met de vingers van haar rechterhand sensueel langs haar hals streek. Misschien, zou die opmerkzame medepassagier gedacht hebben, misschien was ze wel bezig met een of andere meditatie- of ontspanningsoefening. Maar dat was het niet. Erika Svärd scherpte haar verstand juist op een heel nieuwe manier en liet de nieuwe, merkwaardige maar – nu ze wist waar het om ging – zeer aangename gevoelens de overhand krijgen.

Macht. Ze voelde macht en verbaasde zich erover dat ze daarvan genoot, want ze had altijd minachting gehad voor mensen die hongerden naar macht en had nooit begrepen wat de waarde van macht was als er ook andere, heel concrete dingen waren om voor te leven. Nu begreep ze het.

Terwijl het vliegtuig over het steeds veranderende tapijt van velden en bossen, rivieren en meren, bergtoppen en grote steden vloog die samen Europa vormden, bijna tienduizend meter onder hen, genoot Erika Svärd nog een tijd tamelijk schaamteloos, zoals ze het zelf omschreef, van haar gevoelens.

Het vliegtuig landde geheel volgens schema op Kastrup bij Kopenhagen. In plaats van de straat op te gaan en een bus of taxi te nemen, ging Erika in een bar zitten en bestelde ze meer wijn. In de paar uur dat ze daar zat keek ze afwezig naar de mensen die zich van of naar iets of iemand haastten, terwijl ze haar aandacht naar binnen richtte.

Ze stopte daar pas mee toen ze zich behoorlijk dronken voelde en vaststelde dat ze veel te veel sigaretten had gerookt. Ze nam een taxi naar het Centraal Station in Kopenhagen en kocht een enkele reis naar Lund. Terwijl ze achterover leunde in de treinstoel, wilde ze dat ze nog wijn had gehad. Erika had zin om zich helemaal te bezatten en haar nieuwe gevoelens de vrije loop te laten, te proberen het gebeurde in een staat van hevige dronkenschap te omschrijven, misschien zelfs wat aantekeningen te maken die ze later, in nuchtere toestand, nog eens zou kunnen bekijken, ook al begreep ze wel dat het niet erg waarschijnlijk was dat ze zou kunnen lezen wat ze had geschreven.

Het hartstochtelijke genot, het verbazende, exalterende gevoel van macht en voldoening had haar steeds steviger in zijn greep gekregen. En nu wist ze het. Ze zou nog een moord kunnen plegen. Ze wílde zelfs nog een moord plegen. Toen die gedachte in haar opkwam, kon ze maar aan één iemand denken. Ze zag haar nog zo voor zich; dat glimlachende gezicht, die heldere stem. Ze kon haar haar tussen haar vingers, haar zachte lippen op haar lichaam nog voelen. Anna.

Misschien was deze gedachte, die haar vrijmaakte, in feite al in haar aanwezig geweest vanaf de dag dat Anna haar kwetste, meer dan iemand anders haar ooit had gekwetst.

Erika Svärd kwam thuis, sloot zich op, maakte nog meer wijn open, rookte en dronk uren achter elkaar terwijl de klassieke muziek uit de luidsprekers in haar woonkamer stroomde. Er bestond geen enkele twijfel meer. Ze zou Anna kunnen vermoorden.

17

Het nieuws over de dood van Claudia Degente kreeg veel aandacht, zowel in de Milanese krant *Corriere della Sera* als in de Romeinse kranten *La Repubblica* en *Il Messaggero.*

Alle drie publiceerden ze interviews met Giuseppe Degente, die volgens die stukken gebroken was door de dood van zijn vrouw. In een verklaring tegenover het persbureau *Ansa.it* zinspeelde Degente erop dat er politieke motieven aan de moord ten grondslag zouden kunnen liggen.

Bij de recherche in Milaan raakte inspecteur Silvio Bondi meer gefrustreerd naarmate het onderzoek vorderde.

Een paar dagen na de moord was Claudia's minnaar Luigi Castelli trillend een politiebureau binnengekomen en had verteld over hun relatie. Silvio Bondi had Castelli persoonlijk een paar keer indringend verhoord, en ze hadden de laatste uren van Claudia Degentes leven goeddeels in kaart kunnen brengen, omdat Castelli zeer gedetailleerd kon aangeven wat er gebeurd was in de tijd totdat ze zijn appartement verliet.

Er waren veel vraagtekens rond de moord. Wie had Claudia de dodelijke heroïne-injectie gegeven? Waar was de spuit? Hoe was de moordenaar gevlucht? Op straat, tegenover het huis van Castelli, hadden ze een gestolen Alfa Romeo gevonden met sporen waaruit bleek dat iemand daar had zitten roken. De technici hadden geen peuken in de auto gevonden, maar vanwege de rooklucht hadden ze de straat in een straal van een meter of tien rond de auto uitgekamd, en toen hadden ze beet. Er was natuurlijk geen bewijs voor dat de peuken op straat waren van degene die in de auto had gerookt, maar de kans bestond. En het werd nog interessanter toen de technische recherche de herkomst van de sigaretten vaststelde. Het merk was Prince en de sigaretten werden geproduceerd in Denemarken. Op de peuken waren zwakke sporen van lippenstift gevonden, hetgeen erop wees dat er een vrouw in de gestolen auto had gerookt terwijl ze wachtte.

Als het de moordenaar was die in de auto had zitten wachten, moesten ze dan aannemen dat dat een Deense vrouw was? Hoe was dat dan te rijmen met de mogelijke politieke motieven waarop Giuseppe Degente in de verhoren had gezinspeeld?

'Irritant,' mompelde Silvio Bondi, 'verdomd irritant.'

De volgende dagen werd hij van hogerhand sterk onder druk gezet. Zowel de top van de politie als een aantal hooggeplaatste politici hadden laten weten dat ze verwachtten dat Bondi en zijn mensen de moord snel zouden oplossen.

Silvio stuurde een mailtje naar zijn pas verworven vrienden van de conferentie in Londen en vertelde wat er gebeurd was. Vladimir Karpov had te veel andere dingen aan zijn hoofd om te kunnen antwoorden, maar het antwoord van Angela van der Wijk liet niet lang op zich wachten:

Beste Silvio, Ook aan mijn front gaat het steeds slechter. Alleen al de afgelopen dagen hebben we hier in Nederland weer drie, vier moorden gehad volgens hetzelfde patroon. Mensen worden door het hoofd geschoten, overreden of met een overdosis heroïne vermoord. We hebben geen motief en vinden geen daders...

Een uurtje later ging de telefoon.

'*Pronto!*'

'Ha, Silvio, met Jacob Colt.'

'Hé, Jacob, leuk om je te horen! Heb je mijn mailtje gekregen?'

'Jazeker, daarom bel ik. Sinds we elkaar in Londen hebben gezien, hebben we hier in Zweden weer een paar onopgehelderde moorden in dezelfde stijl gehad. Onlangs sprak ik Hector in Miami, en hij zegt dat hij in de Verenigde Staten ook het een of ander heeft gehoord, maar daar is het moeilijker overzicht te krijgen omdat het land zo groot is en de FBI lang niet van alle moorden op de hoogte wordt gebracht. Maar ik word er steeds zekerder van dat dit allemaal niet toevallig is. Het moet gaan om een of andere organisatie of bende die mensen ombrengt volgens een nauwkeurig gepland patroon. Maar welke organisatie en waarom?'

Silvio Bondi zuchtte.

'Ik heb ook in die richting gedacht, maar ik ben er niet wijzer van geworden dan jij. En ik weet niet hoe we iets kunnen oplossen als we geen aanwijzingen hebben. Deze moorden doorbreken alle klassieke patronen.'

'Ja. Ik heb een kopie van Angela's mailtje aan jou gekregen en zag dat zij met hetzelfde probleem zit. Ik heb zitten denken of we de informatie die we over al die moorden hebben op de een of andere manier bijeen kunnen brengen, maar ik weet niet of dat de moeite waard is en wat we ermee zouden kunnen doen.'

Bondi dacht een paar tellen na.

'Nee, dat kan ik ook niet zo gauw bedenken, want we hebben immers geen informatie die iets heeft opgehelderd. Het enige is dat we misschien een verband tussen de slachtoffers zouden kunnen zien, of ze op de een of andere manier tot eenzelfde groep mensen behoren. Hebben ze schulden? Hebben ze een crimineel verleden? Begrijp je wat ik bedoel?'

'Jazeker. Laten we maar eens kijken wat we zoal hebben, dan kunnen we dat verder per mail bespreken. Ik heb Vladimir ook even geraadpleegd. Hij heeft zijn handen vol aan het binnenstebuiten keren van St. Petersburg, al was het alleen maar om de moordenaars van zijn vrouw en kind te vinden. Maar onopgehelderde moorden volgens hetzelfde patroon als wij heeft hij niet.'

'Interessant,' zei Bondi. 'Hoe komt het dat Rusland hier geen last van heeft?'

'Ik zou het niet weten, Silvio. Daar moeten we onze hersens ook maar eens over breken. Pas goed op jezelf en succes met deze ellende. Ik hoop echt dat ik hier geen dode echtgenote van een politicus op mijn nek krijg! Het is zo al erg genoeg en je herinnert je vast nog wel de moord op onze premier. Die is nooit opgelost.'

'Praat me er niet van,' verzuchtte Bondi. 'Pas goed op jezelf, Jacob, en tot mails!'

18

Jacob bekeek de foto's die voor hem op tafel lagen nogmaals. Het was niet zijn zaak, maar hij kon zijn belangstelling voor datgene waar zijn collega's in Malmö mee te kampen hadden niet onderdrukken, omdat er overeenkomsten waren met de onderzoeken waarmee hij zelf bezig was.

De man op de foto, die nog altijd niet was geïdentificeerd, was in de nacht van donderdag op vrijdag van dichtbij met drie schoten in het achterhoofd gedood. Een getuige had omstreeks halftwee een man een andere man zien neerschieten in de Södergata in Malmö en had de politie gewaarschuwd. Maar toen de eerste surveillancewagen om negen minuten over halftwee ter plaatse kwam, was daar niemand, alleen twee geweldig dronken mannen die onderweg waren van de kroeg naar huis. Ze werden opgepakt en naar het bureau gebracht, waar ze mochten ontnuchteren en werden verhoord. Ze konden allebei snel worden afgevoerd, als verdachten én als getuigen, niet in de laatste plaats omdat ze bij hun arrestatie zo'n overduidelijke moeite hadden met staan en praten, dat ze niets hadden gezien en ook niet in staat waren om een moord te plegen.

Het gebied was snel afgezet en nauwkeurig doorzocht. De technici vonden helemaal niets wat met de moord te maken zou kunnen hebben en al helemaal niet wat ze het liefst zouden vinden: het moordwapen.

Jacob raakte steeds meer gefrustreerd. Het aantal onopgehelderde moorden bleef stijgen. Het patroon was de hele tijd hetzelfde. Geen duidelijke motieven, geen getuigen, geen moordwapens.

Dit was al de derde moord in Malmö in korte tijd. Bij de zaken in Malmö werden, net als in Stockholm, steeds dezelfde methoden toegepast. Een of meer daders vermoordden mensen door hen te overrijden, dood te schieten of met een spuit vol sterke heroïne te injecteren.

Een vrouw, Rebecca Svärd, was overleden in een villa in de exclusieve woonwijk Bellevue terwijl haar vriend naar een conferentie was. Rebecca was gevonden door haar zus, die ongerust werd toen ze de telefoon voor de tweede achtereenvolgende dag niet opnam. De zus, die een sleutel van de villa had, was naar binnen gegaan en had de vrouw dood in haar bed aangetroffen. De zus was ter informatie gehoord, maar had een alibi voor de tijd waarin Rebecca Svärd volgens de gerechtsarts was vergiftigd. Bij de obductie waren bij Rebecca sporen van heroïne in het bloed aangetroffen en de gerechtsarts ging ervan uit dat ze aan een overdosis was gestorven.

De technici hadden haartjes en schoenafdrukken gevonden in de hal. Toen de sporen van de zus eruit gefilterd waren, stelden de technici vast dat er een tamelijk dikke, donkerharige man met schoenmaat zesenveertig in de hal en de keuken was geweest.

Rebecca's vriend Ulrik Stenhag voldeed goed aan dat signalement. Hij was meer dan één meter negentig lang, woog ruim honderd kilo en had op de koop toe schoenmaat zesenveertig, constateerden de rechercheurs toen ze een kijkje namen in zijn garderobe. Maar daar hield hun geluk ook op. Toen ze contact opnamen met Ulriks werkgever, kregen ze te horen dat Stenhag zich in Frankrijk bevond voor een conferentie met andere medewerkers van het it-bedrijf. Een paar telefoontjes met het landelijk gelegen cursuscentrum in Frankrijk wezen enerzijds uit dat Stenhag voor en na de moord vrijwel steeds met andere mensen samen was geweest en anderzijds dat het onmogelijk voor hem zou zijn geweest om in de korte tijd waarvoor hij geen alibi had vanuit dat Franse dorpje naar Malmö te gaan, zijn vriendin te vermoorden en weer terug te keren. Stenhag was bovendien volledig ingestort toen zijn chef hem vertelde dat Rebecca was vermoord. Hij was voor psychische behandeling naar een kliniek in Lyon gebracht en de behandelend arts van die kliniek twijfelde niet aan de oprechtheid van Stenhags reactie. Jacob Colt bladerde verder in de Malmömap die hij had gemaakt. Ruim een week na de moord op Rebecca was Christopher Ek, mede-eigenaar van een middelgrote groothandel in kantoorartikelen, 's avonds doodgereden op de straat voor zijn kantoor, op een bedrijventerrein. De resultaten van het technische onderzoek duidden erop dat het geen ongeluk was. Er waren op straat naast het lichaam geen remsporen gevonden. Uit de verwondingen van het slachtoffer bleek dat de dader herhaaldelijk over hem heen was gereden. Zijn schedel was gebarsten en een deel van de hersensubstantie was eruit gelekt. Het lichaam was gevonden door een magazijnbediende wiens auto kapot was gegaan toen hij uit zijn werk, vlakbij, naar huis wilde gaan. Toen de man over het bedrijventerrein liep, had hij het slachtoffer ontdekt en om zeventien minuten voor acht had hij via zijn mobiele telefoon de politie gewaarschuwd. Een controle bij het bedrijf dat het terrein bewaakte had uitgewezen dat twee bewakingswagens de plek van de moord ongeveer een uur eerder waren gepasseerd zonder dat de bewakers iets ongewoons hadden opgemerkt. De auto, een Opel met een Deens kenteken, was slechts twee blokken bij de plaats delict vandaan teruggevonden. De collega's in Kopenhagen vertelden bij navraag dat de auto gestolen was op Amager, maar dat de eigenaar daar pas achter kwam toen de politie hem belde, doordat hij met zijn vrouw op vakantie was op Mallorca. De eigenaar van de auto had een volkomen acceptabel alibi en kon algauw uit het onderzoek worden afgevoerd. In de auto werden wat haren en huidschilfers gevonden, maar geen daarvan kwam overeen met eerdere gegevens van de politie. Een verwarrende omstandigheid was dat de technici sporen van een zuignap boven het dashboard hadden aangetroffen. Er waren speekselresten van de plek gehaald en naar het laboratorium van de Nationale Recherche in Linköping gestuurd voor DNA-analyse. Zonder resultaat.

Korte tijd richtte de verdenking zich tegen de andere eigenaar van het bedrijf, Jan-Anders Melander. Uit de verhoren van het personeel van de firma was gebleken dat Melander en Ek steeds meer onenigheid hadden over hoe het bedrijf moest worden geleid. Melander had eerder al doorgedreven dat de routinezaken van het bedrijf zelf werden geautomatiseerd, en nu wilde hij dat ze Chinese computers, Chinese computeraccessoires en goedkope software zouden gaan verkopen. De tien jaar oudere Ek, die de zaak van zijn vader had geërfd maar tijdens de economische malaise van de jaren negentig Melander als compagnon had binnengehaald, was veel conservatiever. Zijn vader was een van degenen geweest die het postorderbedrijf bekendheid had gegeven. Zijn bedrijf had altijd voor kwaliteit gekozen en Christopher Ek wilde zijn vaders erfenis goed beheren. Hij kon de snelle technische ontwikkelingen niet verwerken, kreeg mettertijd een hekel aan Jan-Anders Melander en had er bittere spijt van dat hij die een deel van de zaak had laten kopen. Doordat hij nog maar de helft van de aandelen bezat, kon hij zijn eigen ideeën niet meer doorzetten. Dat kon Melander ook niet, met als gevolg dat het marktaandeel van de onderneming kleiner werd en de eigenaars uit elkaar dreven.

De recherche van Malmö verhoorde Melander een paar keer. Dat leverde niets op. Melander maakte een behoorlijk ongevoelige indruk, terwijl hij toch eigenlijk geschokt had moeten zijn door het feit dat zijn compagnon zomaar op straat, voor de zaak, vermoord was. Maar cynisme was geen misdaad. Waarschijnlijk was Melander opgelucht dat Ek nu hem niet meer in de weg stond. Dat gaf hem de kans de rest van het bedrijf te kopen. Melander had bovendien een loepzuiver alibi. Ten tijde van de moord speelde hij indoorbandy in de Oxievångshal in Oxie, een voorstad van Malmö. De uren daarvoor had hij samen met een van de andere bandyspelers doorgebracht, en ze waren samen naar de sporthal gereden. Na de wedstrijd waren drie spelers met Melander mee naar zijn huis gegaan, waar Melanders vrouw voor hen gekookt had. Bovendien kwam het DNA van Melanders speeksel niet overeen met wat men op het dashboard van de auto had gevonden.

Jacob Colt vroeg zich af, voor de zoveelste keer de laatste tijd, wat er in hemelsnaam aan de hand was.

19

Seymour Jones was moe. Hij verplaatste zijn been en zijn gezicht vertrok toen hij de welbekende stekende pijn weer voelde. Zou hij die ooit weer kwijtraken?

Hij was van Bangor in Maine via New York naar de hoofdstad van Finland, Helsinki, gevlogen. Met wachttijden, inchecken en tussenlandingen had de reis zeventien uur geduurd. Hij had geprobeerd tijdens de vluchten te slapen, gedeeltelijk met behulp van pillen en drank, maar dat was niet erg gelukt. Hij had geprobeerd naar de films te kijken die op het scherm voor hem werden vertoond en hij had geprobeerd de boeken die hij bij zich had te lezen. Maar niets hielp, niets kon hem afleiden en zijn concentratie verbreken, ook al wist hij dat hij goed moest uitrusten om zijn taak te kunnen uitvoeren.

Het vliegtuig landde op het vliegveld van Helsinki 's morgens om tien over zeven plaatselijke tijd, tien minuten vóór op het schema. Jones passeerde de paspoortcontrole zonder problemen en volgde de bordjes naar de bagageband, waar hij wachtte op zijn enige bagage, een forse rugzak van legermodel.

Hij zag tot zijn verbazing dat de douane volkomen onbemand was en stapte de aankomsthal binnen. Hij keek op de klok: het was nu kwart voor acht. Hij had nog ruim zeven uur te gaan en geen idee hoe hij die tijd moest verdrijven. Dus hij nam een taxi naar de Esplanade in Helsinki, zocht de halte van de sightseeingbussen voor het warenhuis Stockmann op, kocht een kaartje en stapte in. Uit een buitenvak van zijn rugzak haalde hij een notitieboekje, een pen en de gids voor Helsinki die hij bij een boekhandel op vliegveld John F. Kennedy in New York had gekocht.

De daaropvolgende uren bekeek hij musea en regeringsgebouwen, het

Sibeliusmonument, de Mannerheimintie en de met behulp van explosieven in een rots uitgehouwen Temppeliaukiokerk – in de volksmond: de Rotskerk – waarvan de architectuur hem versteld deed staan. Ondanks zijn grote belangstelling voor geschiedenis en aardrijkskunde was Finland een zeer grote witte vlek op de landkaart van zijn kennis. Hij was altijd nogal geïnteresseerd geweest in Rusland, maar zijn belangstelling was de grens naar het buurland nooit overgestoken.

De gids was op de hoogte en Jones luisterde aandachtig en maakte wat aantekeningen in zijn boekje. Na de rondrit wandelde hij door het centrum van Helsinki. Hij raadpleegde zijn pocketgids, las dat de Finse hoofdstad ruim een half miljoen inwoners had en verbaasde zich erover hoe schoon en netjes alles was. Geen lege blikjes, papier, sigarettenpeuken en kauwgum in de goot. Geen daklozen in dozen op het trottoir en geen graffiti. Hoe kregen die mensen het voor elkaar om alles zo schoon en netjes te houden?

Seymour Jones ging café Strindberg in, nam een broodje garnaal en een biertje, rookte veel te veel sigaretten en keek naar de mensen die buiten op straat langskwamen. Hij pakte zijn kaart van Helsinki en bestudeerde die. Hij had besloten om drie uur 's middags aan boord te gaan en hij wilde zich niet hoeven haasten. Hij deed zijn rugzak op zijn rug en liep op zijn gemak over de Esplanade naar de Kauppatori.

Plotseling hoorde hij een gil, gevolgd door het geluid van kreukelend metaal. Seymour schrok en vloog opzij naar de dichtstbijzijnde portiek. Zijn hart bonsde, de adrenaline pompte en als gevolg van zijn snelle beweging sneed er een scherpe pijn door zijn been.

Hij draaide zich snel om. Een vrachtwagen was achter op een personenwagen gereden. Het gegil was waarschijnlijk het geluid van het paniekerige remmen van de vrachtwagen voor de botsing. De chauffeurs waren uit hun auto's gesprongen en stonden nu luidkeels ruzie te maken.

Seymour leunde tegen de muur en deed zijn ogen dicht. Zijn hart ging nog steeds tekeer en hij voelde zoute zweetdruppels op zijn lippen. Een ongewenste film spoelde zich versneld af op zijn netvlies.

Nu kwam het gillende geluid niet van een Finse vrachtwagen, maar van een *missile* vlak voordat die de grond raakte en explodeerde. Het metalige geluid kwam van de scherven die vlak boven zijn hoofd tegen het autodak sloegen. Wat hij op zijn lippen proefde was geen zout meer, maar bloed.

'*Get your fuckin' act together, Jones!*' fluisterde hij tegen zichzelf. '*You're a soldier, remember?*' Hij zette de herinneringen van zich af, deed zijn ogen open en wandelde zo snel zijn trillende benen het toelieten weg. Hij vervloekte zichzelf om zijn reactie. De taak die hem wachtte was veel te belangrijk om zich te laten afleiden.

Bij de Kauppatori besteedde hij een kwartiertje aan het kijken naar het Finse handwerk dat in de vele kraampjes op de markt werd verkocht en hij gaf veel te veel geld uit voor een lang, mooi mes van sterk Fins staal met een handgesneden houten handvat. Dat was een geschikt souvenir om mee naar huis te nemen. Op weg naar de Olympiaterminal ging hij de oude markthal binnen, liep langs de kleine toonbanken en snoof de geuren op van spek en worst, rendiervlees en paté. Voor de zekerheid kocht hij een groot stuk worst en een pakje gesneden kaas, een brood, een paar flesjes bier en water. Hij propte alles in zijn rugzak.

Toen hij de markthal uit kwam, zag hij het grote, witte schip en liep vastberaden naar de Olympiaterminal. Bij het loket noemde hij het boekingsnummer dat hij had gekregen. Het meisje achter de balie tikte het nummer in op haar toetsenbord, keek hem aan en zei glimlachend: 'Welkom, Mr. Stevens. Mag ik uw pas even zien?'

Jones voelde zijn hart sneller slaan. Hij was de paspoortcontrole op het vliegveld moeiteloos doorgekomen, maar daar had hij voor de zekerheid zijn eigen pas laten zien. Nu moest blijken of de valse het deed. Maar waar maakte hij zich druk om? Hoe groot was de kans dat het Finse meisje achter de balie een expert was in het onderscheiden van echte en valse Amerikaanse paspoorten?

Hij had gelijk. Het meisje keek heel even naar de eerste bladzij van het paspoort en schoof het toen terug over de balie.

'Dank u wel, het ticket komt zo meteen.'

De machine printte zijn ticket, het meisje deed het in een papieren omslag, samen met twee sleutelkaarten voor zijn hut, en hij betaalde contant met briefjes van de fikse stapel euro's die hij in Helsinki had gewisseld. Hij passeerde een controleur en liep door de slurf naar het schip. De Silja Serenade was een imposant bouwwerk en hij verheugde zich op de bootreis, ook al had het doel beter kunnen zijn. Hij kreeg echter niet zo veel tijd als hij wel had gewild om de boot te onderzoeken.

Toen hij de plek naderde waar de passagiers aan boord gingen, hield hij verstijfd stil. Vijftien meter verderop was een sierportaal gebouwd waar iedereen die aan boord ging moest stilstaan. Bij het portaal stonden twee fotografen, die iedereen vereeuwigden. De foto's zouden later die avond op dek 7 worden opgehangen en worden verkocht als souvenir.

Shit! dacht Jones. Een fotografische documentatie van zijn aanwezigheid was wel het laatste wat hij kon gebruiken.

Zijn gedachten werden onderbroken door een geluid achter hem. Er kwam een echtpaar aan met twee lawaaierige kinderen en de handen vol plastic tassen. Dank je wel, dacht Jones, deed alsof hij aan zijn rugzak frunnikte, liet het gezin voorbijgaan en liep toen achter hen aan. Toen het gezin stilstond in het portaal om zich te laten fotograferen, ging Jones met een bocht achter hen langs, knikte een van de fotografen toe en ging snel aan boord.

Een steward heette hem welkom en wees hem hoe hij zijn hut kon bereiken. Hij gebruikte de sleutelkaart om zijn hut in de gang op dek 11 open te maken. Het was een hut; niet meer en niet minder. Vier aan de muur bevestigde opklapbare bedden, een raampje met uitzicht op zee, een kleine kledingkast, een tafel met een spiegel erboven en een badkamertje.

Hij gooide zijn rugzak op een van de bedden, bekeek zichzelf in de spiegel en ging met zijn handen over zijn gladgeschoren schedel. Hij zag er moe uit en hij wás moe. Maar nu moest hij zich goed concentreren. De komende uren waren beslissend voor de rest van zijn leven en hij mocht niets verkeerd doen.

Hij controleerde snel of hij het papiertje met de foto en de informatie in zijn zak had, stak de sleutelkaart bij zich, ging de hut uit en liep terug naar dek 7. Recht tegenover de passagiersingang vond hij een cafetaria. Hij bestelde water en koffie en maakte het zich gemakkelijk. Hij haalde het papiertje met de foto en de persoonsinformatie uit zijn zak.

Juha Tähtinen zag er allesbehalve goed uit. Hij had stekeltjeshaar, een kogelrond gezicht met een huid vol acne, flaporen en een dikke bril met een stevig, zwart montuur. Hij was drieëntwintig jaar, één meter zeventig lang en woog vijfenzestig kilo.

Piece of cake, dacht Jones en hij las de overige informatie.

Na een bezoek aan zijn ouders in Helsinki zou Tähtinen teruggaan naar Stockholm, waar hij als IT'er bij een financiële instelling werkte. Maar als alles volgens plan ging, zou Tähtinen nooit meer op zijn werk komen. Hij zou over een paar uur sterven. Daar zou Seymour Jones persoonlijk voor zorgen.

Hij voelde het weer steken in zijn been. Hij trok een grimas, deed zijn ogen dicht en dacht terug.

20

Warm zand. Hij had zijn rug in de zachte ondergrond geperst en wrikte zich erin totdat het zand zijn lichaamsvormen had aangenomen. Hij had zijn overhemd uitgetrokken, zodat de zon op zijn lijf kon schijnen. Hij had het gevoel dat hij daar zo lang kon blijven liggen als hij maar wilde. Seymour Jones sloot zijn ogen en snoof de lucht op.

'Heb je een saffie voor me, Wilkie?'

Zonder zijn ogen open te doen stak hij zijn hand uit naar rechts en hij voelde hoe Jack Wilkinson een sigaret tussen zijn vingers stopte. Al aangestoken, waarachtig! Hij had altijd op Wilkie aan gekund.

Het konvooi was een halfuur geleden tot stilstand gekomen. Niemand van hen wist waarom, zoals gewoonlijk. Seymour wist dat meer dan dertienhonderd man van de *1st Marine Expeditionary Force* twee maanden geleden waren ingezet bij een raid op Fallujah. Maar informatie krijgen over wat er nu ging gebeuren was volkomen uitgesloten.

Op de weg boven hen stond een rij Humvees met mitrailleurs opgesteld. Helemaal achter in het konvooi stonden hun goed bewapende LAV-25's: terrein-en-amfibievoertuigen, bepantserde achtwielers met elk plaats voor tien man. En daar nog weer achter stonden twee ziekenwagens en twee vrachtwagens die tenten en voorraden vervoerden. Helemaal vooraan: een omgebouwde Chevrolet Suburban die als radio- en commandocentrale fungeerde.

Hun peloton bestond uit drie LAV-25's met elk tien man. Ze waren allemaal vanaf de marinebasis Camp Pendleton in Californië hierheen gebracht met Hercules C-130-vliegtuigen en ze hadden allemaal dezelfde informatie gekregen over de aard van de operatie: geen.

Seymour inhaleerde diep. Hij deed zijn ogen open en onderdrukte een vloek toen de vlijmscherpe zon erin sneed. Het was bijna twaalf uur.

Wilkie lag stil naast hem, rookte en keek nadenkend in de verte, naar niets.

'Wilkie, waarom liggen we hier in plaats van grietjes in Bangor te laten genieten van onze lijven en hersens?'

Wilkinson lachte die diepe, vertrouwenwekkende lach waarvan Jones al hield vanaf de eerste keer dat hij hem gehoord had. 'Rustig, Seymour. We komen weer thuis en dan zijn de meisjes er nog, geloof me! En trouwens – wie zei er op weg hierheen ook weer dat het interessant was om naar de wieg van de beschaving te gaan?'

Jones nam een trek en trok een grimas. Geschiedenis was zijn favoriete onderwerp. Hij had het op de middelbare school als vak gehad en aan de universiteit gestudeerd voordat hij bij de *Marines* kwam, en hij had zich er echt op verheugd naar het land tussen de rivieren te gaan dat duizenden jaren geleden Mesopotamië werd genoemd.

'Je hebt gelijk, maar het was wel heel naïef dat ik hoopte dat ik tijd over zou houden om rond te rijden en interessante plaatsen te bekijken. Besef je wel dat we in een paar uur in Babylon zouden kunnen zijn...?'

'Baby wie?' vroeg Wilkie en hij lachte. 'Je weet dat dat niet mijn sterkste punt is. Vertel, maat!'

Seymour zuchtte. 'Je wilt dus dat ik zevenduizend jaar geschiedenis even voor je samenvat terwijl we hier liggen te roken? Maar goed, in grote lijnen...'

Seymour ging overeind zitten in het zand, hield zijn hand boven zijn ogen en keek Wilkie aan: 'Mesopotamië, zoals het dus ruim vijfduizend jaar voor Christus heette, betekent "het land tussen de rivieren" en was de aanduiding voor een land dat zich in noordwestelijke richting uitstrekte door het huidige Irak, Syrië en Zuid-Turkije. Er zijn hier sporen gevonden van de eerste menselijke beschaving. Met uitzondering van Egypte misschien, denkt iedereen gewoon dat alles hier begonnen is...'

'Wauw!' Wilkie floot tussen zijn tanden.

'Al vijfenhalf duizend jaar voor Christus begonnen ze kanalen te graven om de grond kunstmatig te irrigeren, die vruchtbaar was door regelmatige overstromingen. Duizend jaar later vonden ze de houten ploeg uit en begonnen met landbouw. De mensen kregen een geregelde voedselvoorziening, en er ontstonden steden en dorpen.' Jones nam een paar trekjes en vervolgde: 'Drieduizend jaar voor Christus lagen er in Soemerië aan de Perzische Golf tientallen steden met wel tienduizend inwoners. Al die steden hadden hun eigen koning. De Soemeriërs vonden het eerste schrift uit, het spijkerschrift, omdat zij de eersten waren die behoefte hadden aan een boekhouding. Als er voedsel en zo werd opgeslagen en verdeeld, moesten ze het bijhouden. In dat verband zijn ook de eerste overeenkomsten ontstaan die bewaard zijn gebleven.'

Wilkie onderbrak hem: 'Shit! Je gaat me toch niet vertellen dat mensen daar toen al mee bezig waren?'

Seymour lachte en ging door. 'De oorsprong van de mythe over de toren van Babel is een groot, lemen gebouw, een trappenpiramide met terrassen. De piramide in Babylon – wat trouwens "poort van God" betekent – ruim honderd kilometer ten zuiden van Bagdad, wordt gezien als de directe oorsprong ervan. Helaas hebben wij zelf meegewerkt aan de vernietiging van wat ons meer over die geschiedenis had kunnen leren...'

'Hoe bedoel je?'

'Saddam had al opgravingen laten doen, waarbij veel overblijfselen en belangrijke vindplaatsen van de Babyloniërs werden blootgelegd. Maar toen Saddam viel en onze bezettingsmacht het nationale museum van Irak onbewaakt achterliet, verdwenen er veel voorwerpen uit het museum en werd een groot deel van de verzameling uit de Babylonische tijd vernield. Een deel van de gestolen voorwerpen is teruggevonden, maar veel is nog altijd weg. En dat niet alleen – in Babylon hebben onze eigen jongens een grote basis opgezet. De bouw daarvan en de vele troepentransporten hebben de archeologische overblijfselen ernstig beschadigd.'

Wilkinson schudde zijn hoofd. 'Niet best...'

'Helemaal niet best. Maar hoe dan ook, ruim tweeduizend jaar voor Christus slaagde een koning die Sargon heette erin het eerste imperium van de wereld te stichten door de steden in Mesopotamië te verslaan. Babylonië werd machtiger, onder andere door een koning die Hammurabi heette. Uit zijn tijd is een juridische tekst in de vorm van een stenen zuil, een stèle, bewaard gebleven. Dat wordt beschouwd als een van de vroegste juridische documenten. Er wordt bijvoorbeeld op vastgesteld dat vrouwen en kinderen het eigendom zijn van de man...'

Wilkie lachte weer. 'Nou, wat dat betreft lijkt er niet zo veel te zijn veranderd in de vierduizend jaar die sindsdien zijn verstreken, in elk geval niet in dit deel van de wereld. En wat gebeurde er daarna?'

'Babylon bleef meer dan duizend jaar een grootmacht. De beroemdste vorst was koning Nebukadnezar II, echt een wrede kerel. Babylon viel onmiddellijk na zijn dood in 562 voor Christus en werd in 539 bezet door de Perzen, die tegenwoordig Iraniërs heten.'

Wilkie krabde op zijn hoofd. 'Ze hadden het zwaar te verduren in die tijd, zo te horen.'

Seymour maakte zijn sigaret uit in het zand. 'Feit is dat ontzettend veel van de westerse culturele en religieuze bagage hiervandaan komt. Lang niet iedereen begrijpt hoeveel invloed gebeurtenissen van duizenden jaren geleden hebben op de wereld van nu.' Hij keek zijn vriend aan. 'Kon je het volgen?'

Wilkinson knikte nu geïnteresseerd. 'Jazeker. Je moet op school zo veel in de gaten houden, maar eerlijk gezegd kan ik me niet herinneren dat ik hier toen veel over gehoord heb.'

Seymour schudde zijn hoofd. 'Verbaast me niks. Met alle respect voor het Amerikaanse onderwijs, alles wat gaat over dingen buiten onze grenzen komt altijd op de tweede plaats, hè, en dat is dom. Als we niet leren begrijpen wat de wereld van vandaag de dag heeft gevormd en waarom de wereld zo verdeeld is als ze is, kunnen we toch ook niet begrijpen wat er nu gebeurt en waarom mensen kwaad zijn op elkaar.'

Seymour kwam overeind en klopte het zand van zich af.

'Einde van de geschiedenisles voor dit moment. Ik moet pissen...'

Hij ging rechtop staan, liep een paar meter en waterde op een graspolletje dat zich in de zandvlakte omhoogvocht. Hij bekeek het landschap. Hier was het droog, stenig en zanderig, maar hij had in Irak ook door gebieden gereden die geweldig mooi waren. Hij vroeg zich voor de duizendste keer af wat er de lol van was naar een land te gaan dat zo verdomd ver weg lag en daar te proberen zoveel mogelijk inwoners een kopje kleiner te maken.

Al vanaf de basisschool had Seymour Jones, net als iedereen, de versie gehoord dat hij dankbaar moest zijn dat hij in de grootste democratie van de wereld mocht leven en dat hij bereid moest zijn die democratie en die vrijheid tegen elke prijs te verdedigen, ongeacht wat het hem zou kosten. Hij had die boodschap geaccepteerd zonder er al te veel over na te denken.

Een paar avonden geleden had hij in de tent staan kijken naar een tv-uitzending waarin de president in grote lijnen hetzelfde verhaal afstak als Seymour op school had gehoord, maar nu doorspekt met uitspraken over terrorisme en hoe dat tegen elke prijs moest worden bestreden.

Dat van dat terrorisme wilde Seymour wel aannemen. Hij was al die baardige idioten die de wereld rond reisden en mensen in Gods naam opbliezen spuugzat. Zijn vader had een vriend die was omgekomen bij de aanvallen van 11 september op het World Trade Center in New York, en pas als dingen zo persoonlijk werden ging je er anders tegenaan kijken, dacht Seymour. Hij was gesterkt in zijn eigen nieuwe opvattingen over wat er op dit moment gebeurde, laatst op die avond toen hij naar de toespraak van de president luisterde en aan een koud biertje nipte.

Het was de eerste keer in zijn drieëntwintigjarige leven dat Seymour Jones voet op niet-Amerikaanse bodem had gezet, en zo had hij zich zijn eerste reis niet voorgesteld. Dat van het verdedigen van de vrijheid en de grootste democratie van de wereld voelde eerlijk gezegd niet als het voornaamste doel als je tot aan je reet in het zand stond in Irak. Op dit moment geloofde hij meer in de versie dat zijn land de tien procent van de olievoorraden die Irak bezat in bezit wilde nemen. Dat doel was net zo goed als elk ander, wie wilde er verdorie nou geen benzine voor zijn auto? Maar zou *Mr. President* zo vriendelijk willen zijn dat dan ook te zéggen?

Seymour Jones had eerlijkheid altijd gewaardeerd. Bovendien had hij niet veel op met president Bush. Jones was opgegroeid in een typisch blank, Amerikaans middenklassengezin met een vader en moeder die allebei democraat waren. Hij herinnerde zich nog goed dat ze gejuicht hadden toen Clinton aan de macht kwam en dat ze zich verraden voelden toen het ene schandaal volgde op het andere en dat Clinton toen passé was.

Seymour deed zijn rits dicht, draaide zich om en ging terug naar de plek waar Wilkie nog lag. Hij keek naar de weg boven hen. De bevelhebbers stonden bij elkaar bij de Chevy aan de kop van het konvooi. Sommige stonden over een kaart gebogen, een ander praatte in een microfoon.

Het zou fijn zijn als je iets wist.

Toen hoorde hij ver weg het welbekende geluid. Helikopters. Het duurde zo'n vijfenveertig seconden voordat ze boven hen daverden: zes, zeven zwaar bewapende Huey's, gevolgd door vier AH-1 Cobra's. De helikopters vlogen zo laag dat Jones door de zijramen de gezichten kon zien van de jongens die boven de mitrailleurs hingen. Vette baan was dat, boordschutter op een Huey. Hij had misschien de verkeerde baan gekozen in het leger. Jones grijnsde. Aan de andere kant kon je een *sitting duck* worden als je helikopter te zwaar was om op te stijgen en de vijand naderde zonder dat je weg kon komen of dekking kon zoeken.

De helikopters vlogen over zijn hoofd verder. Hij volgde ze met zijn ogen. Ze vlogen in kaarsrechte formatie en een paar mijl verderop begonnen ze plotseling aan een tamelijk steile bocht naar links. Er was iets gaande.

'Jones en Wilkinson, opstijgúh!'

Hij schrok op en keek naar het konvooi. Luitenant Meyer stond te gillen en met zijn armen te zwaaien. De sukkel!

'Wakker worden, maat,' zei Jones tegen Wilkie. 'Het is blijkbaar tijd om lol te gaan trappen.'

Seymour Jones boog voorover en raapte zijn overhemd van het zand. Hij schudde het uit en trok het aan. Wilkinson stond op en borstelde zich af, en ze liepen snel naar de weg. De motoren startten. Jones en Wilkinson sprongen op de LAV-25, zetten hun helm op en pakten hun wapen op van de metalen vloer, die tijdens de lange pauze warm was geworden. Met een ruk zette het konvooi zich in beweging. Jones trok zijn helm over zijn voorhoofd en haalde een pakje kauwgum uit zijn zak. Hij hield het Wilkinson voor, die een stukje pakte, het papier eraf haalde en het in zijn mond stak. Hij glimlachte waarderend naar Jones, maar zei niets. Jones zat een tijdje zwijgend naar het kale landschap te kijken terwijl het konvooi vorderde. Hij had een vreemd gevoel in zijn maag en vroeg zich af wat er vandaag zou gaan gebeuren. Het liefst wilde hij terug naar Maine. Dan moesten Irak, Bush en al die oliegeile lieden verdomme maar zien hoe ze zich redden. Maar het was niet aan hem om die beslissing te nemen. Hij kon niets anders doen dan op zijn tanden bijten, zich gedeisd houden en doorwerken. Mazzel dat hij Wilkie had.

Het pantservoertuig schommelde verder over de slechte weg en hij trok zijn helm nog verder naar beneden om niet door de scherpe zon te worden verblind. Hij hield zijn wapen stevig vast en liet zijn vinger veilig dicht bij de trekker rusten.

'Wilkie...' begon hij.

Jack Wilkinson keek hem aan, even rustig en betrouwbaar als altijd.

Jones vroeg zich heel even af of er wel iets was wat Wilkie echt zenuwachtig kon maken, van zijn stuk kon brengen.

'Ja, Seymour?'

'Ben jij... Ben jij ooit bang, Wilkie? Bang dat we dood zullen gaan? Ik bedoel... Het is toch... eh... oorlog?'

Wilkinson was een paar seconden stil, kauwde en keek recht vooruit naar de tank voor hen, die voortschommelde met een grote stofwolk achter zich aan.

'Ik ben bang voor verdomd veel dingen. Ik ben bang dat mijn moeder of mijn vader of mijn zusje doodgaan. Ik ben bang dat ik een pijnlijke ziekte krijg of dat iemand anders iets overkomt, jou bijvoorbeeld. Maar ik ben niet bang om hier te zijn. God is met ons, Seymour, en hij zal ons beschermen, wat er ook gebeurt.'

'Zeker weten?'

'Zeker weten! God en ik weten het zeker.' Wilkinson lachte.

Seymour lachte ook. '*Gimme five*, maat!'

De rechterhanden van de beide vrienden kwamen met een klap tegen elkaar.

Het konvooi rolde verder op de stoffige weg.

Seymour Jones kreunde.

Hij hoorde gedrup, rook de geur van diesel, voelde glassplinters tussen zijn rechterhand en straatstenen onder zich. De pijn in zijn onderbeen begon ondraaglijk te worden, maar hij durfde er niet naar te kijken, en bovendien lag Wilkies lichaam zo zwaar op het zijne dat hij niets kon zien. Voor het eerst sinds behoorlijk lange tijd was Seymour Jones echt bang. Alles was naar de kloten gegaan.

Hij hoorde granaten ontploffen, gesteund door automatisch vuur. Het vijftiende peloton was eindelijk gekomen om hen te ontzetten en die verdomde Irakezen in puin te hakken. Toen het bekende 'plofplof' in de lucht te horen was, probeerde hij zijn hoofd om te draaien. Vanuit zijn ooghoeken kon hij raden hoe een Cobra van het dertiende een raket afvuurde in de richting van het grote huis aan het plein. De klap was verschrikkelijk. Kort daarna voelde hij de hittestraling over de straatstenen van het plein in zijn lichaam slaan. Maar hij wist dat het toch al te laat was.

Seymour en de rest van de jongens van het negende waren recht in een Iraakse hinderlaag gelopen en dat was allemaal de schuld van luitenant Meyer. Pijnscheuten schoten van Seymours been recht omhoog door zijn lijf. Het leek alsof de lucht roze begon te kleuren en de stank van verbrand rubber drong zijn neusgaten binnen. Zijn netvlies veranderde in een groot filmdoek en om onbegrijpelijke redenen spoelde de film nu versneld terug.

Ze waren tegen beter weten in opgerukt. Ze hadden moeten wachten op het vijftiende, dat maar een halfuurtje achter hen aan kwam. Ze hadden zich moeten groeperen en wachten. Alles zou prima zijn gegaan als die idioot van een Meyer er niet geweest was.

Tot drie weken geleden had het peloton onder bevel van kapitein Jim Bright gestaan, een buitengewoon bekwame officier van de mariniers, met ervaring in verschillende oorlogen en een ruime expertise in tactische oorlogsvoering. Het peloton had diep respect voor Bright. Hij commandeerde met kennis en ervaring, hoefde nooit een order te herhalen en niemand stelde zijn bevelen ter discussie.

Maar er was iets misgegaan. Bright was samen met twee andere officieren in een Humvee in Fallujah bezig met een verkenningsopdracht toen ze in een hinderlaag reden. Een projectiel van een raketwerper sloeg recht in hun voertuig en ze verbrandden.

Het peloton nam met groot verdriet kennis van het bericht en daarna werd iedereen zenuwachtig. Wie moest het bevel nu overnemen? Dat niemand Bright kon vervangen stond als een paal boven water. Wat er nu kwam kon alleen maar slechter, nog slechter of nog verdomd veel slechter zijn.

Het werd natuurlijk nog verdomd veel slechter. De situatie in Fallujah was gespannen en kennelijk konden ze niet uit de fine fleur kiezen, in elk geval niet wat commandanten betrof.

Stephen J. Meyer, een vierentwintigjarige luitenant, had snel carrière gemaakt bij de *US Marines* en onderweg had zijn beoordelingsvermogen langzamerhand plaatsgemaakt voor honger naar macht en bevordering. Het kwam hem perfect uit dat hij bevelhebber kon worden van een van de pelotons die een groot deel van Fallujah moest beveiligen. Die kans zou hij zich door niets en niemand laten ontnemen. In zijn fantasie zag hij zich al in parade-uniform in Washington staan om de eerbetuigingen in ontvangst te nemen als de oorlog was afgelopen.

Maar er was iets verkeerd gegaan toen ze oprukten in Fallujah. Hij wist niet precies wat. Het konvooi was tot stilstand gekomen en Meyer had geluisterd naar de orders die gegeven werden. De drie LAV-25's waarover hij het bevel voerde moesten van drie verschillende kanten oprukken naar een plein. Aan de ene kant van het plein lag een huis van drie verdiepingen, waarvan men vermoedde dat de Irakezen er een hoofdkwartier en een groot munitiedepot hadden. Meyers peloton moest het plein innemen en daarna wachten op het vijftiende peloton, dat ongeveer een halfuur achter hen aan kwam.

Het konvooi was opgesplitst en Meyer had zijn negende peloton tot op slechts een halve kilometer van het plein laten oprukken. Daarna had hij de chauffeurs van de beide andere LAV-25's bevel gegeven van verschillende kanten op te rukken en posities in te nemen vanwaar ze zijn voertuig, dat het eerst het plein op zou rijden, dekking konden geven.

Er was iets misgegaan. Toen het pantservoertuig de straat in draaide die naar het plein leidde, zag Meyer algauw dat die geblokkeerd was door uitgebrande autowrakken en andere rommel. Er was geen enkele kans dat de LAV-25 deze barricade kon nemen.

Hij had de rest van het peloton een paar keer via de radio opgeroepen zonder antwoord te krijgen. Hij vloekte. Ofwel er was een toevallige radiostoring ofwel die verdomde radio had het weer begeven. Hij besloot af te wachten.

Maar niet al te lang.

Zijn ogen zochten de straat af. Op het kapotte asfalt aan de andere kant van de barricade lagen kapotte stenen, afgedankte kleren, autobanden, conservenblikjes, olievaten, oude zakken en andere rommel die als dekking voor schutters werd gebruikt. Dertig meter voor hen brandde een autowrak nog na van een eerder gevecht. Een magere, klitterige kat rende snel over de straat en verdween in een steeg. Maar verder was alles rustig. Twintig meter van het brandende wrak zag hij het plein.

Meyer probeerde de rest van het peloton weer op te roepen, maar de radio was kennelijk helemaal dood. Hij analyseerde de situatie. Natuurlijk moest hij radiocontact met de andere twee voertuigen hebben om het plein te kunnen innemen, maar de radio was dood en de anderen wisten heel goed wat ze moesten doen. Zijn groep was maar vijftig meter van het plein verwijderd, de straat was gebarricadeerd en er was geen tijd om alternatieve wegen te zoeken. Bovendien zou het riskant kunnen zijn om achter een van de eigen LAV-25's te rijden als ze niet eerst radiocontact hadden gehad. Dat zou erop uit kunnen draaien dat ze op elkaar schoten in plaats van op de vijand.

Meyer nam een besluit. Dit was een van die momenten in zijn leven waarop hij absoluut niet moest talmen. Zijn zesde zintuig zei hem dat zich hoge militairen schuil hielden in het witte gebouw aan de andere kant van het plein. Hij voelde een huivering langs zijn ruggengraat gaan. Stel je voor dat hij de eer zou krijgen om enkele van de meest gezochte mannen ter wereld op te pakken. Nee, hij was niet van plan te wachten op het vijftiende, hij was niet van plan op wie dan ook te wachten. Dit was zíjn zaak en hij zou winnen. Hij wist alleen nog niet helemaal hoe hij naderhand moest uitleggen dat hij verder was gegaan dan waar hij bevel toe had gekregen. Maar anderzijds – wie zou de acties van een militair ter discussie stellen als die net een paar van de hoogste militairen en terroristenleiders had gearresteerd, misschien zelfs gedood? Hij zou een oorlogsheld zijn en thuis in de Verenigde Staten een volksheld. Hij had alles te winnen.

Seymour keek naar Wilkie die een veelbetekende grimas terug maakte. Het was alsof ze Meyers gedachten konden lezen, en elkaars gedachten hadden ze al lang geleden leren aanvoelen. Ze hadden elkaar al in de zesde klas ontmoet, toen Jack Wilkinson uit Maine naar Arizona was verhuisd, waar zijn vader, majoor Tom S. Wilkinson, commandant was geworden van de *US Air Force*-basis in Bangor.

Seymour was kort en pezig, Jack lang en sterk. Seymour was impulsief en snel van begrip, Jack zwijgzaam en bedachtzaam. Seymour was goed in alles wat theoretisch was, Jack was praktisch aangelegd en had altijd een slimme oplossing bij de hand. Seymour en Jack vonden elkaar direct en werden elkaars beste vriend.

Seymours ouders hadden hun wenkbrauwen lichtelijk gefronst toen hun zoon voor het eerst met Jack Wilkinson thuiskwam en hem voorstelde. Jack Wilkinson was namelijk zwart. Er waren niet veel zwarte kinderen in de middenklassenwijk waar de familie Jones woonde, en ook niet op de gemeentelijke school waar Seymour op zat. Maar verder dan gefronste wenkbrauwen ging het nooit.

Seymour en Jack bleven ook op de *high school* en het *college* vrienden. Ze waren naar dezelfde feesten gegaan, hadden dezelfde auto's gereden en in hetzelfde baseballteam gespeeld. Ze hielden van dezelfde soort kleren en dezelfde soort muziek en ze hadden zelfs – en daar herinnerden ze elkaar graag grijnzend aan – zonder dat ze het wisten een paar keer hetzelfde vriendinnetje gehad. Seymour en Wilkie waren meer dan de helft van hun jonge leven onafscheidelijk geweest en ze vertrouwden elkaar blind. Een eigenschap die goed van pas kwam waar ze zich nu bevonden.

Het lot had gewild dat ze ook in het leger bij elkaar bleven. Alleen tijdens hun opleiding werden ze tijdelijk van elkaar gescheiden, maar daarna kwamen ze weer bij elkaar en toen het tijd was om naar Irak te gaan, belandden ze allebei in het negende peloton.

Ze hadden heel wat gesproken over de zin van de oorlog in Irak en af en toe waren het behoorlijk verhitte discussies geweest in de tent, totdat een van de anderen van het peloton hun vriendelijk doch dringend had verzocht hun bek te houden en het licht uit te doen.

Dat Wilkie van zijn vader, de majoor, andere ideeën had meegekregen dan Seymour, was duidelijk. Wilkie was republikein, had een onwankelbaar vertrouwen in president Bush en hield net als zijn vader vol dat het de voornaamste taak van de Verenigde Staten was om niet alleen het eigen land tegen geschifte dictators te verdedigen, maar ook de rest van de wereld. Wilkie beweerde dat de Verenigde Staten het beste land van de wereld was en het enige waar volledige vrijheid bestond. Hij was er mateloos trots op Amerikaan te zijn, patriot in hart en nieren, en bereid tot het uiterste te gaan om de vrijheid te verdedigen.

Seymour moest altijd lachen als hij zo ver kwam in zijn verklaring, wel wetend dat het weinig zin zou hebben om de discussie op dit punt voort te zetten. Maar het maakte ook niet uit. Seymour hield van Wilkie om wie hij was, en een trouwere vriend kon je je niet wensen. Dat hij bovendien trots was op waar hij vandaan kwam, was geen halszaak.

Nu stonden ze hier samen in de shit. In precies zo'n oorlog als waarover ze thuis in Maine spraken zonder dat ze wisten wat het inhield. In de afgelopen maanden hadden ze meer doden en kapotgeschoten kinderen gezien dan ze konden tellen. Ze hadden meer bloed en explosies gezien en meer salvo's gehoord dan in de bioscoop. Ze hadden zelf hun wapen op mensen gericht, zelf geschoten en – ook al waren ze daar geen van beiden helemaal zeker van – vast ook mensen gedood. Dat was een raar, beangstigend gevoel.

Seymour keek naar Wilkie. Hij was in de loop der jaren behoorlijk lang geworden, mat nu één meter negentig op kousenvoeten en woog iets meer dan honderd kilo. Hij knipoogde naar Seymour en stak een sigaret op. Luitenant Meyer keek misprijzend naar Wilkie. Meyer rookte niet, dronk niet en het zou Seymour niks verbazen als die knul ook nog nooit in de buurt van een meisje was geweest. Meyer was het oertype van het keurige heertje dat alleen van schoolfeestjes terugkwam, als hij er al heen had durven gaan of zelfs maar voor was uitgenodigd.

Meyer had bevolen dat ze moesten uitstappen, een granaatwerper mee moesten nemen en om de barricade heen naar het plein moesten oprukken.

Seymour begreep het absurde van Meyers idee. Voordat ze naar het plein gingen, moest hij minstens proberen om Meyer duidelijk te maken wat elke idioot zo wel begreep. Hij haalde diep adem: 'Luitenant, sir! Waar is de rest van het peloton? Kunnen we niet beter op het vijftiende te wachten? Wij zijn hier nu maar met zeven man en het is gewoon zelfmoord als we proberen om het plein alleen in te nemen. De Irakezen staan gegarandeerd klaar om ons een warm welkom te geven en we hoorden eerder via de radio dat het vijftiende maar een halfuur achter ons zit, misschien maar twintig minuten...'

Meyer had hem alleen maar ijskoud aangekeken. 'Jones! Ik zal doen alsof ik dat niet heb gehoord.' En verder: 'Let op! Ik ben het radiocontact met de rest van het peloton kwijt, maar ze hebben duidelijke orders gehad over de posities die ze moeten innemen rondom het plein. Ze horen daar allang te zijn om ons te dekken. We rukken op mijn bevel op.'

Hij wees, en beval: 'Midden op het plein zie je een vrachtwagen. Jones en Wilkinson nemen posities in achter de vrachtwagen. Smith dekt de linkerflank van het plein en Berger de rechterkant. Chipowski, Steiner en ik gaan aan het eind van de straat staan met de granaatwerper. Geen vuur als ik er geen bevel voor geef. We wachten op onze posities af en rukken dan verder op naar het witte huis aan de andere kant van het plein. Vragen?'

Seymour had nog een laatste poging gedaan: 'Sir! We zijn dan toch een zittende prooi! Kunnen we niet op het vijftiende wachten, sir?'

Meyer had hem nogmaals aangekeken, nu met nog koudere ogen. 'Jones, moet ik dit interpreteren als weigering van een bevel?'

'Sir, nee, sir!'

Seymour wist wanneer een slag verloren was. Hij vloekte inwendig. Meyers waanzin zou hen in een zeer lastig parket brengen. Hij vroeg zich af of de rest van hun eigen peloton de posities bij het plein wel had bereikt. Misschien konden ze dit ellendige plein zonder hulp van het vijftiende bezetten, maar daarvoor ze hadden dan toch in elk geval al hun eigen dertig jongens nodig. Nu waren ze met zijn zevenen en Meyer was vechtlustig. Shit, shit!

Chip en Steiner hadden de granaatwerpers in positie gebracht. Meyer was met zijn wapen schietklaar achter een container gaan zitten. Smith was langs een huismuur geslopen en had een muurtje gevonden waar hij achter kon kruipen. Berger was over de grond getijgerd en had dekking gevonden achter een geparkeerde auto. Alles was stil op het plein.

Meyer gaf Jones en Wilkinson een teken. Seymour was als eerste gaan rennen. En toen brak de hel los. Plotseling doken er overal zwartharige hoofden op in het witte gebouw dat er net nog zo volkomen verlaten uit had gezien. Hij zag dat er lopen uit de ramen werden gestoken, hoorde automatisch vuur en zag de kleine, oranje vlammetjes uit de wapens komen toen hij nog vijf, zes meter naar de vrachtwagen moest afleggen. Vlak voordat hij een snoekduik maakte en rollend dekking zocht, voelde hij de snerpende pijn in zijn onderbeen en begreep dat hij getroffen was. Hij rolde op zijn rug en deed zijn ogen dicht terwijl hij de kogels boven zich in de vrachtwagen hoorde inslaan. Toen hij zijn ogen weer opendeed, ging de film over op dubbele snelheid. Wilkie glimlachte naar hem en zijn mond bewoog. Jones wist dat Wilkie 'fuck-fuck-fuck' riep, zoals altijd wanneer er iets gebeurde. Jones wist dat Wilkie het zou redden. Wilkie was zijn beste vriend in deze hel en hij redde het altijd. Jones redde het ook altijd. Jones en Wilkie redden het altijd. Jones en Wilkie waren winnaars, winnaars, winnaars, fuck-fuck-fuck!

Nu zag hij Wilkies grote, zwarte lichaam in slow motion op zich af komen. Wilkie tilde zijn benen bij elke stap zo hoog op alsof hij aanzette voor het hoogspringen. Plotseling sloegen er vier of vijf kogels in zijn borst en werden zijn bewegingen traag. Seymour zag kleine, rode straaltjes uit Wilkies lichaam spuiten. Wilkies helm werd van zijn hoofd geslagen, misschien door nog een kogel, viel op de straatstenen en rolde weg. Toen viel Wilkies lichaam boven op hem. Seymour schreeuwde van pijn en Wilkie kreunde 'fuck-fuck-fuck' en toen zei hij niets meer en bleef heel stil liggen in een vreemde houding.

Plof-plof-plof. Meer Huey's boven hen. Meer raketvuur. Een regen van kogels uit automatische wapens. In de verte uit het gebouw geschreeuw in een vreemde taal. Seymour merkte dat de geur van brandend rubber sterker werd. Hij begreep dat de vrachtwagen waar hij achter lag in brand stond. Hij hoopte dat er gauw een Humvee of een LAV-25 zou komen om hen dekking te geven en Wilkie en hem te redden. Hij vroeg zich af waarom de lucht roze was. Hij vroeg zich af waarom de pijn in zijn been doffer werd. Was hij toch niet geraakt? En waarom wilde Wilkie niet met hem praten? Hij sperde zijn ogen tot het uiterste open en nu werd de lucht bloedrood. Hij bracht zijn hand naar zijn gezicht en wreef in zijn ogen. Het rode was meteen weg. Hij probeerde zich onder het lichaam van zijn vriend uit te wurmen en kreunde.

'Wilkie, verdomme, ga van me af, je wurgt me. We moeten hier weg!'

Wilkie gaf geen antwoord. Jones rook een vreemde, zoete geur die de stank van het brandende rubber verdreef, en tegelijkertijd werd het warm in zijn gezicht. Hij veegde zijn gezicht weer af en keek naar zijn hand. Bloed. Hij probeerde zich te concentreren. Wilkies gezicht lag vlak bij het zijne. Zijn oogwit zag er raar uit, witter dan anders, zijn ogen waren leeg en leken op oneindig te staan. Er kwam bloed uit Wilkies mond, bloed dat op Jones neerdruppelde.

'Neeeeeee, verdomme! Wilkiiiiieeeee!'

Ergens ver weg hoorde hij het doffe geluid van de Humvee. Het geluid van laarzen op de stenen. De stem van Meyer: 'Gód-verdómme! Jones! Wilkinson! 'Gód-verdómme! Laat iemand hier hospikken heen sturen!'

Toen werd alles zwart.

De volgende keer dat hij iets zag, lag hij in een Humvee die over de straten schudde. Door de bovenkant van de zijramen kon hij wazig zwarte gaten onderscheiden waar eens ramen hadden gezeten en roet op de witte huismuren. Iemand joeg een spuit in zijn been en hij schreeuwde van pijn en voelde een heleboel warms, smerigs en gevaarlijks uit zijn been stromen, en iemand zei dat alles in orde was en dat alles weer goed kwam. Het werd weer zwart.

Toen hij zijn ogen de volgende keer opendeed, lag hij nog steeds in de schuddende Humvee en hij hoorde iemand schreeuwen dat ze verdomme harder moesten rijden. Hij hoorde Huey's en Cobra's in de lucht en begreep dat ze daarboven vlogen, als zwarte vogels, en raketten afschoten. Tegen wie? Waarom? Met welk doel? Er kropen rare gedachten door zijn hersens.

Hij vroeg zich af waarom hij Meyers gezicht boven zich zag en het duurde even voordat hij begreep dat hij met zijn hoofd op de schoot van luitenant Meyer lag. Meyer keek naar hem met een ernstig gezicht.

'Hou vol, Jones, hou vol. Het komt goed. Je krijgt zo verzorging.'

Jones worstelde om zijn gedachten helder te krijgen. 'Wilkie, waar... waar is Wilkie...?' mompelde hij vermoeid. Hij vroeg zich af waarom hij niet op Wilkies schoot lag, maar toen herinnerde hij zich het beeld van Wilkie boven zich en de geur van bloed.

Wilkie was dood. Hij begreep plotseling dat het geen droom was. Dat hij niet wakker zou worden, opstaan en Wilkie glimlachend naar zich toe zou zien komen. Hij schraapte zijn laatste krachten bijeen en keek Meyer in de ogen: 'Jouw... schuld...' kreunde hij.

Meyer boog voorover om hem beter te kunnen horen.

'Wilkie is... dood,' kreunde Jones. 'Dat is... jouw schuld, waardeloze... godverdomde lamlul...'

Het voelde alsof er plotseling een groot mes in zijn been werd gestoken en hij brulde het weer uit van de pijn. Als door een mist voelde hij hoe iemand aan de andere kant van zijn lichaam zijn broek opensneed en zijn been onderzocht.

'O, shiiit!' zei iemand daarginds, ver weg bij zijn voeten. 'Godverdomde klereshit. Geef me meer pijnstillers, iemand, hier, een ampul, gauw verdomme, in dat kistje daar!'

Toen werd alles weer zwart.

21

'Seymour Jones?'

Seymour Jones stond moeizaam op, liep met steun van de stok naar de spreekkamer van de dokter en ging in de lege stoel bij het bureau zitten. De dokter keek in de paperassen die voor hem op het bureau lagen. Toen keek hij naar Seymour.

'Jones, ik ben luitenant-kolonel George McGregor, chef-arts hier en verantwoordelijk voor uw ontslag uit het ziekenhuis.'

Seymour Jones bekeek de dokter. Hij was waarschijnlijk rond de vijftig en zag er met zijn kortgeknipte grijze haar en zijn grijze ogen energiek en rechtschapen uit.

'Hoe gaat het met je?'

Jones keek de dokter aan alsof die niet goed wijs was. 'Sir? Hoe bedoelt u?'

'Ik bedoel, hoe gaat het in het algemeen met je, afgezien van je been?'

Jones kreunde. 'Kunnen we dat niet overslaan? Hoe denkt u verdomme dat het met me gaat? Mijn beste vriend is dood, mijn been is naar de kloten, ik kan de *Marines* wel vergeten en ik word naar huis gestuurd, alleen maar omdat een waardeloze –'

De dokter viel hem in de rede. 'Jones! Pas op wat je zegt, je bent nog steeds lid van het korps mariniers!'

'Sir! Yes, sir!'

Ze bleven allebei een paar seconden zwijgen.

'Jones, ik weet dat het een schrale troost is, maar je bent niet de enige. Oorlog is oorlog, en het is helaas niet de eerste keer dat ik zo iemand voor me heb, en ook niet de laatste keer. Ik ben zelf in Korea en Vietnam geweest en ben ook gewond geraakt. Ik had weliswaar het geluk dat ik er met lichtere verwondingen afkwam, maar ik heb ook een van mijn beste vrienden in een gevecht verloren. Ik weet dat Wilkinson dood is en dat hij je vriend was. Ik weet ook dat de anderen in je groep zijn beschoten als *sitting ducks* en dat alleen jij en je bevelvoerder het hebben overleefd. Dat is afschuwelijk, maar er is niets meer aan te doen. Ik raad je aan professionele hulp te zoeken om te verwerken wat je hebt meegemaakt, en als je daarvoor kiest helpen wij je natuurlijk om de juiste hulp te vinden. '

Hij zweeg een paar seconden en vervolgde toen: 'Omdat je in een gevecht gewond geraakt bent door een rechtstreekse vijandelijke handeling, zul je gedecoreerd worden met het Purperen Hart. Zoals je weet is dat een van de hoogste onderscheidingen die een soldaat kan krijgen, en daar mag je trots op zijn.'

Seymour Jones voelde plotseling de tranen opwellen en had al zijn zelfbeheersing nodig om niet in huilen uit te barsten. Ik heb schijt aan het Purperen Hart, dacht hij. Het enige wat ik wil is Wilkie terugkrijgen. Lieve God, geef me Wilkie terug!

'Je wordt vandaag uit het ziekenhuis ontslagen en mag terug naar Maine. Zoals je al eerder hebt gehoord, zijn je verwondingen van dien aard dat er geen taken meer voor je zijn in het leger. Je zult als gewond oorlogsveteraan echter een goede eenmalige vergoeding krijgen en daarna zal de staat ervoor zorgen dat je economisch schadeloos wordt gesteld...'

Seymour Jones stak zijn hand op. 'Sir! Wat gebeurt er met luitenant Meyer?'

McGregor staarde naar zijn bureau, hief zijn hoofd toen op en keek Jones recht in zijn ogen. 'Jones, probeer dat los te laten. Ik heb je verhoor gelezen, ik weet wat je vindt van luitenant Meyer en wat er in Fallujah gebeurd is. Maar ik ben hier als arts, niet als rechter. Voor zover ik weet is luitenant Meyer nog altijd in dienst en –'

'– zorgt ervoor dat er nog meer mariniers omkomen? Mooi!'

'Jones! Ik herinner je eraan dat ik hoger in rang ben en dat je op dit moment onder mijn bevel staat. Ik moet je waarschuwen dat je je beschuldigingen niet tegen een meerdere mag uiten. Ik ben ervan overtuigd dat het incident in Fallujah zal worden onderzocht.'

'Sir! Het spijt me, sir...' Seymour kon zich niet meer beheersen, hij voelde de tranen opwellen en werd overmand door zijn gevoelens. Hij snikte eerst, huilde toen als een kind en schreeuwde op het laatst al zijn pijn, verdriet en frustratie eruit.

McGregor wist dat hij hier doorheen moest, vandaag en nog duizend keer, en liet hem begaan. Na een poosje gaf hij Seymour een licht kalmerend middel en nam samen met hem door welke medicijnen hij voortaan moest nemen en hoe zijn gewonde been verder behandeld moest worden.

Een halfuur later hinkte Seymour Jones de spreekkamer van de dokter uit met een dikke envelop in zijn hand. Het was mogelijk, had de dokter gezegd, dat de pijn de komende zes maanden zou afnemen, dat hij het gevoel in zijn been terug zou krijgen en dat hij beter zou kunnen lopen. Op den duur zou hij misschien zelfs zonder stok kunnen lopen, maar dat hing af van zijn eigen wilskracht en zijn vermogen om de zenuwen in het door een schot gewonde been weer te trainen. Alle verdere behandelingen zouden natuurlijk door de staat betaald worden. Jones was de rest van zijn leven verzekerd van een invaliditeitspensioen en zou waarschijnlijk ook – behalve met het Purperen Hart – worden onderscheiden met een eremedaille voor dapperheid in het gevecht. Meer informatie daarover zou per brief komen.

Maar dat alles interesseerde Seymour Jones op dit moment minder. Hij was nog steeds vol van Wilkie en die idioot van een Meyer, die de enige, directe oorzaak was van de volkomen onnodige dood van Wilkie. Jones pakte zijn spullen en vloog terug naar Bangor.

Het was een raar gevoel om thuis te komen. Hij was drieëntwintig jaar en was de afgelopen twee jaar militair geweest. Hij hield van alles waar het leger, net als hijzelf, voor stond: kameraadschap, orde en regels, strategieën, beloning en waardering voor hard werken, grote kansen voor wie zijn beste beentje voorzette. Hij had in elk geval gehouden van waar het leger voor stond totdat luitenant Meyer een paar weken geleden in zijn leven was gekomen. Maar afgezien daarvan had hij genoten van zijn tijd bij de *US Marines* en alle alternatieven voor een militaire carrière genegeerd. Een carrière die nu was afgelopen en hem na de dood van Wilkie achterliet met een onbegrijpelijke leegte.

Seymour was teruggegaan naar zijn kamer in zijn ouderlijk huis. Hij was vastbesloten gauw woonruimte voor zichzelf te vinden, maar had het gevoel dat er eerst iets belangrijkers moest gebeuren, en hij was onvoorstelbaar moe.

Een van de eerste dingen die hij deed was op bezoek gegaan bij Wilkies familie, waar hij immers jarenlang kind aan huis was geweest. Hij had samen met Wilkies moeder en zus gehuild en hij had whisky gedronken en lange avondlijke gesprekken gevoerd met majoor Wilkinson, voor wie hij het grootst mogelijke respect had.

De begrafenis was ondraaglijk voor hem geweest en ook al had hij veel te veel kalmeertabletten genomen voordat hij naar de kerk ging, het leek of hij nooit meer zou kunnen ophouden met huilen. Wilkie, in het parade-uniform van de mariniers, zag er in zijn kist trotser uit dan ooit, alsof geen kogel ter wereld zijn lichaam zou kunnen raken. Een generaal had een toespraak gehouden over dapperheid, er speelde een militair orkest en toen had het gospelkoor een paar van Wilkies favoriete liedjes gezongen. Ten slotte was de kist op de klanken van *Amazing Grace* naar buiten gedragen, onder vlaggen die vastgehouden werden door Marines met witte handschoenen.

Op dat moment deed Seymour zichzelf en Wilkie een plechtige belofte.

Een paar weken na de begrafenis ging Seymour naar Wilkies vader op de vliegbasis in Bangor.

Tom Wilkinson was verrast geweest toen de wacht belde en zei dat een zekere Seymour Jones naar hem vroeg, maar had de wacht gezegd dat hij Jones naar zijn kantoor moest begeleiden. Hij vroeg Seymour te gaan zitten en keek hem glimlachend aan.

'Zo, jij kunt het leger niet missen?'

Seymour probeerde te glimlachen, maar het lukte niet erg.

'Het spijt me dat ik hier naar de basis kom, Mr. Wilkinson, maar ik moet onder vier ogen met u praten.'

Tom Wilkinson knikte, maar zei niets.

'Ik kan niet verder als ik niet een paar antwoorden krijg, Mr. Wilkinson. Ik weet wat er daarginds wérkelijk is gebeurd, maar ik moet het doen met de officiële versie. Het was de schuld van luitenant Meyer dat ze allemaal dood zijn, en ik wil dat hij daarvoor ter verantwoording wordt geroepen.'

Wilkinson zuchtte. 'Seymour, dit is voor mij net zo moeilijk als voor jou. Misschien nog moeilijker, omdat ik nog in het leger zit en de regels die er zijn moet volgen en de antwoorden die er worden gegeven moet accepteren. Misschien nog moeilijker omdat mijn zoon gesneuveld is. Ik heb jouw verhaal gehoord en natuurlijk geloof ik dat. We kennen elkaar al zo lang en ik weet dat je geen enkele reden hebt om tegen me te liegen, zeker niet in dit geval.'

'Maar...'

Wilkinson maakte een afwerend gebaar met zijn hand. 'Laat me doorgaan, alsjeblieft. Dankzij mijn contacten heb ik de hand weten te leggen op het rapport dat na het gevecht is opgesteld, ook al heb ik formeel niet het recht dat in te zien. Ik heb ook een verslag gelezen van het verhoor met luitenant Meyer. Hij liegt schaamteloos, Seymour, hij liegt om zijn eigen huid te redden. Maar tussen de regels door kun je lezen dat wat er gebeurd is, het gevolg is van een waanzinnige beslissing van luitenant Meyer.'

Wilkinson vervolgde: 'Meyer beweert dat jullie de posities hadden ingenomen die jullie moesten innemen bij dat plein, toen jullie plotseling van achteren werden aangevallen door een groep rebellen. Om te voorkomen dat jullie in de rug werden geschoten, moest hij jullie wel bevel geven om naar het plein op te rukken en daar dekking te zoeken, en daar liepen jullie toen in het vuur vanuit het gebouw. Er is vastgesteld dat de radiocommunicatie binnen jullie peloton niet meer werkte, maar ook dat de andere twee pantservoertuigen van jullie peloton nog niet bij het plein hadden kunnen komen toen jullie oprukten. Ik kan je ook vertellen dat er zich geen "opperbevel" in dat gebouw bevond, maar een klein munitiedepot. Er was geen spoor van hoge militairen te bekennen...'

Seymour vloog op uit zijn stoel en zijn gezicht vertrok toen de pijn door zijn been schoot. 'Meyer, de klootzak!'

'Rustig, Seymour! Ga zitten!'

Seymour ging weer zitten, nu met zijn hoofd in zijn handen.

'Het bevalt mij net zo min als jou,' vervolgde Wilkinson, 'en ik weet niet wat ik moet zeggen om je op te beuren. Wilkie is dood en daar komen we geen van beiden overheen, maar op de een of andere manier moeten we doorgaan met ons leven. Seymour, ik ben al bijna vijfendertig jaar militair en ik heb een hoop dingen gezien die me niet bevallen. Dit is geen beschermd gebied waar eer en waarheid verzekerd zijn. Helaas is het vaak juist andersom. In dit geval is het luitenant Meyers woord tegen het jouwe, omdat jullie de enige overlevenden waren. Het enige wat hij niet kon verklaren is waarom hij zelf niet op het plein was toen de beschieting begon, maar misschien is dat wel domweg omdat niemand zijn verklaring met die van jou heeft vergeleken en het hem heeft gevraagd. Meyer heeft een mooie carrière achter zich en vermoedelijk nog een lange voor zich, terwijl jij nu uit het leger bent. Ik acht het niet ondenkbaar dat hij een medaille voor getoonde moed krijgt omdat hij heeft geprobeerd zijn groep te redden...'

Seymour keek op: 'Sir? Wát zegt u daar, sir?'

Wilkinson stond op, liep om de tafel heen en legde zijn hand op Seymours schouder. 'Het spijt me, Seymour, het spijt me. Laten we dit samen proberen te verwerken. Je bent altijd welkom bij ons thuis, dat weet je. Maar beloof me twee dingen. Voor míj: vergeet alles wat je gehoord hebt sinds je dit kantoor binnen bent gekomen. En voor je eigen bestwil: probeer je haat kwijt te raken. Je hebt nog een lang leven voor je...'

Minder dan een week na zijn bezoek aan majoor Wilkinson had Seymour Jones luitenant Meyer met behulp van een paar telefoontjes, mailtjes en internet gelokaliseerd in Cape Coral, een stad in Zuidwest Florida. Seymour voelde dat zijn haat eerder sterker dan zwakker werd. Hij had het nummer van een psycholoog gekregen toen hij het ziekenhuis in Augusta verliet, maar hij had geen contact opgenomen en hij was ook niet van plan om dat te doen. Elke nacht lag hij slapeloos naar het plafond van de slaapkamer te staren en beleefde alles weer opnieuw. Hij wist dat gesprekstherapie en medicijnen hem niet konden helpen. Er was maar één manier om dit probleem definitief op te lossen.

Seymour vermeed zijn oude vrienden, hoewel die hem een warm en meelevend welkom hadden bezorgd en deden wat ze konden om hem op te vangen na zijn terugkeer. Aan tafel zei hij niet veel, en als zijn ouders met hem probeerden te praten, gaf hij alleen korte antwoorden. Hij sliep halve dagen, bracht 's nachts uren achter de pc door, verzamelde informatie en stelde een zeer nauwkeurig strategisch actieplan op waarin elk detail ontelbare malen werd doorgelicht totdat het plan was zoals het moest zijn. Waterdicht.

Hij surfte veel op internet. Op een nacht tikte hij het woord 'moord' in op de zoekmachine en hij zag dat hij meer dan vijfentachtigduizend hits kreeg. Hij klikte in het wilde weg op de links op zijn scherm. Hij checkte zijn mail en ergerde zich zoals gewoonlijk aan alle spam. Maar een kopje in een van de onderwerpregels maakte dat hij zijn wenkbrauwen fronste en het mailtje opende.

Hij boog voorover naar scherm, begon te lezen en floot door zijn tanden. Hij las vijfendertig minuten onafgebroken, maakte aantekeningen in een met een wachtwoord beveiligd bestand waarin hij zijn actieplan had opgeslagen en dacht na. Hij liep alles keer op keer door om valkuilen te zoeken. Op het scherm bevond zich plotseling het gereedschap dat hij nodig had om Wilkie te wreken en tot rust te komen in zijn leven. Want al toen Wilkies kist naar buiten werd gedragen, wist hij dat er maar één ding in het leven was dat hem wat kon schelen, één ding dat gedaan moest worden voordat hij verder kon.

Luitenant Stephen J. Meyer moest sterven.

22

Kapitein Kari Räisänen wandelde van de markthal naar de Olympia-terminal. Hij liep achter een Zweeds echtpaar met twee dochters en glimlachte toen hij hen hoorde praten over wat ze 's avonds op de boot allemaal zouden gaan doen. De ouders wilden naar de show in de nachtclub, de meisjes wilden naar het bubbelbad en spelen op de kinderafdeling en vroegen of ze bij het avondeten zelf bij het grote buffet mochten uitkiezen wat ze wilden eten.

De mensen hadden het aan boord echt naar hun zin, dacht Räisänen. Niet zo vreemd dat zo veel passagiers geregeld terugkwamen. Räisänen nam zelf zijn vrouw ook een paar keer per jaar voor een snoepreisje mee. Hun kinderen waren nu het huis uit en hadden nog maar zelden tijd en zin om mee te gaan, wat Räisänen wel jammer vond. Maar, dacht hij, binnenkort krijgen ze zelf een gezin en dan zouden ze een ontspannende cruise wel gaan waarderen.

Een paar honderd meter van de terminal stond hij stil. Hij was nu al vijf jaar kapitein op de Silja Serenade en het uiterlijk van het schip verveelde hem nooit. Hij kon haar met één woord omschrijven: magnifiek. Net als haar zusterschip Symphony was de Serenade in 1989 en 1990 in Åbo gebouwd voor een bedrag van een miljard Finse mark. De Serenade was tweehonderddrie meter lang, eenendertig en een halve meter breed en ruim tweeënvijftig meter hoog, gemeten van het wateroppervlak tot de top van de schoorsteen. Met volle tanks zou ze van Helsinki via de Sont naar het Panamakanaal kunnen varen en vandaar verder naar Vancouver in Canada, een reis van wel negenduizend zeemijlen. Als Räisänen op donkere winteravonden op de brug van de Serenade stond en het ijs tegen de stalen boeg hoorde breken, dacht hij vaak dat er geen zee in de wereld was die hij niet zou kunnen bevaren, geen weer dat hij niet zou kunnen trotseren.

Räisänen keek op zijn horloge. Tijd om aan boord te gaan. Hij ging nu een dienst van tien dagen doen en zou daarna tien dagen vrij hebben, een ritme dat hem uitstekend beviel. Hij had een klein huis aan de scherenkust bij Helsinki en zijn vrouw en hij genoten met volle teugen van de stilte daar, waar frisse lucht, de geur van de zilte zee en het dagelijkse vissen vanuit een roeiboot de belangrijkste elementen van hun dagelijkse leven waren.

Hij wandelde door naar de Olympiaterminal, zag de passagiers in de rij staan, maakte een snelle berekening en schatte dat het schip vol zou vertrekken. Aan boord vroeg hij bij de receptie of er berichten voor hem waren. Daarna ging hij naar zijn hut en trok zijn uniform aan. Hij nam de lift naar dek 12, ging naar zijn kantoor en bladerde door de papieren die daar voor hem klaar lagen. De logboekaantekeningen uit de overdracht van de vorige kapitein gaven aan dat alles aan boord normaal was. Er werden bepaalde onderhoudswerkzaamheden uitgevoerd aan een van de vier machines, maar niet zo dat het de vaart hinderde.

Räisänen liep de steile trap naar de brug op, waar een stuurman en een matroos de weerrapporten stonden te bestuderen. Niets wees erop dat dit iets anders dan een heel normale reis zou worden. Räisänen belde naar het kantoor op het autodek, waar eerste stuurman Carl-Gustaf Öhman de leiding had over het inladen.

'Öhman.'

'Goedemiddag, met Kari Räisänen.'

'Welkom aan boord, kapitein!'

'Dank je. Kunnen we even bij elkaar komen?'

'Ik kom naar de brug zo gauw ik kan.'

Räisänen bedankte Öhman, legde de hoorn op de haak en ging naar de linkerkant van de brug, vanwaar hij zicht had op de kade en de terminal. Hij zag een jongeman gekleed in een militaire broek en een zwart T-shirt licht hinkend door de voetgangersslurf lopen. De man had gemillimeterd haar en droeg een rugzak van militair model. Een voetbalhooligan misschien, of een neonazi? Räisänen kende dat type en hield er niet van.

Er kwam een man door de slurf die voldeed aan Tähtinens signalement. Hij ging linksaf en liep op zijn gemak naar de winkeltjes op het achterschip. Seymour Jones stond op en liep er snel achteraan. Hij deed geen poging ongezien te blijven; het kon geen kwaad als Tähtinen hem zag.

In de lift zag Jones dat Tähtinen op het knopje voor dek 9 drukte. Hij keek door de grote glazen ramen van de lift en zag de drukke winkelstraat van het schip langzaam onder zich verdwijnen. Hij stapte op dek 8 uit de lift, nam de trap en kwam precies op tijd boven om Tähtinens rug te zien verdwijnen in de lange gang aan bakboordzijde. Jones bleef even achter een hoek naar de gang staan en stak toen snel zijn hoofd om de hoek. Tähtinen liep zo ver mogelijk door de gang, bleef toen staan bij de deur van een hut aan de rechterkant en zocht in zijn zak naar de sleutelkaart. Hij deed de deur open en ging naar binnen. Jones ging op een bank bij het raam in de lifthal zitten, stak een sigaret op en keek door het raam.

Aan de andere kant van de haven lag de Mariella van Viking Lines aan de kade. Bij de markthal zag hij een paar kleinere vissersboten aangemeerd en daarboven kon hij de imposante, groene koepels van de domkerk van Helsinki zien, aan het Senaatintori. Wat hij van Helsinki had gezien beviel Seymour goed en hij besloot nog eens terug te komen. Als Wilkie hier toch bij hem was geweest...

Zijn gedachten werden onderbroken doordat Tähtinen bij de liften opdook. Hij drukte op het liftknopje en wachtte, met zijn rug naar Jones toe. De lift kwam en Jones kon zien dat Tähtinen op het knopje van dek 6 drukte. Hij maakte zijn sigaret uit, stond op en nam de trap naar beneden.

De rij om een tafel te reserveren voor het avondbuffet was lang. Jones was onder de indruk van de snelheid waarmee het baliepersoneel de mensen hielp. Tähtinen was aan de beurt. De dame achter de balie wees naar een bord aan de muur waarop twee tijden stonden aangegeven. Hij knikte toen ze naar '20.30 uur' wees.

Dat wordt je laatste maaltijd, makker, dacht Jones. Een paar minuten later had hij ook een tafel gereserveerd en hij stelde dankbaar vast dat hij nu vier uur had om het pakje op te halen, uit te rusten en zich te concentreren.

'Goedemiddag, kapitein!'

Öhman salueerde opgewekt, meer humoristisch dan correct. Ze werkten al samen op de Serenade sinds Räisänen kapitein was, en toen had Öhman al twaalf jaar bij de Silja Line achter de rug, waarvan vijf aan boord van de Serenade. Hij was twaalf jaar ouder dan Räisänen en had heel wat meer jaren gevaren dan de kapitein. Maar hij was nog altijd eerste stuurman en geen kapitein, en hij hield zo van zijn werk dat hij niet wist hoe hij zou reageren als de rederij hem zou bellen om te vertellen dat ze hem tot kapitein benoemd hadden.

Ze gingen zitten en Öhman deed verslag.

'We zitten vrijwel vol vandaag. We hebben zeshonderdveertig meter vrachtwagens en semitrailers en vijfhonderdvijftig meter personenwagens...'

Räisänen glimlachte om het *insiders*-grapje. Öhman vermeldde de auto's altijd in honderden meters, wel wetende dat de kapitein heel goed begreep hoeveel gewicht dat was.

'We hebben geen gevaarlijke stoffen aan boord,' vervolgde Öhman. 'We hebben bijna achtentwintighonderd passagiers en tweehonderdtwee man bemanning.'

'Ja, voller kan bijna niet,' zei Räisänen en hij glimlachte.

'We zijn klaar met bunkeren en beneden in de machinekamer hebben ze geen andere problemen dan de gebruikelijke.' Öhman lachte terug.

'Wie is de HWTK?'

'Sarjanen.'

'Mooi, dan zijn we in goede handen.'

Öhman ging terug naar het autodek om toezicht te houden op het laden.

Om twee minuten over vijf kreeg Räisänen de melding dat alle toegangen gesloten waren. Hij gaf bevel om de trossen los te gooien en hij wierp een snelle blik op de monitor die aangaf of de boegdeuren veilig gesloten waren. Hij ging aan stuurboordkant van de brug staan, legde zijn vingers om de kleine joystick waarmee hij het schip kon manoeuvreren en gaf bevel om de zijpropellers aan te zetten. De Serenade gleed langzaam weg van de kade.

Nadat hij het schip in de nauwe haven van Helsinki had gekeerd, manoeuvreerde hij het uit de opening in de golfbreker. De Mariella van Viking Lines lag ongeveer vijfhonderd meter voor hem. Samen zouden ze nu door de hier en daar zeer nauwe passages in de scherenkust bij Helsinki naar open zee varen. Daarna zouden beide schepen naar Mariehamn op Åland varen, waar ze tien minuten zouden liggen. De grap daarvan was dat er aan boord taxfreeverkoop mogelijk was, omdat

Åland belastingtechnisch geen EU-land is. Dat de schepen achter elkaar aan voeren, vonden de passagiers fijn. Het gaf een gevoel van veiligheid dat ze de lichten van een ander schip op slechts een paar honderd meter afstand konden zien.

Toen de Serenade op open zee voer, gaf Räisänen het bevel over aan een stuurman. Hij verliet de brug en ging dineren in de mess. Daarna zou hij zich aan zijn papierwerk wijden.

23

Henning Blixt voelde zich allesbehalve goed. In de komende uren zou er over zijn toekomst worden beslist en hij kon niets anders doen dan wachten. Het zou een lange avond worden.

Hij keek op zijn horloge. Op dit moment moest de Silja Serenade uit Helsinki vertrekken. Tähtinen was aan boord en iemand zou ervoor zorgen dat hij Zweden niet levend bereikte. Een opluchting voor Blixt na twee maanden hel.

Hij was verbaasd geweest toen Tähtinen hem de eerste keer belde. Als directeur van HMG Finans, met honderdvijftig man personeel, was het niet zijn gewoonte om te babbelen met de programmeurs van de afdeling IT. Tähtinen had hem opgebeld, erop gestaan om hem persoonlijk te ontmoeten en erop gewezen dat wat hij te zeggen had heel belangrijk was, zowel voor het bedrijf als voor Blixt zelf.

Tähtinen was na een kort klopje op de deur zijn kamer in gekomen en uitermate zelfverzekerd in een van de zachte leren fauteuils gaan zitten. De jongen – hij kon niet ouder dan vijfentwintig zijn – zag er onverzorgd uit. Hij had grove bergschoenen aan, een versleten en zo te zien vuile spijkerbroek en een T-shirt met een foto van Che Guevara erop. Allemachtig! En de man was nog lelijk ook. Daar kon hij natuurlijk niets aan doen. Maar dan had hij zich toch verdorie behoorlijk kunnen aankleden. En dan verbaasde het de jeugd van tegenwoordig dat ze geen carrière maakten! Begin eens met je te wassen, je haar te knippen en je fatsoenlijk aan te kleden, dacht Blixt. Hij leunde voorover en glimlachte naar Tähtinen. Hij had geen zeeën van tijd en nu wilde hij weten waar het om ging. Misschien had de man een serieuze fout in het computersysteem van het bedrijf ontdekt.

'Ik denk niet dat we elkaar al eerder hebben ontmoet, maar leuk om je hier te zien,' zei Blixt. En hij loog: 'Ik heb begrepen dat je heel deskundig bent op jouw gebied. Misschien kunnen we ons computersysteem bij gelegenheid eens bespreken. Je hebt misschien een voorstel tot verbetering en – '

Tähtinen onderbrak hem ongeduldig. 'Jaja, maar dat is niet waarom ik hier ben. Laat me uitleggen waar het om gaat.' Toen hij in een paar minuten en met een onaangenaam glimlachje om zijn lippen had duidelijk gemaakt waar het om ging, begreep Blixt dat dit zijn carrière, zijn gezin en zijn leven in heel korte tijd zou kunnen verwoesten.

In zijn eenvoud had hij gedacht dat zijn pc zodanig op het intranet van het bedrijf was aangesloten dat niemand er toegang toe had. Maar hij had buiten de computerbeheerders gerekend.

Tähtinen was heel helder en kernachtig. Hij had meer dan twaalfhonderd kinderpornofoto's in de pc van Blixt gevonden. De jonge programmeur was zich volkomen bewust van de gevolgen die het zou hebben als bekend zou worden dat de directeur van een van de grote financiële instellingen pedofiel was en zijn bedrijfscomputer gebruikte om kinderporno te downloaden.

Blixt leunde achterover en voelde het angstzweet op zijn voorhoofd staan. Hij dacht aan zijn vrouw Ellenor, zijn kinderen Martin en Tindra. Ellenor zou het nooit begrijpen, wat hij ook zei. Hoe kon ze ook – hij had zelf het duistere geheim dat hij al zo veel jaren met zich meedroeg ook nooit begrepen.

De raad van bestuur zou korte metten met hem maken. De politieke correctheid zou het winnen van elke uitleg die hij eventueel kon geven. Hij zou meteen kunnen opstappen. Hij zou zijn gezin kwijtraken. Misschien zouden zijn kinderen nooit meer met hem willen praten. Hij zou in de pers te schande worden gemaakt en sociaal geïsoleerd raken. Alles wat hij de afgelopen vijfentwintig jaar met zo veel moeite had bereikt, zou in een paar dagen voorbij zijn. Zijn leven zou voorbij zijn.

Blixt was tweeënvijftig jaar en had het gevoel dat zijn leven nog lang niet voorbij was. Zakelijk gezien was het nog maar net begonnen. Hij had zich van de grond af opgewerkt als econoom en op zijn achtendertigste had hij zijn eerste directeursbaan bij een klein bedrijf gekregen. Daarna was het snel gegaan. Twaalf jaar en drie bedrijven later was hij erin geslaagd directeur van een van de best draaiende bedrijven in de financiële sector te worden. Hij had een goede reputatie en hij zat in het bestuur van nog drie bedrijven. Bovendien zat hij in het bestuur van de Rotary Club en was hij een eerbiedwaardig lid van een aantal verenigingen.

Zijn inkomen was royaal. Een jaarsalaris van bijna drie miljoen kronen werd aangevuld met een bonus die hem vorig jaar nog drie miljoen had opgeleverd en dit jaar, als ze binnen de begroting bleven, zes miljoen. Daar kwamen nog allerlei voordelen bij in de vorm van huishoudelijk personeel, een onbeperkt representatiebudget en privéreisjes gemaskeerd als zakenreizen.

Hij had Ellenor ontmoet toen ze op de afdeling Economie werkte bij een van de bedrijven waarin hij carrière had gemaakt. Ze waren nu al ruim twintig jaar getrouwd; Martin werd binnenkort zestien en Tindra veertien. De villa in Djursholm was het huis van hun dromen. Uitzicht op zee, ruim driehonderd vierkante meter woonoppervlak met ruime salons die geschikt waren voor de feestjes die Ellenor en hij geregeld gaven. In de garage stond behalve zijn Jaguar en Ellenors BMW zijn oogappel: een Ford Mustang Cabriolet model 1965. In een bijgebouw stonden Martins beide crossmotorfietsen en een busje om ze in te vervoeren. De jongen was goed en het zou Henning niet verbazen als hij kampioen werd. Henning zou alleen wel willen dat Martin een minder gevaarlijke sport had gekozen, liefst één waarin de beloning ook nog wat hoger was dan in het motorcrossen. Maar het was nog niet te laat.

Blixt had met het angstzweet op zijn voorhoofd zitten denken. Denken aan hoe het nu was en hoe het toen, een paar jaar geleden, was gegaan. Toen was het angstaanjagend op het randje geweest.

Hij was naar Bangkok gegaan onder het voorwendsel dat hij moest deelnemen aan een internationale conferentie over de globale ontwikkeling van de aandelenmarkten, wat hij trouwens ook deed. Maar hij had ook toegegeven aan een behoefte die hij al te lang voelde.

Hij was nog niet zo lang in het hotel toen een van de livreiers tactvol vroeg of hij misschien een massage wilde hebben na de lange reis. Het meisje was goed. Ze had hem eerst gemasseerd en hij had zich erover verbaasd dat ze dat ook echt goed kon. Daarna had ze hem zonder veel omwegen met haar mond en de rest van haar lichaam bevredigd. Hij was tevreden en betaalde haar goed, maar schudde zijn hoofd toen ze vroeg of hij wilde dat ze later, of de volgende dag, terug zou komen. Ze was jong, maar niet jong genoeg. En hij wilde een jongen hebben.

Hij worstelde met zijn gevoelens terwijl hij voorzichtig de mogelijkheden onderzocht. Zijn gevoel van schaamte streed met zijn opwinding, maar hij voelde dat er geen weg terug was. Hij moest en zou datgene ervaren waarover hij al jaren fantaseerde, wat hij op duizenden foto's en slecht geproduceerde films had gezien.

Hij hoefde niet veel bars te bezoeken voordat iemand hem een papiertje met een adres gaf. De taxi had hem naar een huis in de buurt van Soi Cowboy in de hoerenbuurt gebracht. Hij was door een discrete ingang binnengekomen, waar een begrijpende vrouw naar zijn stamelende toespelingen luisterde. Even later zonk hij neer op de koele, witte lakens van een bed waarboven een langzaam ronddraaiende ventilator hing.

De jongen was ongelofelijk mooi. Hij had kort, zwart haar, witte tanden en een zijdezachte huid. Hij kon niet ouder dan dertien of veertien zijn en Blixt verbaasde zich erover hoe ervaren hij was. De jongen deed dingen waarvan Henning nooit had durven dromen en Henning werd tijdens de uren durende daad heen en weer geslingerd tussen lachen van genot en huilen van schaamte. Maar toen gebeurde het. Midden in het genot werd de deur open geschopt en renden er vier geüniformeerde politiemannen de kamer in. Een van hen had een camera in zijn handen en vuurde vijf, zes flitsen af voordat Henning reageerde.

De jongen werd door twee politiemannen weggeleid en de andere twee namen Henning voor hun rekening. Hij had ternauwernood zijn kleren aan kunnen trekken. Ze behandelden hem ruw en spraken gebroken Engels.

Blixt begreep dat hij er slecht voor stond, maar hij had ook gehoord dat je in Thailand bijna alles kon afkopen. Daarom pakte hij al in de politiewagen zijn portefeuille en zwaaide met een stapeltje baht-biljetten ter waarde van ruim vierduizend Zweedse kronen. De politiewagen stopte in een donker steegje, waar een van de politiemannen Blixt met zijn wapenstok een fikse klap in de weke delen gaf en hem de bankbiljetten afpakte. Daarna reden ze met hoge snelheid door. Blixt werd naar een politiebureau gebracht en meteen in een cel gestopt. Het verbaasde hem dat er geen inschrijvingsprocedure was, maar hij was te bang en te verward om op dat moment te begrijpen waarom niet. Terwijl het angstzweet hem uitbrak, ging hij op de smalle kunststof brits in de cel liggen en wreef over de plekken die zeer deden van de stokslagen. Wat moest hij nu doen?

Hij werd wakker doordat de deur van de cel geopend werd. Hij keek op zijn horloge, maar hij wist al niet meer hoe laat het was toen hij in het politiebureau aankwam. Hij had het koud ondanks de drukkende hitte, had hoofdpijn en zijn tong kleefde aan zijn gehemelte. Dezelfde politieman die hem gearresteerd had, gaf hem nu het teken met hem mee te gaan.

In de verhoorkamer wachtten nog drie politiemannen. Op de groen-geverfde betonnen vloer stonden een simpel bureau en vier stoelen. De muren, ooit witgeverfd, waren vlekkerig smerig en op sommige plekken had het stucwerk losgelaten. Aan het plafond snorde zachtjes een ventilator, maar die bracht geen verkoeling in de benauwde, vochtige lucht die blauw zag van de sigarettenrook. Blixt voelde zich misselijk worden. Hij kon maar ternauwernood voorkomen dat hij op de betonvloer moest overgeven en vroeg fluisterend om een glas water.

De hoofdondervrager stelde zich voor als commissaris van de recherche. 'Uw identiteitspapieren alstublieft!'

Blixt haalde zijn paspoort tevoorschijn en de commissaris bestudeerde het. Hij nam er goed de tijd voor en legde het toen naast zich op het bureau, zonder dat hij de neiging vertoonde het terug te geven.

'Waar verblijft u hier in Bangkok, Mr. Blixt?'

Blixt noemde de naam van het hotel. De commissaris zei iets tegen een van de politiemannen, die snel wegging. Blixt begreep dat ze zijn hotelkamer zouden doorzoeken en dankte zijn gelukkige gesternte dat daar geen belastend materiaal te vinden was. Toch? De gedachten tolden door zijn hoofd, maar hij niets ongeoorloofds bedenken in zijn bagage.

De commissaris bekeek hem nauwkeurig. 'Wat doet u in Zweden voor de kost, Mr. Blixt?'

Blixt antwoordde snel, zonder erbij na te denken: 'Ik ben directeur van een grote financiële instelling en...'

De commissaris leunde achterover, vouwde zijn handen op zijn buik en glimlachte. Blixt had zijn tong wel kunnen afbijten. Hij had laten merken dat hij een man van aanzien was en dat zou zijn situatie er niet direct gunstiger op maken. Maar nu was het te laat. Bovendien zouden de politiemannen deze informatie ook bij hun Zweedse collega's kunnen krijgen. Zweedse collega's. Allemachtig! Ze zouden toch geen contact met de Zweedse politie hebben opgenomen? Dan zou de zaak binnen een paar uur uitkomen en als een of andere geldbeluste politieman de kranten tipte was de ramp niet te overzien!

Blixt hakkelde: 'U hebt toch geen –'

Hij werd onderbroken doordat de deur openging. Een jonge politieman boog voor de commissaris, zei iets, deed een paar snelle pasjes naar voren en gaf hem een kleine envelop. De commissaris deed die open, haalde er een paar foto's uit, bladerde daar nadenkend doorheen en gooide ze toen nonchalant voor Blixt op het bureau. Blixt wierp een snelle blik op de foto's en deed toen zijn ogen dicht. Hijzelf, naakt en verbaasd samen met een naakt jongetje op een bed. Plotseling voelde hij een diepe weerzin tegen zichzelf. Hoe had hij zo ziek kunnen worden? Welke demonen hadden deze krachten in zijn lichaam opgeroepen waardoor hij behoefte had aan zulke perverse handelingen?

De commissaris leunde met zijn ellebogen op het bureau en leunde met zijn kin op zijn vuisten. Zijn ogen waren koud toen hij begon te praten. 'Mr. Blixt, of moet ik misschien zeggen: directeur Blixt? U bent gearresteerd wegens het hebben van seksuele gemeenschap met een kind, een zeer ernstig misdrijf in Thailand. Wij zijn ze spuugzat, de mannen die uit het Westen hierheen komen en onze kinderen met hun zieke seksuele handelingen kapotmaken terwijl hun eigen kinderen thuis in weelde baden.'

Blixt voelde de misselijkheid weer toenemen en zijn hoofd bonsde.

'Er zijn getuigen en – zoals u kunt zien – foto's. Een rechtszaak zal tot een lange gevangenisstraf leiden, misschien krijgt u zelfs levenslang. Uitlevering naar uw eigen land lijkt me niet mogelijk, omdat Thailand principieel van mening is dat pedofielen, drugsdealers en moordenaars hun straf hier moeten uitzitten. Bovendien is er nog een mogelijkheid. Mijn mannen zijn nu onderweg naar uw hotel. Als ze daar iets ongeoorloofds vinden, een onsje cocaïne bijvoorbeeld, komt de zaak in een heel ander daglicht te staan. Dan hebben we het over de doodstraf. Thailand heeft bijzonder weinig geduld met drugsdealers!'

Plotseling was Blixt alles duidelijk. De commissaris hoefde maar één keer met zijn vingers te knippen en zijn mannen zouden een zakje wit poeder tevoorschijn halen dat ze in Blixts hotelkamer hadden 'gevonden'. Dan zou hij sterven.

Dat werd hem te veel. Blixt moest geweldig overgeven, midden op de vloer. De commissaris lachte, de andere politiemannen schreeuwden en vloekten. Ze haalden een dweil en een emmer water en dwongen Blixt de boel op te ruimen.

Blixt viel bijna flauw. Hij vroeg om een advocaat en kreeg als antwoord dat dat pas kon wanneer het eerste verhoor was afgelopen, en zo ver was het nog lang niet. Voor zijn eigen bestwil kon hij maar beter antwoord geven op de vragen en meewerken. Het beste was het natuurlijk als hij meteen een bekentenis ondertekende. Wilde hij dat?

Blixt vroeg stamelend of er een alternatief was voor een rechtszaak en gevangenisstraf. De commissaris stuurde eerst drie politiemannen weg. Met een zuur gezicht namen ze de dweil en de emmer mee en vertrokken. Daarna wisselde de commissaris snel een paar woorden met de Thaise collega die tot dan toe geen woord gezegd had.

'Er is misschíen een andere mogelijkheid, Mr. Blixt. Wij kunnen in dit soort situaties ook boetes uitdelen als wij denken dat het een zodanig geval is dat een boete een ergere straf is, als u begrijpt wat ik bedoel. Maar ik wil erop wijzen dat het dan om heel, heel hoge geldbedragen gaat...'

Blixt knikte. 'Over... Over hoeveel praten we dan...?'

De commissaris overlegde met zijn collega en Blixt met zichzelf. Hoeveel geld zou hij kunnen ophoesten om zich vrij te kopen? Nu hij de agenten in de auto al zonder meer vierduizend kronen had aangeboden, zou hij er hier waarschijnlijk niet goedkoop afkomen. Hij begreep dat er heel wat agenten op de privéloonlijst van de commissaris stonden, en de commissaris zou vast geen genoegen nemen met kleingeld. Zijn alternatief was immers om Blixt door te sturen naar de Thaise rechter en geprezen te worden voor het pakken van een Zweedse pedofiel, een directeur nog wel. Blixt huiverde. Dit zou wel eens om bedragen van zes cijfers kunnen gaan. Maar had hij enige keus?

De commissaris en zijn collega spraken nu rustig en ernstig met elkaar. Blixt zag dat de collega een paar keer zijn hoofd schudde en dat de commissaris dan elke keer een paar woorden herhaalde. Ten slotte haalde de collega zijn schouders op en knikte. De commissaris krabbelde een paar cijfers op een papiertje, draaide het om en schoof het snel naar Blixt. Henning geloofde zijn ogen nauwelijks. Het bedrag in baht dat de commissaris had opgeschreven, kwam neer op een half miljoen

Zweedse kronen. Hij slikte. De smaak van braaksel deed hem nog steeds walgen, en een ogenblik voelde hij zich weer net zo misselijk. Hij probeerde zich te vermannen.

'Maar dat kán niet, zo veel geld heb ik niet! Ik heb geen kans om... U moet begrijpen...'

De commissaris keek hem strak aan. 'Mr. Blixt, het enige wat ik begrijp is dat u jarenlang geen leven meer zult hebben als we u aanklagen. Misschien is het wel helemaal met uw leven gedaan als we narcotica op uw kamer aantreffen. U mag zelf kiezen. Ik kan u verzekeren dat niet veel mensen in uw situatie zo'n aanbod krijgen. Maar u krijgt niet veel bedenktijd.'

Blixt slikte.

'Ik zal u in een cel over de zaak laten nadenken, Mr. Blixt. Helaas is die zo vol dat u die moet delen met een paar landgenoten van me. Laten we hopen dat niemand op de arrestantenafdeling hun vertelt wat u hebt gedaan, want dan kan ik niet voor de gevolgen instaan. Ik zal iemand bellen om u erheen te brengen.'

Blixt vloog overeind. 'Nee, wacht! Ik accepteer uw voorstel, maar u moet me tijd geven! Dit is een enorme som geld en ik weet niet...'

De commissaris glimlachte. 'Tja, Mr. Blixt. Zó groot is hij nu ook weer niet. Ik zal u een telefoon ter beschikking stellen voor de gesprekken die u moet voeren. Bel uw bankman. Zeg dat u een leuke bungalow hebt gevonden in, ik noem maar wat, Pattaya, en dat u het geld zo snel mogelijk naar Bangkok overgemaakt wilt hebben. Ik zal u laten weten naar welke bankrekening het moet.'

Het volgende etmaal werd één lange nachtmerrie voor Henning Blixt. Hij mocht zijn vriend, de bankdirecteur in Zweden, bellen en het werd een heel moeizaam gesprek vol leugens. Blixt vertelde dat hij een fantastische bungalow had gevonden in een nieuwe, exclusieve buurt op twintig minuten rijden van Pattaya, dat hij die vooral als investering wilde aanschaffen, dat het een discrete kwestie was en dat niemand ervan mocht weten, zelfs zijn vrouw niet.

De bankdirecteur had veel lastige vragen gesteld en ook opgemerkt dat Blixt moe en geïrriteerd klonk in plaats van blij om in dat warme paradijs te zijn. Hij had het nummer van Blixts hotel gevraagd, zodat hij terug kon bellen met details, en Blixt had weer moeten liegen. Hij had gezegd dat hij nu net op reis was en dat het beter was dat hij zelf over een paar uur terugbelde. Na een paar gesprekken was de zaak eindelijk rond. Blixt kreeg bericht dat het geld de volgende ochtend in Bangkok op de bank zou staan.

Hij moest nog een avond en een nacht in een drukke, smerige cel doorbrengen, samen met twee Thailanders die er allesbehalve gezellig uitzagen. Het verbaasde hem dat de commissaris zijn pasverworven geldbron niet beter wilde bewaken, maar tegelijkertijd besefte hij dat de man zijn schat niet met meer mensen wilde delen dan strikt noodzakelijk was.

De cel bevatte vier aan de muur bevestigde britsen met een plastic mat erop, een fonteintje met stromend water en een toiletpot zonder beschermende muren eromheen. Het stonk er naar urine en ontlasting, en het enige wat er geserveerd werd was een blikken bord met soep en een paar stukjes brood.

Hij had 's nachts maar een paar minuten geslapen en elke keer dat hij een geluid of een beweging van zijn celgenoten hoorde, was hij wakker geworden en had hij in spanning gelegen. 's Morgens was hij uitgeput en het huilen nabij. Hij verlangde naar een douche, een echt toilet en een behoorlijk ontbijt. Hij kreeg niets van dat alles.

Een paar uur nadat hij wakker was geworden, werd hij naar het kantoor van de commissaris gebracht en kreeg de procedure uitgelegd. De collega met wie de commissaris de vorige dag had overlegd, zou Blixt in burger – maar wel gewapend – begeleiden naar de bank, hem helpen het geld op te nemen en Blixt dan mee terugbrengen. Blixt zou het geld overhandigen in ruil voor zijn pas, de envelop met de foto's en de negatieven, en een verslag van het verhoor waarin geconstateerd werd dat Blixt onschuldig was. Blixt hoefde niet op een kwitantie te rekenen.

'En,' zei de commissaris glimlachend, 'ik hoop dat u begrijpt wat er gebeurt als u op weg naar de bank probeert te vluchten?'

Blixt verzekerde hem dat hij dat begreep. Drie uur later was hij een vrij man.

Blixt wankelde zijn hotelkamer in en gaf weer over toen hij besefte dat de politie al zijn bezittingen had doorgesnuffeld en dat zijn peperdure laptop weg was. Vervolgens nam hij een lang, heet bad, bestelde een lunch en een verdedigbare hoeveelheid alcohol op zijn kamer, bezatte zich flink en sliep de rest van de dag en de hele nacht. De volgende dag beloofde hij zichzelf dat zoiets nooit meer zou gebeuren.

24

Zeker, het was beter in zijn eigen leren stoel op het hoofdkantoor van HMG te zitten dan op het politiebureau in Bangkok. Zeker, het was beter een thuiswedstrijd tegen Tähtinen te spelen dan in een uitwedstrijd en onder doodsbedreiging met corrupte Thailanders te maken te hebben. Maar toch was het een nachtmerrie.

Tähtinen had de toegang tot Blixts pc intern geblokkeerd met een speciaal wachtwoord dat hijzelf alleen kende. Daardoor kon Blixt er gerust op zijn dat niemand anders zijn geheim zou ontdekken. Tähtinen had de laatste honderd downloads van Blixt gedocumenteerd en alle kinderpornofoto's gekopieerd. Die informatie bewaarde hij in zijn privélaptop, die hij altijd bij zich had en goed afgesloten bewaarde wanneer hij er niet bij in de buurt was.

Blixt had zich erop geconcentreerd om rustig, beheerst en gedecideerd over te komen.

'Wat is dat, Tähtinen? Bedreig jij mij?'

Tähtinen had dat onaangename glimlachje van hem weer laten zien en Blixt had instinctief een hekel aan alles aan die man. Hij vroeg zich af wie deze kleine rat had aangenomen. Maar op dit moment waren er aanzienlijk acutere problemen om aan te pakken.

'Nee,' antwoordde Tähtinen. 'Ik bedreig u niet. Ik geef u informatie over een probleem dat belangrijk voor u is. En – ik bied u een nette oplossing voor het probleem.'

Blixt keek Tähtinen strak aan. Hij had cursussen gehad in het voeren van onderhandelingen en geleerd hoe belangrijk je ademhaling was en dat je de lichaamstaal van de ander moest imiteren, allemaal om een goede verstandhouding te bereiken. Maar op dit moment leek dat helemaal niet te werken en Tähtinens blik week geen millimeter.

'En waaruit zou die oplossing bestaan?' vroeg Blixt.

Weer dat glimlachje. Blixt zou het liefst om zijn bureau heen lopen en het stuk secreet met een rechtse directe neerslaan. Hier komen zitten en hem bedreigen! In zijn pc graven en er privédingen uithalen waar niemand anders iets mee te maken had! Maar hij besefte wel dat zijn onderhandelingspositie niet al te best was.

Tähtinen wilde een miljoen kronen (stom rotzakje, dacht Blixt, is dat alles?) contant. Hij wilde dat zijn idioot van een chef uit het bedrijf gewerkt werd (jawel, hij kon Blixt nota bene helpen door aan te geven welke fouten de huidige chef had begaan en wat dat het bedrijf had gekost, een motivering die meer dan voldoende zou zijn voor ontslag) en hij wilde zelf diens functie als chef IT hebben, met een salaris en secundaire arbeidsvoorwaarden die daarbij passend konden worden geacht. Als tegenprestatie zou hij de gevoelige informatie van zijn laptop wissen – ja, Blixt mocht de hele pc hebben als dat hem een veiliger gevoel gaf. Hij zou Blixt ook helpen de foto's – en alle sporen daarvan – uit zijn eigen pc te wissen, zodat niemand zou weten wat er gebeurd was.

Blixt dacht even na. 'En hoe weet ik dat jij niet meer kopieën van dit materiaal hebt gemaakt?'

Tähtinen kwam overeind uit de half liggende positie die hij in het leren fauteuil had ingenomen, en deed een poging er serieus uit te zien. 'U moet me maar vertrouwen. U maakt me toch chef IT en die baan wil ik niet verprutsen, dus ik zal mijn belofte houden.'

Vast wel, dacht Blixt. Je zult hem vast wel een paar maanden houden en dan ga je me meer geld afpersen. Hij aarzelde een paar seconden en vervolgde toen: 'Als ik nu tegen je zeg dat ik geen snars begrijp van waar je het over hebt? Dat het helemaal niet mijn materiaal is, dat ik geen idee heb hoe het in mijn pc terechtgekomen kan zijn? Als ik je voorstel niet aanvaardbaar zou vinden?'

Tähtinen glimlachte zelfverzekerd. 'Nee, nee, u begrijpt het niet. Ik heb alles gebackupt. Het maakt niet uit wat u zegt. Ik kan bewijzen dat het materiaal in uw pc is gedownload en ik denk niet dat de raad van bestuur zal geloven dat uw interieurverzorgster dat heeft gedaan. En iedereen weet dat u die laptop meeneemt als u naar huis gaat. Dus die vlieger gaat niet op. U hebt meer dan twaalfhonderd kinderpornofoto's gedownload, de meeste van betaalsites. Ik heb de links stuk voor stuk. Bovendien ben ik verantwoordelijk voor de beveiliging van het in- en uitgaande verkeer. Ik heb vergeleken wie er op het werk waren met wie er op dat tijdstip ingelogd was. U bent de enige bij wie alle download-tijden overeenkomen.'

Tähtinen vervolgde: 'Ik heb ook heel nauwkeurig de tijden gecheckt waarop wij geen van beiden op kantoor waren. Uw inlogtijden van thuis kloppen perfect met de tijden waarop de foto's gedownload zijn. Er is niemand in het bedrijf die zo vaak van huis uit inlogt als u. En er is ook niemand die zo geil is op het downloaden van porno op de bedrijfspc's.'

Blixt keek Tähtinen zwijgend aan, zo kil als hij maar kon. Hij pro-beerde zich te herinneren welke psychologische onderhandelingsfoefjes hij had geleerd in alle cursussen die hij had doorlopen, maar op dit mo-ment werkte er niets meer. Hij voelde zich misselijk worden. Hij be-heerste zich en wilde juist antwoord geven, toen Tähtinen doorging.

'Daag me maar uit, als u me niet vertrouwt! Bel de politie maar en klaag me maar ergens voor aan. Laat ze maar komen en uw pc meene-men. Wij weten allebei wat daarin zit...'

Tähtinen strekte een smalle wijsvinger met een afgebeten nagel uit en wees naar de pc van Blixt. Hij vervolgde zonder aarzelen: 'Mijn voor-stel is niet onderhandelbaar. Ik wil poen. Als u niet betaalt, doet iemand anders het wel, en ik denk niet alleen aan de kranten. Uw adjunct-directeur zit toch te wachten op een kans om u weg te krijgen?'

Blixt probeerde zijn verbazing te verbergen. Hoe kon die lummel we-ten welk spelletje er in de directie werd gespeeld? Hoe dit ook afliep, dat probleem moest hij ook aanpakken. Lekken op directieniveau zouden zowel hem als het bedrijf in heel andere kritieke situaties last kunnen bezorgen. Wie in zijn omgeving kon zijn bek niet houden? Hij maakte een mentale aantekening dat hij dit nader moest onderzoeken.

'U hebt een verrekte keurig aanbod van me gekregen,' vervolgde Tähtinen. 'Het kost u maar een miljoen om uw huid te redden – een fooi voor een man als u. Eigenlijk zou ik veel meer moeten hebben, maar ik heb een beetje met u te doen. Het moet echt lastig zijn om zo rond te lopen en op kleine kinderen te geilen en –'

Blixt vloog op uit zijn stoel. 'Zo is het wel genoeg!' brulde hij.

Tähtinen schrok en hield zijn handen voor zich omhoog, alsof hij zich tegen een aanval moest verdedigen. 'Oké, oké, rustig maar. Maar u begrijpt me wel, hè?'

Blixt worstelde om zijn zelfbeheersing terug te krijgen. Hij hoopte dat de secretaresse in de aangrenzende kamer zijn uitbarsting niet had gehoord. Hij ging weer zitten, haalde zijn handen snel door zijn achterovergekamde haar en fatsoeneerde zijn stropdas.

'Je mag geloven wat je wilt, maar een miljoen is vreselijk veel geld voor mij. Ik sta positief tegenover je voorstel, maar ik moet bedenktijd hebben.'

Weer dat onaangename glimlachje. '*Sure!* Maar alleen tot morgen. U moet me voor de lunch bellen!'

Blixt slikte en knikte. Daarna gaf hij Tähtinen met een handbeweging te kennen dat hij moest verdwijnen. Toen de deur achter hem dichtging, begon Blixt over zijn hele lichaam te trillen en hij was bijna verbaasd toen hij warme tranen over zijn wangen voelde stromen. Waarom moest dit?

Hij dacht dankbaar aan de vorige keer, toen hij er met een zere rib, een half miljoen kronen en de schrik van af was gekomen. Ditmaal kostte het veel meer. Hoe hij de zaak ook wendde of keerde, een miljoen zou niet voldoende zijn om zich vrij te kopen. Henning Blixt overwoog welke mogelijkheden hij had.

Hij kon op de eis ingaan en zichzelf binnen afzienbare tijd opnieuw slachtoffer van afpersing maken. Hoe meer Blixt toegaf, hoe gretiger Tähtinen zou worden; het zou hoe dan ook op een catastrofe uitlopen.

Hij kon zelfmoord plegen.

Hij kon doen alsof hij op de eisen van Tähtinen inging en hem geld geven om tijd te winnen, terwijl hij nadacht over een permanente oplossing van het probleem.

Mogelijkheid drie leek de enige redelijke oplossing te zijn.

25

De volgende ochtend had hij Tähtinen gebeld en gevraagd of hij hem na het werk kon ontmoeten op een plaats waar geen risico bestond dat ze zouden worden herkend. Tähtinen had een café in Alby voorgesteld, een zuidelijke voorstad van Stockholm, waar Blixt nog nooit een voet had gezet.

Hij parkeerde zijn Jaguar op een kleine honderd meter van het café. Hij voelde grote tegenzin tegen de aanstaande ontmoeting. De afgelopen uren had hij de situatie keer op keer geanalyseerd en verschillende mogelijkheden overwogen. Hij had het gevoel dat hij in een bankschroef zat die door Tähtinen werd bediend en dat hij op dit moment maar één mogelijkheid had: proberen tijd te winnen. Hij ademde eens diep door, stapte uit de auto, deed die op slot en liep over de straat naar het café, waar hij weifelend stilstond. Was dit een val? Waren er getuigen, verborgen camera's of microfoons? Hij vervloekte zichzelf omdat hij niet zelf de plaats had bepaald, maar nu was het te laat. Hij moest het risico nemen.

Een bord gaf aan dat dit een café, pizzeria en 'restaurante' was. Op een ander bord stond dat men er een groot glas sterkedrank of rode huiswijn kon krijgen voor negenentwintig kronen. Nog een bord kondigde aan dat er zondag een 'sportfeest' zou zijn met een grootbeeld-tv en dat het dan de hele avond happy hour was. Blixt trok een grimas. Voor hem zou het komende uur zo weinig met een happy hour te maken hebben als hij zich maar voor kon stellen.

Toen hij het café binnenkwam, voelde hij zich nog ongemakkelijker en vol weerzin. De inrichting was goedkoop. De muren waren bedekt met imitatiehouten lambrisering en boven de tafels, waarvan de bladen vol krassen en brandplekken van sigaretten zaten, hingen bontgekleurde Tiffany-lampen. De muren en het plafond waren volgeplakt met affiches, ansichtkaarten, bankbiljetten uit allerlei landen en sportsouvenirs. De baklucht dreef uit de keuken. In de kleine hokjes langs de muren zat een veelheid van losers sterkedrank of goedkope karafjes wijn te drinken, terwijl ze luidkeels discussieerden of de avondkrant lazen met tegelijkertijd één oog op de tv die aan het plafond hing.

Tähtinen wenkte hem vanuit zo'n hokje. Blixt zag dat hij van de huiswijn zat te genieten.

'Ga zitten,' zei Tähtinen en hij maakte een uitnodigend gebaar. Hij glimlachte en Blixt stelde vast dat de man bruinige, slecht verzorgde tanden had.

'Willu een wijntje?' vroeg Tähtinen. 'Ze hebben hier vreselijk goeie wijn, uit Frankrijk, geloof ik. Rooie wijn in elk geval, de beste!'

Vast wel, dacht Blixt. Jij bent zelfs nog nooit in de búúrt van behoorlijke wijn geweest, viezerikje. Hij voelde woede in zich opkomen en moest zijn best doen om zich te beheersen.

Hij had een plan bedacht dat zou moeten werken, dus nu moest hij het hoofd koel houden. Hij dacht na over wat hij zou kunnen bestellen zonder een schok te krijgen. Hij wilde de zaak geregeld hebben en hier zo snel mogelijk wegkomen, maar hij wilde ook niet dat Tähtinen zou denken dat hij zwak of gestrest was. Blixt deed zijn best om een vriendelijk glimlachje op te zetten. 'Dank je wel, maar ik moet nog rijden, dus ik hou het maar bij een cola.' Hij keek rond of hij iemand te pakken kon krijgen om hem te bedienen.

'Je moet daar bij de bar bestellen, dan brengen ze het later. Ze zijn hier vreselijk servicegericht,' zei Tähtinen.

Servicegericht? Henning betwijfelde of de man ooit in een fatsoenlijk restaurant was geweest. Hij vroeg zich af hoe iemand die zo volkomen van iedere stijl gespeend was zo goed kon zijn in zijn werk. En hij vroeg zich af wie Tähtinen had aangenomen. Die zou hij nu wel willen wurgen.

Tähtinen concentreerde zich op een vlekkerig, dubbelgevouwen A4'tje dat als menukaart diende. 'Ik heb wat te vieren vanavond, hè,' zei hij. Ze hebben hier een wreed lekkere *plankstek*, met veel puree en barneze.'

'Bearnaise,' corrigeerde Blixt.

'Hè?' zei Tähtinen.

'Het heet bearnaise,' zei Blixt en hij voelde de irritatie weer toenemen.

'Ja, ja, maakt geen drol uit, is in elk geval lekker. Neem jij ook?'

'Nee, dank je,' zei Blixt en spande zich in om weer te glimlachen. 'Ik heb al gegeten en moet zo meteen door naar een vergadering. Maar bestel gerust. We kunnen best praten terwijl jij eet...'

'Super,' zei Tähtinen. 'Blijf maar zitten, dan regel ik die cola voor je terwijl ik wat te bikken bestel.'

Het viel Blixt op dat de man een beetje slingerde terwijl hij naar de bar liep. Hoeveel wijn had hij al naar binnen gewerkt voordat Blixt er was? Was hij in feite zenuwachtig? Zou hij hem voor de gek kunnen houden, kunnen winnen op intelligentie? Blixt wierp een snelle blik op de bank waar Tähtinen zat, maar zag alleen een leren jack. Geen pc. Hij zuchtte en besloot zich aan zijn oorspronkelijke plan te houden.

Tähtinen kwam terug en meteen daarna kwam de eigenaar van het café en zette een glas Coca-Cola voor Blixt neer. Tähtinen hief zijn glas. 'Proost, op mijn poen!' riep hij lachend.

Blixt hief zijn glas cola. *Proost op je dood, mannetje,* dacht hij. Hij besefte dat hij niet rustig kon leven zolang Tähtinen leefde. Maar zijn ervaring met moord was, zacht gezegd, beperkt en hij moest in de eerste plaats tijd winnen om plannen te kunnen smeden. Hij moest meer over Tähtinen te weten komen en proberen erachter te komen hoe hij diens laptop te pakken kon krijgen.

Tähtinens wijn was op en hij sjokte naar de bar om meer te bestellen. Blixt keek op de klok, hij wilde weg. Tähtinen kwam terug naar de tafel, op de voet gevolgd door de cafébaas, die nu een hele karaf huiswijn bracht. Tähtinen spreidde zijn armen. 'Leek me wel zo goed. Want het wordt toch duurder als je één glas per keer bestelt en ik wacht trouwens nog op een meisje dat straks komt.'

Blixt knikte alleen maar en deed geen moeite om te reageren. 'Ik heb over je voorstel nagedacht,' zei hij.

Tähtinens gezicht kreeg een gespannen uitdrukking. 'Ja... en?'

De adem van de man stonk vreselijk en Blixt moest zich bedwingen om niet achteruit te gaan. 'Ik accepteer het, maar je moet me tijd geven. Je moet begrijpen dat ik niet zomaar een miljoen tevoorschijn kan toveren...'

'Wat? Jíj zou geen miljoen of meer op de bank hebben staan? Neehee, daar trap ik niet in!'

Blixt bracht hem met een afwerend handgebaar tot zwijgen: 'Het gaat niet om hebben of niet hebben. Maar als ik een miljoen in contanten wil opnemen – want ik ga ervan uit dat je het niet op je salarisrekening gestort wilt hebben zodat je er belasting over moet betalen – dan gaan mensen vragen stellen. Ik moet het geld in kleinere porties over een langere periode regelen. Je moet me domweg een afbetalingsregeling geven.'

Tähtinen keek nadenkend.

Blixt vervolgde: 'Bovendien moet ik betere garanties van je hebben. Dat jij zegt dat je al het materiaal gewist hebt, betekent immers niet dat je dat ook gedaan hebt, hè? Als je een goede manier hebt gevonden om dat te bewijzen, kunnen we het erover hebben hoe we dat met je baan doen. Daarvoor geldt hetzelfde: ik heb tijd nodig. Ik kan je chef niet van de ene dag op de andere ontslaan...'

Blixt zweeg even toen de cafébaas kwam met Tähtinens eten. Hij kon maar met moeite zijn weerzin verbergen toen hij de smurrie zag die hier voor de traditionele ovenschotel *plankstek* doorging.

Tähtinen nam snel een slok wijn, liet een boer en begon in het taaie vlees te snijden. Hij doopte een veel te groot stuk vlees in de aardappelpuree, draaide die klont door de bearnaise en propte het geheel toen in zijn mond, waarbij een straaltje saus langs zijn kin liep.

'Bamoor,' perste hij eruit. Blixt vertaalde dat als 'ga door'.

'Ik heb meer tijd nodig om dit allemaal netjes te regelen. En ik moet ook betere garanties hebben. Je krijgt overmorgen vijftigduizend kronen contant en...'

Tähtinen verslikte zich opeens en begon te hoesten. 'Nou joer tòking, man!' Hij nam gretig nog een paar slokken wijn.

Blixt vond het onaangenaam, zag dat Tähtinen dronken begon te worden en begreep dat hij hun ontmoeting zo snel mogelijk moest beëindigen. Hij moest net genoeg zeggen om de programmeur een gerust gevoel te geven. Tegelijkertijd maakte hij er zich zorgen over dat Tähtinen zijn gezonde verstand helemaal zou verliezen als hij dronken werd en zijn mond voorbij zou praten. Maar hij had niet veel keus.

'Volgende week krijg je nog een keer vijftigduizend. Dan hoor je ook hoe en wanneer je de rest van het geld krijgt. Intussen zal ik nadenken hoe we dat doen met het overplaatsen van je chef en je bevordering. Maar je kunt erop vertrouwen dat ik woord hou.'

Tähtinen veegde zijn mond af met de rug van zijn hand en stak die

Blixt vervolgens toe. 'Deal,' zei hij en hij grijnsde zijn bruinige rij tanden weer bloot.

Blixt pakte de vette saushand aan en schudde die terwijl hij een glimlachje probeerde te forceren. 'Deal,' zei hij. Hij wierp een snelle blik op zijn horloge.

'Wauw,' zei Tähtinen. 'Vet cool! Dat is geen kopie, hè?'

'Dat is een Oyster Perpetual Air King,' zei Blixt. 'Volgens mij een van de mooiste klokjes die Rolex heeft gemaakt en, nee, het is geen kopie. Binnenkort kun jij er ook zo een kopen, dat zal wel cool zijn...?'

'Och, ik weet niet,' zei Tähtinen en hij dronk nog wat wijn. 'Ik koop meestal van die goedkope horloges. Er zijn andere dingen om je poen aan uit te geven. Ik heb wel zin om de bloemetjes weer eens buiten te zetten op de boot naar Finland, bijvoorbeeld. Dat is al lang geleden, maar zodra ik de poen heb ga ik daarheen. Een suite boeken misschien, dat heb ik nog nooit gedaan. Ik moet mijn vader en moeder in Helsinki toch weer eens gedag zeggen en dan kan ik meteen eens lekker fuiven aan boord. Ik heb altijd veel succes bij de vrouwtjes daar, weet je...' Hij knipoogde naar Blixt. 'Maar jij bent niet zo geïnteresseerd in vrouwtjes, hè? Maar ik snap niet goed waarom je het met kleine kinderen...'

Blixt liet een waarschuwende vinger zien en zei zacht: 'Ik waarschuw je! Je mag dan alle troeven in handen hebben, maar er zijn grenzen aan wat je tegen mij kunt zeggen...'

Tähtinen werd weer serieus. Hij stak zijn handen een stukje op: 'Ja, ja, natuurlijk, dat ligt een beetje gevoelig...'

Blixt vervloekte zichzelf om zijn uitbarsting, maar hij kon er niet tegen dat Tähtinen zich vrolijk maakte over zijn geaardheid. Hij wilde wel dat hij de klok terug kon draaien. Hij moest zoveel mogelijk te weten komen over Tähtinen en diens leven, maar hij moest ook proberen later nog een ontmoeting te organiseren. Hij keek snel weer op zijn horloge.

'Tja, dan zijn we voor dit moment wel klaar. Ik moet door naar een vergadering, zoals gezegd. Maar je kunt erop rekenen dat je overmorgen van me hoort.'

Tähtinen stak een hand op: 'Dat is best, je weet me te vinden...'

Blixt stond op. 'Goed, afgesproken dan. Fijne avond.'

'*Sure!* En eh... de cola heb je van mij!'

Blixt forceerde een glimlach. 'Dank je wel.'

Tähtinen wenkte met zijn armen in de richting van de cafébaas, hield de inmiddels lege wijnkaraf omhoog en wees er veelbetekenend op. Blixt knikte naar hem, draaide zich om en liep naar de deur.

Buiten bleef hij even staan en zoog de koele avondlucht in zijn longen. Daarna liep hij snel naar zijn auto. Hij deed hem open, zonk neer op de bestuurdersstoel, sloot zijn ogen en herkende zoals altijd de geur van het zachte leer van de stoel. Hij stopte de sleutel in het contact, maar startte niet meteen. Voor de honderdste keer deze dag brak hij zijn hersens over welke mogelijkheden hij had. Er kwam een nieuwe gedachte in hem op. Tähtinen zou binnen een halfuur stomdronken zijn van al die goedkope wijn. Hij zou hem vast ook met een paar stevige grogs aanlengen. Dat geklets over een meisje met wie hij een afspraak had, geloofde Blixt geen seconde. Dus bestond er een goede kans dat Tähtinen binnen afzienbare tijd het café uit zou komen waggelen om te voet naar huis te gaan. Blixt zou hem kunnen volgen tot ze bij een plek kwamen waar het donker genoeg was, hem van achteren kunnen bespringen en hem wurgen. In zijn beschonken toestand had Tähtinen geen kans om zich te verdedigen. Hij kon ook in de auto wachten, die stil achter Tähtinen aan laten glijden wanneer hij naar buiten kwam, een geschikte plek afwachten en domweg over hem heen rijden met zo vernietigend veel kracht dat hij op slag dood was.

Blixt zuchtte gelaten. Aan geen van beide mogelijkheden viel ook maar te denken. Weliswaar zou men hem zelf vast niet onmiddellijk verdenken. Hij had – zo op het oog – geen enkel motief om de jonge programmeur te doden. Maar als hij een detail over het hoofd zag... Hij had bijvoorbeeld geen alibi. Hij had tegen Ellenor gezegd dat hij in Kopenhagen moest overnachten voor een vergadering, maar niemand in Kopenhagen zou kunnen bevestigen dat hij daar geweest was, om de eenvoudige reden dat hij in plaats daarvan een kamer in het Sheraton in Stockholm had gereserveerd.

Henning Blixt draaide met een grimas de sleutel om en de Jaguar antwoordde met een zacht gegrom. Hij wierp een laatste blik op het café en deed een schietgebedje dat de idioot daarbinnen zijn mond niet voorbij zou praten of in zijn dronkenschap zou gaan opscheppen over zijn pas verworven rijkdom en zijn toekomstige baan als IT-chef.

Twintig minuten later parkeerde Blixt zijn Jaguar in de garage van het Sheraton aan de Vasagata. Met zijn weekendtas in zijn hand sloot hij de auto af en hij liep naar de receptie. Hij checkte in, ging naar zijn kamer en smeet de tas op het bed. De gedachten vlogen zonder samenhang door zijn hoofd. Hij was moe, had honger en zin om zich te bezatten. Misschien zou er niet veel constructiefs uit zijn dronkenschap voortkomen, maar hij kon zich dan in elk geval ontspannen en behoorlijk slapen.

Hij nam de lift naar het restaurant beneden, dat betrekkelijk leeg was. Terwijl hij de kaart bestudeerde, liet hij een dubbele whisky zijn zenuwen tot rust brengen. Na rijp beraad koos hij ossenhaas met wortelgratin, en vulde dat aan met een interessante wijn uit Zuid-Afrika. Hij at in alle rust, terwijl hij weer in diep gepeins verzonk over wat er gebeurd was en hoe de zaken nu stonden. Hoe had hij zo vervloekt stom kunnen zijn? Waar zat zijn verstand toen hij al die late avonden op obscure websites surfte? Hij had zelfs zijn eigen creditcard gebruikt als hij moest betalen om de foto's en films te downloaden die hem zo sterk opwonden dat hij ze niet alleen snel even wilde bekijken, maar wilde bewaren om er steeds opnieuw van te kunnen genieten.

Een mengeling van schaamte en angst beving hem wanneer hij bedacht hoe vaak hij aan zijn exclusieve bureau voor het beeldscherm had zitten onaneren terwijl hij naar al die zieke, akelige foto's keek. Waarom had hij geen hulp gezocht? Maar het was juist zo fijn, zo onweerstaanbaar. Die jonge, onbezoedelde lichamen. En hij had toch eigenlijk niemand schade berokkend? Híj had de foto's van al die kinderen toch niet genomen?

Blixt hield algauw weer op zichzelf vrij te pleiten. Hij probeerde zich te vermannen, terug te keren naar het heden. Hij bestelde koffie, cognac en bij wijze van uitzondering een sigaar. Wat moest hij nu doen? Hoe kon hij zich aan Tähtinens greep ontworstelen? Hoe kon hij een ramp voorkomen?

'Mag ik hier gaan zitten...?' De stem was zwoel en sensueel, en maakte dat Blixt met een schok opkeek. Ze was zo tussen de vijfentwintig en dertig en zag er heel goed uit. Blond, slank en lang, gekleed in een dun, strakzittend jurkje met smalle schouderbandjes. Ze glimlachte.

Voordat Blixt kon antwoorden, had ze de stoel tegenover hem al naar achteren geschoven en was gaan zitten. Ze keek hem geamuseerd aan. 'Het voelt niet goed om als vrouw alleen in de bar van een hotel te zitten. Ik begrijp dat u hier voor zaken bent, net als ik, dus ik dacht dat we de koppen bij elkaar konden steken om gezamenlijke strategieën te bedenken waar we allebei voordeel van kunnen hebben.'

Blixt schoot opgelucht in de lach. Ze had humor, dat grietje, en was blijkbaar niet bepaald achterlijk.. Hij vroeg wat ze wilde drinken.

Ruim een uur later gingen ze van tafel. Ze liepen samen naar de lift.

Toen de glanzend stalen deuren dichtgleden en ze op het knopje drukte, perste ze haar lichaam tegen het zijne en fluisterde iets in zijn oor. Hij raakte meteen opgewonden en probeerde zijn handen over haar lichaam te laten glijden, maar ze lachte geluidloos en ontweek hem handig. Ze had de sleutelkaart uit de zak van zijn colbert gevist en toen de liftdeuren opengingen, wuifde ze er spottend mee, en zweefde voor hem uit door de gang.

Van wat er daarna gebeurde, kon hij zich later maar een deel herinneren, maar het was niet goed afgelopen. Hij kon zich herinneren dat ze hem eerst had uitgekleed en daarna zichzelf gedeeltelijk.

Ze had voor hem gestaan in alleen maar een zwarte beha, zwarte kousen en op hoge hakken. Ze had boven op hem gezeten, zich voorovergebogen. Hij kon zich herinneren hoe haar zachte, warme mond voelde voordat ze een beetje anders ging zitten, omlaagzakte en met haar geslachtsorgaan het zijne omsloot. Voordat hij in slaap viel, had hij nog vaag gedacht dat hij een condoom had moeten gebruiken.

De zenuwen, de vermoeidheid, de alcohol en de spanning hadden hun tol geëist. En toen het plotselinge ontwaken.

De woede, de razernij, de uitbarsting: 'Wat mankeert er in godsnaam aan jou, ben je een flikker of zo???'

Hij had naakt op zijn rug gelegen. Toen hij wakker werd zat ze schrijlings op hem, met haar warme schede tegen zijn buik, en ze sloeg hem met de vlakke hand in zijn gezicht. Het was heel snel gegaan. Hij had zich belachelijk gevoeld, terwijl hij naar zijn portefeuille zocht en zij snel haar jurk aantrok. Hij had haar twee duizendjes voorgehouden. Ze had ernaar gekeken en toen gesist: 'Wat verbeeld je je verdomme? Denk je dat je hier op de Malmskillnadsgata bent? Wil je dat ik de receptie bel en zeg dat ik verkracht ben?'

Blixt was begonnen te trillen. Dat was wel het laatste wat hij nu kon gebruiken. Hij had alle bankbiljetten die hij had uit zijn portefeuille getrokken en overhandigd. Ze had snel tot ruim vijfduizend geteld, hem een minachtende blik toegeworpen, de kamer verlaten en de deur achter zich dichtgeslagen. Blixt was ingestort en had als een trillend hoopje mens op bed liggen snikken, totdat de vermoeidheid en de dronkenschap weer de overhand kregen. Toen hij wakker werd, vroeg hij zich af of het een nachtmerrie was geweest. Een inspectie van zijn portefeuille gaf hem echter de pijnlijke boodschap dat dat niet het geval was. Hij had vreselijke hoofdpijn en toen hij met een blik op de klok constateerde dat het al negen uur was en dat hij daardoor een belangrijke vergadering op kantoor zou missen, moest hij naar de badkamer. Hij rukte het deksel van het toilet omhoog en gaf over.

Exact een uur en veertig minuten later kwam Henning Blixt op kantoor. Zijn secretaresse keek verbaasd op. 'U bent laat. De vergadering met de fondsbeheerders –'

Blixt onderbrak haar geïrriteerd. 'Wéét ik. Ik had belangrijker zaken om me mee bezig te houden. Ik ben de komende twee uur niet te spreken.' Hij liep door naar zijn kamer en sloeg de deur achter zich dicht. Hij zette zijn aktetas op de vloer naast het grote mahoniehouten bureau en zakte in zijn leren fauteuil. Zijn handen beefden. Hij begroef zijn hoofd in zijn handen en dacht na of hij nog ergens aspirines had liggen.

Henning Blixt vroeg zich af of hij bezig was de controle over zijn leven kwijt te raken. Hij moest zich nu vermannen. Hij had te veel te verliezen.

26

Seymour Jones ging zijn hut in, deed de deur achter zich op slot en ging op een van de neergeklapte bedden zitten. Hij pakte zijn rugzak, haalde de foto van zichzelf en Wilkie tevoorschijn die hij altijd bij zich had en bekeek hem.

'Verdomme, Wilkie,' kreunde hij. 'Verdomme!' Waarom...?'

Hij had zichzelf die vraag al een miljoen keer gesteld en wist dat hij hem zeker nog een miljoen keer zou herhalen. Hij groef in zijn rugzak en haalde het brood, het stukje worst en de flesjes bier en water eruit die hij in Helsinki had gekocht voordat hij aan boord ging. Hij had honger en het zou nog lang duren voordat hij in de eetzaal iets zou krijgen. Zijn tijd bij de *US Marines* had hem geleerd dat je nooit hongerig moet zijn, altijd moet zorgen dat je goed in vorm bent voor een onverwachte actie. In de oorlog zijn er geen vaste etenstijden.

En nu was het oorlog.

Jones pakte zijn pas gekochte Finse mes, sneed een paar stukjes brood en belegde ze met kaas en plakjes Finse worst. Hij legde de stukjes brood in de nis bij het raam en maakte een flesje bier open terwijl hij naar het mooie landschap buiten keek. Het leek wel een film. Op kleine eilandjes lagen rode huizen die veel te idyllisch waren om in de wereld van Seymour Jones te passen. Hij kauwde, spoelde het brood weg met bier en keek gefascineerd naar de voor het raam voorbijglijdende eilanden, terwijl hijzelf en het schip stil leken te liggen.

Er ging weer een scheut door zijn been en hij trok een grimas van pijn. Hij wierp een snelle blik op zijn horloge. De deuren van het autodek zouden over vijftien minuten worden gesloten. Het was hoog tijd om het pakje te halen. Uitrusten kon hij later. Hij gooide het bierflesje in de afvalbak en verliet de hut.

Seymour Jones drukte op het knopje waardoor de zware stalen deur openging en stapte het autodek op. Hij stelde snel vast waar hij was. Hij had geen zin om hier langer te zijn dan per se noodzakelijk. Uit zijn zak haalde hij de kaart die hij had gekregen, raadpleegde hem en keek toen om zich heen. De kast moest zo'n twintig meter van hem vandaan zijn aan dezelfde kant, en in een klein hoekje tussen de kast en de stalen vloer zou het pakje liggen. Hij frommelde de kaart weer in zijn zak en liep stil tussen de geparkeerde auto's en de witgeschilderde ijzeren wand door. Toen hij bij de kast kwam, ging hij op zijn hurken zitten, stak zijn hand eronder en tastte langs het koude metaal tot hij het pakje tussen zijn vingers voelde. Hij graaide het naar zich toe, liet het in zijn zak glijden en verliet snel het autodek.

Etappe 1 was achter de rug.

Seymour Jones was ruim op tijd naar dek 6 gegaan en op een van de banken bij de lift gaan zitten. Daar zat hij nu samen met een paar andere rokers, nam diepe trekken en hield de trap en de liftdeuren in de gaten. Aangezien Tähtinen een hut aan bakboordzijde had, lag het voor de hand dat hij vanaf die kant naar dek 6 en het restaurant zou komen, en dan zou Jones hem niet kunnen missen. Hij had gelijk. Een paar minuten na half negen kwam Tähtinen uit de lift. Zonder een blik in de richting van Jones te werpen, sloeg hij linksaf naar het restaurant. Jones deed zijn sigaret uit en ging hem achterna.

Hij had geluk. Hij kreeg een plaats bij het raam, maar vijf tafels bij Tähtinen vandaan. Jones voelde de adrenaline pompen. Van nu af aan mocht er niets meer misgaan. Als hij hem kwijtraakte, werd het zoeken naar een speld in een hooiberg. Hij moest zijn slachtoffer volgen zonder dat het opviel. Voorlopig was er echter geen gevaar. Tähtinen nam de tijd en was duidelijk van plan zoveel mogelijk uit de eenheidsprijs te halen die hij voor het buffet had betaald.

Jones zag dat hij de serveerster wenkte, kennelijk om sterkedrank te bestellen, omdat je onbeperkt bier en wijn uit de tanks naast het buffet kon halen. Drink maar, smeerlap, dacht Jones. Hoe zatter je bent, hoe gemakkelijker het voor mij wordt. Hij wist niet waarom, maar hij voelde een sterke wrok tegen Tähtinen. Hij wist niet wie de man was, wat voor werk hij deed of waarom hij dood moest. Hij wist alleen dat hijzelf een rekening moest betalen om Wilkie te kunnen wreken. Hij wist ook dat er in de hut van Tähtinen een laptop moest liggen. En hij had niet alleen de opdracht om Tähtinen te vermoorden, maar ook om die laptop in de Oostzee te gooien.

Hij was natuurlijk nieuwsgierig naar wat er op die laptop stond, maar de opdracht en de beloning waren te belangrijk om iets te riskeren. Als hij die computer te pakken kreeg zou hij hem niet openen, maar er rustig voor zorgen dat hij in de golven verdween. Maar eerst moest Tähtinen uit de weg worden geruimd.

Jones wandelde langs de gerechten op het buffet. Het verbaasde hem hoeveel die tengere Tähtinen leek te kunnen eten. Het viel hem ook op dat de man de serveerster herhaaldelijk riep om meer drank te bestellen. Jones at veel salade, beperkte zich tot de lichtere gerechten en dronk alleen maar water. Hij wilde zijn hoofd helder houden voor de exercities van de rest van de avond. Hij bestudeerde Tähtinen heimelijk en probeerde te berekenen hoelang de man nog zou blijven zitten. Hij had twee keer warme gerechten bij het koksbuffet gehaald. Nu stond hij op en verdween weer om even later terug te komen met een dessertbord.

Juha Tähtinen hief zijn glas een klein stukje voordat hij een slok nam en zuchtte wellustig. Proost, kerel, je bent een echte slimmerik, dacht hij. Zodra hij vijftigduizend kronen van Henning Blixt had ontvangen, had hij de Silja Line gebeld en een hut geboekt. De plannen om een suite te nemen had Juha echter snel in de ijskast gezet toen hij hoorde hoeveel dat kostte. Voor dat geld kon hij veel plezier hebben aan de speeltafel en in de bar en wie weet kon hij zelfs een vrouwtje aan de haak slaan.

Juha Tähtinen had nog nooit een vriendin gehad. Hij had al sinds zijn schooljaren zijn uiterlijk tegen en later in het leven was het meestal zijn gebrek aan goede manieren dat de meisjes bij hem weghield. Maar aangezien Juha geen besef had van zijn tekortkomingen, beschouwde hij het als toeval dat hij tot dusverre nog geen meisje in bed had weten te krijgen. Het dichtste bij een vrijpartij was hij gekomen met een zwaar beschonken meisje dat op een feest in een kamer aan haar lot over was gelaten. Juha had haar ontdekt, was naar binnen geslopen, was haar gaan kussen en was vreselijk opgewonden geraakt, ook al kreeg hij geen respons. Hij had juist haar shirtje en haar beha uit weten te krijgen toen een van haar vriendinnen de kamer in kwam, en begon te schreeuwen of hij wel wist waar hij mee bezig was. Juha, zelf ook behoorlijk dronken, was mopperend afgedropen en meer kansen had hij sindsdien niet gekregen.

Hij had zijn verlangens bevredigd met pornobladen en later met het downloaden van porno van internet. Zijn begrip van seksualiteit werd gekleurd door wat hij op internet zag en met zijn drieëntwintig jaar was hij ervan overtuigd dat het gemiddelde meisje wilde worden vastgebonden, anaal genomen en in haar gezicht gespoten. Geen probleem, hij zou de behoeften van de meisjes graag bevredigen als hij de kans kreeg. En met zijn pas verworven rijkdom zou dat slechts een kwestie van tijd zijn. Hij had gehoord dat de bars en de discotheek op de boot de beste plaatsen waren om iemand te versieren. Hij werd wel zenuwachtig van het idee om seks te hebben met een meisje, maar gelukkig waren er aanzienlijke hoeveelheden wodka om de angst mee te beteugelen.

Hij dacht aan het geld. De vijftigduizend die hij van Blixt had gekregen was immers nog maar het begin van een lange reeks stortingen. Natuurlijk zou hij niet stoppen bij het miljoen dat hij Blixt had genoemd, zo stom was hij niet. Wanneer Blixt een miljoen had betaald en Juha zijn functie als chef IT had bezorgd, zou hij Juha's laptop krijgen met de kinderporno die hij had gedownload. Maar natuurlijk had Tähtinen kopieën. Als hij goed en wel zijn nieuwe baan had, zou hij Blixt met een verbaasd gezicht vertellen dat hij toch kennelijk niet alle informatie had gewist en vragen of de directeur bereid was hem voor nog een dienst te betalen. Henning Blixt was een koe die hij heel lang en op heel veel manieren kon melken.

Juha keek op de klok. Vijf over halftien. Hij voelde zich verzadigd, voldaan en in vorm voor een rondje roulette. Met de mazzel die hij tot nu toe had gehad, zou er toch geen spel mis kunnen gaan? Hij had zijn geld misschien al verdubbeld voordat hij weer terug was in Stockholm. Daarna zou hij naar de disco gaan en het mooiste grietje versieren dat hij zag. Hij voelde dat hij al macht en succes uitstraalde en dat was toch waar de vrouwtjes voor vielen. Hij wenkte de serveerster om te betalen. Hij vond haar opeens veel mooier dan eerst en gaf haar tien euro fooi. Ze schonk hem een glimlach en liep snel weg.

Kijk, dacht Tähtinen, ze viel toch al bijna voor me. Dat was een goed teken. Hij stond op en liep rustig het restaurant uit.

Het winkelgebied van de Silja Serenade op dek 7 is honderdveertig meter lang en Juha Tähtinen nam alle tijd om de winkels te bekijken. Hij ging de parfumwinkel in en kocht na een tijdje nadenken een flesje Calvin Klein-aftershave.

Zodra hij betaald had, scheurde hij het plastic van het doosje en haalde het flesje eruit. Zonder acht te slaan op de mensen om hem heen spoot hij de spray royaal over zijn kleren en zijn gezicht. Als het lekker moest ruiken, dan moest het lekker ruiken. Hij stak het flesje in de zak van zijn spijkerbroek en liep verder naar voren. Nu ging er gespeeld worden!

Seymour Jones volgde op gepaste afstand. Het gedrang op de Promenade was zo groot dat Tähtinen nooit door zou hebben dat hij gevolgd werd, zelfs niet als hij zich omdraaide. En Jones ging ervan uit dat hij redelijk snel zo dronken zou zijn dat hij geen benul meer had van wat er om hem heen gebeurde.

Tähtinen liep rechtdoor en zette koers naar de casinobar onder het danscafé Atlantis in het voorschip. Hij wierp een verlangende blik op de bar, maar besloot wat te spelen voordat hij iets dronk. Hij ging bij een van de roulettetafels staan en haalde een pakje bankbiljetten uit zijn zak. Het kon geen kwaad om te laten zien dat hij geld had, want geld stond immers gelijk aan macht.

Jones bestelde een Coca-Cola met citroen. Tähtinen stond ongeveer tien meter bij hem vandaan bij de verlichte tafel en Jones kon hem goed in de gaten houden.

Drie kwartier van vrijwel onafgebroken verliezen en twee gin-tonics later had Tähtinen genoeg van het spel, voor deze keer tenminste. Hij begreep niet hoe hij zo'n pech kon hebben. In het uur dat hij in het casino was geweest, had hij bijna duizend euro verloren en hij besloot dat dat voorlopig genoeg moest zijn. Natuurlijk zou hij nog hopen geld van Blixt krijgen, maar hij had geen zin meer van zijn geld weg te smijten aan een roulettetafel. Hij wankelde toen hij het casino uit ging, sloeg af naar links, passeerde een rij speelautomaten en ging richting lift.

Jones aarzelde. Hij wilde niet naast Tähtinen bij de lift gaan staan en nog minder samen met hem in de lift staan. Hij moest een risico nemen. Het was niet erg aannemelijk dat Tähtinen al naar zijn hut op dek 9 zou gaan, en als hij de lift naar boven wilde nemen, was er eigenlijk maar één denkbare bestemming: discotheek Club Stardust op dek 12, helemaal boven in het schip. Hij zag de liftdeuren achter Tähtinen dichtglijden en drukte op het knopje voor de andere lift. Hij moest ergerlijk lang wachten en vloekte in zichzelf. Waarom moest die man in vredesnaam aan boord van een schip worden vermoord? Het was in een andere omgeving, waar dan ook, een stuk gemakkelijker geweest.

De lift kwam, Seymour drukte op de 12. Vanaf zijn plaats in de lift kon hij recht in sommige van de hutten kijken die hun ramen aan de binnenkant van het schip hadden en hij verbaasde zich erover dat de mensen niet meer schaamte hadden. Toen de lift stopte, stapte hij uit en volgde de bordjes naar Club Stardust. Hij keek op zijn horloge; het liep al tegen elven. Het zou hem goed uitkomen als hij de hele zaak over een uur of twee achter de rug had, zodat hij de volgende ochtend een beetje fris was. Hij had nog een lange reis voor de boeg.

Juha Tähtinen bestelde een gin-tonic in de bar. Hij zag een lege plek aan een tafel waar twee behoorlijk mooie grietjes zaten, ging erheen en vroeg of hij mocht gaan zitten. Het antwoord was ontkennend. De grietjes hadden gezelschap en wachtten op vrienden die elk moment zouden komen. Teleurgesteld ging hij aan een ander tafeltje zitten.

Op een podium helemaal vooraan in de club zongen mensen karaoke. Tähtinen bekeek hen geamuseerd en speurde daarna de zaal af naar geschikte slachtoffers om te versieren. Af en toe ging hij naar een andere tafel om te vragen of hij daar mocht gaan zitten. Elke keer moest hij naar zijn eigen tafel terug.

Seymour Jones stond in een hoek van de bar, zo ver mogelijk van Tähtinen en het karaokepodium vandaan, en dronk nog een glas cola. Karaoke was volgens hem een duivelse uitvinding die in Japan had moeten blijven, en het werd er bepaald niet beter van dat de liedjes Fins waren, zoals hij constateerde toen een man in merkwaardige kleren iets jankte wat kennelijk een Fins volksliedje was. Een groep mensen in even merkwaardige kleren zong mee en klapte op de maat, en Jones schudde zachtjes zijn hoofd.

Hij had Tähtinens mislukte versierpogingen gezien en bad dat het zo beroerd zou blijven gaan. Het laatste waar hij nu behoefte aan had was dat die kerel tegen alle verwachting in een meisje versierde en meenam naar zijn hut, of dat hij meeging naar haar hut. Jones wilde aan het werk. Hij voelde de vermoeidheid in hem opkomen en zijn slechte been liet zich op gezette tijden voelen.

Juha was van gin-tonic overgegaan op wodka met ijs. Hij begon ook wanhopig te worden. Hij had zonder succes zeker zeven meisjes aangesproken en op de laatste twee was hij echt kwaad geworden. Hij had ze allebei een drankje aangeboden en bovendien laten doorschemeren dat het feest naderhand in zijn hut kon worden voortgezet. Ze hadden het uitgeschaterd en gevraagd wat hij zich wel verbeeldde, en toen gezegd dat hij moest wegwezen.

Hij slikte een slok wodka door en voelde zijn hoofd tollen. Plotseling leek het schip veel meer te schommelen dan daarnet. Hij voelde zich misselijk. Een paar seconden dansten lampen, tafels en mensen voor zijn ogen, maar toen slaagde hij er weer in zijn ogen scherp te stellen. Ten slotte begreep hij dat hij maar beter kon gaan om een poosje uit te rusten in zijn hut. De nacht was nog lang. Hij had alleen maar wat rust, een tandenpoetsbeurt en een dosis welriekende aftershave nodig, dan kon hij er weer tegenaan. Er waren grietjes zat, hij moest er gewoon één of twee vinden met een betere smaak dan de krengen die hem tot nu toe hadden afgepoeierd. Hij ging op zijn wankele benen staan en hield zich vast aan de muren terwijl hij langzaam de trappen van Club Stardust af liep.

Seymour Jones volgde rustig.

Juha richtte zijn waggelende passen op lift nummer 5. Seymour had uitgerekend dat Tähtinen in het restaurant drie glazen sterkedrank had gehad, in het casino drie gin-tonics en in Club Stardust nog eens een paar gin-tonics en een paar zuivere wodka's. Jones was oprecht verbaasd dat de man niet allang was omgevallen.

Hij stapte in dezelfde lift. Die gleed naar zonder te stoppen naar dek 7. Jones gaf Tähtinen een voorsprong van vijftien meter en liep toen zachtjes achter hem aan. De deining was nu onmiskenbaar en het aantal passagiers op de Promenade was aanzienlijk afgenomen. De mensen die zich niet in hun hut hadden teruggetrokken, waren druk doende zich te amuseren in de bars en danscafés en in het casino.

Tähtinen had zichtbaar moeite zijn evenwicht te bewaren, niet alleen omdat hij dronken was, maar ook door de deining. Even was Jones bang dat hij zou omvallen en blijven liggen. Dat mocht niet gebeuren. Lopen, man, lopen, dacht hij.

Hij had een voorlopig plan over waar en hoe hij zou toeslaan, maar daarvoor moest Tähtinen wel teruggaan naar zijn hut op dek 9.

Tähtinen waggelde verder richting achterschip en ging naar rechts; en Jones versnelde zijn pas om hem niet kwijt te raken. Hij liet zijn hand in zijn zak glijden om zich ervan te vergewissen dat hij de spuit zo kon pakken. Nu draaide alles om de timing. Juist toen Jones de hoek van de hal om kwam, gleden de liftdeuren achter Tähtinen dicht. Maar het geluk was met Seymour. De lift ernaast stond open. Hij stapte er snel in en drukte op de 9. Toen de liftdeuren weer opengingen, zag hij Tähtinens rug verdwijnen door de deur naar de gang links.

De adrenaline joeg door zijn lijf.

Hij haastte zich geluidloos over het dikke, kamerbrede tapijt naar de gang, keek om de hoek en zag Tähtinen voortwaggelen, steun zoekend tegen de muren. Hij stopte bij hut nummer 9842 en leunde met zijn rug tegen de muur tegenover de deur. Hij was er zich totaal niet van bewust dat Jones snel naar hem toe sloop. De afstand tussen hen was minder dan vijftien meter en Jones bekeek elke beweging van de dronken man zorgvuldig.

Tähtinen stak zijn hand in zijn rechterzak en leek naar zijn sleutelkaart te graven, maar veranderde toen plotseling van gedachten. Hij keek naar links, zag de deur die naar het achterbalkon leidde en waggelde erheen. Met een kreun duwde hij de zware deur tegen de wind in open, struikelde over de metalen drempel, hervond zijn evenwicht en ging aan dek.

Seymour Jones glimlachte. Het was te mooi om waar te zijn.

27

MS Silja Serenade, Oostzee
Donderdag 22 juni 2006

P entti Valmata deed een smeernippel open en stopte er een flinke hoeveelheid olie in. Hij keek naar de vier Wärtsilä-diesels die vol aan het werk waren en was, als altijd, onder de indruk van de kracht die ze leverden. En hij glimlachte bij de gedachte aan de interne strijd die er vaak was tussen de brug en de machinekamer.

Wanneer de stuurman op de brug vol gas gaf, zette de hoofdwerktuigkundige, die eindverantwoordelijk was voor het effect van de machines, ze tot tachtig of vijfentachtig procent omlaag om de belasting niet te hoog te laten worden. Volgens de hoofdwerktuigkundige had de man op de brug geen verstand van machines en was er geen reden om op volle kracht te varen, zo'n verdomde haast hadden ze niet.

Maar smeren moest je wel. Elk jaar werd er zeventigduizend liter smeerolie door de machines gepompt om ze goed in vorm te houden. Hij droogde zijn handen af aan een lap, ging de controlekamer in en deed de deur achter zich dicht. Matti Sarjanen bekeek het paneel met alle meters die aangaven hoe het met de machines ging nauwkeurig. Toen hij de deur achter zich hoorde opengaan, draaide hij zich om.

'Goeienavond, meester,' zei Valmata. 'Alles ziet er goed uit daar en ik heb net gesmeerd. Is het oké als ik op het achterdek een sigaretje ga roken?'

Sarjanen glimlachte. Valmata was een van zijn beste mannen, die de machines behandelde alsof het zijn kinderen waren. 'Dat is oké, Pentti. Maar blijf niet te lang weg. Wat zouden we zonder jou moeten?'

Valmata glimlachte, draaide zich om en ging weg. Een paar minuten later liep hij snel door het café in het achterschip. Passagiers verdrongen elkaar met bierglazen in hun handen en luisterden naar een knaap die in een hoek zong en gitaar speelde. De tv-schermen aan het plafond lieten beelden van voetbalwedstrijden zien en de mensen schreeuwden als er werd gescoord.

Valmata deed de deur naar het achterdek open en stapte de frisse lucht in. Hij keek op zijn horloge. Over een uurtje zou zijn dienst erop zitten, dat was lekker. Hij zou naar zijn hut gaan, een welverdiende douche nemen en dan even spelen met zijn nieuwe speelgoed, een laptop die hij van zijn vorige salaris had gekocht.

Valmata was zijn hele leven al geïnteresseerd in techniek, en pc's waren daarop geen uitzondering. Hij las elke maand stapels vaktijdschriften en hield precies bij welke nieuwe computermodellen er uitkwamen en wat hun prestatievermogen was.

Hij haalde een pakje sigaretten uit zijn zak, viste er een sigaret uit en stak die tussen zijn lippen. Hij stak hem aan, inhaleerde gretig en diep en besloot vannacht nog een paar programma's te installeren terwijl hij op het net surfte.

Juha Tähtinen waggelde naar de metalen wand die hem scheidde van de zee. Hij moest overgeven en het was een kwestie van seconden. De zoute zeewind die zijn neus en mond binnendrong, leek het proces te versnellen en hij kon net op tijd de reling pakken toen zijn maag zich binnenste buiten keerde.

Een deel van zijn maaginhoud belandde op de reling en sijpelde langs de metalen buitenwand naar beneden, de rest kwam aan de binnenkant terecht en stroomde op het dek bij zijn voeten. Hij had grote moeite zich vast te houden en probeerde te voorkomen dat hij zijn kleren onderspuugde. Hij hoorde niet dat de metalen deur achter hem openschoof.

Seymour Jones stapte snel over de drempel en liet de metalen deur zo zachtjes mogelijk achter zich dichtglijden. Hij zag Tähtinen overgeven en besloot een paar seconden te wachten. Hij haalde de spuit uit zijn zak, hield hem in zijn hand en ging met de rug tegen de wand staan om niet door de ruit in de deur te worden gezien als er binnen iemand in de gang liep. Het was ideaal geweest als Tähtinen een paar meter verder naar links had gestaan, zodat hij ook vanuit de gang niet gezien kon worden, maar dat zou vanzelf wel goed komen.

Tähtinen was duidelijk klaar met overgeven, voorlopig in elk geval. Hij hield zich vast aan de reling en ademde moeizaam, luid kreunend.

Jones draaide zich naar rechts en wierp een blik in de gang. Leeg. Hij deed drie snelle stappen naar voren en ging achter Tähtinen staan. Met zijn linkerarm greep hij de man stevig rond de hals, terwijl de spuit in hem stak. Tähtinen maakte een raar geluid toen Jones de inhoud in hem begon te duwen.

Plotseling deed Tähtinen een krachtige poging om zich los te rukken. Jones, die nog maar de helft van de spuit had kunnen legen, voelde de canule loslaten en moest de spuit op het dek laten vallen om Tähtinen opnieuw en beter vast te kunnen pakken. De gedachten tolden door zijn hoofd en een innerlijke stem gaf een duidelijk bevel: *Ga over op plan B. Maak de opdracht af. Elimineer hem!*

Hij herinnerde zich de training in man-tegen-mangevechten bij de *US Marines* nog zo duidelijk dat het was alsof hij de techniek gisteren had geleerd. Hij gaf Tähtinen snel met zijn rechterknie een knietje in de onderrug en drukte zijn linker onderarm tegen de nek van de man, terwijl hij met zijn rechterhand net zo snel diens kin stevig beetpakte. Hij knikte hem met volle kracht naar achteren en hoorde een knakkend geluid toen Tähtinens nek brak. Het gorgelde in de keel van de man terwijl hij stierf en op het groen geverfde dek in elkaar zakte.

Jones hield het lichaam nog steeds stevig vast en schatte zijn gewicht in. Het zou geen kunst zijn om de man overboord te gooien, maar eerst moest hij zijn sleutelkaart hebben. Hij stak zijn rechterhand in Tähtinens broekzak, terwijl hij hem omhooghield met zijn linker. Zijn vingers sloten zich om een stuk plastic. Hij haalde de sleutelkaart gauw uit de zak en liet hem in zijn eigen zak glijden. Toen liet hij het lichaam los en liep eromheen om hem beter te kunnen tillen. Hij had informatie gekregen dat zijn slachtoffer ongeveer vijfenzestig kilo woog en dat leek goed te kloppen. Jones boog zich over het lichaam heen, pakte het stevig vast en duwde het omhoog tegen de schuine metalen balustrade die hem tot aan de borst kwam. Hij tilde de dode op en schoof hem tegelijkertijd omhoog langs de balustrade, waarbij hij probeerde niet naar zijn gezicht te kijken. Seymour Jones had genoeg dode mensen gezien om te weten hoe die eruitzagen.

Het tillen duurde minder dan een halve minuut. Toen Tähtinens bovenlichaam over de metalen wand zakte, verplaatste Jones zijn handen naar diens kuiten en gaf hij hem het laatste zetje. Het lichaam tuimelde geluidloos achterover, weg van de metalen romp en viel in het witte schuim achter het schip. Het was nog een paar seconden zichtbaar en werd toen door het donker en het zwarte water opgeslokt. Jones boog zich voorover, pakte de spuit op en gooide die met een grote boog over de metalen reling.

Pentti Valmata wilde juist het laatste trekje nemen toen hij het lichaam zag. In een onnatuurlijke, dubbelgevouwen houding kwam het van boven vliegen, schuin van het schip af. Het geluid toen het lichaam het water raakte, werd gesmoord door het geruis van de wind, de zee en het schip. Als in een film zag Valmata het lichaam snel verdwijnen, en na een paar seconden was het niet meer te zien. Heel even stond hij als versteend, toen draaide hij zich om en rende het café in. Hij drong naar voren zodat bier en wijn uit de glazen klotste, over de gasten die ze vasthielden.

'Bel de brug!' schreeuwde hij naar de barkeeper. 'Man overboord achter!'

De barkeeper keek eerst alsof hij zijn oren niet geloofde, maar toen hij Valamata's gezicht zag, begreep hij dat het serieus was. Hij stak zijn hand uit naar de telefoon aan de wand.

Jones draaide zich om en verstijfde. Slechts vier meter bij hem vandaan stond een meisje, een tiener, met opengesperde ogen, lijkbleek, die de zware deur naar het achterdek openhield. Eerst dacht hij dat ze dronken was en hier kwam om over te geven, maar toen drong de waarheid tot hem door.

Ze had gezien dat hij Tähtinen vermoordde en overboord gooide! Hij kon maar één ding doen. Het meisje moest ook dood. Hij kon zich geen getuigen permitteren. Het meisje sloeg haar handen voor haar gezicht, liep gillend achteruit en liet de zware deur weer dichtschuiven. Toen draaide ze zich om en begon de gang door te rennen.

'Fucking shit!' vloekte Jones en hij vloog naar de deur. Hij struikelde over de hoge metalen drempel en viel. In zijn val raakte zijn slechte been de rand en hij schreeuwde het uit van de pijn. Hij keek op. Het meisje was blijven staan toen hij schreeuwde, maar nu rende ze door. Ze was al twintig meter weg. Hij beet op zijn tanden en kwam moeizaam overeind.

Het meisje was verdwenen. Hij dacht snel na. De kans dat hij haar te

pakken kreeg was klein. Seymour had haar maar een paar seconden gezien en wist niet goed hoe ze eruitzag. Ook al zou hij haar bij de liften
inhalen, dan kon hij haar toch moeilijk de hele weg door de gang terug
slepen en vanaf het achterdek in zee gooien. Mensen zouden algauw
hutdeuren opendoen en zich afvragen wie er zo schreeuwde. Hij had
maar een paar seconden om een besluit te nemen. Hij haalde Tähtinens
sleutelkaart uit zijn zak en stopte die in het slot van de deur van hut
9842.

Er klonk een klik en er knipperde een groene lichtdiode. Verderop in
de gang ging een andere deur open. Seymour stortte zich in Tähtinens
hut naar binnen en deed de deur achter zich op slot. Hij deed het licht
aan en keek om zich heen. De hut was een wirwar van schoenen, kleren, lege bierblikjes en dozen chocola. Op een van de opgemaakte bedden zag hij wat hij zocht: een zwarte laptoptas.

Seymour hoorde op de gang iemand schreeuwen en verstijfde.

28

MS Silja Serenade, Oostzee
Vrijdag 23 juni 2006

Carl-Gustaf Öhman nam de hoorn meteen op toen de telefoon rinkelde. Hij luisterde aandachtig en knikte.

'Begrepen, dank je,' zei hij kort en hij hing op. Hij liep naar de radar, boog zich voorover en markeerde elektronisch de positie van het schip. Tegelijkertijd gaf hij bevel aan de matroos die dienst deed als uitkijk: 'Man overboord achter! Gooi de MOB-boei uit, gauw!'

De matroos rende naar de stuurboordvleugel van de brug. Hij liet een reddingsboei zakken, samen met de grote MOB-boei die voorzien was van een krachtig knipperlicht en die een dikke, oranje rook afgaf. Öhman pakte de telefoon weer en draaide het nummer van de hut van de kapitein. Räisänen antwoordde al nadat de telefoon twee keer was overgegaan.

'Met de brug,' zei Öhman. 'We hebben een man overboord.'

'Ik kom eraan,' antwoordde Räisänen.

Öhman drukte de haak in, liet hem los en draaide het nummer van de hoofdwerktuigkundige.

'Machine, Sarjanen.'

'Met Öhman. Man overboord. We gaan over op de rode zone!'

'Begrepen!'

Sarjanen legde de hoorn op de haak en keek naar de log, die achttien knopen aangaf. Hij haalde het vermogen naar beneden om het schip vaart te laten minderen en startte de boegschroeven.

Kari Räisänen haastte zich de smalle trap op naar de brug, knikte naar Öhman en deelde mee dat hij het bevel overnam. Öhman deed verslag van welke maatregelen hij had genomen en Räisänen knikte. 'Geef de MOB-groep bevel zich gereed te maken en licht het MRCC in.'

Öhman belde de reddingsploeg van het schip en beval hun zich voor te bereiden op actie. Daarna gaf hij het noodsignaal *Man Over Board* aan alle andere schepen in de buurt, kreeg terugmeldingen dat ze het signaal hadden ontvangen en nam toen contact op met het Marine Rescue Coordination Center in Åbo. Het MRCC bevestigde de ontvangst van het bericht en meldde dat ze een helikopterbemanning opdracht zouden geven stand-by te staan.

Tegelijkertijd bekeek Räisänen het radarscherm zorgvuldig, schakelde de stuurautomaat van het schip uit en nam het roer over.

Een noodrem uitvoeren met een schip zo groot als de Serenade was een tijdrovende, ingewikkelde en dure operatie. Als hij het bevel volle kracht achteruit gaf, zou de Serenade er een halve kilometer over doen om te remmen. Maar zo'n manoeuvre was zo belastend voor de machines dat die tijdens hun hele levensduur maar drie keer mocht worden uitgevoerd. Het was al één keer gebeurd toen het schip nieuw was en werd getest. Dus restte hem een *Williamson-turn*, wat inhield dat hij het schip eerst, terwijl het vaart minderde, in een bocht van zeventig graden naar bakboord legde, vervolgens naar stuurboord zwenkte en de Serenade in een ellipsvormige bocht liet keren om haar naar de plek terug te sturen die Öhman elektronisch op de radar had gemarkeerd.

Jones verstond geen Fins, maar als hij zijn oor tegen de deur drukte kon hij horen dat er in de gang behoorlijk opgewonden geschreeuw klonk. Hij ging terug naar het bed en deed de laptoptas open. Er verscheen een laptop van het merk Dell. Hij overwoog welke mogelijkheden hij had. Hij had gemerkt dat het schip flink vaart minderde en een bocht begon te maken.

Het meisje! Natuurlijk had ze alarm geslagen. Ze had hem Tähtinen zien vermoorden en hem zijn lichaam overboord zien gooien. Dit besef bracht hem van zijn stuk, maar hij hervond zijn kalmte algauw. Het was op zich wel een probleem dat er een getuige was, maar hij kon zich moeilijk voorstellen dat ze het lichaam konden vinden. Waarschijnlijk was het lijk al ver genoeg weggedreven, misschien was het al aan het zinken. En als ze het lichaam onverhoopt toch zouden vinden en bergen, zou hem dat niet kunnen deren. De man was dood en kon niet praten.

Seymour moest nu een besluit nemen. Hij wilde niet langer in Tähtinens hut blijven dan nodig was. En hij moest die laptop wegwerken, dat was onderdeel van de afspraak. Hij kon weer naar het achterbalkon gaan en hem in zee gooien, want alle aandacht was nu gericht op de voorkant van het schip. Óf hij kon de laptop meenemen naar zijn hut, zich daar een paar uur gedeisd houden en hem later in zee dumpen.

Hij besloot tot het eerste. Seymour wilde de zaak afronden en zich niet meer nodeloos laten zien. Hij pakte de laptoptas van het bed, liep naar de deur van de hut en legde zijn oor ertegenaan. Stilte.

Voorzichtig deed hij de deur open. Geen mens te zien. Hij draaide zich om. Had hij iets over het hoofd gezien? Moest hij de hut nauwkeuriger doorzoeken voordat hij wegging? Hij wist niets over Tähtinen. Misschien had de man een hoop geld bij zich, misschien was het de moeite waard om even te kijken? Nee. Hij had al genoeg pech gehad en nog meer risico nemen zou idioterie zijn.

Hij stapte de gang in, sloeg rechts af en deed de deur naar het achterbalkon open. Ditmaal lette hij er goed op dat hij zijn voeten optilde terwijl hij over de drempel stapte. De pijn in zijn been herinnerde hem maar al te goed aan zijn eerdere fout. Hij liep naar de rand van het achterbalkon, boog zich eroverheen en keek naar beneden. Geen mens op het grote achterdek. Zonder aarzelen slingerde hij de laptoptas over de reling en zag hem in zee verdwijnen.

Nu was het zaak snel terug te gaan naar zijn hut. Seymour draaide zich om en verstijfde. Door de ruit in de deur zag in de gang het meisje aankomen dat hem Tähtinen had zien vermoorden, nu samen met een man en een vrouw. Ze waren niet meer dan tien meter van de deur verwijderd en hij zag het meisje opgewonden praten. Seymour wilde opzij springen, maar het was te laat.

Het meisje schreeuwde en wees naar hem.

Terwijl Kari Räisänen de Silja Serenade terugmanoeuvreerde naar de positie die Carl-Gustaf Öhman op de radar had aangegeven, stonden Öhman en de matroos allebei oplettend uit te kijken door de grote ruiten van de brug. Öhman had alle schijnwerpers van het schip aangedaan en de witte lichtstralen braken nu door het donker naar het zwarte wateroppervlak.

Tegelijkertijd maakten de drie mannen van het MOB-team zich klaar en namen plaats in de *First Rescue Boat* van de Serenade.

Räisänen gaf bevel de vaart te minderen tot drie knopen. De reddingsboot werd neergelaten en voer met een wijde boog weg van de Serenade om naar het gebied te gaan waar het lichaam ongeveer zou moeten drijven.

Ze bevonden zich nog steeds in de Finse wateren. Ze zouden volgens de regels contact moeten opnemen met de Finse politie, die op haar beurt de politie van Stockholm zou waarschuwen, die het schip zou opwachten. Räisänen tuurde naar buiten en zag de zoeklichten van de reddingsboot, ongeveer honderd meter voor de steven van de Serenade.

Hij vroeg zich af wat ze zouden aantreffen.

De pijn in zijn been werd ondraaglijk. Op het laatste moment had Seymour de trap gezien die van het achterbalkon naar de hogere verdiepingen liep en was die op geklommen. Over het geluid van de wind heen had hij gehoord dat de deur achter hem werd geopend en hij meende ook stappen te horen, maar een snelle blik over zijn schouder gaf aan dat dat verbeelding was. Ook als het meisje de volwassenen – waarschijnlijk haar ouders – kon uitleggen dat hij de man was die ze een andere man overboord had zien gooien, was de kans niet groot dat ze hem zouden volgen. Maar ze zouden zeker alarm slaan bij de kapitein, dus hij had niet veel tijd. Hij ging zo snel hij kon naar zijn hut. De pijn werd met de seconde erger en hij hinkte steeds meer. Bij zijn hut grabbelde hij met zijn hand in zijn zak naar de sleutelkaart, haalde hem eruit en stak hem in het slot. Hij deed het niet

Jones vloekte in stilte en probeerde het steeds opnieuw, terwijl het zweet hem uitbrak. Eindelijk ging hem een licht op. Het was de sleutelkaart van Tähtinen! Seymour groef in zijn andere zak, pakte de goede kaart en kreeg de deur open. Hij ging naar binnen, deed de deur achter zich op slot, hinkte naar zijn bed en viel neer zonder zelfs zijn schoenen uit te trekken. Hij bleef een hele tijd liggen, terwijl hij probeerde zijn ademhaling onder controle te krijgen en zich afvroeg of hij genoeg pijnstillers bij zich had.

Hij had nu nieuwe problemen om op te lossen. Hij was nog steeds niet bang dat iemand aan boord zou kunnen vaststellen dat Tähtinen vermoord was, zelfs als ze zijn lichaam vonden. Maar het meisje had hem gezien en nu ook de twee volwassenen in haar gezelschap. Ze zouden ongetwijfeld aan de kapitein en aan de veiligheidsmensen aan boord vertellen wat ze hadden gezien.

Hij ging rechtop zitten, vond zijn pijnstillers en spoelde de pillen weg met water. Toen ging hij weer liggen, schudde twee hoofdkussens op en nam alle denkbare scenario's door. Er waren ruim negenhonderd hutten aan boord van de Silja Serenade. De bemanning kon die onmogelijk allemaal doorzoeken op jacht naar een potentiële moordenaar, en bovendien zou men onschuldige gasten niet willen storen door hen midden in de nacht wakker te maken. Het gevaar zat hem in de aankomst in Stockholm. De politie zou komen, de passagiers zouden niet van boord worden gelaten voordat de politie een goed signalement van het meisje had gekregen, en ze had hem helaas goed genoeg gezien om dat te kunnen geven. De politie en de veiligheidsmensen aan boord zouden het ontschepen bewaken en er was maar één plaats om het schip te verlaten: door de hoofdingang op de Promenade, dek 7. Tenzij...

Er groeide een idee in Seymours hoofd.

Het kostte de mannen in de reddingsboot minder dan dertig minuten om Juha Tähtinen te vinden. Het lichaam schommelde op de golven met het gezicht naar beneden en de armen uitgestrekt. Het werd in de reddingsboot getild en men constateerde algauw dat de man niet meer ademde en geen hartslag meer had. Ondanks reanimatiepogingen en hartmassage bleef hij levenloos en via de radio werd er gerapporteerd dat het lichaam was geborgen, maar dat de man dood was.

De reddingsboot keerde terug naar de Silja Serenade en werd omhooggehesen. Het lichaam werd bedekt en naar de ziekenboeg van het schip gebracht, waar de verpleegster constateerde dat hij dood was. Voor de vorm werd via de luidsprekers een arts opgeroepen. Meestal waren er wel een of twee onder de passagiers, maar ditmaal meldde zich niemand. Terwijl ze wachtten, begon Eeva Virtanen de dode te onderzoeken. Het viel haar op dat zijn hoofd in een onnatuurlijke hoek lag en ze voelde voorzichtig aan zijn hals en nek.

In haar jaren als verpleegster had ze meerdere doden gezien aan boord. Mensen kregen een hartinfarct, een astma-aanval of een acute alcoholvergiftiging. Sommige verdronken wanneer ze in het water sprongen, andere pleegden aan boord zelfmoord of probeerden dat. Met meer dan tweeduizend passagiers per etmaal was het onvermijdelijk dat er af en toe iemand stierf.

Ze had de tekenen van de verschillende manieren van overlijden leren herkennen. Bij degenen die van het schip sprongen, was het vrij gebruikelijk dat ze stierven als ze tijdens de val tegen de romp van het schip sloegen. Maar deze man vertoonde geen tekenen die erop wezen dat zijn lichaam tegen de romp was gekomen. Daarentegen leek zijn nek gebroken te zijn.

Ze schrok toen haar vingertop een scherpe punt in de hals van de man voelde. Ze richtte de sterke lamp beter, pakte een pincet, boog zich over de man en peuterde voorzichtig in de huid waar haar vingertop net had gevoeld. In het scherpe schijnsel van de lamp boven de behandeltafel zag ze het glanzende uiteinde van de naald.

Eeva Virtanen huiverde. Ze was ervan overtuigd dat de man was vermoord, en dat meldde ze ook onmiddellijk aan kapitein Räisänen.

Het was kwart over drie 's nachts. Kari Räisänen en Carl-Gustaf Öhman zaten tegenover elkaar in het kantoor van de kapitein op dek 12. Tussen hen in stond een pompthermoskan met verse, hete koffie en een bordje met boterhammen die net door de keuken waren gebracht. Öhman schonk in, terwijl Räisänen nadacht.

Zodra de reddingsboot was opgehesen had hij de steven gewend en weer koers gezet naar Åland. Hij had het bevel overgedragen aan Öhman en was naar de ziekenboeg gegaan om naar het lichaam te kijken en met Eeva Virtanen te praten. Hij had diep respect voor haar. Ze had een specialistische opleiding gehad en was aanzienlijk deskundiger dan de meeste andere verpleegsters. Hij had veel verhalen gehoord over hoe ze patiënten met een hartprobleem in afwachting van de ambulancehelikopter het leven had gered met behulp van de defibrillator en evenveel over hoe ze had voorkomen dat tienermeisjes die zelfmoord wilden plegen hun polsen doorsneden. Eeva Virtanen was een kanjer.

Eeva had Räisänen het lichaam laten zien en verteld wat ze had waargenomen. Daarna had de kapitein opdracht gegeven het lichaam naar de lijkenkamer van het schip over te brengen.

Op het autodek was een kleine, koele ruimte waar de rederij geen reclame voor maakte. In die ruimte stond een aluminium kist en verder niets. Nadat men Tähtinens kleren had doorzocht en zijn zakken had leeggemaakt, werd het lichaam met een lift die geblokkeerd werd voor passagiers snel en discreet naar deze lijkenkamer gebracht.

Iets wat zowel de veiligheidsdienst en Eeva Virtanen als Räisänen verbaasde, was dat ze geen sleutelkaart in Tähtinens zakken vonden. De man was misschien zo dronken geweest dat hij de kaart ergens had verloren. En in theorie had hij ook in zee verdwenen kunnen zijn. Toen ze Tähtinens portefeuille met legitimatie en rijbewijs vonden, raadpleegden ze de passagierslijst en ontdekten dat hut 9842 de zijne was. Eriksson en zijn veiligheidsmensen hadden de hut opengemaakt, er een kijkje in genomen en hem vervolgens verzegeld in afwachting van de politie, die de zaak na aankomst in Stockholm zou overnemen.

Räisänen had even gesproken met Pentti Valmata, die geschrokken was, maar geen duidelijke verklaring kon geven van wat hij had gezien. Räisänen had nauwkeurige aantekeningen gemaakt. Toen ze klaar waren, had Räisänen Valmata bedankt en hem vijf dagen vrij gegeven als het schip weer terug was in Helsinki. Daarna had Räisänen een gesprek gevoerd met de Zweedse familie die contact had opgenomen met de receptie en beweerde dat hun zeventienjarige dochter Linda getuige was geweest van een moord. Dat gesprek had plaatsgevonden op Räisänens kantoor en hij had zowel Carl-Gustaf Öhman als Eeva Virtanen gevraagd erbij aanwezig te zijn. Virtanen had het meisje voor de zekerheid een kalmerend middel gegeven en was er gedurende het gehele gesprek bij als extra steun.

Het verhaal van het gezin was verbijsterend, maar Räisänen had geen reden eraan te twijfelen. Terwijl de ouders zich vermaakten in het danscafé Atlantis Palace was Linda naar hun hut gegaan om iets te halen. Ze had gezien hoe een man achter een andere man aansloop en die in een wurggreep nam. Toen het slachtoffer in elkaar zakte, had de moordenaar hem opgetild en overboord gegooid. Toen de moordenaar Linda in het oog had gekregen, wilde hij haar achterna gaan, maar hij was over een drempel gestruikeld en gevallen. Zij was zo snel ze kon naar de lifthal gerend, maar durfde daar niet op de lift te wachten, omdat de moordenaar haar dan zou kunnen inhalen. Ze had de hele weg gerend: de trappen naar de Promenade op dek 7 af, de hele weg naar het voorschip en de trap op naar Atlantis Palace. In de nachtclub had ze haar ouders huilend verteld wat ze had gezien.

Lars Gedheim had eerst getwijfeld aan het waarheidsgehalte van zijn dochters verhaal. Hij had gedacht dat het ging om een simpel dronkenmansgevecht. De moeder, die haar dochter beter kende, had haar man overgehaald mee te gaan naar het achterbalkon. Toen ze daar kwamen, had Linda een schreeuw van angst gegeven. Beide ouders hadden een man op het achterbalkon gezien die voldeed aan Linda's beschrijving. Haar vader had aanstalten gemaakt om achter de man aan te gaan toen hij verdween, maar Linda was buiten zichzelf van angst geweest en hij had het toch beter gevonden om bij haar en zijn vrouw te blijven.

Linda en haar ouders hadden een behoorlijk signalement kunnen geven. De man was een jaar of vijfentwintig, slank, ongeveer één meter tachtig lang en had een smal gezicht en scherpe ogen. Hij had een donkere broek, een donker t-shirt en gymschoenen aan. Hij had een petje op, maar ze hadden er geen haar onderuit zien steken. Toen hij Linda probeerde achterna te gaan en was gevallen, had het meisje het idee gekregen dat er iets mis was met zijn ene been.

Räisänen had alle informatie genoteerd en uitgelegd dat de politie in Stockholm zeker met het gezin zou willen praten zodra het schip in de haven was aangekomen. Eeva Virtanen had het gezin naar hun hut teruggebracht. In verband met de angst van het meisje had Räisänen contact opgenomen met veiligheidschef Eriksson, die een man had aangewezen om de rest van de nacht de wacht te houden voor de hut van het gezin.

Räisänen had de politie in Helsinki ingelicht over het sterfgeval. De politie had zich een tijdje later weer gemeld en gezegd dat de recherche in Stockholm de Serenade bij aankomst zou opwachten.

Räisänen had Öhman gevraagd nog een eerste stuurman en een matroos te wekken. De brug werd nu bezet door drie man en het schip koerste verder met een snelheid van twintig knopen. De Serenade had ruim anderhalf uur vertraging opgelopen.

Räisänen nam een slok koffie en een hap brood. Hij keek naar Carl-Gustaf Öhman.

'Wat een ellendige toestand, hè. Wat vind jij ervan, CG?'

Öhman zweeg even en Räisänen zag dat hij nadacht.

'Ik weet het niet. Als dat meisje en Valmata er niet geweest waren, had ik gedacht dat het een dronken kerel was. Het is niet de eerste of de laatste keer dat er een dronken passagier overboord valt. Maar het meisje lijkt me goed bij haar verstand en haar ouders hebben die man later toch ook gezien.'

Räisänen nam nog een paar hapjes van zijn boterham en spoelde ze weg met sterke koffie. 'Het lijkt me niet pluis, dit.'

Öhman schudde zijn hoofd.

'Nee, mij ook niet, maar we kunnen op dit moment niet meer doen. Erikssons mannen patrouilleren de hele nacht over het schip en de politie staat morgenochtend in Stockholm op ons te wachten. Maar we zijn het er over eens dat we waarschijnlijk een moordenaar aan boord hebben. We leggen straks aan in Mariehamn en het zou toch zonde zijn als de dader daar verdwijnt, niet? Ik stel voor dat we Erikssons mensen bij de loopplank zetten. Voor zover ik weet gaan er in Mariehamn altijd alleen een stuk of wat Ålanders van boord, dus het kan niet al te lang duren als we de veiligheidsmensen voor de zekerheid hun legitimatiebewijzen laten kopiëren. De rest moet de politie dan maar overnemen als we in Stockholm zijn.'

Räisänen knikte: 'Goed. Zeg maar vast tegen Eriksson dat zijn mensen klaar staan als we in Mariehamn aanleggen. Ik wil dat jij de rest van de nacht op de brug blijft. Zelf denk ik dat ik mijn rapport maar vast ga schrijven.'

Öhman stond op.

'Heb je er iets op tegen dat ik de thermoskan mee naar de brug neem? Het wordt een lange nacht.'

Räisänen glimlachte. 'Neem hem maar mee, CG, ik bestel wel een nieuwe. Voor mij zal het ook wel een lange nacht worden.'

Öhman balanceerde over de smalle trap naar de brug met de thermoskan in zijn ene hand en zijn koffiekopje in de andere. Hij liep naar het radarscherm en keek nadenkend naar de oranje straal die langzaam ronddraaide. Hij vroeg zich af waar de moordenaar was.

Op zijn kantoor pakte Räisänen de telefoon en bestelde meer koffie. Daarna wreef hij zich over zijn slapen en probeerde zich te concentreren. Hij kon net zo goed meteen beginnen zijn rapport te schrijven, nu hij alles nog vers in herinnering had. Er moest een rapport met tijdaanduidingen en de loop der gebeurtenissen naar de politie en de raad voor de scheepvaart in zowel Finland als Zweden. Aangezien er reden was om aan te nemen dat er een misdaad was gepleegd, wilde Kari Räisänen extra nauwkeurig rapporteren. Hij ging achter zijn computer zitten en begon te schrijven.

Seymour Jones was in slaap gevallen. Daarvóór had hij lang gedoucht en goed nagedacht over wat er gebeurd was, wat er nog zou gebeuren en welke risico's dat met zich meebracht.

Na rijp beraad had hij de kleren die hij tijdens de moord had gedragen, in zijn rugzak gestopt. Het beste was natuurlijk geweest om zich er zo snel mogelijk van te ontdoen, maar gezien wat er eerder was gebeurd, had hij geen zin de hut onnodig te verlaten. Bovendien wist hij niet wanneer hij misschien extra kleren nodig zou hebben. Nu was het zaak de Silja Serenade af te komen zonder ontdekt te worden en veilig het hele eind naar huis te gaan, naar Bangor, Maine. Maar gezien de pech die hij tot nu toe had gehad, kon hij er niet van op aan dat de rest van de reis probleemloos zou verlopen.

Hij had de laatste uren besteed aan het bedenken van een tactiek en aan het afwegen van de risico's. Ten slotte had hij een strategie gekozen en nagedacht over andere noodoplossingen. Hij had een nieuwe broek en een schoon t-shirt naast zijn bed klaargelegd en zijn wekker gezet.

Normaal gesproken zou de Silja Serenade om halftien 's ochtends in de Värtahaven in Stockholm aankomen. Maar het bergen van het overboord gevallen lichaam had het schip ruim anderhalf uur vertraging bezorgd. Seymour rekende erop dat het schip om een uur of elf 's morgens in de haven zou binnenlopen. Seymour Jones was klaar voor de volgende fase. En voor een moordenaar sliep hij ongewoon goed.

Seymour Jones werd wakker toen het schip midden in de nacht aanlegde in Mariehamn. Hij keek uit het raam en zag achter de ruiten van de gang die van het schip naar de haven leidde bewakers staan, die de passagiers die van boord gingen om hun legitimatie vroegen. Hij ging liggen en sliep snel weer in.

Toen Seymour zijn hut om negen uur 's ochtends verliet, had hij schone kleren aangetrokken en de rest van zijn worst en brood opgegeten. Hij was een paar keer naar de wc geweest om de eerste paar uur niet meer te hoeven. In zijn rugzak lag een vol flesje water en – voor de zekerheid – een lege om in te plassen.

Hij had alle oppervlakken die hij aangeraakt zou kunnen hebben zorgvuldig afgeveegd en zijn lege flesjes in een plastic zak gedaan die hij ergens anders dan in zijn hut zou achterlaten. De politie zou weinig kans hebben te achterhalen in welke hut de moordenaar had overnacht. En als ze dat onverhoopt toch zouden uitvinden, zou hun informatie leiden naar een Amerikaanse staatsburger genaamd Spencer, met een adres in New York. Eventuele vingerafdrukken zouden in geen enkel register terug te vinden zijn en daarmee zou het spoor doodlopen. Toch?

Seymour Jones had nog nooit eerder in zijn leven een misdaad begaan en had dus ook weinig reden gehad over dit soort vraagstukken na te denken. Toen hij zijn actie achter de pc thuis in Maine had voorbereid, had alles zonneklaar geleken en toen hij contact had gehad met de mensen achter de website was het nog duidelijker geweest. Alles was simpel, niets kon misgaan. En toch was er al heel wat in de soep gelopen. Nu ging het nog maar om één ding. Vluchten.

Hij deed de deur van de hut open, stak zijn hoofd om de hoek en keek rond. Met zijn rugzak op zijn rug en de plastic tas in zijn hand liep hij snel door de gang. Hij stapte in de lift en drukte op het knopje voor dek 6. Toen de lift stopte, liep hij naar een asbak in de rookhoek, tilde de bovenkant eraf en drukte de plastic zak in de metalen container. Daarna zette hij de bovenkant van de asbak er weer op en keek om zich heen. Nog steeds geen mens. Hij nam de trap naar beneden, naar het autodek.

Seymour moest bijna vijftien minuten wachten tot datgene waarop hij hoopte, gebeurde. Er kwam een matroos, die een code indrukte waardoor de deur naar het autodek met een sissend geluid openging. Zodra de matroos het autodek op was gegaan, haastte Seymour zich achter hem aan en hurkte neer achter een auto. Hij zat stil totdat hij de matroos niet meer hoorde lopen. Vanuit zijn positie probeerde hij de teksten op de dekzeilen van de vrachtwagens te lezen. Hij begreep dat een deel van de woorden een naam vormde, en probeerde erachter te komen waar de vrachtwagens vandaan kwamen en waar ze naartoe zouden gaan. Het kostte hem minder dan vijf minuten om een vrachtwagen te vinden met een grote, moderne dakspoiler.

VAN HAAL TRANSPORT, ROTTERDAM, HOLLAND, las hij op de grote zeilen. Voorzichtig klom hij via het trapje langs de cabine van de vrachtwagen omhoog en over het randje het smerige dak op. Even voorzichtig rolde hij onder de grote, gewelfde spoiler en onderzocht de plaats die de komende paar uur zijn verblijfplaats zou zijn. De ruimte was groot genoeg om zijn lichaam aan het oog te onttrekken. De bevestigingssteunen van de spoiler waren groot genoeg om zich aan vast te kunnen houden wanneer de wagen zich in beweging zette.

Hij keek op zijn horloge: drie minuten voor halftien. Zijn plan was om zich onder de spoiler verborgen te houden tot de Silja Serenade in

Stockholm aankwam, even na elven. Wanneer de auto's het schip af reden, zou hij stil op zijn buik blijven liggen en zich aan de bevestigingen van de spoiler vasthouden, zodat de chauffeur geen geluid hoorde op het dak van de cabine. Terwijl de politie en het veiligheidspersoneel van het schip de duizenden passagiers controleerden die het schip verlieten via de hoofdingang op dek 7, zou de vrachtwagen het schip afrijden en de haven verlaten. Misschien zou een douanecontrole nog voor enig oponthoud zorgen, maar dat zou voor Jones ook weinig risico opleveren, omdat waarschijnlijk niemand op het idee zou komen om op het dak van de cabine te gaan kijken.

Hij bewoog voorzichtig wat heen en weer totdat hij een enigszins comfortabele houding had gevonden, deed zijn ogen dicht, luisterde nog een keer of hij iets verdachts hoorde en viel algauw in een lichte slaap. Hij werd wakker toen hij autoportieren hoorde dichtslaan en mensen tegen elkaar hoorde roepen. Hij schoof voorzichtig een stukje op, zodat hij door de kleine spleet aan de voorkant van de spoiler heen kon kijken. Hij zag mensen rondlopen. Ze deden kofferbakken open, stouwden er koffers in en sloegen portieren dicht. Een paar minuten later meldde een luidsprekerstem dat het schip spoedig in Stockholm zou aankomen; alle chauffeurs werden opgeroepen zich onmiddellijk naar het autodek te begeven.

Na nog een minuutje voelde Jones beweging onder zich, waaruit hij afleidde dat de chauffeur in zijn cabine klom. Toen hij door de spleet in de spoiler de grote boegpoort aan de voorkant van het schip zag openschuiven, keek hij weer op zijn horloge: kwart over elf. Hij voelde het trillen toen de chauffeur de motor startte en schoof zijn lichaam voorzichtig in de goede positie. Hij lag plat op zijn buik, met zijn rugzak nog steeds op zijn rug, en hield de bevestigingen van de spoiler stevig vast. De vrachtwagen zette zich met een klein schokje in beweging. Hij schommelde een beetje toen hij over de laadklep het asfalt op reed, maar Jones had geen enkele moeite zich vast te houden.

Hij had de plattegrond van Stockholm nauwkeurig bestudeerd en wist dat de vrachtwagen door de stad moest rijden om op de snelweg te komen. Hij wilde meerijden tot een geschikte plek in de stad, eraf springen als de truck voor een rood stoplicht stond en dan verdwijnen voordat de chauffeur in de gaten kreeg dat hij een verstekeling had meegenomen.

29

Jacob Colt hoorde het telefoongerinkel ver weg en hoopte dat het weer op zou houden. Dat deed het niet. Hij schoof een stukje weg van Melissa's warme, zachte lichaam, zocht met zijn hand het nachtkastje en vond de hoorn. Zonder zijn ogen open te doen, bracht hij hem naar zijn oor. 'Colt.'

'Goeiemorgen, met Henriksson, officier van dienst. Vannacht hebben we van de recherche in Helsinki melding gekregen dat er vermoedelijk een moord is gepleegd aan boord van de Silja Serenade. Het slachtoffer is in het water gegooid en het schip moest keren om het lichaam uit het water te halen. De boot komt om een uur of elf aan in de Värtahaven.'

Jacob Colt was meteen klaarwakker, kwam overeind op zijn elleboog en keek op de wekker op het nachtkastje: zeven uur. 'Dank je wel, ik ga ermee aan de slag.'

Hij hing op, bevrijdde zich voorzichtig uit Melissa's arm die rond zijn middel lag en kwam uit bed. Nadat hij gedoucht had en een zwart T-shirt en een spijkerbroek had aangetrokken – hij liep 's zomers liefst met zijn blote voeten in bootschoenen – ging hij naar de keuken, zette het koffiezetapparaat aan en smeerde een boterham. Hij ging aan de keukentafel zitten en kreeg een dik boek in het oog dat Melissa kennelijk aan het lezen was. Hij bekeek het terwijl hij een slok koffie nam.

De dans van de moordenaar – thriller.

Jacob kon een grijns niet onderdrukken. Een van de oorzaken dat Melissa binnen paar jaar na hun verhuizing naar Zweden bijna perfect Zweeds had geleerd, was dat ze boeken verslond. Jacob vond het leuk dat ze van thrillers hield, maar hij had liever gehad dat ze andere las dan degene die pretendeerden een beschrijving te geven van het Zweedse politiewerk.

Jacob hield van lezen en was geïnteresseerd in alles wat zijn werkgebied raakte. Maar nadat hij hele series Zweedse thrillers had gelezen, was hij bijna allergisch geworden voor het genre. Wanneer, dacht hij, gaat een schrijver nou eens een politieman scheppen zoals ik: een gewone, aardige kerel? Hij dacht aan al die Zweedse thrillers die gingen over verbitterde collega's in kleine plaatsen. Ze waren gescheiden, eenzaam, luisterden naar klassieke muziek, dronken te veel whisky en hoopten dat hun enige dochter eens zou bellen. Ze reden in roestbakken die meestal in de garage stonden, kwamen met een kater en doodmoe op hun werk om net zulke verbitterde collega's te ontmoeten in een droevige omgeving. Maar verdomd, ze losten alles op, van kruimeldiefstallen tot moorden die door grote, internationale bendes werden uitgevoerd. Dat wel. Maar zo ging het in werkelijkheid niet.

Hij dronk zijn koffie op, pakte zijn spullen en liep naar de BMW in de carport. Hij stapte glimlachend in. Wat een geluk dat ik geen gescheiden, zestigjarige loser ben met een verroest, vijftien jaar oud Frans wrak, dacht hij. Gelukkig ben ik een kerngezonde kerel van negenenveertig, en getrouwd met het mooiste meisje van de stad.

Een midlifecrisis kwam in zijn woordenboek niet voor, en hij had net zo weinig moeite gehad met het bereiken van zijn dertigste en veertigste levensjaar. Hij genoot van het leven, en dat had hij eigenlijk altijd al gedaan. Hij duwde het schijfje dat uit de cd-wisselaar stak naar binnen. Het afgelopen halfjaar had hij wat minder tijd gehad om te lezen dan anders, en dat irriteerde hem. Boeken lezen was al sinds zijn tienerjaren een belangrijk onderdeel van zijn leven. Door te lezen kon hij zich ontspannen, maar hij had gemerkt dat de boeken ook nieuwe wegen openden voor zijn denken.

Daarom had hij nu voor het eerst van zijn leven een luisterboek gekocht. Toen *De Da Vinci Code* van Dan Brown uitkwam, had hij zich er met dezelfde grote interesse op gestort als miljoenen andere lezers. Hij had zich erdoorheen gewerkt, maar het verbaasde hem hoe taai hij het vond om de pagina's door te komen en hij had vastgesteld dat het waarschijnlijk aan hemzelf lag. Het boek en de auteur werden tenslotte wereldwijd geprezen.

Dus had hij Browns *De Delta Deceptie* als luisterboek gekocht, en nu was hij bij de tweede of derde cd – eerlijk gezegd was hij de tel kwijtgeraakt.

Was er nog steeds iets mis met hem? Jacob Colt rekende uit dat hij in zijn leven tegen de duizend boeken moest hebben gelezen, maar het was lang geleden sinds hij zich zo aan iets geërgerd had als aan dit boek. Het stond vol holle frasen en de meeste technische gegevens en beschrijvingen waren bedroevend slecht.

Jacob luisterde terwijl hij zijn BMW van Sollentuna naar de stad stuurde, maar ter hoogte van Järva Krog had hij er genoeg van, drukte op de volgende knop van de cd-wisselaar en glimlachte toen het geluid van *Sultans of Swing* van Dire Straits de auto vulde.

Je moest de gevolgen van een miskoop maar accepteren. Hij moest niet vergeten de Dan Brown-cd's uit de cd-wisselaar te halen. Desnoods kon hij ze aan Henrik Vadh geven om hem te pesten. Vadh was de enige die hij kende die zich nog meer aan een slecht boek kon ergeren dan hijzelf. Jacob tikte met zijn vingers de maat op het stuur en dacht grijnzend aan Dan Brown. 'Wat een geluk dat die man schrijver is geworden en geen politieman,' mompelde hij bij zichzelf. 'Dat was een ramp geworden...'

Voortaan moest hij toch eens doorzetten: iedere avond tijd nemen om een boek te lezen en zijn cd-wisselaar vullen met goede muziek. Jacob koos zijn muziek al naar gelang zijn stemming. Toen Jacob nog geen stamgast van de cd-zaak was, had de jongen achter de toonbank – die met die tatoeages, die hanenkam en dat deathmetal T-shirt – hem nieuwsgierig bekeken en op de vraag wat hij zocht, had Jacob lachend geantwoord: 'Weet je, op mijn leeftijd is *Beast of Burden* van Bette Midler zo ongeveer wat deathmetal het dichtst benadert.'

De jongen had dubbel gelegen van de lach, maar hielp Jacob sindsdien om te grasduinen tussen musici waarvan hij nog nooit gehoord had, maar die hij misschien goed zou vinden.

Conservatief, dacht Jacob, zo zouden velen zijn muzikale smaak noemen. Maar hij hield ervan. Als hij in een peinzende stemming was, hielpen de teksten van Eva Dahlgren hem zijn hoofd leeg te maken. Dahlgren kreeg soms gezelschap van Marie Fredriksson, Mauro Scocco, Sanne Salomonsen en Ulf Lundell. Hij had klassieke periodes, was niet dol op jazz, maar kon verder uit pure nieuwsgierigheid naar bijna alles luisteren. Tot deathmetal, house en techno strekte deze nieuwsgierigheid zich echter niet meer uit. Als hij in rockstemming was, zoals hij het zelf uitdrukte, kon het van alles zijn, van Madonna tot de Stones, de Beatles, Kim Larsen, Sting of Duran Duran.

'Ja, nou en?' had hij grijnzend gezegd toen zijn dochter Elin vraagte-kens zette bij zijn muzikale smaak. 'Ik hou hiervan, en dat lawaai dat jij een paar jaar geleden draaide klinkt meer als een opname van marte-lingen in Guantanamo Bay!'

Hij glimlachte bij de herinnering, zette het volume wat hoger en liet Mark Knopfler zich op zijn gitaar uitleven in *Sultans of Swing*.

Om kwart over acht kwamen de rechercheurs Henrik Vadh, Christer Ekholm, Sven Bergman, Niklas Holm en de technici Björn Rydh en Christer Ehn bij elkaar in de kamer van Jacob Colt. Ze hadden allemaal de vooruitziende blik gehad om koffie uit de automaat mee te nemen en steun en toeverlaat Vadh had verse koffiebroodjes bij zich.

Jacob glimlachte. 'Henrik, zonder jou zou de Zweedse politie instor-ten. Bedankt voor het redden van de midzomerviering – of tenminste het begin daarvan!'

Ze wierpen allemaal waarderende blikken in de richting van Henrik, terwijl ze hun handen begerig uitstrekten naar de kapotgescheurde pa-pieren zak met koffiebroodjes. Jacob nam een hap en slikte die door met een slok koffie.

'Oké. De zaak zit zo. Vannacht heeft de politie van Helsinki onze of-ficier van dienst gebeld. Ze denken dat er een moord is gepleegd aan boord van de Silja Serenade. Een getuige heeft gezien dat een man ie-mand in het water gooide. Het schip is gekeerd en heeft de man uit het water gehaald, dood. De verpleegster aan boord heeft hem bekeken en volgens haar is zijn nek op een onnatuurlijke manier gebroken. Boven-dien is ze er zeker van dat er nog een stukje van een canule in zijn hals zit!'

Vadh en de anderen maakten aantekeningen. Jacob vervolgde: 'Het personeel aan boord heeft de dode geïdentificeerd. Juha Tähtinen, drieëndertig jaar, woonachtig in Alby. Onbekend in onze registers. Vol-gens de getuige is de dader een jaar of vijfentwintig, met donker, kort-geknipt haar en gekleed in een zwarte broek en een zwart T-shirt. Ze zegt ook dat hij leek te hinken alsof hij gewond was aan een been. Dat is alles wat we hebben. Ik heb het net gecheckt en de Serenade komt om elf uur of vlak daarna in de Värtahaven aan.'

Jacob keek Henrik Vadh aan.

'Henrik, roep hulp in van de ordedienst. We hebben minstens acht man nodig om ons te helpen bij het van boord gaan en dan nog eens twee man bij de douane, verderop. Bovendien moeten we vier man beneden op het autodek hebben, om de passagiers die het schip per auto verlaten te controleren.'

Vadh knikte. 'Dat is alles wat ik heb,' herhaalde Jacob. 'De kapitein laat geen mens gaan voordat wij aan boord zijn, maar dat is een schrale troost. Er zijn tussen de tweeënhalf- en drieduizend mensen aan boord. Allemaal willen ze er zo snel mogelijk af en ze zullen vreselijk chagrijnig worden als we hen proberen tegen te houden. Bovendien moeten er een hoop leveranciers aan boord om nieuwe voorraden te lossen, dus als we het schip te lang tegenhouden, krijgen we trammelant. Björn, ik stel voor dat jij en Christer direct naar de hut van de overledene gaan. De veiligheidschef aan boord, ene Jonas Eriksson, heeft de hut laten afzetten en ook het dek waar de moordenaar het lichaam vanaf heeft gegooid. Henrik, jij leidt de rest van de ploeg en verdeelt de mensen naar eigen inzicht, inspelend op wat er gebeurt, tussen de uitgang voor voetgangers en het autodek. Ik denk dat de kans klein is dat we deze man te pakken te krijgen voordat hij van boord is, maar we moeten het proberen. De kapitein heeft beloofd dat we hem, de stuurman, het meisje dat getuige was en haar ouders kunnen spreken zodra we aan boord komen. We gaan hier met zijn allen weg om halfelf. Vragen?'

Niemand zei iets.

'Goed. Dan gaan we aan het werk!'

Iedereen verliet Jacobs kamer behalve Henrik. Hij stond zoals gewoonlijk even zwijgend na te denken en vroeg toen: 'Heb je een theorie?'

'Helemaal niet, eigenlijk. Ik lag nog te slapen toen de officier van dienst belde. Het zou een dronkenmansruzie of een crime passionel kunnen zijn, geen idee. Maar dat met die canule in zijn hals zit me dwars.'

Vadh knikte. 'Tot straks bij de auto.'

Het was 25 graden, de zon scheen uit een blauwe lucht waarin witte wolkenplukjes met elkaar speelden. Beter weer kon je je niet wensen, en de meeste Zweden verheugden zich op een heerlijk midzomerweekend.

Jacob drukte op het knopje van de afstandsbediening en ontgrendelde het slot van de BMW. Hij sprong in de auto en Henrik Vadh stapte in aan de passagierskant. Jacob startte en drukte op de knopjes om de zijramen elektrisch naar beneden te laten glijden, zodat de lekkere zomerlucht naar binnen kon stromen.

'O ja, dat is waar ook! Ik heb een cadeautje voor je. Dat zou ik bijna vergeten!'

Jacob draaide zich om, stak zijn arm uit naar de achterbank, pakte de box met het luisterboek en gaf hem aan Henrik. 'Ta-daaaaa! Alsjeblieft! De best verkochte auteur ter wereld!'

Vadh keek hem aan. 'Neem je me in de maling?'

Jacob probeerde zijn gezicht in de plooi te houden. 'Hoe bedoel je? Dan Brown heeft meer boeken verkocht dan wie ook. Alleen van de Bijbel zijn er meer verkocht.'

Vadh zuchtte. 'Dat zegt meer over de wereld dan over Dan Brown. Maar ik zal hem nog een kans geven. Dank je.'

Jacob loodste de BMW het verkeer in en zette de radio aan.

'...deelde de premier vandaag mee dat minister Bodström van Justitie binnenkort zal voorstellen...'

Jacob Colt zette een muziekzender op. 'Je moet het me niet kwalijk nemen, maar ik kan die druiloren even niet meer horen. Ik geloof warempel dat onze geliefde ministers nog banger voor hun hachje zijn dan anders.'

Vadh fronste zijn voorhoofd. 'Ik denk dat het nog veel erger is.'

'Hoe bedoel je?'

'Ik denk dat de ministers gevaarlijk zijn. Oscar Swartz, je weet wel, die internetveteraan, heeft de uitdrukking "Bodströmsamenleving" uitgevonden en ik vrees dat dat goed weergeeft wat er aan de hand is. De ideeën van de politici beginnen steeds meer te lijken op Orwells schrikbeeld *1984*. Waar we nu in leven is niet meer dan een schijndemocratie. Sommige politici willen alles en iedereen in de gaten kunnen houden en dienen daarom vergaande voorstellen in met ons politiemensen als excuus. Alsof wij ook maar enig voordeel hebben van wat de minister van Justitie voorstelt! Ik vraag me af waar hij eigenlijk heen wil!'

Jacob knikte. 'Actief zijn ze in elk geval wel, het hagelt wetsvoorstellen!'

Vadh snoof: 'Ja, voorstellen in elkaar timmeren kan iedereen. Wat mij interesseert is nog steeds wat hun áchterliggende bedoeling is. De minister van Justitie wil het recht hebben mensen af te luisteren die niet eens ergens van verdacht worden, wil telefoons van mensen aftappen, hun post controleren en geheime huiszoekingen doen. Hij wil dat we krantenredacties en artsenspreekuren kunnen afluisteren, juist die plekken waar mensen zich dankzij de zwijgplicht tot nu toe veilig voelden.'

Jacob knikte. 'Eng...'

Vadh was nu op dreef: 'Dit is verdomme veel erger dan eng! En het idee dat alle informatie over mobiele gesprekken, sms'jes en mailverkeer moet worden opgeslagen is al even slecht. Ik heb daarover gesproken met een *system operator*. Hij vertelde dat ze, om alles te kunnen opslaan wat de politici willen, servers moeten kopen die zo'n grote capaciteit hebben dat het uitgedrukt moet worden in petabytes. De hele bliksemse boel, inclusief spam, moet een jaar lang opgeslagen blijven. Kun je je voorstellen wat voor hoeveelheden dat worden?'

Jacob remde af voor een rood stoplicht aan de Valhallaväg. 'Ja, dat klinkt als een griezelverhaal. En de vraag is, zoals gezegd, wat willen ze ermee bereiken?'

'Ja, want met misdaadbestrijding heeft het in elk geval niks te maken, dat is wel duidelijk. Politici houden ervan om over terrorisme te wauwelen, maar wat stellen ze zich nou eigenlijk voor – dat de terroristen elkaar gaan mailen en schrijven "dan blazen we het Sergelstorg zaterdag om één uur op, zoals afgesproken" of zoiets? Bullshit. Ik heb het er met technici over gehad en die lachten zich zowat dood. Het leek ze echt retefijn om dertig miljoen mailtjes en tweehonderd miljoen sms'jes te krijgen om te zoeken naar een aanslag, terwijl ze geen flauw idee hebben wat ze zoeken. En wie kan het zich permitteren om dat materiaal te gaan zitten lezen? Wij in elk geval niet. Nee, onze geliefde minister heeft nog iets achter zijn elleboog zitten en wat dat is maakt mij doodsbenauwd.'

Jacob draaide zijn BMW de Lidingöväg in. 'Ja, en het ergste is dat het ons sluipend heeft overmeesterd. Elk voorstel op zich lijkt niet zo angstaanjagend, maar samen verleggen ze de grenzen voor de toelaatbaarheid van bewakingsmethoden. Dat geklets over persoonlijke integriteit kunnen de sociaaldemocraten nu wel achterwege laten, in elk geval.'

Vadh streek met zijn hand over zijn mond en zijn kin. 'Ja, zorgelijk is het zeker. Het wordt misschien tijd om te emigreren, wat jij?'

'Daar heb ik ook aan gedacht. Maar wat moeten we dan? Als specialist aangesteld worden door de FBI? Of is de Lotto de oplossing?'

Vadh lachte. 'Ik vind dat we beide alternatieven achter de hand moeten houden. Maar wat dacht je er om te beginnen van om vanavond een borreltje en een harinkje te komen doen bij ons in de tuin? Het is zulk heerlijk weer!'

'Dat is je beste idee tot nu toe vandaag. Ik moet even overleggen met Melissa...' Jacob pakte zijn mobiel, toetste haar nummer in en bracht het voorstel over. Hij knikte en zei: 'Goed, dan regel jij een paar potjes haring en een fles Aalborg, en dan zorgen Henrik en Gunilla voor de rest. Kusje, tot straks!' Hij verbrak de verbinding en keek Henrik aan. 'Deal. Is zes uur goed wat jullie betreft?'

'Perfect!'

Jacob reed om de terminal in de Värtahaven heen en parkeerde aan de achterkant. Het zomerwarme water kabbelde kalm tussen de romp van de Silja Serenade en het beton van het havenbassin. Een paar meeuwen die nog meevlogen, schreeuwden spottend naar elkaar terwijl ze boven het schip cirkelden.

Op de brug van de Silja Serenade stonden Kari Räisänen en Carl-Gustaf Öhman voor de grote ramen. Räisänen keek naar de glazen gang die van het schip naar de haventerminal liep. De passagiers begonnen er nu langzaam doorheen te lopen met hun koffers, tassen en de gebruikelijke karrenvrachten bier.

Voordat de passagiers toestemming kregen het schip te verlaten, hadden Räisänen, Öhman en Eriksson een bespreking gehad met de politie, en die volledig geïnformeerd over wat er die nacht was gebeurd. Eigenlijk was hun enige houvast het signalement dat het meisje had gegeven. Daarom speurde de politie nu naar een donkerharige, hinkende man van ongeveer vijfentwintig jaar.

De politie had een man of tien bij de uitgang op dek 7 gezet. Bij de douane in de aankomsthal stonden twee politiemensen en een hond. Bij de uitgang van het autodek stonden nog vier agenten. Ontsnapping leek vrijwel onmogelijk..

Öhman keek naar de vrachtwagens die het voorschip afreden vanaf het autodek waarvan hijzelf iedere millimeter kende en dat hij iedere ochtend mee inlaadde.

'Verdomme!' zei hij plotseling hardop.

Räisänen schrok. 'Wat is er, CG?'

'Ik durf er wat om te verwedden dat hij er met een van die vracht-wagens vandoor gaat. Het zou me niks verbazen als hij allang weg is.'

Räisänen streek vermoeid met zijn hand over zijn gezicht. 'Ja, mis-schien wel. We hebben gedaan wat we kunnen. Als de politie hem pakt, pakken ze hem. Als hij al weg is, is hij weg.'

Bewakingschef Jonas Eriksson had de technici Rydh en Ehn rechtstreeks naar de hut gebracht die Juha Tähtinens laatste verblijfplaats was ge-weest. Christer Ehn keek geamuseerd naar Eriksson. Björn Rydh ver-wijderde de brede tape waarmee de deur van de hut verzegeld was stukje voor stukje, keek Eriksson aan en vroeg: 'Kijk je soms naar Ame-rikaanse detectiveseries?'

Eriksson keek niet-begrijpend. 'Eh, ja, af en toe. Hoezo?'

Rydh keek weer naar de deur en mopperde: 'Handig, die tape. En weg zijn de vingerafdrukken...'

'Hebben jullie mij nog nodig?' vroeg Eriksson gegeneerd, en hij zag eruit alsof hij zich liefst zo snel mogelijk uit de voeten zou maken.

'Neu,' zei Rydh. 'We laten het wel weten als er iets is. Eén vraagje maar...' Hij wees met zijn vinger naar het kleine dek een paar meter ver-derop. 'Zag dat meisje dat de man daar door iemand in het water werd gegooid?'

Eriksson knikte. 'Ja, dat klopt. Het meisje stond hier in de gang en zag alles door de ruit. En toen ze haar ouders had gehaald en weer te-rugkwam, zagen ze dezelfde man daar weer.'

'Dank je,' zei Rydh.

Jonas Eriksson verdween door de gang. Björn Rydh deed de deur open en hield hem met zijn voet tegen. Ehn kwam achter hem aan en keek over zijn schouder.

'Vaste vloerbedekking,' mopperde Rydh. 'Perfect. Een miljoen mijten en vuil van duizenden mensen. Van die vloer kunnen we geen enkel bruikbaar spoor halen.'

Björn Rydh en Christer Ehn brachten ruim een uur in de hut door. Ze wisten dat de moord op het achterbalkon was begaan, maar er be-stond toch een kans dat de moordenaar voor of na de moord in de hut van Tähtinen was geweest. Ze keken naar de glazen en namen vingerafdrukken van het nachtkastje, de kastdeuren en de badkamer. In de hut vonden ze ook de rugzak van Tähtinen. Björn Rydh bekeek snel de inhoud en vond wel een oplader voor een laptop, maar geen laptop. Dat noteerde hij in gedachten. Hij vond ook ruim vijfentwintigduizend kronen in contanten.

Het onderzoek van het achterbalkon maakte hen niet vrolijker. 's Nachts hadden de wind en het zeewater alle sporen van het metalen dek gespoeld waar de technici iets aan konden hebben. Er lag nog geen sigarettenpeuk, haartje of stukje stof dat ze veilig konden stellen. Björn Rydh zuchtte en keek zijn collega aan.

'Heb jij nog briljante ideeën?'

Ehn lachte. 'Ja, dat we gaan kijken of we nog taxfree kunnen inkopen terwijl de schuit aangemeerd is. Nee, geintje. Maar laten we voor de zekerheid nog één keer in de hut kijken voordat we weggaan. Ik heb het idee dat de schoonmakers komen zodra we zeggen dat we klaar zijn, dus hierna hebben we waarschijnlijk geen kans meer. '

Rydh knikte. Vijftien minuten later verlieten de beide technici de hut en namen de lift naar dek 7, waar ze Jacob in het café aantroffen, die samen met Henrik Vadh een kop koffie zat te drinken. Jacob keek op.

'Hallo. Hebben jullie iets gevonden?'

Rydh zwaaide met de rugzak. 'Niks interessants, alleen deze, en pakweg vijfentwintig ruggen contant! We hebben een paar glazen meegenomen en voor de zekerheid afdrukken genomen, maar ik denk niet dat dat iets oplevert. O ja, en dan nog dit: er zit een oplader voor een laptop in de rugzak, maar er is geen laptop in de hut en ook niet in de rugzak, dus dat is een beetje raar. Hebben jullie iemand gevonden?'

Vadh keek in zijn koffiekopje en Rydh kon de frustratie aan hem afzien. Jacob schudde zijn hoofd. 'Niks, nada. Hij is weg, onze man. Ga zitten en neem een kop koffie, dan gaan we naar huis om straks de midzomernacht te vieren. Dat hebben we verdiend...'

30

Alex Sachs stak een sigaret aan en schakelde terwijl hij zijn Scania de Lidingöväg op draaide. Hij probeerde de Zweedse radiostations uit, maar vond dat ze geen van alle erg goede muziek draaiden. Hij duwde de cd die in de speler zat naar binnen en de cabine vulde zich met rock.

Het was nog een heel stuk rijden naar huis in Rotterdam, maar hij genoot veel meer van deze rit dan van de heenweg naar Noord-Finland, met een lading machineonderdelen. Lekker naar huis. Sachs minderde vaart bij het Olympisch Stadion van Stockholm, waar hij een bocht van negentig graden om moest naar de Valhallaväg. Hij nam de bocht extra ruim en controleerde in zijn rechterspiegel of hij geen paaltjes meenam.

Seymour Jones keek door de spleet tussen het dak van de cabine en de spoiler, terwijl hij zich de plattegrond van Stockholm voor de geest haalde. Dit moest die lange, brede hoofdweg zijn die naar een aantal rotondes voerde die de vrachtwagen moest passeren voordat hij de E4 op kon. Hij moest er nu klaar voor zijn om van de vrachtwagen af te springen zodra die voor een stoplicht stond. Later zou hij geen kansen meer krijgen, en hij had geen zin om honderden kilometers op het dak van de cabine te liggen.

De vrachtwagen reed door een paar verkeerslichten die op groen stonden. Jones schoof ongerust heen en weer. Hij had geen rekening gehouden met de mogelijkheid dat ze de hele weg over die rotondes groen licht zouden hebben. Toen zag hij een stoplicht verderop op oranje springen. De chauffeur onder hem begon terug te schakelen. Jones haalde opgelucht adem en maakte zich klaar. Vlak voordat de zware vrachtwagen helemaal stilstond, begon hij de metalen trap aan de zijkant van de cabine af te gaan en zodra de truck stilstond, sprong hij op het asfalt.

Alex Sachs voelde de cabine schommelen door Jones' gewicht, en wierp een blik in zijn rechterspiegel. Tot zijn verbazing zag hij een man van het cabinetrapje op het trottoir springen en langs de vrachtwagen naar achteren rennen.

'Wat zullen we nou krijgen?!' Alex Sachs zette de wagen gauw op de parkeerrem, deed de waarschuwingslichten aan, opende de deur en stapte uit. Hij rende voorlangs de vrachtwagen. Net toen hij het trottoir bereikte, zag hij de man twintig meter verderop om de achterkant van de wagen verdwijnen. Sachs holde erachteraan, maar toen hij bij de achterkant van de truck kwam en daaromheen liep, was het al te laat. Het licht was op groen gesprongen, de buitenste rijstrook stond vol auto's die vaart maakten en het was onmogelijk voor hem om de drukke straat over te rennen. Hij zag de man verdwijnen in de richting van de tegemoetkomende rijstrook van de Valhallaväg. Het viel hem op dat hij een rugzak droeg en dat hij met zijn ene been een beetje leek te hinken.

De auto's die achter de vrachtwagen van Sachs stonden, begonnen geïrriteerd te toeteren. Hij ging gauw terug naar zijn cabine, sprong erin en liet zijn zware voertuig optrekken. Hij had het gevoel dat hij moest stoppen om de wagen te controleren voordat hij doorreed naar het zuiden. Wat was die man voor iemand en wat had hij in vredesnaam op het dak van zijn cabine gedaan? Sachs vloekte terwijl hij opschakelde. Hij reed deze weg al jaren, en wist dat er, als hij het verkeer niet helemaal wilde blokkeren, geen andere slimme plek was om te stoppen dan het industriegebied Västberga.

Er stonden files en het kostte hem bijna veertig minuten om bij Västberga te komen, af te slaan en een geschikte plek te vinden om te stoppen. Hij sprong uit de cabine, klom op het dak en onderzocht het nauwkeurig. Sporen in het vuil wezen erop dat daar iemand had gelegen. Maar geen voorwerpen, geen beschadigingen. Hij onderzocht de vrachtwagen verder, controleerde de aansluiting met de aanhanger en onderzocht de verzegelingen nauwgezet. Niets beschadigd. Sachs stak een sigaret op en dacht na.

Hij kon de politie waarschuwen, wachten tot die naar Västberga kwam, het tamelijk onwaarschijnlijke verhaal vertellen en een of meer uren vertraging oplopen. Hij kon het hele verhaal ook vergeten en doorrijden.

Hij sprong in zijn cabine, nam een paar diepe trekken en pakte zijn dikke notitieboek, waarin hij in de loop der jaren had bijgehouden wat hij belangrijk vond, variërend van telefoonnummers van leuke meiden die hij een lift had gegeven tot tips over goede restaurants en aanwijzingen van andere chauffeurs. Hij bladerde door naar een lege pagina, schreef de datum op en maakte een korte notitie van wat er gebeurd was. Daarna startte hij de motor en reed terug naar de snelweg. De eerstvolgende uren dacht hij nog een hele tijd na over wat hij zojuist had meegemaakt, maar ter hoogte van Norrköping gaf hij het op en ging aan andere dingen denken.

Later stopte hij in Linköping om zijn lading uit Finland te lossen, en reed toen door naar Jönköping, waar hij weer nieuwe goederen laadde die naar Duitsland moesten. Hij sliep op een parkeerplaats bij een benzinestation in de buurt van Jönköping. De volgende ochtend ging hij naar binnen om een broodje en een kop hete koffie te kopen. Als hij Zweeds had gekend, had hij de koppen in de avondkranten kunnen lezen, die schreeuwden dat er een man was vermoord op de boot uit Finland. En dat de moordenaar nog op vrije voeten was.

Seymour Jones dankte zijn gelukkige gesternte dat hem niet meer pech had bezorgd tijdens zijn vlucht van de Silja Serenade. Maar het gevaar was nog niet geweken. Hij was kreunend, zo snel hij kon, weggerend van de Valhallaväg. Heel even was hij gestopt, had een blik over zijn schouder geworpen en gezien dat de chauffeur van de vrachtwagen hem nastaarde.

Hij was verder gerend door een van de zijstraten van de Valhallaväg, richting stadscentrum. Bij de volgende straat was hij rechts afgeslagen en naar het volgende kruispunt gerend, toen was hij links afgeslagen en had nog een blok verder gerend. Ten slotte moest hij door de pijn in zijn been vaart minderen, maar hij ging ervan uit dat hij nu veilig was. De chauffeur kon toch moeilijk zijn hele wagen laten staan om hem achterna te rennen.

Jones ging een café in, bestelde koffie en een groot broodje met kaas en ham. Toen hij moest betalen, vervloekte hij zichzelf om zijn domheid. Aan boord van de Silja Serenade had hij Zweedse kronen teruggekregen als hij iets betaalde, maar in de algehele opwinding had hij vergeten meer Zweeds geld te wisselen. Dus toen hij zijn broodje en zijn koffie had betaald, had hij alleen nog wat kleingeld over; dat probleem moest worden opgelost.

Hij ging bij het raam zitten, proefde van zijn broodje en zijn koffie en haalde toen de kaart van Stockholm uit zijn rugzak. Er waren drie mogelijkheden om bij het Centraal Station van Stockholm te komen. Lopen leek hem, gezien zijn been, geen goed alternatief. Hij kon een taxi nemen, maar wilde niet met zijn creditcard betalen en zo sporen achterlaten. Bleef over: de metro. Jones stond op en vroeg het meisje achter de balie hoeveel het zou kosten om met de metro op Stockholm Centraal te komen. Ze hielp hem het wisselgeld te tellen, en samen kwamen ze erop uit dat het tien kronen was. Glimlachend haalde ze een goudkleurig tientje uit haar eigen zak en gaf het hem. Hij vroeg zich af of ze ook zou durven glimlachen als ze wist dat hij zojuist iemand had vermoord. Hij bedankte haar met een knipoog.

Hij deed zijn rugzak dicht, zwaaide naar het meisje en verliet het café. De metro bracht hem naar het metrostation van het Centraal Station. In de hal van het Centraal Station kocht hij bij Forex meer Zweedse kronen en drieduizend Deense kronen, en toen ging hij naar het loket. De volgende sneltrein naar Malmö met aansluiting naar Kopenhagen zou al over een goed uur vertrekken, en dat kwam hem uitstekend uit. Hij kocht contant een eersteklas kaartje. Toen ging hij naar een kiosk, waar hij broodjes, flesjes water, fruit en een paar repen insloeg. In een boekhandel vond hij tot zijn genoegen een afdeling met Amerikaanse pocketboeken. Hij koos snel twee thrillers die er interessant uitzagen en stopte ze in zijn rugzak.

Toen hij klaar was met inkopen doen, ging hij naar de toiletten en sloot zich in een daarvan op. De kans dat de politie hem hier zou zoeken was onwaarschijnlijk klein. Weliswaar had het meisje misschien een soort signalement kunnen geven, maar zijn uiterlijk leek op dat van duizenden andere mensen en het enige wat hem onderscheidde was in feite zijn hinken.

Maar hij wilde nu zelfs geen klein risico nemen. Dus zat hij tot tien minuten voordat zijn trein zou vertrekken op de wc appels en bananen te eten en in een van zijn nieuwe boeken te lezen. Toen kwam hij het toilet uit en ging naar het perron.

Terwijl de trein bij het verlaten van Stockholm gestaag over de rails dreunde, keek hij uit het raam. Een mooie stad. Net als in Helsinki hoopte hij nog eens de kans te krijgen om hier terug te komen. Hij keek op zijn horloge en dacht aan het vliegticket dat hij in een waterdicht kokertje zo ver mogelijk onder in zijn rugzak had gestopt. Als er niets onvoorziens gebeurde, zou hij zijn vlucht ruim op tijd halen.

Een uur nadat ze Stockholm hadden verlaten, had Seymour Jones zijn pet over zijn ogen getrokken en was in slaap gevallen. Hij droomde dat Wilkie nog leefde, dat hij en Wilkie thuis in Bangor aan het honkballen waren, alsof niets van al dat kwaads ooit was gebeurd.

Jones kwam zonder problemen even na acht uur 's avonds aan op het Centraal Station van Kopenhagen. Hij nam een taxi naar het sas-hotel op de weg naar vliegveld Kastrup, checkte in met zijn valse pas en betaalde contant vooraf. Hij at een late avondmaaltijd in het Japanse eetcafé in de kelder van het hotel en ging toen naar bed.

De volgende ochtend stapte hij – onder zijn echte naam – aan boord van een vliegtuig naar New York, en ruim acht uur later landde hij op vliegveld Newark.

31

Seymour nam een taxi naar Manhattan, liep een tijdje doelloos rond en meldde zich uiteindelijk bij de receptie van het Marriott Hotel aan Times Square. Hij boekte voor twee nachten een minisuite à tweehonderdvijfennegentig dollar per nacht, gooide zijn rugzak op het bed en ging de stad in om te shoppen. Het was tijd om de goede afloop te vieren.

Vijf uur later kwam Seymour terug naar het Marriott met een paar fikse tassen in zijn handen. In zijn kamer nam hij een lange, hete douche. Hij genoot ervan zijn nieuwe kleren aan te trekken en stopte al zijn oude kleren in de plastic zakken om ze bij de eerste de beste gelegenheid weg te gooien.

Op advies van een van de goed opgemaakte meisjes van de receptie wandelde hij naar een restaurant twee straten verderop, dineerde lekker en dronk er een peperdure bordeaux bij. Daarna ging hij terug naar het hotel en nam de lift naar de ronddraaiende bar op de bovenste verdieping. Terwijl hij zich langzaam maar zeker bezatte, keek hij naar de glinsterende lichtjes van de miljoenenstad aan de andere kant van de grote ruiten. Hij dacht aan alles wat er gebeurd was en voelde zich plotseling erg down.

Hij had gehoopt, zelfs verwacht, dat hij nu blij zou zijn, misschien zelfs wel euforisch. Hij had de prijs betaald om die klootzak van een Meyer te laten doden en als die nog niet dood was, dan was dat een kwestie van tijd. Hij had Wilkie op de enige waardige manier gewroken. Maar hij voelde zich niet gelukkig. Het enige wat hij voelde was een grote leegte, en dat maakte hem bang.

Seymour was zo in gedachten verzonken dat hij nauwelijks merkte dat ze naast hem kwam zitten. Ze begonnen te praten. Ze heette Chrissie Metz, kwam uit Vermont en was in New York naar een conferentie van medisch secretaresses geweest. Na de conferentie had ze besloten nog een paar dagen te blijven om te shoppen en toeristische dingen te doen. Ze was zesentwintig en had geen relatie. Ze was gevat, geestig en had een zachte, prettige manier van doen. Seymour Jones vond haar geweldig mooi.

Drie uur later ging ze met hem mee naar zijn suite. Zodra ze binnen waren, trokken ze elkaar hevig zoenend de kleren van het lijf. Jones nam haar hard, op de grond vlak voor de deur. Ze jammerde en hij stootte zo hard bij haar naar binnen dat de afdrukken van de vloerbedekking in haar rug stonden. Ze gingen in bed door. Jones had het gevoel dat al zijn verdriet en angst, al zijn verbittering en woede plotseling via zijn geslacht gekanaliseerd werden en pas vele uren later, toen zij hem vroeg om op te houden, deed hij dat. Toen hij de volgende dag wakker werd, was ze weg.

Hij ging in gedachten nog eens de zwakke herinneringsfragmenten van de nacht door en hoopte van harte dat hij haar geen kwaad had gedaan. Of – hij huiverde – dat hij haar zwanger had gemaakt. Op het nachtkastje naast het bed lag een briefje met daarop kort en bondig: 'Vergeet je nooit! Bedankt! Kusjes, Chrissie.'

Hij verkreukelde het briefje en voelde tot zijn verbazing dat hij tranen in zijn ogen kreeg. Seymour keek op zijn horloge. Het was al één uur 's middags. Twee uur later zat hij in een niet al te exclusieve bar in The Village, de kunstenaarswijk van New York. Zijn enige ambitie was weer goed dronken te worden, zijn kop goed schoon te maken en dan op de een of andere manier opnieuw te beginnen. Ondanks zijn beneveling dacht hij eraan om goed te eten, zodat hij niet helemaal ladderzat werd. Hij zwierf doelloos van het ene naar het andere café en nam toen een taxi terug naar het hotel. Tot zijn grote verbazing knipperde het lichtje op zijn telefoon. Hij belde de receptie en kreeg te horen dat Chrissie hem had gezocht en teruggebeld wilde worden.

Hij draaide het nummer van haar kamer. Er werd meteen opgenomen. 'Hoi! O, wat ben ik blij! Ik ben hier nog een nacht. Heb je zin om elkaar te zien?'

Seymour aarzelde. 'Chrissie, ik ben dronken en nogal down. Ik weet niet of dat zo'n goed idee is...'

'Maar dat geeft niks!' Ze zweeg even en ging toen door: 'We kunnen erover praten, als je wilt. Ik voel alleen dat ik graag weer dicht bij je wil zijn. Mag dat...?'

Ze kwam naar zijn kamer, ze bestelden broodjes en een fles wijn. En nog een fles wijn. Chrissie voelde dat Seymour niet in orde was. Ze deed haar best om hem te troosten zonder al te indringende vragen te stellen.

Hij ontspande zich wat. Ze praatten, omhelsden, kusten. Ze fluisterde: 'Kom, ik wil je!'

Toen ze vrijden, verbaasde Chrissie zich opnieuw over zijn bijna woedende bewegingen. Ze had nog nooit zo intensief gevrijd en werd er bang van dat ze zo van zijn hardheid genoot. Ze kwam keer op keer klaar, en uiteindelijk hij ook. Daarna schokte zijn lichaam van het huilen en ze probeerde hem te troosten totdat hij uitgeput op haar arm in slaap viel.

Toen hij de volgende ochtend wakker werd, lag ze nog naast hem. Ze praatten wat, douchten samen en vrijden nog een laatste keer onder de douche voordat ze weer uit elkaar gingen. Ze hadden mailadressen en telefoonnummers uitgewisseld en elkaar beloofd dat ze gauw iets van zich zouden laten horen. Chrissie had een stukje van Seymours geschiedenis gehoord – natuurlijk had hij over zijn laatste bezigheden behoorlijk moeten liegen –, wist dat hij single was en vond dat hij haar maar gauw in Vermont moest komen opzoeken. Seymour had haar omhelsd en gekust, en verteld dat hij dat heel graag wilde, dat ze zouden bellen als ze thuis waren en dan plannen zouden gaan maken. Maar in zijn hart twijfelde hij of hij wel naar haar toe zou gaan. Het was alsof alles wat hij de afgelopen maanden had gemobiliseerd de afgelopen vijf dagen uit zijn lichaam was gestroomd. Hij voelde zich een ander – maar niet per se een beter – mens. Hij had iets nieuws om zich mee bezig te houden, iets wat langzaam groeide in zijn hoofd. Hij was een moordenaar. Hij had koelbloedig, mechanisch en zonder erover na te denken iemand die hij niet kende van het leven beroofd, zonder te weten waarom iemand vond dat die man dood moest.

Jones was niet bang geweest voor het risico te worden gepakt en ook niet om gestraft te worden voor wat hij had gedaan, en dat verbaasde hem achteraf. Toen hij alles plande, had hij gedacht dat het alleen maar iets was dat moest worden gedaan om die idioot van een Meyer voorgoed van de aardbodem te laten verdwijnen. Iets wat gedaan moest worden om Wilkie het eerherstel te geven dat hij in zijn hemel verdiende. Maar nu begreep Seymour Jones dat het misschien toch niet zo simpel was. Hij vroeg zich af wat hij moest doen om deze nieuwe demonen de baas te worden, als ze hem zouden blijven kwellen.

Met zijn rugzak in zijn ene hand en een grote plastic zak met kleren in de andere, kuste hij Chrissie vaarwel. Hij nam een taxi naar vliegveld La Guardia en stapte op het vliegtuig terug naar Bangor. Toen hij thuiskwam, zette hij zijn pc aan. Hij schreef een kort mailtje naar zijn opdrachtgever op het adres dat hij had gekregen, en bevestigde dat de opdracht was uitgevoerd. Toen ging hij in bed liggen en staarde naar het plafond. Hij voelde zich vanbinnen helemaal leeg.

Seymour Jones had geen idee wat hij met de rest van zijn leven aan moest.

32

Vadim Fetisov reikte naar het grote glas water naast de pc en nam een flinke slok. Hij had moeite zich op zijn werk te concentreren en voelde niet meer hetzelfde plezier als een paar maanden geleden.

Het was nu twee jaar geleden dat hij de Universiteit van Moskou had verlaten om voor Nikolaj te gaan werken. Vadim was tweeëntwintig jaar geworden en er was niemand geweest om hem te feliciteren. Dat had hem met verdriet vervuld, want hij miste zijn familie in Kiev. Maar hij was zich volledig bewust van Nikolajs instructies voor de uitvoering van zijn werk, en begreep dat vrije tijd en familiebezoek geen hoge prioriteit hadden als hij aan de belangrijke strijd mee wilde doen en zijn royale inkomen wilde behouden.

Hij had zijn idealen nog en wachtte vol vuur op de grote dag waarop Nikolaj bekend zou maken dat het tijd was om een stap verder te gaan en de macht te grijpen. Vadim wist dat de greep naar de macht slechts een klein stapje in de richting van het grote doel was: de tandeloze president eruit gooien en het land definitief laten overnemen door een sterke man met visie. Een man die het trotse Rusland kon herstellen.

Hij had meer uren gewerkt dan anders en was extreem moe. Hij maakte een fout, tikte een verkeerd commando in en er verscheen plotseling een menu dat hij nog nooit eerder had gezien. Op het menu stonden verschillende trefwoorden die hem interesseerden, maar tegelijkertijd voelde hij zich ongemakkelijk omdat hij waarschijnlijk iets zag wat hij niet hoorde te zien. Hij maakte een paar aantekeningen, zette de pc toen uit en ging naar bed in de kamer naast de werkkamer. Hij sliep onrustig.

De volgende dag, bij het ontbijt, kon hij zijn geduld niet bedwingen en keek naar zijn aantekeningen. Zonder te douchen of zijn ontbijt op te eten ging hij naar de werkkamer en zette de pc aan. Hij ging naar de server, tikte een paar commando's in en belandde bij hetzelfde menu dat hem de vorige avond verbaasd had. De nieuwe mappen en de bibliotheek die hij nu zag, waren allemaal beschermd met een wachtwoord. Het duurde even voordat Vadim zich naar binnen had gewerkt en als computerliefhebber genoot hij van iedere minuut. Totdat hij de verboden mappen opende en een hoop informatie vond die niet voor zijn ogen bestemd was.

Vijf uur lang deed Vadim niets aan het afpersingswerk dat hij elk uur van de dag dat hij wakker was geacht werd te doen. In plaats daarvan besteedde hij zijn tijd aan verrast, verbaasd, geschokt, verraden, kwaad en verdrietig zijn.

Na ruim zeven uur begon het hem duidelijk te worden. Hij trok woest zijn T-shirt uit, deed het raam open en ijsbeerde gefrustreerd door de kamer met tranen van woede en verdriet op zijn wangen. Hij vroeg zich af hoe hij zo dom had kunnen zijn, zich zo had kunnen laten bedriegen en gebruiken. Hij ging terug naar de pc, las alles nog een keer, maakte aantekeningen en vergelijkingen. Dezelfde uitkomsten.

Toen de waarheid hem duidelijk was, rende hij naar de badkamer en gaf over.

Sergej las de bestelling op het beeldscherm aandachtig. Hij leunde achterover, streek met zijn hand over zijn gezicht en rekte zich uit. De zaken gingen steeds beter en zijn werkdagen werden steeds langer. Toch had hij het naar zijn zin. Hij voelde dat hij werkte voor een goed doel, en hij had nog nooit eerder in zijn leven in zo'n welstand geleefd als nu. Hij had ook nog nooit de beschikking gehad over zulke goede computers en programma's.

Hij leidde wel een tamelijk geïsoleerd leven. Hij werkte zo hard dat hij geen tijd had om vrienden te maken in St. Petersburg. Aan de andere kant had hij internetvrienden en op dit moment leek dat belangrijker dan cafés af te lopen en mensen te ontmoeten.

Hij voelde zijn mobiele telefoon trillen in zijn zak, haalde hem eruit en keek op het display. Een afgeschermd nummer. Waarschijnlijk Nikolaj. Hij nam op: *'Da, Sergej...'*

Nikolajs stem was zoals gewoonlijk wat koel, afstandelijk. 'Sergej, hoe gaat het?'

'Steeds beter. We groeien gestaag en ik zie geen verzadiging. Ik heb een paar probleempjes gehad, maar niets wat ik niet kon oplossen.'

'Goed.' Nikolaj was een paar seconden stil en Sergej wachtte af.

'Sergej, ik ben heel tevreden over je werk tot nu toe en daarom wil ik je een opkikkertje geven in de vorm van een gezellige avond met een beetje plezier. Zorg dat je tegen zevenen klaarstaat, dan kom ik je halen.'

Sergej was verbaasd. In de tijd dat hij voor de organisatie van Nikolaj werkte, was hun verhouding strikt beroepsmatig geweest en ze waren privé totaal niet met elkaar omgegaan. Nu wist hij niet goed hoe hij Nikolajs aanbod moest plaatsen, maar was tegelijkertijd blij en trots.

'Dank je wel, Nikolaj. Ik zorg dat ik tegen zevenen klaarsta.'

'Goed, dan zien we elkaar dan.' Nikolaj hing op.

Sergej stopte zijn mobieltje weer in zijn zak en werkte door. Een paar uur later had hij backups gemaakt, de pc's uitgedaan en een lange douche genomen. Hij stak een sigaret op en maakte een keuze uit zijn schaarse garderobe. Hij trok een zwarte spijkerbroek en een eenvoudig, wit overhemd aan.

Het licht begon minder te worden en door de donkere autoruiten keek Sergej naar de mensen die zich door de straten van St. Petersburg naar huis haastten. Wie waren die mensen? Waar kwamen ze vandaan? Hoe leefden ze? Hadden ze dromen? Konden ze zich in hun stoutste fantasieën voorstellen dat er weer een krachtige Sovjet-Unie zou ontstaan onder een sterke leider als Nikolaj?

Sergej wist het niet. Maar hij wist wel dat het slechts een kwestie van tijd was voordat Nikolaj zijn doel zou bereiken en Sergej was van plan hem al die tijd trouw bij te staan. Als dat betekende dat hijzelf ook een belangrijke positie in de nieuwe samenleving kreeg, des te beter. En zijn vader zou mateloos trots zijn.

'We beginnen de avond met een lesje in filosofie en loyaliteit.' Nikolajs lage stem maakte een einde aan Sergejs overpeinzingen. De lange, zwarte limousine reed met hoge snelheid door de brede straten naar een voorstad die Sergej niet kende. Op de voorstoel naast de chauffeur zat Borya, die Sergej een paar keer heel vluchtig had ontmoet. Op de voorste achterbank zaten Sergej en Nikolaj. Op de tweede achterbank, achter hen, zaten nog drie lijfwachten, die niets zeiden en van wie Sergej de namen niet kende.

Sergej keek Nikolaj aan. 'Ik begrijp het niet helemaal.'

'Dat komt straks wel.'

Sergej stelde geen vragen meer. Even later remde de auto voor een huis in de voorstad. Nikolaj zei tegen de lijfwachten dat ze in de auto moesten blijven zitten en gaf Borya het teken om mee te komen.

Op de deur van het appartement in het vervallen, trieste huurblok zat geen naambordje. Nikolaj belde aan en wachtte. Hij belde nog eens en na een poosje waren er binnen zachte voetstappen te horen.

'Wie is daar?'

'Nikolaj. Doe open!'

De deur ging open en Sergej zag een glimp van een ontbloot bovenlichaam voor Nikolaj zijn arm omhoogbracht, zijn hand op de blote borst legde en wie het ook was terug het appartement in duwde. Borya volgde hem. Sergej twijfelde even, maar begreep dat hij ook geacht werd mee te gaan. Hij ging naar binnen en deed de deur achter zich dicht.

Het appartement bestond uit één enkele kamer, met links een kookhoekje en de deur naar wat waarschijnlijk een wc was. Het was een sjofele kamer, met afgebladderde verf en kapot behang, spaarzaam gemeubileerd en gedomineerd door een tweepersoonsbed. In het bed lag een meisje, dat het laken had opgetrokken om haar borsten te bedekken. De jongen die Nikolaj voor zich uit had geduwd, stond nu naast het bed. Hij was naakt, afgezien van een handdoek om zijn heupen.

Hij keek doodsbenauwd.

Nikolaj glimlachte. 'Ik zie dat jullie je amuseren. Is ze goed?'

De jongen slikte. 'Nikolaj, dit is mijn vriendin Natasja. Ze –'

'– weet wat voor werk jij doet, ja. Ja, dat heb ik begrepen.'

'Ze –'

'Stil! Ik vroeg niet hoe ze heet, ik vroeg of ze goed kan pijpen.'

'Ik hou van –'

'Ik wil geen romantisch geneuzel horen! Wij hebben een probleem, en dat weet je.'

Sergej zag dat de jongen begon te trillen. Het meisje in het bed pakte het laken en probeerde het nog verder omhoog te trekken, alsof ze zichzelf wilde beschermen.

Nikolaj deed een paar snelle passen naar het bed en rukte het laken weg. De borsten van het meisje werden zichtbaar en met een gesmoorde schreeuw duwde ze haar handen tussen haar dijbenen om haar vagina te verbergen. Nikolaj keek grijnzend neer op haar lichaam.

'Niet slecht!' Hij keek naar Sergej. 'Sergej, onze vriend Oleg hier is beter in het kiezen van meisjes dan in zijn werk. Hij heeft tot nu toe ongeveer dezelfde taken gehad als jij, maar de afgelopen maanden met aanzienlijk minder resultaat. Bovendien heeft hij een paar opdrachten zo slordig uitgevoerd dat het risico's voor ons had kunnen opleveren, hij heeft zijn mond voorbijgepraat tegen zijn hoertje hier en nu heeft hij ook nog de brutaliteit gehad om loonsverhoging te vragen, waarschijnlijk omdat deze hoer nieuwe schoenen nodig heeft en hij met zijn salaris – dat tien keer zo hoog is als dat van de gemiddelde Rus – niet meer uitkomt.'

Oleg trilde. De tranen sprongen hem in de ogen. Hij hief een arm op alsof hij Nikolaj wilde onderbreken. 'Nikolaj, dat is niet waar! Ik zweer je dat –'

'Hou je mond! Jij hoeft niks meer te zweren!' Nikolaj knikte naar Borya, die snel naar Oleg toe liep en hem stevig beetpakte. Tegelijkertijd deed Nikolaj snel zijn gulp open, haalde zijn penis tevoorschijn en greep het meisje bij haar haar. Hij draaide haar gezicht naar zich toe en perste zijn pik tegen haar mond. 'Als je wilt dat Oleg dit overleeft, laat je maar eens zien of je zo goed bent als Oleg zegt!'

De angstige ogen van het meisje zochten Nikolajs gezicht. Toen ze begon te snikken, ging haar mond een stukje open. Nikolaj trok nog harder aan haar haar en ze gilde van pijn, waardoor haar mond onvrijwillig openging. Hij stootte hij zijn penis zo hard naar binnen dat ze bijna stikte.

'Nee! Niet doen! Ik zal...!' Oleg schreeuwde en worstelde om los te komen, maar zonder succes. Borya, die wel een reus leek, hield hem in een ijzeren greep en leek te genieten van de situatie.

Sergej bekeek het schouwspel zonder iets te zeggen. Hij stond doodstil en was niet van plan in te grijpen. Als Nikolaj hem iets wilde laten zien, moest hij dat maar doen. Het zou heel onverstandig zijn zich hiermee te bemoeien. Als die vent zo stom was geweest om minder loyaal te zijn en bovendien hebberig was geworden, was het zijn eigen schuld.

Nikolaj hield het haar van het meisje stevig vast, zonder zich iets aan te trekken van haar gehuil en van de smeekbeden die ze probeerde uit te stoten. Hij bewoog zijn pik steeds sneller in en uit haar mond, terwijl hij vergenoegd gromde en naar Oleg keek. 'Ze is redelijk, Oleg, maar niet echt goed. Je hebt haar vast niet goed opgevoed!'

Hij gaf het meisje plotseling een harde oorveeg met zijn rechterhand, terwijl hij met zijn linkerhand nog steeds haar haar vasthield. Ze schreeuwde van pijn en Nikolaj voerde het tempo waarin zijn onderlijf bewoog op.

'Hou op! Je moet... Ik zweer je...!' Olegs stem trilde. Tegelijkertijd greep Borya hem steviger beet, legde zijn hand op Olegs mond en duwde. Oleg kermde van de pijn en zijn wangen werden rood.

Sergej hoorde Nikolaj nu luidkeels ademen en keek weer naar hem. Hij stootte nog een paar keer en kreunde: 'Doorslikken, hoer!' Hij duwde nog een paar seconden hard, trok zijn pik toen snel uit haar mond en leegde de rest boven haar wangen, die nat waren van haar tranen. Toen liet hij haar los, zodat ze snikkend terugviel op het bed. Hij keek Sergej vragend aan: 'Wil jij haar proberen?'

Sergej schudde zijn hoofd. 'Ze lijkt me niet de moeite waard...'

Nikolaj lachte. 'Jij hebt er kijk op, maat. Borya, afronden hier, dan gaan we.'

Borya twijfelde niet. Hij veranderde zijn greep snel, zodat zijn linkeronderarm tegen Olegs hals duwde, terwijl hij zijn rechterhand zo hard tegen de mond en neus van de jongen duwde dat die geen lucht kreeg. Oleg werd nog roder in zijn gezicht. Sergej hoorde hem gorgelende geluiden maken en het leek alsof zijn ogen eruit puilden terwijl Borya hem in alle rust wurgde.

'Neeee!' Het meisje schreeuwde hysterisch en probeerde zich op de kant van het bed te storten waar Oleg en Borya zaten. Maar Nikolaj was snel. Hij greep haar haar, sleurde haar terug naar haar kant van het bed en gaf haar een paar rake klappen, terwijl hij zijn hand hard tegen haar mond drukte om het geschreeuw te dempen.

Oleg begon te stuiptrekken en zijn ogen sperden zich nog verder open totdat ze plotseling dicht gingen en hij verslapte in Borya's greep. Die bleef onaangedaan de hals van de jongen dichtknijpen, steeds harder. Het leek een eeuwigheid te duren voordat hij losliet. Olegs lichaam zakte voor Borya in elkaar op de vloer.

Het meisje deed nog steeds haar uiterste best om los te komen. Ze draaide en worstelde om aan Nikolajs greep te ontkomen. Nikolaj sloeg haar vier, vijf keer hard in haar gezicht en mopperde: 'Zo gaat het niet langer. Ik had gedacht dat we je mee konden nemen en dat we nog wat aan je konden hebben, maar dit gaat niet.'

Terwijl hij haar in een ijzeren greep hield, sloeg hij haar met een paar harde vuistslagen bewusteloos. Haar naakte lichaam viel achterover op het bed. Nikolaj stak zijn hand in zijn colbert en haalde er een pistool en een geluiddemper uit.

Sergej slikte heftig maar bleef nog steeds doodstil staan.

Zonder een woord te zeggen schroefde Nikolaj snel de geluiddemper op het pistool, ontgrendelde het, richtte op het voorhoofd van het meisje en vuurde twee keer snel achter elkaar.

Poef. Poef.

Het verbaasde Sergej dat de schoten niet meer geluid maakten. Hij zag bloedvlekken opspatten uit het hoofd van het meisje en voelde dat hij moest overgeven. Hij sloeg zijn hand voor zijn mond, rende naar de deur van de wc, rukte hem open en viel op zijn knieën voor de toiletpot. Hij gaf hevig over, terwijl hij Nikolaj en Borya achter zich hoorde lachen.

Sergej bleef op zijn knieën liggen totdat de krampen in zijn maag afnamen. Hij stond op, trok door en spoelde zijn mond onder de kraan van het kleine wastafeltje. Hij bekeek zichzelf in de spiegel en vroeg zich even af of het allemaal een droom was.

Nikolajs stem bracht hem algauw terug in de realiteit. 'Kom op, Sergej, het wordt tijd om wat lol te hebben!'

Sergej vermande zich en ging de kamer weer in. Kleine straaltjes bloed stroomden uit het voorhoofd van het meisje over haar gezicht, hals en romp, en ook de kussens onder haar hoofd kleurden langzaam donkerrood.

Sergej keek een andere kant op. Borya zat op zijn hurken naast Oleg en zocht blijkbaar naar een polsslag bij de jongen.

Nikolaj klonk ongeduldig: 'En?'

Borya keek op met een glimlach die Sergej niet beviel. 'Morsdood.'

'Goed, laten we gaan.' Voordat Nikolaj vertrok, keek hij naar het naakte lichaam van het meisje. 'Zonde van zo'n lekker ding, we hadden haar best kunnen gebruiken. Maar verdomme – er was geen land mee te bezeilen. Stomme hoer...'

Hij liep met besliste stappen van het bed naar de deur. Borya gaf Sergej het teken dat hij met Nikolaj mee moest gaan.

Ze verlieten het appartement, Borya sloeg de deur dicht en voelde of hij op slot zat. Een paar minuten later reden ze weer in de limousine, nu terug naar het centrum van St. Petersburg.

Sergej voelde zijn handen trillen en vouwde ze rond zijn knieën om dat te verbergen. Hij was nog steeds een beetje misselijk en toen Nikolaj hem glimlachend een fles dure, geïmporteerde whisky aanreikte, accepteerde hij die dankbaar en nam een paar flinke slokken. Hij trok een grimas toen de drank in zijn keel brandde, maar constateerde algauw dat het medicijn hielp.

Nikolaj glimlachte naar hem: 'Je hebt nu het eerste deel achter de rug van het lesje waarover ik het had. Nu is het tijd voor deel twee.'

Nikolaj stak zijn hand in de zak van zijn colbert. Sergej had niet eens tijd om bang te worden toen de hand er alweer uitkwam en zich leegde op Sergejs schoot.

Hij keek ernaar. Dollarbiljetten. Een heel pak dollarbiljetten. Hij greep het dikke pak en keek vragend naar Nikolaj.

'Je hebt goed gewerkt, Sergej. Die stapel bevat vijfduizend dollar. Zie het maar als een bonus, en in de toekomst is er meer te halen. Zo zie je het verschil tussen hoe je wordt behandeld als je je best doet en hoe je wordt behandeld als je niet je best doet. Jij bent een slimme jongen en ik ga ervan uit dat ik me niet nog duidelijker hoef uit te drukken?'

Sergej schudde zijn hoofd. 'Nee, dat hoeft niet. Dank je wel, Nikolaj!'

Nikolaj glimlachte nog steeds terwijl hij Sergej een blauwe capsule overhandigde.

'Niks vragen, gewoon doorslikken, je zult hem gauw nodig hebben!'

Twee uur later hadden ze een uitstekende maaltijd genoten in een van de exclusiefste restaurants van St. Petersburg en aanzienlijke hoeveelheden wijn en wodka gedronken. Nikolaj was in een stralend humeur toen hij Sergej voor zich uit een huis in het hart van de stad binnenleidde. 'Dit is de beste hoerentent die ik heb, en ik vond dat we maar eens wat van het buffet moesten nemen.'

Toen ze eenmaal binnen waren, verwelkomd door de bedrijfsleidster – een matrone van in de vijftig – en iedereen een whisky had gekregen, paradeerden de meisjes voor hen langs, terwijl ze zelf achteroverleunden in gemakkelijke leren fauteuils.

'Niet slecht, helemaal niet slecht,' zei Sergej.

Nikolaj maakte een breed gebaar met zijn hand. 'Neem er maar één, of twee, hoeveel je maar wilt. Gezien je jeugdige leeftijd en het wondermiddeltje dat je in de auto hebt gekregen, zou je er een heel stel aan moeten kunnen.'

Sergej grijnsde: 'Zo voelt het wel, ja.'

Hij kon zich niet meer herinneren wanneer hij voor het laatst seks had gehad, maar dat was in elk geval voordat hij naar St. Petersburg was verhuisd. Hij had die gevoelens onderdrukt om zich op het werk te concentreren. Maar nu er een rij langbenige, sexy meisjes in korte rokjes en met zwarte kousen naar hem glimlachte, kwam de behoefte weer op en voelde hij dat hij stijf werd.

Nikolaj had al twee heel jonge meisjes uitgekozen en Sergej wilde niet voor hem onderdoen. Hij wees resoluut naar twee blonde meisjes met lang haar en grote borsten.

'Goed,' zei Nikolaj. 'Laten we beginnen...'

De vier meisjes gingen hen voor door een lange gang, met kamers aan beide kanten. De meisjes die Nikolaj had uitgekozen lieten hem een kamer binnen en Nikolaj knipoogde naar Sergej voordat hij verdween en de deur dichtdeed. Sergejs meisjes namen hem mee naar de kamer ernaast en hij had de deur nog maar net achter zich dichtgedaan of ze begonnen hem al uit te kleden.

Hij voelde dat hij voor het eerst sinds heel lang flink dronken was, maar niet zo dat hij de meisjes niet kon laten zien hoe ze moesten worden aangepakt. Een hele tijd prikkelden ze hem door voor zijn ogen met elkaars jonge lichamen te spelen, totdat hij de verleiding niet meer kon weerstaan.

Terwijl er rockmuziek uit een stereo dreunde, zorgden de meisjes er met hun mond voor dat hij de eerste keer snel klaarkwam, te snel vond hij zelf. Maar hij verbaasde zich erover hoe vlug hij weer een flinke erectie had en hoe lang die duurde. Hij vrijde afwisselend met beide meisjes en was ervan overtuigd dat hij hun meerdere orgasmes bezorgde voordat hij ten slotte zelf voor de derde keer klaarkwam.

Daarna lag hij ontspannen op bed, rookte en dronk whisky, terwijl de meisjes naast hem lagen, hem verstrooid streelden en babbelden in een dialect dat hij maar moeilijk kon verstaan.

'Wil je meer...?' Het ene meisje glimlachte naar hem en liet het topje van haar wijsvinger spottend over zijn lippen gaan.

Op dat moment werd de rockmuziek overstemd door een schreeuw uit de kamer ernaast. Sergej en de meisjes verstijfden. Het geschreeuw ging door en werd gevolgd door gejammer. Daarna was er weer alleen maar muziek te horen. De meisjes keken elkaar aan en Sergej zag de angst in hun ogen.

Zonder iets te zeggen stond hij op, stak nog een sigaret op en kleedde zich aan terwijl hij de naakte meisjes bekeek die nu dicht tegen elkaar aan kropen in het bed. Ze konden niet meer dan zestien, zeventien jaar zijn en hij vroeg zich af hoe ze er over een paar jaar uit zouden zien. Maar dat was niet zijn probleem. Hij pakte de stapel dollars die hij net gekregen had uit zijn zak, pelde er een paar kleinere biljetten af als fooi en smeet ze op het bed.

'Bedankt,' zei hij, keerde zich om en liep de deur uit.

Hij wachtte op Nikolaj in een van de leren fauteuils waarin ze gezeten hadden toen ze aankwamen. Hij zag een vreemde glans in Nikolajs ogen en een vergenoegde uitdrukking op zijn gezicht toen hij door de gang aan kwam lopen. Een van de twee meisjes die hij gekozen had, liep achter hem aan. Ze liep vreemd en Sergej zag tranen op haar gezicht. Het andere meisje was niet te zien.

De madam verscheen achter Nikolaj. 'Maar mijn beste meneer Schenizin, moest dat nou?'

Nikolaj draaide zich naar haar om, pakte een paar dollarbiljetten uit zijn zak en gaf ze haar. 'Als ik je advies nodig heb, zeg ik het wel! Hier, wees blij met je fooien in plaats van te klagen. En zorg dat er een dokter bij dat meisje komt die haar kan oplappen, zodat ze haar werk weer kan doen. Begrepen?'

De vrouw hield de dollars stevig omklemd, knikte en maakte een klein knicksje.

Nikolaj knikte naar Sergej. 'Kom, kerel, tijd om te gaan slapen.'

De limousine zette zich in beweging. Sergej wachtte stil totdat Nikolaj iets zou zeggen. Nikolaj, die er nu erg moe uitzag, gaf hem de whiskyfles en Sergej nam een slok.

'En, waren ze goed?'

Sergej knikte. 'Absoluut. Ik heb gekregen waar ik behoefte aan had, en zij ook.'

Nikolaj lachte. 'Mooi, zo zie ik het graag. Mijn meisjes konden niet zo veel hebben als ik gehoopt had, maar we gaan nog wel een keer terug om het over te doen, wat jij?'

Sergej knikte weer en zei spottend: 'Ik help je graag als het nodig is...'

De auto gleed door de stille straten van St. Petersburg, nu met Borya achter het stuur en de lijfwacht naast hem op de voorstoel. Sergej keek op zijn horloge. Eén uur 's nachts. Hij besloot de volgende dag eens lekker uit te slapen en daarna een des te langere werkdag te draaien. Deze avond zou hij niet gauw vergeten.

De klap kwam plotseling en was hevig. Sergej werd tegen het portier gesmeten toen de zware auto opzij werd geslingerd en hij hoorde het geluid van kreukelend metaal en brekend glas. Voordat hij begreep wat er gebeurde, schreeuwde Nikolaj: 'Op de vloer, Sergej, op de vloer verdomme! Borya, ram ze!'

Sergej dook instinctief omlaag en op hetzelfde moment hoorde hij hoe de achterruit van de auto door een salvo uit een automatisch wapen werd verbrijzeld. De achterkant van de auto slipte heen en weer terwijl Borya achter het stuur vocht om de controle terug te krijgen. Op de achterbank schreeuwde iemand het uit van de pijn en Sergej hoorde een van de lijfwachten achter hen roepen: 'Valeri is geraakt, ik geloof dat hij dood is!'

'Schiet dan verdomme!' brulde Nikolaj terug.

Sergej drukte zich zo plat op de grond als hij kon, terwijl hij hoorde hoe de lijfwachten het vuur openden door de kapotte achterruit. Borya had de auto weer onder controle en ging plotseling boven op de rem staan om op gelijke hoogte te komen met de aanvallende auto. Toen draaide hij het stuur rond en ramde de aanvallers met de zware limousine. Het geluid van de botsing was hard en Sergej meende buiten de auto geschreeuw te horen. Borya stuurde terug naar rechts, gooide het stuur toen opnieuw linksom en brulde: 'Hou je vast!'

De klap was aanzienlijk harder dan de eerste en er volgde er nog één. Borya stond weer op de rem en Nikolaj brulde: 'Eruit, verdomme, allemaal. Schiet ze dood!'

Sergej deed het rechtermiddenportier open en rolde de straat op, in de dekking van de auto. Hij gooide zich op zijn buik en drukte zich tegen het asfalt. Onder de auto door kon hij zien hoe de andere auto van de weg af raakte, een helling af gleed en in een park tegen een stevige boom crashte.

Sergej stond op en bekeek het toneel, nog steeds grotendeels beschermd door de limousine. Hij kon niet besluiten of hij zou blijven staan of achter de anderen aan zou rennen. Maar hij was ongewapend en zelfs al had hij een wapen gehad, dan had dat nog niet veel geholpen, want hij had in zijn hele leven nog nooit een schot gelost.

Hij wierp een snelle blik in de limousine. Valeri lag in elkaar gezakt op de achterbank en een rode vlek op zijn borst werd snel groter. Zijn ogen staarden leeg omhoog en hij leek niet te ademen. Sergej keek weer over de auto heen. Borya en de twee overgebleven lijfwachten renden gebukt en met getrokken wapens over de straat naar de auto van de tegenstanders. Toen ze over de helling heen waren en in het park kwamen, verspreidden ze zich en gingen op één knie zitten met hun wapens in de aanslag. Plotseling zagen ze hoe een man voorzichtig door een van de kapotte ruiten van het rokende wrak bij de boom kroop. Borya twijfelde geen seconde. Hij richtte zijn wapen en vuurde vier keer. De man bij de auto schreeuwde, viel op de grond en bleef stil liggen. Borya stond op en rende naar de auto, met zijn pistool in zijn gestrekte arm. Nikolaj en de andere lijfwachten volgden hem.

Sergej keek om zich heen. De brede straat was uitgestorven, maar hij ging ervan uit dat mensen de botsingen en de schotenwisselingen hadden gehoord. Ze hadden niet veel tijd. Hij liep om de limousine heen, rende snel over de straat en de helling, en ging toen in dekking staan achter een boom. Hij keek voorzichtig naar alle kanten toen Borya bij het wrak kwam.

Borya riep over zijn schouder: 'Drie leven er nog, maar ze zitten bekneld. Kom!'

De twee lijfwachten en Nikolaj haastten zich naar de auto.

'Dit doe ik zelf.' Sergej hoorde de kilte in Nikolajs stem.

Nikolaj ging bij de voorste zijruit aan de rechterkant van de auto staan, tilde zijn pistool op en mikte nauwkeurig.

Poef. Poef. Nikolaj ging een meter naar achteren tot hij ter hoogte van de achterbank stond. *Poef. Poef.* Hij mikte opnieuw. *Poef. Poef.*

Toen liet hij zijn pistool zakken. 'We gaan weg, voordat we gezelschap krijgen!'

Ze liepen snel terug naar de limousine. Borya gaf plankgas zodra ze alle deuren hadden dichtgedaan en reed met hoge snelheid weg.

Sergej voelde de misselijkheid weer opkomen en zocht op de tast naar de whiskyfles die bij de eerste botsing op de grond was gevallen. Hij nam een paar slokken en voelde de sterkedrank in zijn keel branden. Hij hoestte een paar keer hevig en gaf de fles toen aan Nikolaj.

Sergejs handen trilden en hij had het koud. Wat hij de afgelopen uren had meegemaakt leek wel uit een slechte film te komen, en voor de eerste keer sinds hij Nikolaj had ontmoet, voelde Sergej twijfel. Hij stak zijn hand weer uit naar de whiskyfles, nam nog een paar flinke slokken en merkte dat het trillen van zijn handen minder werd, terwijl zich een warm gevoel door zijn lichaam verspreidde.

Nikolaj keek hem in het donker indringend aan. 'Gaat het goed met je, Sergej?'

De gedachten buitelden door Sergejs hoofd. Hij herinnerde zichzelf eraan dat hij werkte voor een goed doel, voor het welzijn van de sovjetstaat. De avond had hem ook geleerd hoeveel loyaliteit waard kan zijn. Zijn hand beroerde door de stof van zijn broek heen de stapel bankbiljetten.

Sergej knikte. '*Da...* Het gaat goed met me.'

Borya zigzagde door de straten om zo ver mogelijk van de plaats van de botsing weg te komen.

'Waar gaan we heen, baas?'

'Neva.'

Tien minuten later stopte de limousine op een afgelegen plek aan de rivier de Neva. Borya zette de motor af en alles werd stil.

Sergej keek naar Nikolaj. In het zwakke schijnsel van een straatlantaarn zag hij hoe de man die vanavond verantwoordelijk was voor vijf moorden – en die bovendien een jong meisje zwaar had mishandeld – een grimas trok.

'Zorg dat alle zakken eerst leeg zijn.'

Borya opende het chauffeursportier en stapte uit. Sergej hoorde dat de lijfwachten achter hem de portieren openden en Valeri's lichaam naar buiten droegen. Door de ruit zag hij dat de drie mannen Valeri naar de oever van de rivier droegen, zijn zakken doorzochten en zijn lichaam daarna met vereende krachten in de rivier gooiden. Daarna liepen ze terug naar de auto.

Borya startte de motor.

'Zonde,' mompelde Nikolaj, 'goeie vent. Naar huis, Borya. Eerst naar Sergej...'

Meer werd er tijdens de korte rit terug niet gezegd.

Sergej Petrov deed de huisdeur achter zich dicht en nam een lange, hete douche voordat hij op de koele lakens neerviel. Hij sliep onrustig. Een dramatische korte film speelde zich in zijn hoofd af en in slow motion zag hij keer op keer de scène waarin Nikolaj het naakte meisje bedaard twee keer in haar hoofd schoot en het bloed tegen de muur achter haar spatte. Door die droom werd hij een paar keer wakker, kletsnat van het zweet. Pas toen de grijze ochtendschemering de slaapkamer binnendrong, viel hij in een diepere slaap.

33

Henning Blixt had zichzelf een ochtendje uitslapen gegund. Dat gebeurde niet zo vaak, maar omdat hij alleen thuis was en kon doen wat hij wilde, kwam het hem perfect uit.

Hij had geslapen tot halfelf, stond nu naakt voor de badkamerspiegel en schoor zich, diep in gedachten verzonken. Het was schoolvakantie. Ellenor was met Martin en Tindra naar het zomerhuis aan zee bij Norrtälje gegaan. Henning had beloofd dat hij zou proberen vrijdag vroeg uit zijn werk naar het zomerhuis te komen om daar een heerlijk weekend met de familie door te brengen.

Hij was in een heel goed humeur, en moest alleen nadenken over de oplossing van een paar kleine probleempjes. Hij moest onder andere naar de dokter. Een paar dagen na de angstige nacht met de prostituee in hotel Sheraton was het plassen zeer gaan doen, en hij begreep algauw dat hij een geslachtsziekte had opgelopen. Toen Ellenor wilde vrijen, had hij gedaan alsof hij uitgeput was en 'half in slaap' excuses over moeheid en hoofdpijn gemompeld. Stel je voor dat ze de liefde bedreven hadden voordat hij het probleem had ontdekt en dat hij Ellenor besmet had. Hij huiverde.

Hij had zijn huisarts gebeld en een afspraak gemaakt. Een vertrouwelijk gesprek en een recept voor antibiotica moesten het probleem oplossen. Hij had nog nooit eerder iets opgelopen, maar een breedspectrumantibioticum moest de ziekte binnen een paar dagen beteugelen, of het nu gonorroe of chlamydia was, dat had hij op internet gelezen.

Blixt maakte zijn ochtendtoilet en trok een donkergrijs Armani-kostuum aan met een wit overhemd en een beschaafde, exclusieve zijden das van Hugo Boss. Hij ging naar zijn Poggenpohl-keuken, schonk een kop koffie in en bladerde wat in de beide ochtendkranten. Intussen kookte hij een ei, roosterde brood en zette boter, kaas en jam op tafel. Voor één keer wilde hij de tijd nemen om in alle rust te ontbijten en beide kranten helemaal te lezen, niet in de laatste plaats de katernen economie, sport en cultuur, die hem bijzonder interesseerden.

Hij genoot van de rust en de zachte klassieke muziek uit de kleine luidsprekers die elegant in het plafond van de keuken waren verwerkt. Hij begon met de nieuwspagina's. Geen woord over de moord op Tähtinen. Uitstekend. Hij ging door met de economie en de sport, toen de cultuur en ging pas sneller bladeren toen hij de rest van de kranten doornam.

Hij ruimde snel af, pakte zijn aktetas, deed het licht uit en het alarm aan, liep naar de garage en pakte zijn Jaguar. Hij reed in stilte en liet zijn gedachten gaan over wat er de laatste tijd was gebeurd en wat er de komende tijd zou gaan gebeuren. Afgezien van deze kleine nasleep die hem dwong naar de dokter te gaan, had hij goede hoop dat alles wel ongeveer volgens plan zou verlopen.

Monica Ehn, zijn secretaresse, trok haar wenkbrauwen verbaasd op toen Blixt haar kamer binnenkwam. 'Goedemorgen, of moet ik misschien goedemiddag zeggen? Zijn we niet een beetje laat vandaag?'

Blixt keek op de klok. Die gaf vijf voor halféén aan. 'Ja, ik had vanmorgen een vergadering in de stad. Ik ben zeker vergeten je dat te vertellen.'

Vergadering, je kunt me wat, dacht Monica. Ofwel je hebt de halve ochtend met Ellenor in bed liggen rollebollen ofwel je bent de hort op geweest en hebt nu een kater, wat dan weer betekent dat je in een slecht humeur bent en dingen vergeet.

Dat Blixt zich had verslapen, was een mogelijkheid die niet in Monica opkwam. Hij was normaal gesproken zeer gedisciplineerd en stipt, maar in de jaren dat Monica voor hem werkte, had ze ook geleerd dat alles niet zo keurig gepolijst was als Blixt wilde doen voorkomen. Ze pakte een stapel papier van haar bureau en gaf hem die aan.

'Jean-Claude Chaques van de Banque Indochine heeft een paar keer gebeld. Hij wilde u dringend spreken en vroeg of u een mobiel nummer had waarop hij u kon bereiken, maar ik zei dat u in vergadering zat in de stad en dat u tijdens vergaderingen altijd uw mobiel uitzet. Algot Hansson van de raad van bestuur heeft twee keer gebeld en van degenen die één keer hebben gebeld, heb ik een lijstje naar u gemaild. U hebt om halfvijf een vergadering met het managementteam, maar vanavond staat er niets ingepland.'

Ze keek in haar papieren. 'O ja, en ze hebben gebeld van de recherche. Ze vroegen wanneer u kwam. Ik zei dat ik het niet zeker wist, maar dat u hier vanmiddag waarschijnlijk wel zou zijn. Maar het zou mooi zijn als u kon zeggen wanneer –'

'Dank je wel, Monica!' Hij pakte de stapel post aan, ging gauw zijn kamer in en deed de dikke, geïsoleerde deur achter zich dicht. Hij smeet de post op zijn bureau, zakte in zijn leren fauteuil en staarde naar het beeldscherm, dat beursnotaties uit Stockholm, New York, Londen en Tokio in realtime liet zien. De recherche. Dat moest over Tähtinen gaan. Hij was dus dood.

Al die keren dat Blixt zich na zijn opdracht het hoofd had gebroken over hoe de moord zou plaatsvinden en wat er daarna zou gebeuren, had hij ieder denkbaar scenario in zijn hoofd doorgenomen. Hij was ervan uitgegaan dat de politie vroeg of laat zou verschijnen, maar dan toch meer informatief. Hij had wel gehoord dat, als er iemand stierf, er opeens twee geüniformeerde agenten voor je deur stonden, die vroegen of je alleen thuis was en zeiden dat je maar even moest gaan zitten voordat ze het je vertelden. Maar hij had nooit gehoord dat de recherche belde en naar iemand vroeg. Het was op zich wel een goed teken dat ze hun komst van tevoren aankondigden. Dat wees er toch op dat ze iemand niet wantrouwden.

Volgens een Deens spreekwoord moet je 'koud water in je bloed pompen' als je te opgewonden bent, en dat was precies wat Blixt nu geestelijk deed. Hij ademde diep door, vroeg Monica om een beetje koffie, deed zijn privéagenda open, legde die voor de pc en begon te werken. Het eerste wat hij deed was Jean-Claude Chaques bellen, voorzitter van de raad van bestuur van de Banque Indochine, vestiging Parijs.

Het afgelopen jaar had hij Chaques bij diverse gelegenheden ontmoet, en gedurende een nacht waarbij nogal wat vocht vloeide, hadden de beide heren serieus met elkaar gepraat. Toen Blixt de volgende ochtend wakker werd, had hij nog maar fragmentarische herinneringen aan dat gesprek, dat grotendeels had plaatsgevonden in een hoekje van een exclusieve stripclub, met keiharde muziek in hun oren. Het had hem enorm geërgerd dat hij niet meer zo veel wist van wat er gezegd was. Maar in de zak van zijn colbert had hij een hele stapel servetten gevonden waarop hij tijdens het gesprek, ondanks zijn tamelijk beschonken toestand, vrij nauwkeurige aantekeningen had gemaakt. De conclusie was dat de Banque Indochine en HMG Finans ieder voor zich een klein genoeg marktaandeel hadden om snel en flexibel te kunnen reageren, voordat de concurrentie begreep wat er aan de hand was. Een groot aantal goed gecoördineerde acties zou beide financiële instellingen heel snel sterker kunnen maken. Als ze daarna een lang en zorgvuldig geplande fusie doorvoerden, zouden ze grote delen van de globale financiële wereld in hun slaap kunnen verrassen en enorme synergie-effecten kunnen bereiken.

Daarbij kwam dat Chaques, in tegenstelling tot Blixt, een veelomvattende, maar zeer evenwichtige IT-visie had. Hij had concrete, zeer substantiële ideeën over hoe je de meer consumentgerichte financiële instellingen met behulp van internet en computerdiensten een groot marktaandeel kon ontfutselen.

Blixt beschouwde zichzelf als een onbenul op het gebied van internet, maar de richtlijnen die Chaques opstelde, leken zo intelligent en zo vanzelfsprekend succesvol dat Blixts enige commentaar was: 'Schitterend! Maar als het zo makkelijk is, waarom heeft niemand het dan nog gedaan?'

Chaques had zijn glas geheven om te proosten, een van de strippers weggewuifd die hartstochtelijk privéshows in een aangrenzende ruimte aanprees, en gezegd: 'Ik zal je zeggen waarom: omdat ze geen honger meer hebben! Zo zitten mensen in elkaar. Zodra ze iets meer verdienen dan ze nodig denken te hebben voor een wat beter leven, zijn ze niet meer hongerig. En als je niet meer hongerig bent, hoef je er niet over na te denken hoe je die dag brood op de plank krijgt. Maar voor mij is het dé kunst om hongerig te blijven!'

Blixt en Chaques waren ongeveer even oud en Blixt bewonderde Chaques, omdat die verder was gekomen in zijn carrière. Maar hij besefte ook dat Jean-Claude Chaques zijn opstap naar een toekomstige carrière in de internationale financiële arena kon zijn, als hij zijn kaarten goed uitspeelde.

Nu al belden ze elkaar regelmatig en hadden ze het over een ontmoeting, binnenkort, om een concreet plan op te stellen. Het enige wat ze allebei nog nodig hadden, was goedkeuring voor het plan van hun respectieve besturen, en daarom wilde Henning Blixt meteen na zijn telefoontje met Jean-Claude Chaques ook Algot Hansson bellen, om hem flink te bewerken.

Henning Blixt werkte een paar uur geconcentreerd en kreeg evenveel gedaan als op een gewone werkdag, constateerde hij met een ironisch glimlachje. Het was misschien goed om jezelf af en toe een uitslaapochtend te gunnen. Maar met Ellenor en de kinderen thuis was dat geen goed idee. Uit oogpunt van rechtvaardigheid zouden ze hem nooit zomaar laten uitslapen als ze zelf moesten opstaan. Bovendien waren ze gewend dat hij meestal al lang voor hen wakker, gedoucht en aangekleed was.

Hij was wel eens in de verleiding geweest een flatje in de stad aan te schaffen, om diverse redenen. Maar daarvoor moest hij een vaste minnares hebben, vond hij, en dat stadium had hij nog niet bereikt. Nu moest hij er nog maar eens goed over nadenken. Zowel over de minnares als over het flatje. Hij had er het geld voor, leuke huizen waren er genoeg en aan jonge meisjes die onder de indruk waren van mannen met macht en geld was ook geen gebrek. Hij moest daar echt eens mee aan de gang. Het zou zijn leven opvrolijken. Hij glimlachte bij het idee.

Jacob Colt bladerde wat door zijn papieren en keek op. Henrik Vadh zat in zijn bezoekersstoel het verslag van het verhoor van het meisje op de Silja Serenade te lezen.

'Het wordt tijd om te gaan, Henrik.'

'Hm, maar waarom wil je Blixt horen?'

'Alleen maar uit nieuwsgierigheid en voor de zekerheid. Christer en Sven zijn gisteren in zijn bedrijf geweest en hebben gesproken met de chef en de naaste collega's van het slachtoffer. Niets. Niklas heeft het slachtoffer verder gecheckt. Tähtinen was nogal eenzelvig en woonde alleen in een shabby appartement in Alby. Hij had geen meisje, ging kennelijk met niemand om en de buren weten niets over hem. We hebben geen spat om mee door te gaan. Daarom wil ik een praatje maken met de directeur. Je weet nooit. Tähtinen was per slot van rekening programmeur en kan dus toegang hebben gehad tot informatie die gevoelig was voor het bedrijf. En voor de directeur.'

Jacob maakte met zijn potlood een roffeltje op zijn bureaulegger en knipoogde naar Vadh. 'Zoals gezegd, alleen maar voor de zekerheid...'

Het was vijf voor halfdrie toen Monica aankondigde dat er twee heren van de recherche voor hem waren. Blixt vroeg haar hen binnen te laten.

Jacob liep naar Blixt en stak zijn hand uit: 'Jacob Colt, commissaris van de provinciale recherche. Dit is mijn collega, inspecteur Henrik Vadh.'

Blixt bekeek hen en probeerde zich snel een idee over hen te vormen. Colt wekte op het eerste gezicht een aardige en ontspannen indruk. Maar waarom ging een commissaris in vredesnaam een verhoor afnemen als er niets bijzonders was? Hij moest goed opletten.

Vadh maakte een stijvere indruk, had een smal gezicht en intense, blauwe ogen, die op de een of andere manier niet goed pasten bij zijn zwarte, kortgeknipte haar. Blixt schudde hen de hand en maakte een uitnodigend gebaar naar de beide bezoekersstoelen voor zijn bureau.

'En waar kan ik u mee van dienst zijn, heren?' Blixt leunde achterover in zijn leren fauteuil.

'Wij zijn hier naar aanleiding van de dood van Juha Tähtinen,' zei Jacob.

Henning Blixt vond dat hij zijn verbazing goed speelde, toen hij hen aankeek en zei: 'Sorry, wie?'

De stem van Henrik Vadh was aanzienlijk scherper dan die van Colt: 'Een van uw werknemers, een programmeur, is overleden. Juha Tähtinen. Bedoelt u dat u dat niet weet?'

Blixt aarzelde. 'Nee, eigenlijk niet...'

Colt vervolgde: 'Vrijdag hebben we het lichaam van een man van de Finse veerboot Silja Serenade gehaald, en geïdentificeerd als dat van Juha Tähtinen. Het bleek dat Tähtinen overboord was gevallen en dat hij stomdronken was. Maar uit getuigenverklaringen en de obductie blijkt dat Juha vermoord is voordat hij in het water viel.'

Colt laste even een pauze in. Hij had niet verteld hoe de moordenaar te werk gegaan was, en Blixt wilde dat ook niet weten.

'Maar, maar... dat is toch vreselijk!'

Vadhs antwoord kwam snel: 'Ja, hè? Maar is het niet een beetje vreemd dat u niet wist dat hij dood is?'

Blixt vermande zich en verklaarde dat hij als directeur geen nauwe contacten onderhield met de programmeurs van de afdeling IT en dat hij dus ook niet wist dat Tähtinen naar Finland was gegaan, of waarom.

'Uit de inhoud van Juha's bagage hebben we afgeleid dat hij zijn ouders in Finland had bezocht,' vervolgde Jacob Colt. 'Zijn ouders zijn door de Finse politie op de hoogte gebracht. Ze zijn natuurlijk geschokt.'

Vadh haalde een blocnote en een pen uit zijn zak. 'Zoals u vast wel begrijpt, moeten wij een paar vragen stellen, al was het alleen maar omdat Tähtinen op een afdeling werkte die met de veiligheid van uw bedrijf te maken heeft. Gewoon routine.'

Blixt was meteen op zijn hoede. Vermoedde de politie iets? Nee, dat was onmogelijk. Hij slikte en merkte dat hij toch wat tijd wilde winnen.

'Natuurlijk. Wilt u iets drinken, water of koffie? Ik heb zelf wel trek in koffie...'

Jacob Colt maakte een afwerend gebaar met zijn hand, maar Vadh wilde wel water. Henning Blixt pakte de telefoon en drukte op het knopje van zijn secretaresse. 'Monica, mogen wij een kan koffie en een kan ijswater alsjeblieft?' Blixt deed zijn best om zo rustig en gedecideerd mogelijk te klinken. Hij legde de hoorn al op voordat Monica had geantwoord, wat haar aan haar bureau een zucht en een steek van woede ontlokte. Mannen met macht, dacht ze. Wat mankeert ze toch?

Een paar minuten later kwam ze zwijgend bij de drie mannen, zette een dienblad op Blixts glanzend gepoetste bureau en verliet de kamer toen snel weer. Henrik Vadh pakte zonder iets te vragen een glas, schonk er water in en nam een slok. Blixt begon koffie in te schenken, maar Vadh wachtte niet tot hij klaar was.

'Wat waren Tähtinens taken op de afdeling IT?'

Jacob moest inwendig een beetje lachen. Henrik en hij waren zo op elkaar ingespeeld dat ze een taak als deze niet hoefden voor te bereiden. Jacob had zijn zegje min of meer gedaan, en liet Henrik de show nu overnemen.

Blixt dacht snel na. Het zou misschien vreemd overkomen als hij geen idee had wat Tähtinen deed. Maar het zou beslist ook een beetje vreemd overkomen als hij als directeur al te goed op de hoogte was.

Hij glimlachte, nam een slok koffie en keek naar Vadh. 'Ik hoop dat u er begrip voor hebt dat ik niet zulke gedetailleerde informatie kan geven als u nodig hebt, tenminste niet op dit gebied. Wij hebben honderdvijftig man personeel en ik weet niet altijd precies wat de taken van iedereen afzonderlijk zijn. Maar de programmeurs werken aan de ontwikkeling en het onderhoud van onze datasystemen.'

Hij wilde de honden geen vlezigere botten geven dan per se noodzakelijk was. Misschien moest hij exact onthouden wat hij had gezegd, en hij bedacht dat hij een paar aantekeningen moest maken zodra de politie weg was. Hoe minder hij vertelde, hoe beter. Daarom vertelde hij ook niet waar Tähtinen hem pijnlijk bewust van had gemaakt: dat het een van zijn taken was om de logs te controleren die de burelen van HMG passeerden, en wie er op welke tijden ingelogd waren.

Vadh dacht een paar tellen na. 'Hij had dus toegang tot vertrouwelijke informatie?'

Blixt laste een kunstmatige pauze in en deed alsof hij nadacht voordat hij antwoordde: 'U denkt aan economische criminaliteit? Ik zou...'

Vadh glimlachte: 'Ik denk op dit moment niet aan iets speciaals, ik probeer meer een algemene indruk te krijgen.'

Blixt keek weer nadenkend. 'Ja en nee, zou je kunnen zeggen. De chef IT, Johan Söderholm, is de spin in het web, zogezegd. Een programmeur als Juha schrijft op aanwijzing van Söderholm misschien een deel van het programma. Andere programmeurs schrijven andere delen, als een soort lego. Uiteindelijk maakt Söderholm er één geheel van, samen met een of meer externe adviseurs. Dus Juha zou best een belangrijk stukje informatie kunnen hebben, maar niet zo veel en zo samenhangend dat iemand hem daarvoor zou willen vermoorden...'

Vadhs ogen werden plotseling nog intenser. 'Wie heeft gezegd dat hij hiervoor vermoord zou zijn?'

'Ja... Nee... Zo bedoelde ik... Ik dacht alleen...'

Jacob had wel lol in de manier waarop het gesprek zich ontwikkelde en besloot ook een duit in het zakje te doen. Hij wist heel goed dat Henrik daar niets op tegen zou hebben en zich door een onderbreking ook niet uit zijn concentratie zou laten brengen. 'Hoeveel verdient een programmeur als Tähtinen?'

Henning Blixt leek zich erover te verbazen dat Jacob met die vraag kwam, maar hervond zich snel. 'Het spijt me, maar ik heb geen idee. Ik hou me, zoals u zult begrijpen, op een wat ander niveau met cijfers bezig. Maar als u een ogenblikje wacht...' Blixt pakte de telefoon en wachtte tot Monica opnam.

'Monica, ik wil graag weten hoeveel de programmeurs verdienen en of ze andere inkomsten hebben. Wil je even met de salarisadministratie overleggen? En bel me dan zo snel mogelijk terug.' Hij legde de hoorn op de haak en forceerde een glimlachje.

Vadh glimlachte niet terug. 'Weet u of Tähtinen op de een of andere manier bedreigd of getreiterd werd door iemand van binnen of buiten het bedrijf?'

Nu hervond Blixt zich snel: 'Ik kende Juha niet persoonlijk, maar wij hebben een goed ontwikkeld vertrouwenssysteem hier en als een werknemer slachtoffer was van zoiets, zou ik meteen zijn geïnformeerd. Dus mijn antwoord is nee.'

Hij vond het wel goed dat hij af en toe 'Juha' zei over Tähtinen. Dat zou de rechercheurs het idee geven dat hij een moderne, humanistische manager was.

Maar Vadh leek niet onder de indruk. Hij krabbelde een paar aantekeningen in zijn blocnote. 'Heeft het bedrijf, of u persoonlijk, of iemand anders in de leiding van het bedrijf dreigementen of afpersingseisen ontvangen?'

Nu werd het penibel. Blixt probeerde heimelijk Vadhs gezichtsuitdrukking te bestuderen om erachter te komen of die toch iets vermoedde, maar Vadh vertrok geen spier. En waarom zei commissaris Colt niets meer, dat was toch zijn baas? Blixt werd voorlopig gered doordat de telefoon rinkelde.

'Ja? Ja, ja. Dank je wel, Monica.' Hij legde op en keek Vadh aan. 'U begrijpt dat ik Juha's naam niet wil noemen voordat ik het personeel heb geïnformeerd over wat er is gebeurd, maar ik heb wel een algemeen salarisniveau voor zijn loongroep. Het salaris van de programmeurs ligt tussen de 26.000 en 29.000 kronen per maand, en andere inkomsten hebben ze niet.'

'Aha. Niet direct een superinkomen voor een bedrijf met een omzet van bijna vier miljard per jaar, hè?' Vadh staarde hem aan.

Blixt huiverde. Waarom had de politie zich verdiept in de bedrijfsomzet? Natuurlijk kon iedereen dat uitzoeken, want het waren openbare gegevens, maar wat was het doel daarvan? Had die man misschien de antwoorden op alle vragen al, en wilde hij alleen maar controleren wat Blixt antwoordde, en hoe zeker en hoe snel hij dat deed?

Vadh vervolgde: 'Toen we Tähtinen vonden, had hij een grote som geld bij zich. Hebt u enig idee hoe hij daaraan kan zijn gekomen?'

'Geen idee!' Hij kon geen ander antwoord bedenken en vond dat het iets te snel kwam. Hoeveel geld kon het zijn? Juha had vijftigduizend kronen van hem gehad. Hij had een kaartje voor de Silja Line gekocht en vast ook al een hoop uitgegeven aan alcohol en zo.

'Hij... Misschien wedde hij op paarden of zo, ik bedoel... dertig- à veertigduizend kronen heb je –'

Vadh leek hem opeens nog indringender aan te kijken. 'Ik zei niet hoeveel geld het was.'

'Nee, nee, ik bedoelde gewoon in het algemeen... Ik bedoel, met dat salaris... Met sparen kan hij toch niet...'

'Waarom niet?'

'Eh, tja, natuurlijk, sorry, dat was een overhaaste conclusie. Ik bedoel, jonge mensen hebben tegenwoordig de neiging alles wat ze verdienen meteen uit te geven...' Henning Blixt voelde zich plotseling heel ongemakkelijk. Het gesprek ging helemaal de verkeerde kant op en hij stond op het punt de controle te verliezen. Probeerde Vadh hem in een val te lokken?

'Was er iets waaruit bleek dat Tähtinen de laatste tijd nerveus of ongerust was?'

'Zoals ik eerder al zei: ik kende Juha niet persoonlijk en –'

'Nee? Maar u noemt hem de hele tijd bij zijn voornaam!'

'Eh... ja, u weet toch hoe dat tegenwoordig –'

'Nee, hoe bedoelt u?'

Waar was die man op uit? Probeerde Vadh hem uit zijn evenwicht te brengen?

'Er worden tegenwoordig heel andere eisen gesteld. Als moderne directeur moet je nauwe contacten opbouwen, terwijl je toch natuurlijk ook het respect wilt bewaren en vertrouwen wilt wekken en dan –'

' – en dan noem je iemand die je niet kent en met wie je geen sociaal contact hebt bij zijn voornaam?'

Blixt herademde, iets te zwaar, iets te snel. Het klonk als zuchten. 'Zo ongeveer, ja.'

Vadh boorde zijn blik in die van hem.. Het voelde alsof de rechercheur dwars door zijn lichaam en hersens heen kon kijken. Onprettig. Vadh schreef iets in zijn blocnote en keek weer naar Blixt. Jacob Colt leek wel afwezig. Hij zat met gevouwen handen op de bezoekersstoel en keek naar het plafond. Waarom zei hij niets?

Vadh keek weer naar zijn blocnote. Schreef iets op. Wat schreef hij op? Blixt zou er heel wat voor over hebben om in zijn hoofd te kunnen kijken en zijn vermoedens en verdenkingen te interpreteren, zijn strategie te doorgronden.

'Waar en wanneer hebt u Juha Tähtinen voor het laatst ontmoet?' De vraag kwam als een zweepslag.

'In...' Blixt had bijna gezegd 'in Alby, een maand geleden', maar bedacht zich op het laatste moment en voelde zich als een ijshockeykeeper die een redding verrichtte. 'In het trappenhuis misschien, en ik weet niet wanneer. Ik bedoel, zoals ik al zei: ik kende Juha niet persoonlijk en we hadden helemaal niets met elkaar te maken...'

Bestudeerde Vadh zijn gezicht onafgebroken of verbeeldde hij zich dat maar?

'Hebt u Tähtinen óóit buiten het bedrijf ontmoet?'

'Nee!'

Vadh sloeg meteen toe: 'U lijkt geïrriteerd? Is er iets aan mijn vragen wat u niet aanstaat?'

'Nee, helemaal niet! Als een van mijn mensen vermoord is, wil ik natuurlijk alles doen om te helpen, maar ik vind uw vragen soms nogal insinuerend, en dat is onprettig. Word ik soms ergens van verdacht in deze zaak?' Blixt glimlachte ironisch. Dat had hij mooi gezegd, vond hij.

Maar Vadh was ijzig. Hij gaf geen antwoord. Hij keek alleen maar.

Blixt werd weer onzeker. Hoe waterdicht alles ook was geweest, hij kon toch niet helemaal uitsluiten dat er iets was misgegaan. Had Tähtinen iets bij zich gehad wat de verdenking op Blixt kon laden? En waarom had die idioot verdomme zo veel geld bij zich gehad? Had hij dan helemaal geen verstand? Hij werd helemaal koud van deze gedachten.

'Waar bevond u zich in de nacht van donderdag op vrijdag?'

Blixt slikte. Heel even werd de film op zijn netvlies teruggespeeld naar de snikhete verhoorruimte in het politiebureau van Bangkok, en hij voelde dat het zweet hem uitbrak.

'Ik... Allemachtig, u denkt toch niet dat ik...'

Vadh kwam weer met een zweepslag: 'Ik denk niks, ik stel een vraag!'

Blixt streek met zijn hand over zijn voorhoofd. 'Ik... Ik was... eh... thuis en ik...'

Vadh, de man met de zweep: 'Alleen?'

Blixt vloekte inwendig. Wat was hij toch een idioot! Hij had Ellenor en de kinderen weggestuurd in de periode dat hij toch, op basis van wat hij op het opdrachtformulier had ingevuld, had kunnen vermoeden dat Tähtinen vermoord zou worden. En hij had niet eens voor een behoorlijk alibi gezorgd. Hij had op een van zijn vele 'dienstreizen' kunnen gaan, die kon hij altijd ensceneren zonder dat er vragen over werden gesteld. Hij had met goede vrienden naar een restaurant kunnen gaan, een paar van de leden van zijn sociëteit thuis kunnen uitnodigen...

'Meneer Blixt...?'

Vadh sloeg honderdtachtig graden om. Zijn stem was plotseling weer zacht, bijna onderdanig. Over een paar minuten zouden ze elkaar glimlachend de hand schudden, Vadh zou zijn kamer uit gaan, zijn zwijgzame chef Colt meenemen, verdwijnen en zich nooit meer laten zien.

Blixt moest zich vermannen en helder blijven denken, zijn dekking niet laten zakken. Vadh was een veel gevaarlijker tegenstander dan hij had verwacht. Hij had bij de bedrijfsbeveiliging moeten werken in plaats van bij de politie.

Blixt zuchtte. 'Ja, ik was alleen. Maar ik heb mijn vrouw 's avonds gebeld, zij is met de kinderen naar ons zomerhuis. Ze kan bevestigen dat ik thuis was.'

'Hoe laat was dat? U hebt toch niet de héle nacht met haar gepraat?'

Jacob Colt schoot in de lach en Blixt keek hem verbaasd aan. Het was de eerste keer tijdens het verhoor – want het voelde echt als een verhoor – dat de man een gevoel liet blijken.

'Nee, natuurlijk niet...'

Vadh knikte. 'Hoe laat was het dan, zo ongeveer?'

Blixt had geen tijd om uit te rekenen hoe laat Tähtinen vermoord was, maar als hij aan boord van de Finse veerboot was vermoord, kon de politie toch verdorie begrijpen dat hij onschuldig was. Hij was toch aan land!

'Halftien of zo. Het staat me bij dat ik het nieuws gezien had toen ze belde en –'

Vadh keek op van zijn blocnote. 'Toen zíj belde? Net zei u toch dat ú haar gebeld had?'

Nog meer zweetdruppels op Blixts voorhoofd. Met een geforceerd glimlachje stond hij op, trok zijn colbert uit en hing het over de rugleuning van zijn leren fauteuil. 'Warm voor de tijd van het jaar, hè?'

'Het is zomer. Wie belde er nou, u of uw vrouw?'

De woede welde op in Blixt. De woede begon ergens bij zijn voeten, werkte zich omhoog via zijn kuiten en bovenbenen, maakte dat zijn maagspieren samentrokken, dat zijn borstkas zich spande en dat zijn hart sneller sloeg.

Hij explodeerde, maar nog altijd waardig voor een directeur in de gegeven omstandigheden, vond hij naderhand: 'Ik geloof dat het tijd wordt om dit eens goed op een rijtje te zetten! Ik ben directeur van HMG Finans. Een van onze werknemers is – blijkbaar in zijn vakantie – vermoord op een veerboot. Ik weet niet eens goed wie die man is, laat staan dat hij op vakantie was. Nu zit u mij hier insinuerende vragen te stellen, ja zelfs beledigende vragen, over mij, mijn persoon en waar ik was toen hij vermoord werd.'

Hun blikken kruisten elkaar, Blixt meende een zweem van onzekerheid bij Vadh te zien en vervolgde: 'Ik heb geprobeerd u zo goed mogelijk te helpen en het enige resultaat is dat u hier onbeschaamd zit te doen. Als u nog vragen hebt die direct – en dan bedoel ik diréct – verband houden met ons bedrijf, dan moet u ze nu stellen! Zo niet, dan stel ik voor dat u weggaat. Als er ook maar een schijn van verdenking tegen mij zou bestaan, wil ik dat u die verdenking nu uitspreekt, zodat ik onze advocaten erbij kan halen om mee te luisteren. Ik ben ervan overtuigd dat zij uw optreden als rechercheurs hoogst interessant zouden vinden!'

Henning Blixt wierp een snelle blik op Colt. Zijn uitbarsting leek niet het minste effect op de commissaris te hebben. Colt leunde rustig, met zijn handen gevouwen en zijn blik op het plafond, achterover in zijn stoel.

Blixt had een direct antwoord van Vadh verwacht. Maar Vadh bleef heel rustig zitten. Hij leek wel een eeuwigheid langs Blixt heen te kijken, door de grote ramen, terwijl hij langzaam en irritant met zijn balpen knipte. Ten slotte zei hij iets.

'Meneer Blixt, wij zijn rechercheurs. Het is ons werk om vragen te stellen, ook onaangename. Een werknemer van een financiële instelling – en dan ook nog een die gedeeltelijk verantwoordelijk is voor gevoelig materiaal dat voor veel mensen interessant zou kunnen zijn – is vermoord. Wij zoeken de waarheid en in de loop van dat proces stellen we de vragen die we moeten stellen, aan u en aan anderen. Het was niet mijn bedoeling onaangenaam te zijn, maar als u het zo hebt opgevat, bied ik daarvoor mijn excuses aan. Ik word soms een beetje overijverig als ik antwoord probeer te krijgen op mijn vragen en verbanden probeer te leggen.'

Blixt deed zijn best om te kalmeren en knikte kort.

Vadh stond op en Colt volgde zijn voorbeeld. Toen Vadh hem de hand reikte, verbaasde Blixt zich over de krachtige handdruk van die tengere man.

'Bedankt voor uw tijd. Uw antwoorden zijn belangrijk voor ons onderzoek.'

Blixt knikte. Hij schudde Colt snel de hand en de beide rechercheurs liepen naar de deur. Colt deed die open, en midden in de deuropening stopte Vadh opeens, draaide zich om en glimlachte.

'Maar het is natuurlijk niet uitgesloten dat we nog eens terugkomen. Goedemiddag!'

Blixt zonk neer op zijn stoel en veegde het zweet van zijn voorhoofd. Hij keek op zijn horloge. Over een kwartier zou het managementteam zijn kamer bestormen voor de vergadering.

Hij vermande zich, liep naar zijn privétoilet en spoelde zijn gezicht met ijskoud water totdat hij het gevoel had dat hij helderder kon denken. Een kwartier later zat hij de vergadering voor alsof er niets gebeurd was, behalve dat hij het team informeerde over de moord en het bezoek van de recherche.

'Vreemd,' zei IT-chef Johan Söderholm nadenkend.

Blixt keek hem aan. 'Hoe bedoel je?'

'Nou, er waren vrijdag al urenlang twee rechercheurs bij ons, en ik nam aan dat ze eerst met jou hadden gesproken. Ze vroegen me de oren van het hoofd, en omdat ik ervan uitging dat ze jouw toestemming hadden en alle informatie moesten krijgen die ze wilden hebben, heb ik gewoon antwoord gegeven.'

Blixt kreeg het er koud van.

De vergadering van het managementteam was pas na zessen afgelopen. Monica was al naar huis, het kantoor was leeg en de lucht was drukkend. Muf.

Hij trok zijn colbertje aan, smeet zijn paperassen en zijn agenda lukraak in zijn aktetas, nam de lift naar beneden, sprong in zijn Jaguar en reed snel naar huis. Het eerste wat hij deed toen hij de villa binnenkwam, was zijn colbert uittrekken, naar de bar lopen, een stevige maltwhisky inschenken en een flinke slok nemen. Daarna ging hij met zijn glas naar de badkamer, bevrijdde zich van de rest van zijn kleren en nam een koude douche. Slechts gekleed in zijn badjas liep hij terug naar de woonkamer, zonk weg in een van de diepe, lekkere leren stoelen, vond de afstandsbediening en liet de kamer volstromen met Vivaldi.

Drank was nu eigenlijk niet goed voor hem. Hij had slaap nodig, moest nuchter blijven en helder om te kunnen denken en handelen, bereid zijn om nieuwe, onverwachte gebeurtenissen het hoofd te kunnen bieden. Maar het enige wat hij wílde was dronken worden. Hij had geen honger, voelde zich eerder een beetje misselijk en had helemaal geen zin meer in een maaltijd.

Hij stond met zijn whiskyglas in zijn hand bij de koelkast en stopte gedachteloos in zijn mond wat hij vond. Een plak rookworst, een stuk komkommer, een paar stukjes Zweedse roquefort. Hij pakte de draadloze telefoon en toetste het nummer van het zomerhuis in. Ellenor antwoordde en met het excuus dat hij ontzettend moe was na een lange werkdag wist hij een gesprek met de kinderen te vermijden.

'Je moet eens flink uitrusten, Henning,' zei Ellenor zacht. 'Kun je niet vóór vrijdag al hierheen komen?'

'Nee, helaas, schat, echt niet. We zitten midden in onderhandelingen over een eventuele fusie; onze grootste zaak ooit. Ik ben al blij als ik vrijdag bij de lunch weg kan, duim daar maar voor.'

'Dat zal ik doen. Ik verlang naar je. We hebben de laatste tijd niet zo veel tijd voor elkaar gehad. Daar moeten we iets aan doen...'

'Absoluut. Daar ben ik het helemaal mee eens! Ik hou van je, meisje. Maar nu ga ik naar bed.'

'Doe dat, schat! Slaap maar lekker en droom over ons. Het is zo vrijdag. Werk je niet kapot!'

'Dat beloof ik...'

Met een diepe zucht legde Blixt de telefoon weg, pakte de afstandsbediening en zette het volume hoger, zodat Vivaldi de kamer in daverde. De eerstvolgende uren dronk hij zich haast bewusteloos aan de dure whisky. Even was hij in de verleiding achter de pc te gaan zitten en wat te surfen om te zien of er nieuwe, spannende foto's waren om naar te kijken. Maar de dronkenschap en de vermoeidheid na de spanning van de dag wonnen het. Ten slotte viel hij op zijn stoel in slaap en werd wakker van het geluid waarmee het whiskyglas uit zijn hand viel. Moeizaam stond hij op uit zijn stoel en hij wankelde naar de slaapkamer zonder de muziek af te zetten. Onderweg stopte hij voor de antieke spiegel met de gouden lijst, die in de woonkamer van het plafond tot de vloer reikte.

'Henning,' brabbelde hij. 'Henning Bliksjt. De gelukkigsjte man van de wereldsj...'

Hij struikelde zijn bed in en viel onmiddellijk in slaap. Hij sliep heel onrustig en droomde. Tegen middernacht werd hij wakker omdat hij moest overgeven. Hij strompelde naar de badkamer, ontdekte daar dat hij in zijn witte ochtendjas had geplast en besefte dat er dus waarschijnlijk ook urine in het bed was gekomen. Vol afschuw wurmde hij zich uit zijn ochtendjas, waste zich plichtmatig en ging weer naar bed, waar hij aan de kant van Ellenor ging liggen.

34

In de daaropvolgende dagen nam Blixt de maatregelen die van hem als directeur werden verwacht. Hij had de ouders van Tähtinen opgespoord in een gat in Finland, stuurde een groot boeket mooie bloemen en een telegram waarin hij persoonlijk en namens het bedrijf zijn bedroefdheid uitsprak over het overlijden van hun zoon. Hij had beschreven wat voor toegewijde vriend en collega, en wat voor geweldige werknemer Juha Tähtinen bij HMG Finans was geweest, en verzekerde hun dat Juha door al zijn collega's zeer en oprecht gemist zou worden. Als het bedrijf iets voor Juha's ouders kon doen, dan konden ze altijd persoonlijk contact met hem opnemen.

Hij had het personeel snel bijeengeroepen en geïnformeerd, en een korte maar mooie herdenking voor de dode collega geregeld. Blixt had het personeel alle details bespaard – bijvoorbeeld dat Tähtinen vermoord was en dat de politie noch een motief noch een verdachte van de moord had.

Daarna had hij een bijeenkomst geïnitieerd met de mensen van de afdeling IT, om te horen welke gevolgen de dood van Tähtinen had voor het werk en de digitale veiligheid van het bedrijf. Voor zover hij vernam, was de puistige jongeman slechts een van de vele, gelijkwaardige programmeurs geweest, en het verbaasde hem dat Tähtinen zo ondernemend was geweest.

Blixt had een paar dagen in alle rust kunnen nadenken. Hij was er langzaam in gaan geloven dat hij eindelijk kon ontspannen, dat het gevaar geweken was en dat hij nu plannen kon maken voor een beter, veiliger leven, waarin hij nooit meer in zo'n situatie verzeild zou raken. Tähtinen was dood. Het had hem ruim vierhonderdduizend Zweedse kronen gekost, plus een eerste afbetaling van vijftigduizend kronen aan Tähtinen zelf.

De gedachte dat hij een andere, veel grotere schuld nog moest voldoen, schoof hij voorlopig voor zich uit. Niet dat hij eronderuit wilde komen – aan een afspraak moest je je houden. Hij huiverde toen hij bedacht wat er zou kunnen gebeuren als hij de afspraak niet nakwam. Hij zou zijn deel van de overeenkomst nakomen, maar hij moest eerst even de kans krijgen op adem te komen.

Henning Blixt had een mailtje met zeer gedetailleerde instructies gekregen. Hij moest naar Spanje gaan, om precies te zijn naar Bilbao. Daar moest hij een jonge vrouw opzoeken, Christina Santos, haar volgen en haar in het hoofd schieten met een pistool met een geluiddemper erop, die in de voor hem gereserveerde hotelkamer op hem zouden liggen te wachten. Blixt had geen idee waarom een zo jonge en mooie – er was een scherpe foto van haar bijgevoegd – vrouw als Christina dood moest.

Blixt had nog nooit iemand gedood, zelfs niet met de gedachte gespeeld. Maar dit klonk – in elk geval in zijn fantasie – zo eenvoudig dat het hem wel zou lukken. En het was bovendien een redelijke prijs om de last kwijt te zijn die van zijn schouders was gevallen zodra Tähtinens lichaam en zijn laptop in de Ålandzee belandden.

Hij had het gevoel dat hij nog iets meer tijd nodig had om uit te rusten, zich te concentreren, kracht op te doen. Die jeuk tussen zijn benen kwijt te raken die hij niet op zijn vrouw wilde overdragen. Daarna zou alles weer goed komen. Misschien zou hij na een tijdje zelfs zijn hobby op internet weer op kunnen pakken en...

Het was donderdag. Hij wilde zich juist concentreren op de begroting voor het komende halfjaar, toen hij gestoord werd door het geluid van de interne telefoon. Hij deed zijn best om bedrijvig te klinken. 'Ja?'

Monica kende zijn intonaties. Als Blixt in een goed humeur was, kon ze zich zelfs wel eens een grapje veroorloven. Als hij probeerde te doen alsof hij gestrest was – verspilde moeite, want zij wist meer over zijn agenda en zijn werkbelasting dan hijzelf – moest ze een beetje verontschuldigend klinken, zodat hij zich gesterkt voelde in zijn machtspositie. Wie denkt hij hiermee voor de gek te houden, dacht Monica. Goddank ben ik getrouwd met een gewone ambachtsman die met beide benen op de grond staat...

'Marcus Elander van de afdeling IT is hier en wil u graag spreken. Hij zegt dat het belangrijk is.'

Blixt dacht een paar tellen na. Hij had pas nog een bijeenkomst gehad met de afdeling IT, toen hij hen had ingelicht over het overlijden van Juha Tähtinen. Ze hadden alle routines en vragen doorgenomen, zowel op arbeidstechnische als op veiligheidsaspecten. Niemand had ergens iets over te vragen of aan toe te voegen.

Voor de zekerheid had Blixt voor de bijeenkomst met het personeel een extra gesprek gevoerd met de IT-chef, Johan Söderholm. Söderholm kende het nieuws over Tähtinens plotselinge dood immers al. Als Blixt de zaak goed begreep, kon Tähtinen tamelijk snel worden vervangen door iemand die even kundig was. Dus waar ging dit nu over? En wie was Marcus Elander? Hij kon zich niet onmiddellijk iemand van die naam herinneren uit de bijeenkomst met IT, maar daar werkten bijna vijftig mensen en de meesten waren bij die bijeenkomst geweest. In een bedrijf met honderdvijftig werknemers was het moeilijk om alle namen en gezichten uit elkaar te houden, en eerlijk gezegd was de afdeling IT ook niet de afdeling die Blixt sinds zijn aantreden als directeur het meest geïnteresseerd had. Dit moest toeval zijn, een vergissing. Maar Blixt besloot voor de zekerheid dit te laten bevestigen.

'Oké, laat hem maar binnenkomen.'

Hij stond op, trok de knoop van zijn stropdas met een geoefend gebaar recht, knoopte zijn colbertje dicht en liep om zijn bureau heen om de bezoeker te verwelkomen.

Marcus Elander was een jaar of vijfendertig, lang, slank, gekleed in een lichte chino broek, een zwart piqué overhemd en een goed zittend colbertje. Zijn donkere haar was verzorgd en hij had fel blauwe ogen. Blixt kon zich niet herinneren dat hij de man eerder had gezien, zelfs niet bij de personeelsbijeenkomst onlangs. Elander kwam Blixt zelfverzekerd tegemoet en stak zijn hand uit. 'Dag, Marcus Elander!'

Blixt schudde hem de hand, deed zijn best om er neutraal uit te zien en liep terug naar de leren stoel achter zijn bureau. Hij knoopte zijn colbertje discreet open in dezelfde beweging als waarmee hij ging zitten en terwijl Elander zonder vragen in een van de stoelen tegenover hem plaatsnam, leunde Henning achterover.

Wie was deze man? Wat wilde hij? Was hij bij de personeelsbijeenkomst geweest en zo ja, waarom had hij toen niets gezegd? Blixt wilde snel antwoord hebben, maar deed zijn best om een kalme indruk te wekken: 'Zo. Je wilde mij spreken?'

Hij keek zichtbaar even op zijn horloge, als om duidelijk te maken dat hij Elander een gunst verleende. Maar de man liet zich niet opjagen. Hij zweeg een seconde of tien. Hij keek Blixt zo geconcentreerd aan dat hij aan de onderzoekende ogen van inspecteur Vadh moest denken. Ten slotte zei Elander: 'Ja, ik wilde u graag spreken. De zaak is dat wij een gemeenschappelijke belangstelling hebben, ook al bent u zich daar vast niet van bewust.'

Blixt bespeurde plotseling onraad. Elanders opening leek al te veel op die van Tähtinen, toen die naar Blixts kantoor was gekomen. Blixt leunde voorover over zijn bureau, vouwde zijn handen en keek zijn bezoeker gespannen aan. 'Ik luister,' zei hij kort.

Elander besloot kennelijk de kwelling niet te verlengen, maar zo snel mogelijk ter zake te komen, ook al drukte hij zich aanmerkelijk gemakkelijker uit dan Tähtinen had gedaan. 'Zoals u weet, werk ik op de afdeling IT. Ik heb in grote lijnen dezelfde taken als Juha, en bovendien heb ik heel wat kennis en bevoegdheden die hij niet had. Juha en ik waren collega's en hij was gedeeltelijk ondergeschikt aan mij. We gingen privé niet met elkaar om, maar ik voelde toch wel sympathie voor hem, omdat ik algauw begreep dat hij een eenzame jongen was, die geen vrienden had en geen leven buiten zijn werk.'

Blixt draaide onrustig op zijn stoel. Hij had geen idee waar dit gesprek naartoe ging en dat gaf hem een nog ongemakkelijker gevoel. Hij wierp weer een snelle blik op zijn horloge. 'Ik begrijp het, ga door. Sorry als ik wat gehaast lijk, maar uw bezoek komt onverwacht en ik heb zo een vergadering met het management.'

Elander liet een onaangenaam glimlachje zien. 'Och, ik ben ervan overtuigd dat die vergadering wel een paar minuten kan wachten als u hoort wat ik te zeggen heb. Het gaat per slot van rekening om de veiligheid van het bedrijf.'

Blixt knikte naar Elander dat hij door moest gaan.

'Juha vond het leuk om op paarden te wedden en af en toe speelde hij ook in het casino in Stockholm,' vervolgde Elander. 'Hij leefde boven zijn stand en hij stond aan het eind van de maand vaker in het rood dan in het zwart. Ik had, zoals ik al zei, een beetje met die jongen te doen en begon hem tegen beter weten in geld te lenen. We raakten natuurlijk bevriend, ook al had ik er geen behoefte aan om privé met hem om te gaan. Maar op het laatst was hij me meer dan vijftienduizend kronen schuldig. Ik heb een gezin en een huis, mijn vrouw begon te vragen wat er met mijn geld gebeurde en ik maakte Juha duidelijk dat hij me moest terugbetalen.'

Henning Blixt begon te ontspannen. Dit was duidelijk een heel banale geschiedenis over de relatie tussen twee werknemers en misschien had de man de behoefte zich uit te spreken en te biecht te gaan nu Tähtinen dood was. Maar één ding was duidelijk – zijn boodschap had niets met Blixt te maken.

Henning Blixt glimlachte naar hem en leunde achterover. Hij luisterde met een half oor naar Elanders verhaal, terwijl hij intussen plannen maakte voor de komende dagen. Het belangrijkste was nu het bezoek aan de dokter, over een paar uur, om die pillen te krijgen die die branderige pijn aan zijn penis moesten wegnemen. Volgens wat hij had gelezen, werkte de antibiotica na drie etmalen op volle kracht. Dat betekende dat hij morgen met een gerust gemoed naar het zomerhuisje, naar Ellenor en de kinderen kon gaan. Hij zou prachtige entrecotes meenemen uit de markthal in Östermalm, en haar en de kinderen verrassen met een heerlijke maaltijd, met in likeur gedoopte, verse frambozen als dessert. Als de kinderen sliepen, zou hij Ellenor een hoop goede wijn inschenken en koffie met likeur, en als ze uitgebabbeld waren, zou ze veel te moe en te dronken zijn om te willen vrijen, wat hem nog minstens een etmaal uitstel verschafte. En als hij er zondagavond uiteindelijk niet meer aan zou kunnen ontkomen, zou de antibiotica toch zeker zo krachtig werken dat het risico om haar te besmetten vrijwel nihil was.

'Kinderporno, zei Juha, en hij noemde uw naam!'

Blixt werd ruw uit zijn overpeinzingen gewekt. 'Sorry, wat zei u?'

Elander glimlachte. Nu was zijn glimlach onaangenaam op een manier die Blixt, zonder dat hij wist waarom, juist associeerde met die rat van een Tähtinen. De alarmbellen gingen weer af, nu nog duidelijker dan eerst.

In de volgende tien minuten stortte het leven van Henning Blixt volledig in.

35

Naarmate Marcus Elander vorderde met zijn uiteenzetting, stroomde het koude zweet Blixt over de rug, waardoor zijn overhemd kletsnat werd en zijn colbertje aan zijn lichaam vastplakte. Wat hem nu overkwam was zo mogelijk nog erger dan de eerdere aanvallen, en honderd keer erger dan het politieverhoor dat maandag nog zo dreigend leek.

Elander was intelligent en had de middelen om Blixt voorgoed te gronde te richten. Hij had geen zin om ergens over te onderhandelen en hij zou geen genoegen nemen met een handgeld van 50.000 kronen.

Voordat Juha Tähtinen naar Finland op vakantie ging, had hij Elander na het werk een biertje aangeboden. Ze waren naar een van de vele tentjes in de Kungsträdgården gegaan en onderweg naar dat park hadden ze zich geamuseerd door ieder meisje dat ze tegenkwamen te beoordelen.

Elander dacht dat het ging om een gewoon biertje na werktijd, misschien in de hand gewerkt door Juha's slechte geweten omdat hij Elander zo veel geld schuldig was. Daarom was hij verbaasd toen hij hoorde wat Tähtinen te vertellen had.

In de eerste plaats zou Elander iedere öre die hij hem had geleend terugkrijgen, binnen veertien dagen nadat Tähtinen terug was van het bezoek aan zijn ouders in Finland.

Elander had hem daar onderbroken en bij wijze van grap gevraagd of zijn collega soms de lotto had gewonnen, waarop Juha grijnsde en zei dat het nog veel beter was. Hij had iets ontdekt. Hij had een troef. Hij zou rijk worden. Hij kon Elander binnenkort iets aanzienlijk leukers aanbieden dan een biertje in de *Kungs*. Misschien konden ze wel met zijn tweeën een weekendje weg, naar een of andere te gekke stad in

Europa, mooi hotelletje, lekker eten, beetje zuipen, paar meisjes versieren? Tähtinen zou betalen en alles zou perfect zijn.

Elander vond Juha's verhaal eerst vooral vermakelijk, maar hoe meer bier ze dronken, hoe duidelijker het hem werd dat het de man ernst was. Toch lukte het hem niet om uit Tähtinen te krijgen waar het allemaal om draaide.

De uren verstreken, het bier vloeide en ze werden allebei dronken. Langzaam maar zeker werd Juha sentimenteel van dronkenschap, en mompelde dat Elander zijn enige echte vriend was, de enige op wie hij kon vertrouwen. De volgende dag zou Elander iets heel belangrijks krijgen om op te passen terwijl Tähtinen weg was. Elander luisterde eerst, maar wuifde het toen weg als dronkenmansgeklets; hij concentreerde zich liever op het kijken naar de meisjes die het restaurant binnen begonnen te druppelen.

Twee dagen later kwam Juha bij Marcus Elander en vroeg of ze samen konden lunchen. Hij had iets belangrijks te zeggen en Elander moest iets voor hem doen. Tijdens het eten had Tähtinen eerst absolute zwijgplicht van hem geëist. Elander was net zo verbaasd als eerst, maar hij begreep dat hij te zijner tijd wel zou horen waar het allemaal om ging.

Tähtinen, normaal heel lomp en direct, was nu zweverig en onzeker in zijn formuleringen. Elander wachtte, geduldig kauwend. Ten slotte was Tähtinen erin geslaagd Elander uit te leggen dat hij over informatie beschikte die ontzettend veel geld waard was. Om wat voor informatie het ging, wilde hij niet zeggen. Elander moest hem op zijn woord geloven. De informatie zou Tähtinen rijk maken en hij herhaalde wat hij twee dagen eerder in het eetcafé had gezegd: Elander zou elke öre die hij Juha geleend had terugkrijgen, uiterlijk veertien dagen nadat Juha terug was van zijn bezoek aan Finland.

Tähtinen friemelde aan een witte C5-envelop die hij van kantoor had meegenomen. Hij schoof de envelop naar Elander en zei: 'Marcus, dit moet je bewaren. Beloof me dat je de envelop in geen geval openmaakt, maar als mij iets overkomt is hij van jou.'

Elander keek hem lang en goed aan. 'Juha, ik begrijp het niet goed...'

'Ik kan het niet beter uitleggen. Het is een soort levensverzekering of hoe je het maar wilt noemen. Als mij iets overkomt, krijg je voor wat er in die envelop zit veel meer dan wat ik je schuldig ben.'

Elander vond het een wat onaangename situatie. Hij had niet zo veel zin om er verder over te praten en hij had al begrepen dat Tähtinen toch niet meer details zou geven. Dus hij knikte alleen, streek met zijn hand over de envelop en zei: 'Het is in orde, Juha. Dit is in goede handen; dat weet je.'

In de bezoekersstoel op het kantoor van Henning Blixt zette Marcus Elander zijn boodschap snel uiteen en zo duidelijk dat Blixt hem met geen mogelijkheid verkeerd kon begrijpen.

Toen Elander had vernomen dat Juha dood was, had hij aanvankelijk niet eens aan de envelop gedacht. Maar na een paar dagen, toen hij de gedachte aan Juha maar niet los kon laten, waren de bieravond en de lunch twee dagen later hem te binnen geschoten. Hij begreep dat het tijd was om de envelop open te maken.

Hij keek Blixt aan. 'U weet waar het om gaat, maar laat me voor de zekerheid de situatie samenvatten.'

Blixt zag Elander alleen nog door een mist en antwoordde niet eens. Zijn telefoon rinkelde, maar hij nam niet op.

Elander hield het kort. Juha had informatie geprint die heel duidelijk aangaf wat voor materiaal hij over Henning Blixt had. Op het papiertje in de envelop zaten een paar korte instructies en links naar een server. Toen Elander op die server inlogde en het materiaal zag dat Tähtinen daarheen had gekopieerd, begreep hij alles. De twaalfhonderd kinderpornofoto's, de logs waaruit bleek dat Blixt ze gedownload had en de informatie die aangaf wanneer hij op kantoor was en wanneer hij ingelogd was: al die bewijzen tegen Blixt waren keurig netjes opgeslagen, niet alleen op de laptop die in de Ålandzee was verdwenen, maar ook ergens op een server. En voor de zekerheid, memoreerde Elander, had hij al deze foto's en gegevens van de server natuurlijk gekopieerd en op dvd's gebrand, die nu veilig opgeborgen lagen in een kluis.

Elander had al snel begrepen dat de waarde van de informatie van Tähtinen niet overeenkwam met de som die Juha hem schuldig was, maar natuurlijk veel groter was. Hij had er een paar avonden aan besteed om uit te denken wat hij in deze situatie moest doen, wat hij te winnen en te verliezen had.

Voor Henning Blixt was deze donderdag een beangstigende herhaling van de dag dat Tähtinen voor de eerste keer op zijn kantoor verschenen was. Maar dit was veel erger. Het afpersingsplan van Elander was veel intelligenter dan dat van Juha Tähtinen. Elander wilde vijf miljoen kronen hebben. Punt uit. Hij was niet geïnteresseerd in de klaagzangen van Blixt, maar hij was slim genoeg om te begrijpen dat hij het geld niet binnen een week zou krijgen. Daarom was hij van plan in het buitenland een fictieve onderneming te beginnen en dan regelmatig facturen naar Blixt privé en naar HMG Finans te sturen, zodanig dat Blixt ze vrij gemakkelijk kon wegmoffelen zonder door de mand te vallen.

Elander eiste geen andere baan in het bedrijf en wilde er zelfs niet blijven werken. Integendeel, hij bood Blixt een ondertekende brief aan waarin hij zijn baan met onmiddellijke ingang opzegde, gedateerd op dezelfde dag waarop hij zijn laatste betaling ontving. Blixt zou toegang krijgen tot de server waarop de foto's en informatie stond. Als hij ze zelf niet kon wissen, zou Elander hem met alle plezier helpen. Bij die gelegenheid werden ook de dvd's met de backups geleverd; ze konden ze samen vernietigen. Dat er niet meer kopieën waren moest Blixt domweg geloven, want het tegendeel was niet te bewijzen. Als ze samen het materiaal van de server hadden gewist en de dvd's hadden vernietigd zou Marcus Elander uit Blixts zicht verdwijnen en zich nooit meer vertonen. Dan waren Blixts problemen voorbij zijn en kon het leven doorgaan. Zeker, het zou even zeer doen, maar Blixt kon er wel tegen. Voor Elander betekende vijf miljoen netto in het buitenland echter een nieuwe start van zijn leven – een gedachte die hij bijzonder verleidelijk vond.

36

Donderdagmiddag in Stockholm. Een heel gewone donderdag, een gewone week, een gewone maand. Een heel gewoon jaar. Soms lijkt het leven een merkwaardige herhaling van zetten. Misschien verbeelden we ons maar dat wat er nu gebeurt precies hetzelfde is als wat er eerder gebeurde, destijds. Meestal is het zo lang geleden dat we niet helemaal zeker weten hoe de dingen precies samenhangen.

Voor Henning Blixt is er maar zo weinig tijd verstreken dat hij wel zeker weet dat dit gesprek met Marcus Elander een herhaling is van het gesprek met Juha Tähtinen. Hij voelt grote vermoeidheid en verdriet. De eerste keer kon hij zich concentreren, denken, plannen maken en uiteindelijk een oplossing voor het probleem vinden. Ditmaal ziet hij geen oplossing.

De nieuwe aanval, die nooit kon komen, treft hem zo plotseling, zo sterk, dat hij niet in staat is ook maar de minste weerstand te bieden, bezwaard als hij al is door alle andere gedachten aan verplichtingen en alternatieve plannen. Henning Albert Blixt – hij begrijpt tot op de dag van vandaag niet hoe iemand zijn kind zo'n naam kan geven – heeft niet nóg een keer de energie, de moed of het vermogen om weerstand te bieden. Hij heeft al veel geld betaald en heeft nog een schuld. Zijn schuld is dat hij iemand anders moet doden omdat iemand Juha Tähtinen voor hém heeft gedood. Een probleem dat hij opgelost waande, is alleen maar vervangen door een ander. Hij kan en durft hetzelfde proces niet nog een keer te doorstaan. Misschien omdat hij begrijpt dat er nooit een eind aan zal komen, ook al probeert hij het. Er zal altijd een Tähtinen zijn die een Elander in vertrouwen neemt, die weer een ander...

Als het alleen maar een kwestie van geld was geweest. En niet van techniek, computers, links, logs, harddisks, mirrordisks, servers, accounts, wachtwoorden, downloads en al die andere dingen die Blixt met zijn intelligentie vast wel kon leren, maar die hij niet hád geleerd.

Nu is het te laat. Uitgeput als een gewond dier zakt hij in elkaar in zijn leren fauteuil wanneer Elander zijn kantoor heeft verlaten, met achterlating van een serie ultimatums en deadlines. Henning wil huilen maar op dit moment kan hij zelfs dat niet. Hij wil naar huis.

Het is nog wat te vroeg op de middag voor een directeur met pretenties om zijn kantoor te verlaten, maar hij gaat – en anders dan op alle andere dagen neemt hij noch de opengeslagen privéagenda noch de stapel met post en vaktijdschriften mee. Hij neemt zelfs de exclusieve leren aktetas niet mee die altijd naast zijn bureau op de grond staat.

Hij voelt of zijn sleutels in de zak van zijn colbertje zitten en dan gaat hij; hij loopt zo de kamer uit, weet dat hij niet terugkomt en op dit moment lijkt dat niets uit te maken, hoewel deze kamer de laatste jaren toch het grote podium van het theater van zijn leven was.

Want misschien is het zo, denkt Henning Blixt, terwijl hij zijn kamer verlaat en langs zijn secretaresse loopt – ze keert zich naar hem toe en ziet er verbaasder uit dan hij haar ooit gezien heeft; ze lijkt haar lippen te bewegen, maar toch hoort hij geen jota van wat ze zegt – dat het hele leven één lang toneelstuk is en dat je als toneelspeler soms moet accepteren dat het stuk opeens wordt stilgelegd omdat het script te slecht is, omdat er geen publiek is, omdat het productiegeld op is, omdat de acteurs ermee ophouden, de regisseur het in de steek laat of omdat het hele theater van de ene op de andere dag afbrandt. Weet hij veel?

Juist op deze donderdagmiddag denkt Monica Ehn ook na over het leven, al doet zich dat in haar hoofd niet direct voor als een toneelstuk. Maar opeens verandert er iets. Terwijl Henning Blixt uit zijn kamer komt, draait Monica zich om en kijkt naar hem. Op datzelfde moment verandert alles toch in een toneelstuk en om voor haar volkomen onbegrijpelijke redenen verdwijnt tegelijkertijd het geluid.

Ze zit eerste rang en heeft dit stuk – of liever gezegd, dit gedeelte ervan – al zo vaak gezien dat ze het onderhand uit haar hoofd zou moeten kennen: de belichting, de handeling, de dialoog. Ze heeft met de gedachte gespeeld souffleuse te worden, omdat ze het hele stuk immers uit haar hoofd kent, en ze heeft zich afgevraagd of ze het ook niet beter had kunnen regisseren dan de echte regisseur.

Maar juist vandaag en juist deze speciale scène onderscheidt zich van alle andere voorstellingen. Haar hersens zijn onder hoge druk aan het zoeken, sorteren, onderscheiden, interpreteren, definiëren waar de fout ligt. Ze komt erachter en ze wil haar hand opsteken om het aan te geven. Haar lippen bewegen, maar het geluid staat uit en ergens registreren haar hersens dat dit – zonder dat ze weet waarom – de laatste voorstelling is. Ze probeert het opnieuw. Haar arm weigert te bewegen.

Nu weet ze wat er mis is. De man die de hoofdrol speelt en die, zoals al duizend keer eerder, de deur uit komt en haar voorbijgaat – ditmaal voor een laatste sortie – is niet zo gekleed als anders en zoals het script feitelijk voorschrijft. Hij heeft geen stropdas meer om en zijn witte overhemd is opengeknoopt, en dat was het nog nooit.

Ze roept weer, maar er komt geen geluid over haar lippen. Ze begrijpt dat ook haar rol uitgespeeld is, dat ze de hoofdrolspeler nooit meer zal zien, dat het stuk is gestaakt. Hier, op het podium van het theater van het leven is het nog steeds donderdagmiddag, hoewel de hoofdrolspeler zich bijzonder merkwaardig gedraagt en die vrouw, die probeert te wijzen, te roepen, te waarschuwen, inzakt tot een onbeweeglijke massa, hoewel ze actiever zou moeten zijn dan ooit. Het is donderdag in het theater van het leven en na duizenden voorstellingen gebeurt er midden in het stuk iets merkwaardigs. Alsof iemand plotseling en respectloos het script herschreven heeft en van alle acteurs eist dat ze de nieuwe versie uitvoeren. Zonder ook maar één repetitie.

Geen Vivaldi meer. Droevige klanken nu, zware klanken.

Wat nu? vraagt Blixt zich af terwijl hij doelloos door alle kamers van zijn villa dwaalt, in de kamers van de kinderen naar hun spullen, hun foto's kijkt. Hij heeft zijn pc voorgoed leeggemaakt. Daarna heeft hij zijn laptop voor de zekerheid met een voorhamer kapotgeslagen, de brokken in een plastic zak gedaan en alles in een hoek van de tuin begraven, op het landje waar ze vooral voor de lol radijsjes en worteltjes verbouwden. Wat nu?

Hij heeft zijn mooiste Mont Blanc-vulpen gepakt en een paar handgeschepte vellen papier van papierfabriek Tumba, met als watermerk het wapen dat hij ooit in Londen heeft laten ontwerpen. Hij is zeker tien keer begonnen aan een brief aan Ellenor, maar heeft de vellen verkreukeld en de proppen in een hoek op de grond gegooid. Ten slotte raapt hij alle proppen op en verbrandt ze in de open haard. Als ze de as vindt

– ze ziet alles – zal ze zich natuurlijk afvragen waarom hij vuur heeft gemaakt. En hoewel de schoonmaakster er vrijwel de hele dag is geweest en alles al blinkend schoon is, gaat hij zelf nog een laatste keer met de stofzuiger op jacht naar onzichtbare kruimeltjes die ze gemist zou kunnen hebben. Het moet netjes zijn als Ellenor en de kleintjes – nee, de kinderen – thuiskomen. Schoon, in alle opzichten.

Een uur eerder is hij van zijn kostbare singlemaltwhisky gaan drinken. Hij voelt dat de alcohol begint te werken, maar weet dat dat in zijn gemoedstoestand ook ergens anders door komt. Hij beseft dat zijn denken en doen steeds minder helder, steeds onlogischer wordt naarmate de tijd verstrijkt. Als hij plotseling een schoonmaakmiddel tevoorschijn haalt en de ramen van de keuken begint te lappen, die nog maar een paar uur eerder schoongemaakt zijn, begrijpt hij dat het tijd is.

Het is lang geleden dat hij zijn kleren zo extreem zorgvuldig heeft uitgezocht, denkt hij terwijl hij zich keer op keer omkleedt. Elk overhemd, elke broek die hij een paar minuten aantrekt om voor de spiegel uit te proberen, wordt minutieus en onberispelijk weer op zijn plaats in de kledingkast teruggehangen.

Dan de definitieve keuze. Sokken, schoenen en boxershorts – allemaal zwart – komen van Alan Reed aan Oxford Street in Londen. Het kostuum – het mooiste dat hij heeft, van zuivere wol, komt van een Indiase kleermaker in Londen, wiens naam hij zich nu in zijn verwarde toestand niet kan herinneren. Maar hij weet nog wel dat het onvoorstelbaar duur was en hij is blij dat het hem nog steeds perfect past. Het overhemd, hagelwit en met panden in een voor Henning ongebruikelijk moderne snit, komt van Jean La Cie in Parijs. De zijden stopdas, discreet maar toch met een lichte glinstering, heeft hij op Fifth Avenue in New York gevonden, evenals de gouden dasspeld.

Hij gaat naar de badkamer, doet de badkamerkast open en haalt er een potje slaappillen uit dat daar al lang onaangeroerd staat. Hij maakt het open, schudt er zo veel pillen uit dat zijn hand vol zit, stopt ze in zijn mond en spoelt ze weg met heel veel water.

Voordat hij het huis verlaat, stopt hij en kijkt heel nauwkeurig om zich heen of hij iets vergeten is. Hij heeft niet de moeite genomen zijn portefeuille mee te nemen. Die ligt samen met de uitgezette mobiele telefoon keurig op de ladekast in de slaapkamer, waar hij hem altijd neerlegt als hij naar bed gaat.

Plotseling gaat de telefoon over. Het geluid is zo sterk dat het door zijn oren snijdt. Hij weet dat het Ellenor is. Hij weet ook dat, als hij zich nu omdraait, alles anders wordt. En niet per se beter. Hij mag zich niet omdraaien. Er is niets om voor om te draaien. Daarom kan hij ook niet naar de telefoon gaan en de hoorn opnemen alleen maar om haar stem nog één keer te horen. De stemmen van de kinderen. Hij wil wel – zijn verlangen is zo sterk dat hij het uit zou willen schreeuwen – maar hij weet dat het niet mag.

Hij blijft staan en telt het aantal keren dat de telefoon overgaat. Dat is vaak. Waarschijnlijk zal ze hierna zijn mobiel bellen, die nu uitgezet en stil in de slaapkamer ligt, in de veronderstelling dat hij in de stad is en auto rijdt of inkopen doet. Misschien zal ze verbaasd zijn, misschien zelfs lichtelijk ongerust, als ze zijn korte voicemailmelding hoort. Die gedachte doet hem pijn, maar hij weet dat ook dit bange vermoeden nu niets kan veranderen. De cd met Beethovens *Schicksalssymphonie* is het enige wat hij meeneemt als hij de deur achter zich sluit en naar de garage loopt.

Eerst gaat hij naar de Mustang, zijn oogappel. Hij laat zijn hand even over de glimmende lak glijden voordat hij de auto start om het mooie, zware geluid van de V8 te horen. De motor pruttelt een paar keer voordat hij tot rust komt in een stationaire dreun en Blixt ruikt een vage benzinegeur wanneer de viervoudige carburateur de acht cilinders geeft wat ze nodig hebben om te blijven draaien. Zonder het licht aan te doen loopt hij om de pas gewassen Jaguar heen, doet het portier open en gaat achter het stuur zitten. Alles voelt zacht en hij is een beetje verbaasd over de gedachten die nu in hem opkomen, nu hij voor het eerst in zijn leven voelt dat hij zich totaal kan ontspannen omdat er niets meer is om bezorgd om te zijn, bang voor te zijn.

Wie een Jaguar koopt, denkt hij, doet dat niet omdat het de grootste, de snelste of zelfs maar de duurste auto is. Wie een Jaguar koopt, gaat gewoon op zijn gevoel en zijn smaak af. Het interieur is smaakvol sober. De stoelen zitten heel lekker – diepe kuipjes, bekleed met handgenaaid leer. Wie liever geen hardhoutinleg in licht esdoorn wil, kan kiezen voor walnoot, en dat heeft hij gedaan. Het gevoel van klassieke Engelse elegantie, denkt hij, is zo sterk dat je de techniek en de uitrusting alleen maar bijna onbewust waarneemt: computergestuurde vering, antispinsysteem, xenon koplampen, parkeersensoren, regensensor, stoelverwarming, airconditioning, stuurbediening voor radio en telefoon, elektrisch verstelbare pedalen, snelheidsgevoelige *forward alert*, bestuurdersinformatiesysteem, elektrisch bedienbare zonwering, satellietnavigatiesysteem, dvd-speler en tv-schermen in de hoofdsteunen.

Het klassieke Jaguar-logo is op veel plaatsen te vinden – ook als startpagina van het navigatiescherm – maar altijd even discreet. In de kofferbak ligt een groene paraplu met gouden Jaguar-logo, een paraplu die Henning Blixt nooit heeft aangeraakt, zelfs niet als hij hem nodig had. Sommige dingen, denkt hij, doe je niet. Sommige dingen raak je niet aan.

Een Jaguar – en zeker deze – is een comfortabele toerwagen voor secundaire wegen. Maar ook een lenige kat die van spelen houdt en flink uitgedaagd wil worden. Met de sportknop ingedrukt zorgt de vierhonderd pk turbo ervoor dat de wielen bij het starten gaan spinnen, totdat het antispinsysteem ze tempert. Van nul tot honderd gaat in ruim vijf seconden. De zestraps, elektronisch gestuurde, automatische versnellingsbak helpt de spinnende kat naar een snelheid van tweehonderdvijftig kilometer door te stormen – dan slaat de elektronische snelheidsbegrenzer aan om te voorkomen dat de droom de dood wordt van de chauffeur of van anderen. Alleen God – en misschien de ingenieurs van de Jaguar – weten hoe hard hij anders zou kunnen.

Plotseling gaan zijn gedachten in een andere richting, en hij hoort zichzelf snikken. Is dit alles waarvoor ik heb gewerkt en zo veel heb opgeofferd? Alleen het materiële? Ben ik het leven zelf vergeten, heb ik mensen in de steek gelaten, ben ik vergeten zelf mens te zijn, alleen maar om hardhout in mijn auto te hebben? Verder wil hij met zijn gedachten niet gaan. Dat is allemaal te pijnlijk.

Hij draait de sleutel om met een langzame maar zeer gedecideerde beweging van zijn hand. Het leven doet iets met ons en het leven heeft iets met Henning Blixt gedaan. Nu hij hier zit en niet meer wil of kan denken, uitstappen, teruggaan, rechtzetten of uitleggen, voelt hij wat het leven met hém heeft gedaan, maar hij kan niet meer nadenken over de eventuele zin die hij daarin zou kunnen bespeuren.

Langzaam schuift hij de cd in de speler. Dit is een van de mooiste stukken die hij kent. Hij leunt achterover, speelt wat met zijn vingers over de knoppen en laat de rugleuning van de voorstoel achterover zakken, veel verder dan hij ooit eerder heeft gedaan. Hij doet zijn ogen dicht en herkent de geuren. Henning Blixt is zijn hele leven gezond geweest en heeft altijd een uitstekende reukzin gehad. De meest herkenbare geur is die van het leer van de stoelen. Hij meent ook de walnoot te ruiken, en dan neemt de stof van zijn kleren het over, discreet begeleid door de geur die hij op heeft gespoten, *Black Code* van Armani.

Er gebeurt iets vreemds in het hoofd van Henning Blixt. Een verplaatsing van de werkelijkheid. Nog steeds met gesloten ogen en nu met zijn handen gevouwen op schoot – hij heeft met zijn vingers de knoppen van de ruiten aangeraakt en die staan nu aan zijn kant en aan de passagierskant open, en hij neemt aan dat het ondanks alles snel zal gaan – voelt hij hoe zijn gedachten zich verwijderen van dit ontspannende, schone, mooie, rustige en welriekende naar iets waar hij eigenlijk nog helemaal geen zin in heeft. Maar kennelijk is hij niet meer degene die beslist. De motor snort zacht en vult de garage met koolmonoxide. De laatste gedachten die door het hoofd van Henning Blixt spelen voordat hij het bewustzijn verliest, gaan over zijn kindertijd.

Hij was vijf, misschien zes jaar, mama en zijn zus waren weg en papa, de papa van wie hij boven alles hield en tegen wie hij opkeek, had voorgesteld om samen in bad te gaan. Dat was net zo fijn en leuk geweest als alle keren daarvoor. Maar toen had papa hem raar aangekeken, zijn hand gepakt en die op zijn lichaam gelegd. Papa had zijn ogen dichtgedaan en rare geluiden gemaakt.

En toen. Het had zo zeer gedaan. Zo vreselijk zeer. Henning had gehuild en later was hij gaan bloeden. Maar hij had er nooit iets over durven zeggen tegen zijn zus of zijn moeder. Die eerste keer niet, en alle keren daarna ook niet.

Daar denkt hij nu aan, terwijl hij eigenlijk veel liever aan mooie dingen wil denken, zoals zijn kinderen, zijn vrouw, al het goede dat het leven hem ook gegeven heeft en alle goede mensen die hij heeft mogen ontmoeten. In zijn versufte toestand verbaast hij zich erover dat er tranen over zijn wangen lopen en dat zijn lippen zout aanvoelen – misschien omdat het zo lang geleden is dat hij echt gehuild heeft dat hij vergeten is hoe dat smaakt. Dan sterft hij. De *Schicksalssymphonie* klinkt nog steeds uit de luidsprekers.

37

Alice Banks zat vol haat in haar huis. Ze was al drie jaar vervuld van haat, maar nu drong zich een nieuwe haat op, die zich boven op de oude legde als een zware, natte deken, en haar gevoelens versterkte. Er waren dagen dat ze bang was voor zichzelf. Zoals vandaag. Ze zat zo vol haat, dat ze soms een snijdende pijn in haar borst voelde. De haat maakte dat ze nachtmerries had en midden in de nacht zwetend wakker werd. Als het overdag op zijn ergst was, gebeurde het wel dat ze dingen tegen de muur gooide of het uitschreeuwde. Het verlangen naar wraak smeulde in haar lichaam.

Er waren twee mannen, of liever een man en een tienersnotneus – en misschien ook een vrouw – die ze het liefst dood zou willen zien.

Ze keek in de spiegel. Ze was zevenenveertig jaar en zag er volgens anderen heel goed uit voor haar leeftijd. Je zou niet zeggen dat ze boven de veertig was. Haar haar was blond en lang en ze had een mooi, levendig gezicht met felblauwe ogen. Door haar slanke figuur draaiden mannen zich naar haar om en in de loop der jaren had het haar niet ontbroken aan complimenten en oneerbare voorstellen. Maar of ze wel of niet aantrekkelijk was voor mannen, vond ze niet belangrijk. Ze haatte mannen en was ervan overtuigd dat ze allemaal hetzelfde waren. Ze waren egoïstisch, leugenachtig en gefixeerd. Laf en bereid om te liegen of te vleien, te verleiden of te dwingen om zichzelf een betere uitgangspositie te verwerven. En om seks te krijgen natuurlijk.

Ze begreep mannen niet meer en ze had geen belangstelling meer voor hen, behalve dan dat ze er graag een paar dood zou zien. Alice vond het op dit moment moeilijk zich voor te stellen dat ze ooit weer met een man zou samenleven of zelfs maar in zijn fysieke nabijheid zou zijn. Ze was getekend, en het feit dat bitterheid en haat in haar hart de plaats van de liefde hadden ingenomen maakte haar bang.

Ze trok haar vest aan om aan de lange wandeling te beginnen die ze placht te maken om haar gedachten te sorteren, helder te krijgen. Om niet gek te worden.

Ze liep altijd dezelfde route. Vanaf haar huis naar Wakefield, waar ze linksaf ging en snel doorliep. Het kostte haar maar een paar minuten om bij het Arthur Davis Park bij Bramble Bay te komen. In het park stond ze altijd even stil, deed haar ogen dicht en snoof de geuren van de zee op, terwijl ze bepaalde of ze naar het noorden of naar het zuiden zou wandelen. Meestal werd het het zuiden. Die iets kortere wandeling over Lovers Walk gaf haar een beter gevoel, ook al vond ze dat de naam tegenwoordig eerder een belediging voor haar was.

Ze liep het hele stuk naar Palm Avenue, ging in het gras over de zee uit zitten kijken en dezelfde dingen denken die ze al duizenden, tienduizenden, misschien zelfs wel miljoenen keren had gedacht. Het waren geen goede gedachten. Geen vruchtbare gedachten.

Als ze daar een halfuur, een uur of anderhalf uur met haar boek had gezeten – dat hing helemaal van haar stemming van dat moment af – dan ging ze terug, meestal via dezelfde weg. Maar soms, als ze extra gedeprimeerd was of haast had om thuis te komen, nam ze Palm Avenue naar Rainbow, volgde die tot Lunn Street en nam vandaar de bocht naar Sandgate Second Lagoon Reserve, het park waar ze alleen maar doorheen hoefde te lopen om thuis te komen.

Op Lunn Street welden haar gevoelens altijd hevig op. Ze kon niet nalaten naar de Sandgate State School te kijken, waar Victoria zo veel gelukkige jaren op had doorgebracht. Daarentegen kon ze zich er nooit toe brengen over Board Street naar het westen te wandelen en na een tijdje de Sandgate District State High School te zien. Haar hart sloeg altijd sneller wanneer ze dacht aan de jongen die het voorwerp van haar haat was en die daar nog steeds op school zat.

Nu haastte ze zich rusteloos langs het meertje in het park en in hoog tempo weer terug naar Sutton. Ze ging naar binnen, deed de deur op slot, leunde ertegen en sloot haar ogen.

Sandgate was een rustige voorstad, zestien kilometer van de zakenwijk van Brisbane, en veel van de zevenduizend inwoners vonden dat precies de goede pendelafstand. De gemeente presenteerde zich als een plaats met een ruim aanbod van sport- en vrijetijdsactiviteiten, een plek waar mensen aardig waren voor elkaar en voor vreemden. Nee, Sandgate was bepaald niet slecht als je heel dicht bij Brisbane, Australië, wilde wonen.

Alice Banks deed haar ogen open. De wereld was er nog, precies zoals toen ze tegen de deur aan leunde en haar ogen sloot.

Ze ging altijd op dinsdag, donderdag en zondag, anders zaten er te veel dagen tussen de bezoeken. Het liefst zou ze elke dag naar Victoria toe gaan, maar ze was langzaam maar zeker gaan inzien dat dat geen nut had.

Wanneer ze door Sandgate reed, dacht ze: in Sandgate ben ik thuis. Ik ben hier geboren en getogen en ik ben hier teruggekomen. Dit is een plaats waar je echt je hele leven kunt wonen en gelukkig zijn. Waarom mocht ik dat niet? Ze had overwogen het huis te verkopen en een flat in Brisbane te nemen. Maar haar huis was nu nog haar enige zekerheid en ze hoopte nog altijd dat Victoria weer thuis kwam.

Drie jaar geleden nog maar was Alice Banks zo gelukkig als een vrouw maar zijn kan. Toch? De afgelopen jaren had ze heel wat gefilosofeerd over wat geluk eigenlijk is. Haar conclusie was dat er geen eenduidig antwoord is op de vraag hoe een gelukkig leven eruitziet. Maar één ding wist ze zeker. Op een middag, drie jaar geleden, ging een groot deel van haar leven kapot en zes maanden geleden werd het verpulverd tot een zinloos niets.

John en zij hadden elkaar ontmoet op een bal in Brisbane toen zij 27 was en hij 30. John was oliemakelaar en het ging hem goed. Alice had een degelijke handels-en-economieopleiding gevolgd. Na haar studie had ze geproefd aan allerlei beroepen, totdat ze voelde dat ze het had gevonden. Haar ouders en haar vrienden hadden verwacht dat Alice zou mikken op de top van een of ander groot concern – en die ook zou bereiken. Daarom waren ze verbaasd toen ze euforisch vertelde dat ze in een boekhandel in Brisbane ging werken.

Alice wist dat al haar baantjes daarvoor maar tussenstations waren geweest. Ze hield al van boeken sinds haar moeder haar sprookjes was gaan voorlezen, ze had haar hele jeugd literatuur verslonden en als tiener was ze ervan gaan dromen iets met boeken te mogen doen. Na de universiteit was ze naar Brisbane verhuisd en het eerste jaar had ze een flat gedeeld met een vriendin. Toen ze vast werk kreeg, had ze haar eigen flat gekocht en zich voor het eerst echt vrij en volwassen gevoeld.

Acht maanden nadat ze John Banks had ontmoet, verhuisde ze naar zijn exclusieve woning in de buurt van de zakenwijk van Brisbane. Nog een paar maanden later verklaarde Alice dat ze John Banks in lief en leed zou liefhebben, tot de dood hen zou scheiden. Voor Alice was elke nieuwe dag een dag van liefde, liefde voor John en liefde voor haar werk. Slechts twee dingen hadden beter gekund. Ze hadden kinderen kunnen krijgen. En de boekhandel had van haar kunnen zijn.

Ze vertelde John over haar droom om boekhandelaar te worden. John lachte vol begrip. Hij kende haar liefde voor boeken, hij wist hoe gedreven en creatief ze was en hij zag dan ook niet in hoe zo'n project zou kunnen mislukken. Een paar dagen later overlegden ze met een bank. Minder dan twee maanden daarna was de boekhandel van eigenaar veranderd. Op de nieuwe, neonverlichte uithangborden stond nu BANKS BOOKS.

Alice was gelukkig en trots, en werkte hard om de zaak nog beter te maken dan hij al was. In twee jaar tijd bereikte ze een verveelvoudiging van de omzet. Ze begon een afdeling Managementliteratuur en ging bedrijven actief benaderen om boeken aan hen te mogen leveren. Ze organiseerde thema-avonden, boekentafels, middernachtelijke uitverkopen en voerde een klantenkaart in die recht gaf op korting. Dankzij haar inzet werd Banks Books de populairste en vermaardste boekhandel van Brisbane.

Een financieel dagblad riep haar uit tot 'zakenvrouw van het jaar', ze trad op in een paar tv-shows en was een veelgevraagd spreker bij allerlei organisaties, van professionele instellingen tot vrouwenverenigingen.

Toen Victoria geboren werd, leek het leven beter dan ooit. Alice bleef thuis bij de baby. Ze had een groep zo deskundige en loyale medewerkers dat ze gerust op hen durfde te vertrouwen. Ze werkte nog altijd een paar boeken per week door, al waren de enige momenten waarop ze nu tijd had om te lezen de uren waarin Victoria sliep of de enkele keren dat John met haar in de kinderwagen ging wandelen.

De zaken gingen goed voor John. Hij klom op in het bedrijf, kocht zich erin en begon nog meer geld te verdienen. Na de geboorte van Victoria had Alice behoefte om terug te gaan naar Sandgate. Ze wilde een huis in de buurt van de zee. Natuurlijk waren er heel wat andere, chiquere voorsteden, maar voor Alice was Sandgate jeugd, veiligheid en... zee.

John had er niets op tegen. Integendeel, de keren dat ze naar Sandgate waren gereden om haar ouders te bezoeken en over Lovers Walk te wandelen, had hij gezegd dat hij van deze buurt hield en zich best kon voorstellen daar te wonen. Het duurde niet lang of ze vonden het huis aan Sutton Avenue. Het was een voor Sandgate heel typerend, al wat ouder houten huis met vijf slaapkamers, een woonkamer, een salon, een keuken, twee badkamers en een ruime kelder. Het was rustig gelegen en je wandelde in een paar minuten naar de zee. Ze lieten het huis tamelijk exclusief renoveren voordat ze erheen verhuisden. Een van de slaapkamers werd omgebouwd tot een kantoor dat ze moesten delen, maar dat om begrijpelijke redenen vooral door Alice werd gebruikt.

Ze huurden een vrouw van een jaar of vijftig in, Mrs. Welsch, voor de was en het huishouden en om voor Victoria te zorgen. Daardoor had Alice ook tijd om zich aan haar boekhandel te blijven wijden. Hoeveel ze ook van Victoria hield en hoe graag ze ook nóg een kind wilde, Banks Books wilde ze absoluut niet loslaten. Op maandag en vrijdag gingen Alice en Mrs. Welsch met de auto naar Brisbane. Terwijl Mrs. Welsch lange wandelingen met de kinderwagen maakte en boodschappen deed, had Alice tijd om inkoop, verkoop, bedrijfsvoering en marketingstrategieën te bespreken met de managers van de boekhandel.

De boekhandel handhaafde zich als de beste van Brisbane, maar Alice wist dat ze de teugels niet mocht laten vieren, dat er altijd wel iemand was die de leiding wilde nemen en de zaken wilde omgooien. Daarom zag ze erop toe dat de klanten de kans kregen bij Banks Books bekende schrijvers te ontmoeten, even een praatje met hen te maken en hun zojuist gekocht boeken te laten signeren. Ze investeerde veel in marketing, opende een café in de winkel en zorgde ervoor dat de klantentoiletten en de verschoonruimte daarnaast altijd fris waren. De klanten moesten het naar hun zin hebben en er niet eens aan dénken ergens anders heen te gaan.

Het eerste wolkje aan de hemel verscheen een paar jaar later, toen Victoria net drie jaar was geworden. Alice verlangde naar nog een kind; John en zij hadden het besproken. John hield van Victoria en was ontzettend trots op haar. Maar dat verhinderde niet dat ook hij meer kinderen wilde hebben, en wel – benadrukte hij glimlachend – bij voorkeur meisjes. Dat was het begin van wat Alice schertsend 'het project kinderproductie' noemde. Ze vrijden veel vaker dan voorheen. Maar Alice raakte niet in verwachting. Ze kreeg wel buikpijn.

In het begin kwam de pijn niet zo vaak en was hij een beetje zeurend. Maar na een paar weken werd de pijn erger en regelmatiger. Alice ontdekte ook dat ze af en toe bloedingen kreeg.

Op een avond toen John en zij iets vroeger dan gewoonlijk naar bed waren gegaan om nog even te kunnen lezen, zei ze: 'John, er is iets mis.'

Hij keek haar aan. 'Wat is er mis, schat?'

Ze legde het uit en hij werd ongerust. Ze stonden op, trokken hun ochtendjassen aan en gingen naar de keuken om thee te zetten. Onderweg deden ze voorzichtig de deur van Victoria's slaapkamer open. Het meisje met de goudblonde krullen lag veilig tussen alle knuffeldieren in haar bed. Ze sliep en haalde rustig en diep adem terwijl ze een van haar favoriete knuffels omhelsde. Alice boog zich over het bed en kuste haar zacht op haar wang. John boog ook voorover en streelde het meisje over haar haar.

Hij keek naar zijn vrouw en fluisterde: 'Stel je voor, dat hebben wij helemaal zelf gemaakt...'

Alice glimlachte in het halfdonker naar hem. Zwijgend gingen ze de kamer uit naar de keuken en zetten thee. Ze zaten lang te praten.

Het onderzoek in de vrouwenkliniek van Brisbane was allesbehalve aangenaam voor Alice. Het werd gevolgd door een nerveuze week, waarin Alice vooral thuis liep te ijsberen in afwachting van het resultaat. Toen kwam het telefoontje uit het ziekenhuis. Alice en John werden naar het ziekenhuis geroepen voor een gesprek met de chef-arts.

Dokter Grove was, zo te zien, een man van in de vijftig. Hij was lang, slank, had kortgeknipt, grijs haar en grijze ogen. Hij vouwde zijn handen en keek het echtpaar Banks aan: 'Mrs. en Mr. Banks, ik zou willen dat ik beter nieuws had, maar ik zal maar ronduit zeggen hoe het is. Uit het onderzoek blijkt dat u baarmoederkanker hebt, Mrs. Banks.'

Grove stond op, pakte een pen en liep naar de röntgenfoto's die tegen een lichtbak aan de muur hingen. Hij wees met de punt van zijn pen op een donkere plek en trok een cirkel om een ovale vlek die Alice haatte zodra ze wist wat hij betekende.

John kuchte. 'Is het... ernstig?' Hij bloosde meteen om de domheid van die vraag.

Grove knikte en keek naar Alice. 'Mrs. Banks, de medische wetenschap kan tegenwoordig veel meer gevallen van kanker – en verschillende soorten kanker – genezen dan een paar jaar geleden. Maar het is toch een zeer ernstige ziekte, met veel onzekere factoren. Sommige ziekten hebben de neiging na de behandeling terug te komen, en kanker is er een daarvan. Hij zweeg even en vervolgde toen: 'Mrs. Banks, was u van plan om nog meer kinderen te krijgen?'

Ze knikte.

'Ik begrijp het. Ik ben bang dat ik u nu ga teleurstellen. Maar binnen enkele dagen moeten we uw baarmoeder operatief verwijderen. Het spijt me...'

De tranen sprongen Alice in de ogen. Geen zusje of broertje voor Victoria. Niet nog iemand die haar en John op een mooie dag misschien kleinkinderen zou schenken...

John greep haar hand nog steviger beet, gaf haar een zakdoek en fluisterde: 'Niet huilen, schatje, we kunnen een kind adopteren...'

Alice verloor haar zelfbeheersing. 'Ik wil niet adopteren, ik wil een kind van mezelf! Ik wil geen kanker! Ik wil niet doodgaan! Haal het uit me, haal het nu meteen uit me weg!'

De tranen stroomden haar over de wangen en ze leunde moedeloos tegen haar man aan. John omhelsde haar stevig en dokter Grove keek hen aan met diep medelijden in zijn ogen. Op zulke momenten verafschuwde hij zijn werk en vroeg hij zich af waarom hij ooit medicijnen was gaan studeren.

Drie dagen later verwijderden Grove en zijn team de baarmoeder van Alice Banks. De operatie verliep volgens plan en Alice mocht het ziekenhuis na een paar dagen verlaten. Ze wist dat ze in de toekomst veelvuldig gecontroleerd moest worden en dat ze moest leven met de vrees dat de kanker terug zou komen. Alice voelde zich wel opgelucht, maar het verdriet dat ze nu het kind niet zouden kunnen krijgen dat ze gepland hadden en waarnaar ze zo verlangden, kreeg toch de overhand en een paar maanden lang was ze zo gedeprimeerd dat ze zelfs geen belangstelling had voor haar boeken.

Alice besefte echter dat ze nu twee dingen moest doen. Haar verdriet verwerken, erop vertrouwen dat de tijd alle wonden heelt en dan doorgaan met haar leven, hun leven. De grootste troost was de gedachte dat ze toch al de meest fantastische dochter van de wereld hadden.

Het kostte Alice Banks bijna een jaar voordat ze terug was in wat ze zelf zou hebben omschreven als haar normale situatie. Ze begon langzaam maar zeker weer te werken; John en zij namen weer uitnodigingen voor etentjes aan die ze lange tijd hadden afgewimpeld omdat Alice het nog niet aan kon om gezellig en sociaal te zijn of zelfs alleen maar andere mensen te ontmoeten. De tijd verstreek, en misschien heelt de tijd alle wonden, in elk geval zodanig dat je er zonder pleisters mee leert leven, merkt dat ze mettertijd wat minder zeer gaan doen, en ontdek je tot je verbazing dat je er al een paar weken of maanden niet meer aan gedacht hebt. Misschien.

Alice wist niet goed of het verbeelding was of dat haar seksuele behoefte niet meer zo groot was als voorheen. Ze nam maar zelden het initiatief en er verstreek meer tijd tussen de keren dat ze seks hadden. Maar John had niet geklaagd; hij nam ook niet meer zo vaak het initiatief en misschien was seks gewoon niet in alle levensfasen even belangrijk.

In de tien daaropvolgende jaren, tot aan die middag die ze nooit zou vergeten, gebeurde er niet zo veel. Dat dacht ze in ieder geval toen ze later probeerde te begrijpen hoe het zo mis had kunnen gaan. Maar natuurlijk was er wel van alles gebeurd. Zowel Johns ouders als de hare waren overleden. Haar vader en moeder hadden verschillende soorten kanker gekregen, wat voor Alice beangstigende herinneringen opriep aan wat ze zelf had meegemaakt.

Johns vader had tijdens een wandeling een hartaanval gekregen, was op het asfalt gevallen en gestorven. Zijn moeder had later een beroerte gekregen, die ze wel overleefde, maar die werd gevolgd door een hartinfarct en daarna nog een beroerte. Alice had een tijdje het gevoel gehad dat ze niets anders deden dan verdriet hebben en naar begrafenissen gaan.

Maar er was in die tien jaar natuurlijk ook veel moois gebeurd. Victoria ontwikkelde zich tot een steeds boeiender en interessanter mens. Ze was een kittig, vrolijk meisje dat van het leven hield, en toen het tijd was om naar school te gaan, bleek dat ze dat ook graag deed.

John was succesvol. Hij was doelbewust bezig zich verder in de oliemakelaardij in te kopen en zo langzamerhand bezat hij een derde deel. Het bedrijf deed het goed in de internationale oliearena; het geld stroomde binnen.

Alice bleef haar boekhandel verder ontwikkelen en opende twee filialen in voorsteden van Brisbane. In haar fantasie droomde ze ervan een keten van Banks Books aan te leggen in heel Australië. Aan de andere kant had ze het gevoel dat ze niet het onderste uit de kan moest willen halen, maar er genoegen moest nemen dat het hier in Brisbane zo goed ging.

In de loop der jaren had ze af en toe wel eens gedacht aan adopteren, maar daar kon ze zich toch niet mee verzoenen. John had de kwestie ook een paar keer ter sprake gebracht, maar ze had het idee dat hij dat alleen voor haar deed. Ze wist dat hij net zo graag nog een kind – of kinderen – had willen hebben als zij, maar hij wekte niet de indruk dat adoptie een van zijn grootste wensen was.

'Nee, John, ik voel er niet voor. Ik wil kinderen van mezelf hebben, niet van een ander,' had ze geantwoord, die keren dat het ter sprake kwam.

Daarmee was de zaak afgedaan. Nieuwe interesses en hobby's hadden de plaats in hun leven ingenomen die een ander kind anders zou hebben gekregen. Ze hadden meer tijd besteed aan buitenactiviteiten naarmate Victoria groter werd en er meer profijt van had. Hun sociale leven was actiever geworden en ze waren heel wat gaan reizen. Tegelijkertijd ging het met Johns carrière nog sneller voorwaarts en plotseling bezat hij de helft van het bedrijf. Hij legde Alice uit dat dit, en zijn ambitie om het bedrijf tot een nog grotere speler op de wereldmarkt te maken, meer van hem zou vergen, in elk geval een paar jaar. Alice had daar alle begrip voor. Zij was net zo bevlogen als hij, en bovendien had ze haar handen vol aan de boekhandel, Victoria en haar eigen vriendenkring. Alice was niet iemand die haar man wilde beletten zo veel uren te werken als hij meende te moeten. Maar, had ze later vaak gedacht, misschien had ze dat nu juist wél moeten doen.

38

Die middag. Die donkere, akelige middag die een bijzonder drama voor Alice zou worden. Het was een uur of twee geweest. Ze had boeken staan ordenen op een tafel waar ze bestsellers op een opvallende manier uitstalden door ze in hoge, maar wel nette stapels te leggen onder bordjes in fluorescerende kleuren met stuntprijzen erop.

Toen een van de verkoopsters, Sally, naar haar toe kwam, keek ze op. 'Er is hier iemand die naar u vraagt, Mrs. Banks.'

Alice keek vragend. Sally ging opzij en liep weg, en toen zag Alice de jonge vrouw. Ze was waarschijnlijk zo tussen de vijfentwintig en dertig jaar. Ze was iets groter dan Alice, slank, had donker, lang haar en bruine ogen. Haar gezicht was mooi geproportioneerd, ze was precies goed opgemaakt en smaakvol gekleed. Ze droeg een witte bloes waarvan de bovenste knoopjes open waren, met een gouden broche bij de kraag, een heel strakke, zwarte jurk tot op de knieën, zwarte kousen en hoge hakken. Vast Italiaans, dacht Alice glimlachend. Of... ja, ze konden ook Spaans zijn, die schoenen. Mooi. Ze bedacht dat haar eigen voorraad mooie schoenen gedecimeerd was en dat ze daar iets aan moest doen. Maar je moest er tijd voor hebben, en boeken gingen immers voor bijna alles.

Het was vast een nieuwe klant – Alice was ervan overtuigd dat ze de vrouw nog nooit eerder had gezien – die bij het vinden van het juiste boek hulp van Alice persoonlijk wilde. Een cadeautje zeker. In de loop der jaren had Alice een speciaal zintuig ontwikkeld om klanten snel te kunnen beoordelen en op de juiste manier tegemoet te treden. Ze was er steeds handiger in geworden en ten slotte werd het een uitdaging te raden wie ze voor zich had, nog voordat de betrokkene een mond had opengedaan.

Maar het gezicht van de vrouw stond ernstig en had iets verdrietigs. 'Mrs. Banks, mijn naam is Susan Sheridan...'

Alice glimlachte. 'Aha, welkom bij Banks Books. Als ik u kan helpen te vinden wat u zoekt –'

De vrouw onderbrak haar, zacht maar beslist. 'Nee, ik zoek geen boek. Ik zou even met u willen praten.'

Alice glimlachte opnieuw en spreidde haar armen uit. 'Dat kan, hier ben ik!'

'Ik denk dat het beter is als we onder vier ogen kunnen praten.'

Alice was verbaasd. De vrouw kon geen verkoper van een uitgeverij zijn; in dat geval zou ze haar komst van tevoren hebben aangekondigd. Zou ze een ander bedrijf vertegenwoordigen? Maar ze zag er niet uit als een verkoper.

'Mag ik vragen waar het over gaat? Ik heb het nogal druk en als –'

'Ik wil helemaal niet praten over deze winkel en als u gehoord heb waar ik voor kom, zult u het begrijpen. Ik zou het fijn vinden als we onder vier ogen kunnen praten.'

Alice voelde zich plotseling onbehaaglijk, maar was ook nieuwsgierig. Kennelijk was er maar één manier om erachter te komen wat de vrouw wilde. Ze knikte. '*All right*, laten we naar mijn kantoor gaan.'

Zonder antwoord te verwachten, draaide ze zich om en liep weg. De vrouw volgde haar het kantoor in en deed de deur achter zich dicht. Alice liep om haar bureau heen, gaf met een gebaar aan dat de vrouw in de bezoekersstoel kon gaan zitten en ging daarna zelf zitten.

'Zo, Mrs... was het Sherish?'

'Susan Sheridan,' antwoordde de vrouw. 'En het is nog miss.'

Alice glimlachte. 'Ik begrijp het. Ja, miss Sheridan...?'

'Mrs. Banks, dit is vreselijk vervelend voor mij en ik vind het moeilijk om het onder woorden te brengen, maar het gaat om uw man.'

Alices glimlach verstijfde. 'Over John? O jee, er is toch niks gebeurd? Bent u van de politie of zo?'

'Nee, ik ben niet van de politie. Ik werk bij Johns bedrijf en ik...'

Alice keek haar vragend aan. John had nooit een woord gezegd over een Susan Sheridan, dat wist ze heel zeker, dus de vrouw had waarschijnlijk geen erg hoge functie. Aan de andere kant hadden ze nu wel meer dan zestig werknemers.

'Mrs. Banks, ik heb een verhouding met uw man.'

Alice was een paar seconden met stomheid geslagen. Was die jonge vrouw tegenover haar niet goed snik? Ze kon niet helpen dat ze in de lach schoot. 'Een verhouding met... John? Sorry, miss Sheridan, maar dat moet een misverstand zijn. Weet u zeker dat u bij de goede persoon bent?'

De vrouw zuchtte. 'Ja, ik weet het zeker. Wat ik u nu vertel, zal u vreselijk kwetsen en u zult me waarschijnlijk haten als ik hier wegga, maar ik heb geen keus. Het moet nu afgelopen zijn!'

Alice voelde zich vanbinnen helemaal koud worden. De jonge vrouw tegenover haar leek heel beheerst goed te weten wat ze zei. Maar toch. De gedachten tolden door haar hoofd. Ze hield van John, boven alles, en hij hield van haar en deed alles voor haar en Victoria. Hoe zou John in vredesnaam een relatie met een ander kunnen hebben zonder dat zij er iets van gemerkt had, en vooral: waarom? Alice had hem altijd alle liefde gegeven die ze had en...

Ze begreep er niets van en haar glimlach was allang verdwenen. Er hing een onaangename spanning in de lucht en er was maar één manier om alle vragen weg te nemen. Ze deed haar best om kalm te klinken, ook al was haar hartslag hoog. 'Ik luister, miss Sheridan.'

De vrouw aarzelde een paar tellen. Alice zag dat ze nerveus in haar handen wreef, op schoot. 'John en ik hebben een verhouding en die duurt al vrij lang. Ik hou van hem, hij houdt van mij en ik weet dat hij opnieuw wil beginnen, een nieuw leven wil beginnen, samen met mij. Ik heb hem al vanaf de eerste dag gevraagd het u te vertellen of in elk geval een scheiding aan te vragen, ook als hij niet over mij vertelde. Het is afschuwelijk de tweede vrouw te zijn. Ik mocht me nooit samen met hem vertonen, kon lang niet zo veel tijd met hem doorbrengen als ik wilde... En u hebt geen idee hoe vaak ik niet een slecht geweten had als ik aan u en aan Victoria dacht...'

Alice werd woedend en haar woorden dropen van het sarcasme. 'Ach, wat verschrikkelijk attent van u, miss Sheridan. En dat slechte geweten is pas ontstaan toen u al met mijn man naar bed was geweest, neem ik aan?'

'Alstublieft, maak dit niet moeilijker voor ons dan het al is. Ik heb begrip voor uw gevoelens, maar u moet ook begrijpen dat dit voor mij niet makkelijk is.'

'Miss Sheridan, op dit moment vind ik het vreselijk moeilijk sympathie voor u te voelen. Ik heb zware jaren achter de rug en kennelijk hebt u zich in die tijd vermaakt met seks met mijn man. Ik vind –'

De vrouw begon nu op vastberaden toon te praten: 'Of u luistert naar wat ik te vertellen heb, of ik ga hier weg. En vergeet niet dat uw man dit eigenlijk aan u zou moeten vertellen, niet ik!'

Haar woorden voelden als een draai om haar oren en Alice begreep dat er wat in zat.

'Ga door!'

Susan Sheridan keek haar recht in de ogen en vervolgde: 'Het gaat niet om seks. Als ik seks wil, kan ik die moeiteloos krijgen, en ook met mannen die aanzienlijk jonger zijn dan John, geloof me. Nee, Mrs. Banks, het gaat om liefde. Ik hou intens veel van John en ik weet dat hij van mij houdt. We willen samenleven!'

Alices hart bonsde. 'Hoelang...?'

'Bijna op de kop af drie jaar.'

Alice dacht dat ze zou flauwvallen.

'Ik kan u bijna niet geloven. Hoe zou John dat zo lang geheim hebben kunnen houden?'

Nu glimlachte de vrouw somber. 'Een klassieker, zou je dat kunnen noemen. Het is u misschien opgevallen dat John de afgelopen jaren veel meer uren maakte dan vroeger, vooral 's avonds en in de weekends? In die uren was hij in mijn flat of we ontmoetten elkaar heimelijk in restaurants waar de kans om een bekende tegen te komen klein was. U dacht misschien ook dat John de afgelopen jaren veel meer reisde dan voorheen. Ik was op al die reizen bij hem, Mrs. Banks. Naar Perth, Melbourne en Sydney. Naar Los Angeles, New York, Parijs en Londen. Ik heb alle vliegtickets nog en souvenirs uit alle steden, zeepjes uit alle hotels...'

Alice stak haar hand op. 'Dat is wel genoeg, meer wil ik niet horen!'

'Maar ik ben nog niet klaar, Mrs. Banks, en ik wil dit afmaken. Zoals gezegd: ik heb John wel duizend keer gevraagd zijn huwelijk te beëindigen, zodat wij samen een fatsoenlijk leven konden leiden. Ik voelde me bemind, maar toch ook minderwaardig, en daar kan ik niet meer tegen. John beweert dat een scheiding uw dochter Victoria kapot zou maken en dat hij daarom wil wachten tot ze ouder is. Maar ik heb geen tijd om te wachten.'

Alice voelde de razernij weer in zich opkomen. 'Geen tijd? Miss Sheridan, het lijkt erop dat u uw best hebt gedaan om het leven van een gezin dat eigenlijk heel gelukkig was, te verwoesten. Misschien is John in een periode van zwakheid voor uw verleiding bezweken en, weet ik veel, er zijn misschien meer jonge vrouwen in zijn leven geweest dan u. Maar daar hebben noch mijn dochter noch ik dan weet van gehad of onder geleden, en ik vind dat het klinkt alsof John en u heel verschillende ideeën hadden bij dit spelletje. Als John ons had willen verlaten om met u samen te leven, had hij dat vast wel gedaan; niets stond hem in de weg. Maar ik geloof niet dat het zo zit. John houdt van mij en hij houdt van Victoria.'

Alice voelde dat ze een troef in handen had. Wie was die sloerie die haar winkel binnen waagde te komen, de brutaliteit had haar te vertellen dat ze het met haar man aangelegd had en die nu bovendien kletste dat ze geen tíjd had?

Alice vervolgde fel: 'Misschien had John behoefte om zichzelf op te vrolijken met wat jong vlees in bed, misschien heeft hij een midlifecrisis, weet ik veel. U moet misschien overwegen u heel stilletjes terug te trekken, voor de verandering de minnares van iemand anders te worden en gewoon uit ons leven te verdwijnen! Maar u komt hier en wilt het leven van drie mensen verwoesten. En op de koop toe hebt u het lef te zeggen dat u geen tijd hebt om te wachten! Wat verwacht u dat ik –'

'Mrs. Banks, ik ben zwanger! Ik ben in verwachting van een kind van John en mij!'

39

Alice stond in de keuken, zette koffie en dacht aan wat er gebeurd was. De tijd na de scheiding was in alle opzichten afschuwelijk geweest.

Nog afgezien van het feit dat hun leven kapot was gemaakt, kon ze gewoon niet over Johns verraad en zijn lafheid heen komen. Niet alleen was hij haar achter haar rug om drie jaar ontrouw geweest terwijl hij haar intussen omhelsde, kuste en seks met haar had – de gedachte dat hij afwisselend bij die andere vrouw en in haar eigen lichaam was binnengedrongen maakte haar fysiek misselijk – hij was ook nog te laf geweest om het haar zelf te vertellen en hun relatie te beëindigen.

De ontmoeting in de boekhandel was snel en onplezierig afgesloten. Toen Alice bij haar positieven was gekomen nadat ze gedurende wat een eeuwigheid leek – maar wat in werkelijkheid maar een paar seconden waren – door duisternis was overvallen, was ze getroffen door een emotionele storm zoals ze nog nooit had meegemaakt. Ze voelde dat ze wilde huilen, schreeuwen, die andere vrouw slaan. Ze moest overgeven. Ze had kramp in haar buik en er kwam een zware hoofdpijn opzetten. Uitzinnig van woede had ze Susan Sheridan gezegd haar kantoor en de zaak te verlaten.

Sheridan had nog een laatste poging gedaan: 'Mrs. Banks, ik begrijp dat het vreselijk voor u is, en voor mij is het ook niet gemakkelijk. Maar we kunnen toch in elk geval proberen enigszins fatsoenlijk met elkaar te praten?'

Alice voelde toen alleen nog maar pure haat. De sloerie had haar leven en dat van Victoria kapotgemaakt. Ze moest eruit. 'Ik wil u nooit meer zien! Verdwijn!'

Sheridan had haar kantoor verlaten zonder nog een woord te zeggen.

Alice was lang in haar stoel blijven zitten, niet in staat om te denken, wankelde ten slotte naar haar privétoilet, deed de deur op slot en gaf over. Ze had tegen het personeel gezegd dat ze opeens misselijk was geworden – misschien een aanval van griep – en dat ze naar huis moest. Toen ze thuiskwam, wist ze niet meer welke weg ze had genomen en later dacht ze dat het niet onwaarschijnlijk was dat ze te hard had gereden en een paar keer door rood licht was gegaan.

Hoe vertelde je een veertienjarig meisje dat haar vader het gezin wilde verlaten voor een andere, aanzienlijk jongere vrouw en dat hij bovendien een kind van haar kreeg? Alice Banks kon geen goede manier bedenken.

Victoria was bij een vriendin en ze hadden afgesproken dat ze uiterlijk om zes uur thuis zou zijn, als Alice het eten ging klaarmaken. Nu zouden ze niet met zijn drieën eten. John zou niet thuiskomen. Nooit meer, in elk geval niet om te blijven. Alice vroeg zich af of hij nog een paar persoonlijke dingen zou komen halen, of dat hij de spullen waar hij het meest om gaf al stiekem had meegenomen naar een nieuwe flat?

Toen Victoria geboren werd, had Alice zichzelf beloofd nooit tegen haar kind te liegen. Op wie moet een kind kunnen vertrouwen als het niet op zijn moeder kan vertrouwen, had ze gedacht. Nu leunde ze over het aanrecht, keek door het raam naar Sutton Avenue en dacht: en op wie moet een kind kunnen vertrouwen als het niet op zijn eigen vader kan vertrouwen?

Alice maakte zich ernstige zorgen over Victoria's reactie op het verraad van haar vader. Ze keek op de klok en besefte dat ze nog maar weinig tijd had om na te denken. Ze bedacht van alles en woog allerlei mogelijkheden af.

Er waren geen zinnige leugentjes om bestwil waarmee ze tijd kon winnen. Als ze de smoes verzon dat John vanwege een onverwachte zakenreis vanavond niet thuis zou komen, zou Victoria dat niet zomaar accepteren. John belde altijd om Victoria welterusten te zeggen als hij op reis was en die gedachte maakte Alice nu woedend. Haar man had dus in bed liggen rollen met dat hoertje en dan, terwijl hij de hoorn van de haak pakte, tegen haar gezegd dat ze stil moest zijn, Alice gebeld, gezegd dat hij van haar hield en vervolgens lief met Victoria gebabbeld. Verdomme!

Nee, er was maar één uitweg voor Alice: de waarheid zeggen, hoe onaangenaam die ook was.

Het werd een vreselijke avond. Victoria was in een uitstekend humeur toen ze thuiskwam en Alice gruwde van de gedachte dat ze de blijdschap die het meisje uitstraalde, moest verstoren. Maar ze vond dat ze geen keus had. Rustig en zakelijk vertelde ze Victoria alles, terwijl ze elk aan een kant van de keukentafel zaten. Het meisje reageerde eerst ongelovig, toen boos, wanhopig, nog bozer en nog wanhopiger. De uren verstreken en Alice besefte dat ze iets moesten eten, ook al hadden ze geen van tweeën nog trek. Ze maakten een lange wandeling, kochten een paar stukken pizza bij een kleine pizzeria en liepen toen een hele tijd over Lovers Walk voordat ze weer naar huis gingen. Alice zei dat Victoria de volgende dag niet naar school hoefde als ze dat niet wilde. Alice zou zelf ook thuisblijven. Ze hadden allebei tijd nodig om het gebeurde verwerken en er waren heel wat praktische vragen te bespreken.

Alice Banks voelde een sterke weerzin om in het tweepersoonsbed te gaan liggen dat ze zo veel jaren met haar echtgenoot had gedeeld. Ze ging uiteindelijk op de bank in de kamer liggen met een deken over zich heen, maar ze sliep die nacht maar een paar minuten en ze hoorde dat Victoria in haar kamer ook onrustig was. De volgende ochtend werd Alice wakker doordat een trillende, snikkende Victoria bij haar op de bank onder de deken kwam liggen en ze omhelsde haar innig. Ze besefte dat de nachtmerrie nog maar net was begonnen.

De scheiding ging snel en wat haar het meest ergerde was dat John niet het fatsoen had gehad om zelfs maar één keer iets van zich te laten horen. Toen hij twee weken nadat Susan Sheridan naar haar boekhandel was gekomen, nog steeds geen contact had opgenomen, draaide ze zijn rechtstreekse nummer op kantoor.

'John Banks.'

Die stem. Die stem waar ze mee samengeleefd had, die ze zo graag had gehoord, waarin ze zich geborgen had gevoeld, waarmee ze gelachen had.

Toen opnieuw, wat geïrriteerd: 'Ja, met Banks?'

'John, met Alice.'

Hij zei niets.

'John, we moeten praten.'

Weer stilte. Toen: 'Alice, het spijt me, maar ik kan er niet over praten. Ik dacht dat je dat begrepen had.'

Alice voelde woede in zich opwellen, maar deed haar best om zich te beheersen. 'John, al geef je niets om mij, je moet aan Victoria denken – ze is je kind! Je kunt dit niet doen met haar, zomaar uit haar leven verdwijnen zonder een woord te zeggen, snap je dat niet? Je moet met haar praten, ze gaat er helemaal aan onderdoor!'

Hij klonk geforceerd: 'Je hoeft me geen slechter geweten te bezorgen dan ik al heb. We zullen zien hoe het later gaat. Het enige wat ik weet is dat ik het nu niet kan. Maar ik zal zorgen dat jullie het goed hebben. Mijn advocaat zal je bellen en als je in de tussentijd geld nodig hebt –'

Dat werd Alice te veel: 'Het gaat niet om geld, lul! Het gaat om je dochter, je kind!'

Aan de andere kant van de lijn was alleen maar een klik te horen.

Het duurde lang voordat ze begreep dat de man van wie ze had gehouden en die zei dat hij ervoor zou zorgen dat Victoria en zij het goed zouden krijgen, haar meer voor de gek had genomen dan ze zich kon voorstellen.

Zijn advocaat, Jim Meeler, had haar korte tijd later gebeld en haar al bij hun eerste gesprek aangeraden voor de zekerheid een advocaat te nemen. Ze verafschuwde iedere seconde van het proces dat de scheiding vormde en was de hele tijd vastbesloten alles zo snel mogelijk af te wikkelen, zodat Victoria en zij door konden gaan met hun leven. Of liever: een nieuw leven konden beginnen.

Alice had een heel goede advocaat gevonden, die gespecialiseerd was in zowel scheidings- als zakelijk recht, en hij had heel wat tijd besteed aan pogingen om uit te zoeken hoeveel geld John waard was. Alice had geprotesteerd.

'Mr. Stevenson, het gaat mij er niet om zoveel mogelijk geld binnen te halen. Mijn boekhandel draait goed en Victoria en ik kunnen ervan leven. Ik wil het huis hebben, ik wil de lening voor de boekhandel afbetaald hebben en ik wil dat John een aanzienlijk bedrag reserveert voor Victoria's opleiding. Dat is alles. Daarna mag hij van mij naar de hel lopen!'

'Mrs. Banks,' zei Anthony Stevenson, 'ik begrijp uw gevoelens. Maar bij een scheiding kan men gemakkelijk fouten maken waarvan men later spijt heeft, als het te laat is om er nog iets aan te doen.'

Stevenson vervolgde: 'Er zijn veel aspecten waarmee u in dit geval rekening moet houden. Door uw huwelijk met John had u ook extra economische zekerheid. Die zekerheid valt nu weg. U moet in uw overwegingen betrekken dat u langdurig ziek zou kunnen worden of dat het slechter gaat met de boekhandel. U moet ervoor zorgen dat u in een dergelijke situatie de lasten van een huis en van de verzorging van Victoria kunt opbrengen. Wat ik probeer te zeggen is dat u er verstandig aan doet er zoveel mogelijk uit te halen, omdat noch u noch iemand anders weet wat de toekomst zal brengen. Geld maakt niet altijd gelukkig, maar het kan wel heel goed zijn om het te hebben.'

Stevenson had gelijk. Alice wilde bijvoorbeeld het tweepersoonsbed wegdoen en andere meubels die haar al te veel aan John herinnerden, ze wilde het huis laten schilderen en nieuwe dingen kopen, zodat het duidelijk het huis van Victoria en haar was. Ze wilde John Banks wegpoetsen.

Stevenson kwam terug nadat hij met de advocaat van John Banks had onderhandeld. 'Mrs. Banks, helaas ziet het ernaar uit dat uw man deze scheiding al lang had voorbereid. Het makelaarsbedrijf is een dikke vierenvijftig miljoen dollar waard, hetgeen inhoudt dat Johns deel daarvan de helft is en dat u – althans in theorie – aanspraak zou kunnen maken op de helft daarvan...'

Alices handen begonnen te trillen van wat hij zei. Dertien miljoen dollar was een vreselijke hoop geld. Ze zou haar plannen voor een boekhandelketen die het hele land dekte kunnen verwezenlijken en...

Stevenson brak haar gedachten af: '...maar zoals ik al zei lijkt het erop dat uw man dit al lang heeft voorbereid, of hij heeft maatregelen genomen met het oog op de belastingen. Een aanzienlijk deel van zijn aandeel zit in een stichting die hij op de een of andere manier beheert. Maar het is zo handig geregeld, dat wij geen kans hebben om te bewijzen dat die tegoeden van hem zijn.'

Alice fronste haar wenkbrauwen: 'Wat probeert u te zeggen?'

Stevenson zuchtte. 'Dat we, vergeef me de uitdrukking, besodemieterd zijn.'

Hij legde het uit. Johns advocaat Meeler had tijdens de onderhandelingen aangegeven hoeveel John Alice kon betalen om de scheiding snel en soepel te laten verlopen. Elke poging van de kant van Alice om meer te krijgen, zou leiden tot eindeloze juridische gevechten, die heel kostbaar voor Alice zouden kunnen zijn, zonder dat ze de garantie had dat ze meer geld zou krijgen. Het aanbod dat Meeler Stevenson had gedaan, hield het volgende in.

De auto, het huis en de boekhandel zouden op naam van Alice worden overgeschreven en John was bereid de lening die nog openstond voor de boekhandel over te nemen. Daarnaast zou Alice drie miljoen dollar krijgen. Bovendien zou John Banks nog eens negenhonderdduizend dollar in een fonds storten dat beheerd en gecontroleerd werd door een onpartijdige vertrouwenspersoon. Hij zou een maandelijkse onderhoudsbijdrage van bijna tweeduizend dollar betalen totdat Victoria achttien jaar werd. John eiste het recht om Victoria om het weekend te zien, plus nog eens minstens vier weken, waarvan er drie aaneengesloten konden zijn. De advocaat benadrukte wel dat niet zeker was of John al onmiddellijk van dit omgangsrecht gebruik zou maken.

Alice fronste haar wenkbrauwen: 'Wat vindt u ervan, Mr. Stevenson?'

'Ik denk dat u het moet accepteren. Zoals ik al eerder zei, wordt het lastig en kostbaar om het proces te rekken. Het bedrijf van uw man heeft deskundige advocaten in dienst, die veel beter dan wij weten hoe je geld kunt wegmoffelen en voordat een eventueel proces u iets oplevert, zou een groot deel van dat geld al helemaal verdwenen kunnen zijn.'

Een week later, tijdens een bijeenkomst met Johns advocaten in een vergaderzaal van advocatenkantoor Meeler, Jones, Smith & Partners, ondertekende Alice alle papieren die haar werden voorgelegd. Toen ze het advocatenkantoor verliet was ze een huis, een auto, een boekhandel en drie miljoen rijker. En de wond in haar ziel was zo mogelijk nog groter dan daarvoor. Twintig belangrijke jaren van haar leven waren geëindigd in een tragedie.

Terwijl ze in de keuken koffie stond te zetten, vroeg ze zich af wat de zin van dit alles was, áls die er was.

40

Toen ze naar het Royal Brisbane Hospital reed, piekerde ze nog steeds over wat er was gebeurd. Zij had geen enkel gesprek meer met John gevoerd. De eerste tijd na de scheiding hadden Victoria en zij helemaal niets van hem gehoord. Alice werd lange tijd heen en weer geslingerd tussen gevoelens van haat en wanhoop. En bijna iedere dag stelde ze zichzelf de vraag: waarom?

De scheiding en haar vaders verraad hadden Victoria erg aangegrepen. Het vroeger zo opgewekte en actieve meisje was veranderd in een zwijgzame, naar binnen gekeerde tobber, die niet praatte als het niet nodig was of wat grappige verhalen opdiste om haar moeder op te vrolijken. Het deed Victoria nog het meeste verdriet dat haar vader niets van zich liet horen. Op haar verjaardag en voor Kerstmis leverde een koeriersdienst een mooi pakket met exclusieve cadeaus af en een kaart waar haar vader alleen zijn naam op had gezet. Het duurde meer dan een jaar voordat John contact met Victoria opnam. Hij wilde haar zien. Hij vond dat ze zouden kunnen beginnen een paar uur samen door te brengen op zaterdag. Kijken of ze het een beetje met elkaar konden vinden.

Alice moest een van de zwaarste rollen van haar leven spelen: Victoria overhalen om haar vader te ontmoeten, ook al had ze het meisje het liefst willen vragen zo ver mogelijk bij hem vandaan te blijven. Victoria had getwijfeld, maar uiteindelijk had ze ingestemd met een ontmoeting in een café in Sandgate. Toen Victoria thuiskwam en Alice vroeg hoe het was geweest, had haar dochter alleen maar geantwoord: 'Ging wel...'

Alice barstte van de vragen, maar wist zich in te houden. Als Victoria iets wilde vertellen, zou ze dat vroeg of laat vast wel doen, maar Alice wilde haar niet onder druk zetten. John en Victoria waren elkaar vaker gaan zien en in haar hart was Alice daar blij om geweest. Victoria droeg tenslotte geen enkele schuld voor wat er was gebeurd en Alice had veel kinderen van gescheiden ouders gezien waarmee het slecht ging omdat ze niet bij allebei hun ouders mochten komen.

Alice parkeerde vlak bij het ziekenhuis. Ze voelde de gebruikelijke tegenzin tegen het bezoek en hoopte als zo vaak dat dit een kwade droom was die over zou gaan, dat ze op een dag thuis wakker zou worden en een vrolijke Victoria in de keuken broodjes zou zien smeren om mee te nemen op haar wandeling over Lovers Walk. Maar op dit moment leek dat ontwaken nog heel, heel ver weg.

Op de afdeling waar Victoria werd verzorgd, kwam Alice Sarah tegen, een van de hoofdverpleegkundigen.

'Dag, Mrs. Banks!'

'Dag, Sarah. Nog veranderingen...?'

'Helaas niet, Mrs. Banks, niet dat ik kan zien, in elk geval. Maar dokter Hunt zal Victoria donderdag weer onderzoeken. Laten we hopen dat daar iets positiefs uitkomt!'

Alice knikte. 'Ja, laten we het hopen. Kan ik naar binnen?'

'Ja, hoor, ze zit in het dagverblijf, zoals altijd.'

Langzaam liep Alice door de gang naar het dagverblijf. Ze stopte in de deuropening en keek. De kamer was leeg, op een rolstoel na die met vergrendelde wielen bij het raam stond, met de rugleuning naar Alice. Boven de rugleuning kon Alice de broze schouders zien, en het blonde haar dat op de een of andere manier zijn glans leek te hebben verloren.

Daar zat Victoria Banks, het mooiste meisje van de wereld, leeg voor zich uit door het raam te kijken. Niet in staat te eten, zich te wassen, zich aan te kleden. Niet in staat iets te zeggen. Daar in de rolstoel zat wat zes maanden geleden nog een jong meisje was geweest, met een heel leven voor zich. En wat nu alleen nog maar een schil leek te zijn, met een koude, afwezige blik.

Alice voelde de tranen opkomen, maar het laatste wat ze wilde was dat Victoria haar zag huilen. Ze vond een zakdoek in haar zak, veegde haar tranen weg en bekeek haar gezicht gauw even in een zakspiegeltje. Ze bracht met moeite haar gevoelens onder controle, want Victoria had haar nu zo hard nodig en Victoria was belangrijker dan zijzelf. Langzaam liep ze door het dagverblijf naar de grote ramen en om de rolstoel heen, totdat ze het gezicht van haar prinsesje zag.

Victoria's blik leek op oneindig te staan, alsof ze een vaste camera was, bedoeld om altijd dezelfde plek te bewaken, ergens ver weg. Alice ging op haar hurken voor de rolstoel zitten, pakte Victoria's handen in de hare en vond dat ze koud aanvoelden. Niet zo vreemd. Het meisje at niets – het personeel moest haar met een sonde voeden. Victoria bracht haar dagen stilzittend in de rolstoel door en haar nachten in een bed met tralies. Zo kon ze niet op de grond vallen als ze begon te schreeuwen, te zweten en te woelen omdat zwarte demonen haar met een onvoorstelbare kracht kwamen halen.

Alice keek naar de persoon van wie ze meer dan van wie ook hield.

'Mama is er,' fluisterde ze. 'Mama is bij je, schat...'

Maar ze kreeg geen antwoord.

Voor de zoveelste keer dacht Alice aan wat er zes maanden eerder was gebeurd. Had ze iets kunnen doen om het te verhinderen? Toen Victoria had verteld dat ze was uitgenodigd voor een feestje, was Alice blij geweest. Victoria leek zich na de scheiding te hebben hervonden, maar Alice vond dat het meisje nog steeds alle lichtpuntjes verdiende die ze maar kon krijgen.

Victoria was populair, dus Alice was niet verbaasd over de uitnodiging. Het was ook niet verkeerd dat Peter Henry degene was die het feest gaf. Peter zat in de klas boven haar op de Sandgate District State High School en Alice wist dat Victoria al een hele tijd verliefd op hem was.

Alice had de jongen alleen in het voorbijgaan gezien als ze Victoria van school haalde, maar ze begreep wat haar dochter bedoelde. De jongen was lang en zag er vreselijk goed uit. Volgens Victoria was hij leuk, een kei in balsporten en bovendien in de meeste vakken de beste van zijn klas. En topknul.

'Wat leuk!' zei Alice glimlachend. 'Zaterdag, zei je? Waar is het en hoeveel mensen zijn er uitgenodigd?'

'Dat weet ik niet precies, iets tussen de twintig en dertig. We beginnen 's middags met een beachparty bij Bramble Bay. Daarna gaan we thuis bij Peter verder, hij zegt dat hij een barbecue zal regelen in de tuin. Zijn ouders zijn het hele weekend weg en...'

Alice fronste haar wenkbrauwen. 'Is hij alleen thuis?'

Victoria haalde haar schouders op. 'Ja, wat is daar mis mee?'

Alice sloeg haar ogen ten hemel. 'Wat daar mis mee is? Ik weet wat er kan gebeuren als een feest uit de hand loopt. Ik vind toch echt dat zijn ouders –'

'Mama, Peter is klasse, dat weet je toch! Zijn ouders zouden hem nooit zonder hen een feest laten geven als ze hem niet honderd procent vertrouwden, dat snap je toch wel? Het gaat er allemaal heel rustig aan toe, je hoeft je geen zorgen te maken. Peters vrienden helpen de orde te bewaren en –'

Nu was het Alice die haar dochter onderbrak: 'Vicky, je bent toch niet van plan alcohol te drinken?'

'Mama, je weet dat ik dat nooit zou doen! Je hebt toch gezegd dat ik heus wel eens een biertje mag drinken, dus misschien doe ik dat. Maar maak je geen zorgen, ik ben niet van plan om dronken te worden of zo!'

Geen zorgen, dacht Alice. Als je een mooie dochter van zestien hebt, is bezorgdheid geen tijdelijke toestand, maar een manier van leven. Ze glimlachte: 'Oké, je mag gaan, maar denk erom wat ik gezegd heb over drinken. En je weet hoe mannen zijn!'

'Jaaaaa, mama!' Victoria lachte. 'Je klinkt alsof je zelf in je jeugd nooit naar een feestje bent geweest...'

'In mijn jeugd? Nou wordt-ie goed! Ik ben toch nog steeds jong!'

Alice Banks schaterde het uit en zij en Victoria omhelsden elkaar. Alice drukte haar dochter stevig tegen zich aan, streelde haar haren en fluisterde: 'En Victoria, ik wil dat je uiterlijk om twaalf uur 's avonds thuis bent. Ook al is Sandgate rustig, je weet toch nooit. Ik wil je ook wel komen halen als je wilt, als je belt...'

'Maar mamaaa! Om twaalf uur? Níémand gaat om twaalf uur naar huis, dan ben ik de grootste nerd van de klas!'

Alice Banks werd weer ernstig. 'Dan vrees ik dat je daarmee moet leren leven, Victoria. Ik zou het mezelf nooit vergeven als er iets gebeurt, dat weet je. Je moet uiterlijk om twaalf uur thuis zijn, zo simpel is het. Ik blijf wakker en wacht op je.'

Victoria Banks zuchtte, stampvoette voor het gemak nog een keer, maar wierp haar moeder toch een kushandje toe voordat ze naar haar kamer ging om te bedenken wat ze aan zou doen naar het feest. Ze kon haar opwinding maar nauwelijks bedwingen. Ze was al een hele tijd stiekem verliefd op Peter Henry, en nu begon hij notitie van haar te nemen!

Hij glimlachte vaak naar haar, bleef staan om een praatje te maken als ze elkaar in de pauzes tegenkwamen en knipoogde naar haar als ze uit elkaar gingen.

Voor zover ze wist had hij geen verkering en ze zou er alles voor doen om zijn vriendin te worden. Victoria had nog nooit een vriendje gehad en was niet dichter bij een man geweest dan een haastig kusje op een feestje, maar als het om Peter ging, was ze verloren.

Het weer was perfect. Het was warm, het water was heerlijk en de zon straalde aan een felblauwe lucht.

Victoria's gele bikini liet haar goudbruine huidskleur goed uitkomen en ze vond het absoluut niet erg dat de jongens naar haar keken. Dat Peter Henry bijna de hele tijd naar haar keek, vond ze nog minder erg... Ze stond bij de barbecue en was net op een kippenpootje aan het kauwen, toen hij naar haar toe kwam met een blikje bier in elke hand.

'Hoi, schoonheid!'

Hij glimlachte naar haar op een manier waar ze helemaal slap van werd en stak haar een van de blikjes toe. Ze nam het aan en glimlachte onzeker: 'Dank je wel. Het is toch geen sterk bier, hè?'

'Niks aan de hand, baby, het is maar een licht biertje!' Hij lachte. 'Het zwaardere geschut komt later, voor wie wil.'

Hij bekeek haar van top tot teen. 'Die bikini bevalt me wel... Mooi!'

Ze glimlachte: 'Dank je, ik heb hem pas vorige week gekocht; ik vond het wel wat...'

'Wat dacht je van een duik als je je kippenpootje op hebt?'

'Graag!'

Zij aan zij renden ze het geleidelijk dieper wordende water in, dat hoog opspatte. Ze lachten en schreeuwden en daagden elkaar uit om zo snel mogelijk zo ver mogelijk te komen. Ze zwommen een heel eind weg en Victoria genoot ervan te laten zien hoe goed ze kon zwemmen. Even was ze Peter kwijt. Ze schrok toen ze zijn handen van achteren om haar middel voelde.

'Ha! Daar liet ik je schrikken, hè?'

Hij draaide haar rond in het water en ze watertrappelde zonder zijn handen van haar middel te halen. Ze waren zeker tweehonderd meter van het strand. Peter keek haar diep in de ogen, glimlachte en kwam dichterbij met zijn gezicht. Hij wil me kussen! ging het door haar heen.

O jee, Peter Henry wil me kussen. Het is niet waar, dit bestaat gewoon niet! Hij zoende haar. Echt. Ze bood geen weerstand, proefde het zout toen zijn lippen de hare raakten in een lange, rustige kus. Hij stopte even en fluisterde: 'Je bent fantastisch, Vicky!'

Toen trok hij haar nog dichter naar zich toe. Ze voelde zijn borstspieren tegen haar borsten, vermoedde zijn onderlichaam tegen het hare. En toen zijn lippen weer. Ditmaal intenser, veeleisender. Ze voelde het puntje van zijn tong, deed haar mond open en liet haar eigen tong een paar seconden met de zijne spelen. Toen trok ze zich plagerig terug.

'Zo. Meer krijg je niet, nu niet in elk geval!'

Ze maakte zich los uit zijn greep, lachte en begon snel terug te zwemmen naar het strand, terwijl ze over haar schouder riep: 'Ik win, je bent kansloos!'

Een paar uur later verdrong ze zich met een paar andere meisjes in een grote badkamer in het huis waar Peter Henry woonde. Ze had een wit, kort zomerjurkje met smalle schouderbandjes aangetrokken en stond nu voor de spiegel de laatste hand te leggen aan haar make-up. Ze kon nog steeds het moment daar in het water niet vergeten.

'Je bent verliefd op Peter, hè?'

Haar klasgenoot Linda Thomas grijnsde, knipoogde naar haar en gaf haar een por in haar zij, terwijl ze in haar tasje naar lippenstift grabbelde.

'Och, hou op!' Victoria lachte. 'Helemaal niet!'

'Wie denk je dat je voor de gek houdt?' plaagde Linda. 'Jullie bleven wel heel lang in het water. Er staat je nog wat moois te wachten vanavond...'

Victoria antwoordde niet. Had Peter zelfs aan anderen laten merken dat hij belangstelling voor haar had? Haar hart sloeg een keer over. Ze maakte zich klaar, knipoogde naar Linda, ging de badkamer uit en mengde zich tussen de gasten. In totaal waren er een stuk of dertig tieners in huis, een mooie mengeling van jongens en meisjes van school. Victoria kende niet iedereen, maar vanavond had ze weinig behoefte om nieuwe contacten aan te knopen. Ze wilde dansen, plezier hebben en ontdekken wat Peter Henry voor haar voelde.

Ze wist dat vrijwel alle meisjes op school ook verliefd op hem waren of waren geweest. Peter had de reputatie van rokkenjager en haar intuïtie zei haar dat ze zich eigenlijk verre van hem moest houden. Maar je kon toch niet realistisch en analytisch blijven als je bloed sneller door je lichaam leek te stromen en je hart bonsde als je alleen maar aan zo'n jongen dacht? Toch was Victoria helemaal niet van plan een gemakkelijke prooi te zijn. Ze had nog nooit vaste verkering of seks met iemand gehad, alleen maar geflirt, maar toen Peter Henry zijn tong in haar mond had laten glijden, was er een nieuw soort verlangen in haar gegroeid.

Victoria wist dat verscheidene van haar klasgenoten al *all the way* waren gegaan en velen van hen wekten een tamelijk ervaren indruk. Maar voor haar was seks niet iets wat je zomaar aan iedereen verspilde. Ze wilde dat de eerste keer een mooie herinnering zou opleveren en ze huiverde bij de gedachte aan verhalen over dronken meisjes die op een of ander feest hun onschuld hadden verloren aan een jongen die ze nauwelijks kenden. Nee, wie toegang kreeg tot haar lichaam zou zich eerst de sleutel tot haar hart moeten verschaffen en tonen dat hij dat waard was. Dat zou heel goed Peter Henry kunnen zijn, dacht ze, als hij zich tenminste net zo fantastisch zou blijven gedragen als tot nu toe. Maar ze had geen haast, en vanavond zou er absoluut niets gebeuren.

41

Alice Banks zat aan de keukentafel. Een grote onrust maakte zich van haar meester. Ze had zitten lezen, naar een film gekeken en op allerlei manieren geprobeerd de tijd door te komen. Maar de afgelopen uren had ze het idee gekregen dat er iets niet in orde was. Het ging natuurlijk om Victoria.

Ze keek weer op de klok. Halftwee. Nu was het genoeg. Ze hadden afgesproken dat Victoria uiterlijk om twaalf uur thuis zou zijn, maar om halféén had ze zich nog ingehouden. Het meisje was bijna volwassen, ze had zich zo verheugd op het feest, ze had het vast leuk en wie was Alice om haar dat plezier te ontnemen?

Relax, Alice Banks. Wat kon er in het kleine Sandgate gebeuren? Ze wilde haar dochter niet voor schut zetten door Peter Henry's adres op te zoeken en Victoria te gaan halen alsof ze naar een kinderpartijtje was. Drie keer had ze Victoria's mobiel gebeld, maar ze kreeg alleen maar haar kittige melding op haar voicemail en dat was misschien niet zo vreemd, want de muziek om haar heen stond vast op het hoogste volume en als je zestien was en op een feestje, had je heus wel wat belangrijkers te doen dan in de gaten houden of je telefoon ging.

Relax, Alice Banks. Nee, nu was het genoeg. Alice nam een besluit. Ze pakte haar handtas en keek of haar autosleutels en haar mobiel erin zaten. Het was tien over halftwee en ze ging haar dochter halen. Juist toen ze de keuken uit ging – ze had voor de zekerheid een briefje voor Victoria geschreven en op de keukentafel gelegd – ging de buitendeur open. Alice hoorde een raar geluid, een langgerekte kreun en een bons. Ze rende naar de hal.

Victoria lag in een onnatuurlijke houding op de grond en had maar één schoen aan. Bij haar val was haar korte jurkje over haar buik opgetrokken. Alice zag dat Victoria geen slipje aan had en dat ze bloed op haar buik en in haar schaamstreek had, tot ver over haar dijbenen. Ze had zelfs bloed om haar mond.

'O god!' schreeuwde Alice.

Ze rende naar het meisje toe, wierp zich op de grond, schudde aan Victoria, probeerde leven in haar te krijgen. 'Victoria! Geeft antwoord, schatje! Wat is er gebeurd?'

Het duurde een eeuwigheid voordat de ziekenwagen kwam en toen hij er goed en wel was, duurde het veel te lang voordat ze besloten dat Victoria naar de eerste hulp in Brisbane moest.

Alice zat naast Victoria en hield haar hand stevig vast. De ene ziekenbroeder zat op zijn knieën naast de brancard. Hij controleerde Victoria's bloeddruk, had een zuurstofmasker op haar neus en mond gezet en Alice kon horen dat hij met de chauffeur sprak, maar ze verstond niet alles wat ze zeiden.

Alice zag dat Victoria haar lippen bewoog en de ziekenbroeder zag het ook. Hij tilde het masker een stukje op en ze bogen allebei voorover om het gefluister te kunnen horen.

'Mama...'

Alice vocht om haar tranen te bedwingen. 'Ja, schat, mama is hier!'

'Mama... het deed zo zeer...'

Alice klemde de hand van haar dochter nog steviger vast. 'Wie, schat, wie heeft je kwaad gedaan?'

Haar dochter leek weer weg te zakken, maar toen ging er een schok door haar heen en haar lippen probeerden de woorden te vormen, alsof dat wat ze te vertellen hadden zo belangrijk was dat het niet kon wachten.

'Peter... Henry...'

'Peter Henry? Wat heeft hij met je gedaan? Probeer antwoord te geven, Victoria, liefje!'

Weer even stilte. Toen: 'Ver... Peter Henry... verkracht...'

Toen verloor Victoria het bewustzijn en de ziekenbroeder zei tegen de chauffeur dat haar bloeddruk daalde, dat hij meer snelheid moest maken en dat hij via de radio de politie moest oproepen en vragen of die naar de eerste hulp toe wilde komen.

42

Alice Banks zat voorovergeleund op een stoel met haar dochters handen in de hare en bad God dat Victoria haar zou zien, met haar zou praten, zou reageren. Soms, als ze tegen Victoria praatte, ervan overtuigd dat haar dochter haar daarbinnen in haar geestelijke gevangenschap wel degelijk hoorde, meende ze een trekje in haar dochters ogen te zien, en ze vroeg zich af of dat een teken was of toeval. Alice vroeg zich af of de nachtmerries in haar leven nog ooit zouden ophouden. Waarom moest juist zij door zo veel ongeluk worden getroffen? Ze vroeg zich af of er een god was.

De afgelopen zes maanden waren vreselijk geweest. Aan de nacht op de eerste hulp leek geen einde te komen. Victoria was in shock geraakt, zeiden de artsen, en ze deden voor haar wat ze konden. Intussen wilden de politiemensen die hen bij de eerste hulp stonden op te wachten dat de artsen Victoria onderzochten en sporen van een eventuele verkrachting veiligstelden.

Om zeven uur 's morgens reed Alice naar huis, sliep een paar uur en ging toen weer terug naar het ziekenhuis. Ze huilde van vreugde toen ze ontdekte dat Victoria wakker en aanspreekbaar was. Maar haar vreugde en opluchting sloegen om in woede toen de artsen vertelden wat ze hadden ontdekt toen ze Victoria hadden onderzocht. Victoria was dronken geweest, maar er waren ook sporen van drugs gevonden. Ze had blauwe plekken op haar borsten en een van haar tepels was bijna doorgebeten. De blauwe plekken op haar achterwerk wezen erop dat er hard op haar billen was geduwd en geslagen. Uit het gynaecologisch onderzoek bleek dat Victoria intensieve gemeenschap had gehad: haar slijmvliezen waren buitengewoon geïrriteerd en men had sperma gevonden. Ze hadden ook verschillende proeven gedaan en die voor analyse doorgestuurd. DNA-tests bevestigden dat het sperma afkomstig was van Peter Henry.

Het politieverhoor was een schokkende ervaring en het versterkte slechts Alice' gevoel dat de meeste mannen ongevoelige zwijnen waren.

Eric Baker, die het onderzoek en het verhoor van Victoria leidde, was een te dikke, bijna geheel kale man van in de vijftig. Hij had een rood aangelopen gezicht en zweette erg. Alice vond dat de dikke politieman haar dochter verkeerd aankeek. De man had tijdens de ondervraging van Victoria veel te veel belangstelling voor seksuele details. Had ze voor deze avond seks gehad met andere jongens? Had ze andere seksuele ervaringen gehad met jongens of meisjes? Wat wist ze van seks?

Griezel! dacht Alice. Ze had ook het idee dat Baker twijfelde aan Victoria's verhaal. Ook al wist Victoria niet alles meer van die avond, ze had toch een verslag gegeven dat Alice geloofwaardig voorkwam. Victoria herinnerde zich dat ze met Peter Henry naar zijn kamer was gegaan omdat hij haar iets wilde laten zien. Ze herinnerde zich dat ze elkaar hadden omhelsd en gekust en dat ze hem had gevraagd op te houden toen het te ver ging.

Baker had haar aangekeken, 'hm' gezegd en aantekeningen gemaakt op een blocnote. Hij had vervolgvragen gesteld, uitgelegd dat de politie ook Peter Henry en anderen die op het feest waren geweest moest verhoren en had Victoria gevraagd namen van andere gasten te noemen.

Een paar maanden na deze noodlottige nacht, terwijl het politieonderzoek nog gaande was, voelde Victoria zich opeens raar en niet lekker. Toen ze bovendien vertelde dat ze maar niet ongesteld werd, werd Alice ongerust en reed met haar naar de afdeling Gynaecologie van het ziekenhuis. Victoria Banks was in verwachting. Veel later vroeg Alice zich af of ze op het moment dat ze dat hoorde besloot wat ze met Peter Henry zou doen, of dat ze de jongen voor die tijd al zo haatte dat haar besluit toen al vaststond.

Er werd snel een abortus uitgevoerd en Victoria ging naar een psycholoog om haar ervaringen te verwerken. Alice maakte zich ernstig zorgen; Victoria werd steeds stiller, serieuzer en introverter.

De rechtszaak was een farce. De officier van justitie verklaarde dat Victoria Banks was mishandeld en verkracht door Peter Henry, dat Henry bewust had geprobeerd Victoria dronken te voeren en dat niet kon worden uitgesloten dat hij haar ook had gedrogeerd om seks met haar te bedrijven, zoals hij van plan was.

Hij verklaarde dat Henry buitengewoon ruw gemeenschap met Victoria had gehad, dat hij een orgasme had gehad zowel in haar vagina – waardoor ze zwanger was geworden – als later in haar mond. In zijn requisitoir eiste de officier van justitie dat Peter Henry wegens verkrachting zou worden veroordeeld.

Maar al voor zijn slotpleidooi was de advocaat van de tegenpartij, Robert H. Bell, erin geslaagd de voorstelling van de officier van justitie zo overtuigend te verpulveren, dat Alice Banks onwillekeurig bewondering had voor zijn professionalisme en wilde dat hij officier van justitie was in plaats van advocaat. De verdediging had de voorliggende feiten erkend. Peter Henry had inderdaad lang en intensief gemeenschap gehad met Victoria Banks en als de rechtbank wilde, zou de verdediging een gedetailleerde beschrijving daarvan kunnen leveren. Peter Henry had inderdaad een orgasme gehad zowel in de vagina als in de mond van het meisje, op haar eigen verzoek, verklaarde Bell. Volgens zijn cliënt was Victoria Banks in bed een 'wild dier dat er niet genoeg van kon krijgen'. Dat ze nog maagd was geweest, had Peter Henry zeer onwaarschijnlijk geleken, gezien de seksuele ervaring en honger waarvan ze in bed blijk had gegeven. Bovendien had het meisje hem natuurlijk verzekerd dat ze voorbehoedsmiddelen gebruikte, iedereen begreep toch wel dat een schooljongen die bij zijn volle verstand was een jonger meisje niet zwanger wilde maken?

Van het feit dat Peter Henry bij zijn volle verstand was, had de advocaat zich verzekerd door hem te laten onderzoeken. Het politieonderzoek bij Henry thuis had geen sporen van een gevecht opgeleverd en het slipje waarvan Victoria beweerde dat Peter het haar had uitgetrokken, was niet teruggevonden. Wist ze wel heel zeker dat ze überhaupt een slipje aan had? Per slot van rekening was het warm die dag, had Robert Bell er droogjes aan toegevoegd.

Alice Banks had hem wel kunnen vermoorden!

Het verhoor van de gasten die bij de beachparty en het feest in Peter Henry's huis aanwezig waren geweest, had een reeks eensluidende gegevens opgeleverd.

Victoria was zo intiem met Peter Henry omgegaan dat velen dachten dat ze een paar vormden. Ze hadden elkaar in het water omhelsd en ge-kust tijdens het zwemmen, ze hadden langdurig en dicht tegen elkaar aan gedanst en een van de meisjes had Victoria Banks in de badkamer horen zeggen dat ze smoorverliefd was op Peter Henry. Victoria Banks had uitdagende kleren gedragen: haar jurkje was zo dun dat iedereen haar lichaamsvormen erdoorheen kon zien.

Ze had ook uitdagend met Peter Henry gedanst en hem ondubbel-zinnige blikken toegeworpen. Het huis zat vol mensen, op beide verdie-pingen. Niemand had ook maar één geluid gehoord dat erop duidde dat Victoria Banks werd verkracht. Er waren zelfs gasten die meenden dat ze gekreun van genot hadden gehoord toen ze langs de gesloten deur van Peter Henry's slaapkamer liepen. Het was onmogelijk dat Peter Henry het meisje gedurende zo lange tijd had kunnen verkrachten als de officier van justitie beweerde, zonder dat iemand het zou hebben ontdekt.

Bovendien wilde de verdediging weten waarom Victoria Banks er na de vermeende verkrachting met geen woord tegen iemand over had ge-rept. Was het eigenlijk niet zo dat het meisje heel tevreden naar huis was gegaan?

Alice Banks luisterde en haar mond viel open van verbazing. Ze weer-stond de neiging om op te staan en uit te schreeuwen: Jullie verdomde klootzakken! Hij daar – dan zou ze haar vinger naar Peter Henry uit-steken, die in een keurig kostuum met overhemd en stropdas in de be-klaagdenbank zat – heeft mijn kind voor altijd kapotgemaakt en nu pro-beren jullie haar te bezoedelen!

Maar ze begreep dat dat geen goed idee was.

Robert H. Bell riep zijn laatste getuige op en Alice Banks was verbijs-terd toen ze hoorde dat dat Victoria's klasgenoot Linda Thomas was. Ze merkte dat Victoria in de stoel naast haar schrok, pakte haar dochters hand en hield die vast.

'Wat... Wat heeft Linda te zeggen?' fluisterde Victoria. 'En waarom staat ze aan zijn kant? We hebben er toch over gesproken! Linda weet precies wat er gebeurd is, ik heb het haar verteld!'

Linda's getuigenverklaring was een schok voor Victoria en Alice. Lin-da verklaarde dat ze 's nachts, ongeveer tussen een en drie uur, gemeen-schap met Peter Henry had gehad in een kamer op de begane grond van het huis. Henry was gepassioneerd, maar ook zacht en voorzichtig. Linda Thomas gaf toe dat het ook niet de eerste keer was dat ze seks had gehad met Peter Henry en dat het ook geen geheim was dat de helft van de meisjes op school van hem droomde. Dat hij iemand zou moeten verkrachten om seks te hebben, was niet erg waarschijnlijk. Dat laatste zei ze met een glimlach en toen ze de getuigenbank verliet, knipoogde ze naar Peter, die naar haar glimlachte.

In zijn slotpleidooi verklaarde advocaat Bell dat Peter Henry weliswaar een ongetwijfeld zeer potente jongeman was, dat hij goed in vorm was en een geoefend sportman, maar dat hij sterk betwijfelde of de jongen eerst Victoria had kunnen verkrachten en onmiddellijk daarna nog kracht over had voor een uitvoerige, urenlange vrijpartij met Linda Thomas. Hij repte er met geen woord over dat de jonge Peter Henry diezelfde avond viagra had genomen en ook nog zwaar onder invloed van cocaïne was, en alleen Peter Henry zelf wist dat deze drugscocktail hem een erectie had bezorgd die tot de volgende middag aanhield.

Na een korte beraadslaging besloot de rechtbank dat Peter Henry niet schuldig kon worden bevonden aan verkrachting van Victoria Banks. Alice zou nooit het geluid vergeten van de klap die de hamer van de rechter op de tafel maakte.

43

Na de rechtszaak veranderde Victoria snel. Ze ging niet uit, wilde haar vriendinnen niet zien, zelfs niet met hen praten aan de telefoon. Ze bleef thuis, keek tv of lag in haar bed naar het plafond te staren.

Op een zaterdagochtend ging Alice boodschappen doen. Victoria wilde niet mee en zou thuisblijven. Toen Alice thuiskwam, trof ze het meisje bewusteloos aan in een zee van bloed. Ze had haar polsen doorgesneden en de ziekenbroeders zeiden dat Alice waarschijnlijk te laat was geweest als ze maar een kwartier later was thuisgekomen. Een kundige chirurg slaagde erin Victoria's polsen weer op te lappen, zodat de schade, zoals hij het uitdrukte, 'minimaal' zou blijven. Victoria werd opgenomen op een psychiatrische afdeling, maar haar toestand verslechterde snel. Ze at steeds minder en er was geen contact meer met haar te maken.

Alice werd voor een gesprek bij Christian Hunt geroepen, hoofd van de afdeling Psychiatrie en eindverantwoordelijk voor Victoria's verzorging.

Hunt, een oudere, serieuze man, zei een hele tijd niets, terwijl hij door wat paperassen op zijn bureau bladerde. Toen keek hij op. 'Ja, Mrs. Banks, het is heel vervelend, dit met Victoria...'

Alice knikte gespannen. 'Maar wat is de prognose? Ik weet dat ze gebroken is door alles wat er is gebeurd, maar –'

Hunt onderbrak haar. 'Er zijn een paar dingen die ik me afvraag, Mrs. Banks.'

'Ja?'

'Hoe is Victoria's relatie met haar vader?'

'Ze heeft geen... Ik bedoel, we zijn gescheiden toen Victoria veertien jaar was. Mijn man heeft me laten zitten voor een andere vrouw en lange tijd wilde hij Victoria niet eens zien. Na een tijdje nam hij contact met haar op, ze zagen elkaar een aantal keren, maar ik zou niet willen beweren dat ze regelmatig of nauw contact hebben...'

'Hoe was hun relatie voordat u uit elkaar ging?'

Alice dacht na. 'Wel goed, maar John werkte altijd heel veel en in de jaren voor de scheiding was hij ontzettend vaak van huis – reizen en zo. Maar wat heeft dat met Victoria's huidige toestand te maken?'

Dokter Hunt keek Alice peinzend aan voordat hij antwoordde.

'Het kan gewoon een factor zijn die van invloed is op Victoria's emotionele beleving, haar psyche. Eenvoudig gezegd is het zo dat een meisje bevestiging van haar vader nodig heeft. Als die bevestiging niet of in te zwakke mate komt, bestaat de kans dat het meisje dat gaat compenseren door bevestiging te zoeken bij andere mannen. In dit geval zou je je kunnen voorstellen dat Victoria zo'n bevestiging wilde hebben van de jongen waarop ze verliefd was. Ik heb het politieonderzoek gelezen en begrepen dat die jongen duidelijk zeer populair was bij de meisjes en dat hij erom bekendstond dat hij veel, laten we zeggen losse, verbintenissen had. Misschien heeft Victoria dat gevoeld, maar verdrongen in de hoop dat zij een heel speciaal iemand voor die jongen zou zijn, dat ze een relatie zouden krijgen en dat ze van hem de liefde zou krijgen die ze gemist heeft van haar vader...'

Alice probeerde te begrijpen wat de dokter zei.

'En... wat gaat er nu met Victoria gebeuren?'

'Victoria's toestand is ernstig en ik kan geen enkele garantie geven. Het enige wat ik kan doen is u uitleggen waar ze aan lijdt en u verzekeren dat we haar de best mogelijke verzorging geven. Zoals u weet, is er sinds enige tijd geen contact meer mogelijk met Victoria. Ze kan niet communiceren en ze kan niet voorzien in haar dagelijkse behoeften. Daarom moeten we haar voeden en haar helpen met de hygiëne. Victoria lijdt aan iets wat PTSS heet: posttraumatische stressstoornis, waarschijnlijk ontstaan door de tegenslagen die ze te verduren heeft gehad. Ik denk dat de scheiding en het gebrekkige contact met haar vader haar extra breekbaar hebben gemaakt en dat het psychische effect van de verkrachting daardoor ook extra sterk is. Het posttrauma heeft geleid tot een depressie die steeds ernstiger is geworden en waarschijnlijk beleeft ze de verkrachting af en toe opnieuw, alsof het een griezelfilm is waarin ze zelf de hoofdrol speelt.'

Hij laste even een pauze in toen hij zag dat de tranen Alice in de ogen sprongen.

'Wat er ook gebeurt, we moeten u erop voorbereiden dat dit een langdurig proces is en dat het heel lang kan duren voordat u uw dochter weer als een vrolijk meisje zult zien, áls we überhaupt al zo ver met haar komen. We zijn begonnen haar te behandelen met selectieve serotonineheropnameremmers en –'

'Wat zijn dat?' onderbrak Alice hem.

'Je zou kunnen zeggen dat serotonine een middel is dat het lichaam produceert zodat we onszelf op gang kunnen houden, een soort natuurlijk pepmiddel, als u me de uitdrukking vergeeft. Victoria heeft nu een storing in de neurotransmitters van de hersens, waardoor ze niet de goede hoeveelheid serotonine krijgt. Dat moeten we proberen weer in evenwicht te brengen. Daarna zullen we haar onder een korte narcose elektrische impulsen geven, die in de volksmond elektrische schokken heten, om te zien of ze uit deze situatie kan komen.'

Alice Banks zweeg een hele tijd. Toen gaf ze dokter Hunt een hand en ging weg. In de auto huilde ze een halfuur onbedaarlijk voordat ze zichzelf weer voldoende onder controle had om weg te rijden.

44

Alice hield de handen van haar geliefde dochter in de hare. Ze kon haar tranen niet meer bedwingen en voelde ze zacht langs haar wangen stromen. Zout, warm.

Met lege ogen keek Victoria langs haar heen naar buiten. Alice fluisterde haar toe, streelde haar. Toen stond ze op, liep naar de auto en reed naar de boekhandel. Alice werkte nog altijd twee dagen per week, vooral – zoals ze het zelf uitdrukte – om niet helemaal gek te worden. Maar ze had er niet meer het plezier in dat ze er vroeger altijd in had. Ze bracht de avonden alleen door in het huis in Sandgate, sloeg alle uitnodigingen af en was spaarzaam met telefonische contacten.

Haat als energiebron is niet te onderschatten. De haat die Alice Banks koesterde jegens haar ex-man en Peter Henry was vrijwel het enige wat haar nog dreef. Ze haatte John Banks om zijn verraad en het verdriet dat hij haar had aangedaan en God mocht weten dat ze de afgelopen tijd ook helemaal niets aan hem had gehad. Hij was natuurlijk geïnformeerd over wat Victoria was overkomen, maar had alleen een groot boeket bloemen gestuurd; hij had niet eens het benul gehad om naar de rechtszaak te komen. Evenmin had hij zich sinds het voorval ook maar één keer laten zien om zijn dochter te troosten en tot steun te zijn.

Alice zou ook nooit het superieure glimlachje van Peter Henry in de rechtszaal vergeten. Haar haat tegen hem was zo onbeschrijfelijk groot dat ze hem van alles zou kunnen aandoen. Ze kon alleen niet bedenken wat. Het was alsof het leven stilstond, was veranderd in een leegte waarin niets meer belangrijk was, waarin het er alleen maar om ging de voornaamste functies in stand te houden en de volgende dag te halen. Wat was daar de zin nu van? Alice had het gevoel dat er iets beslissends moest gebeuren zodat zij, en op den duur hopelijk ook Victoria, verder kon met haar leven. Ze moest kracht vinden en Victoria in haar eer herstellen. Misschien was dat laatste het belangrijkste. Maar hoe?

Ze bracht steeds meer avonden achter de pc door, alsof die haar kon helpen het antwoord te vinden. Ze surfte op internet, chatte met mensen in Australië en in andere landen. Ze vond discussiegroepen voor ouders die allerlei problemen met hun kinderen hadden of hadden overwonnen. Ze was anoniem online, maar om ergens ook maar een zweempje hoop te vinden vertelde ze altijd wat ze had meegemaakt, wat Victoria en zij nu nog meemaakten. Ze kreeg veel nieuwe vrienden en ondervond enorm veel sympathie, maar dat was niet genoeg voor haar, haar frustratie werd alleen maar groter.

Het was avond. Alice stond in de keuken, maakte een kop thee en besloot ook een glas wijn te nemen. Misschien om rustig te worden en straks beter te kunnen slapen. Ze wist het niet. Ze wist alleen maar dat ze een glas wijn wilde. Ze lachte een beetje om zichzelf, daar bij het aanrecht, terwijl ze de kurkentrekker indraaide. Thee en rode wijn, wat een combinatie. Ze hoorde een pling uit de kamer naast de keuken, waar haar pc stond. Mail.

Ze liep naar de pc met het kopje thee in haar ene hand en het glas wijn in de andere. Ze keek naar de nieuwe, ongelezen mail. Weer spam. Ze raakte geïrriteerd, zoals altijd. Wie dacht er nou dat ze viagra en andere erectiepillen nodig had, dat ze nep-Rolexen wilde kopen of afslankmiddelen of wat voor andere troep dan ook? Ze wilde net alle mail verwijderen toen een zin in een van de onderwerpsregels haar aandacht trok.

Er stond: *Wil je hulp hebben bij de definitieve oplossing van een probleem?*

Ze werd nieuwsgierig, maar twijfelde ook. Ze had wel het een en ander geleerd over computers, maar ze wist er niet genoeg van om een virus uit haar computer te halen als hij zou crashen. Ze moest geen mail van onbekende afzenders openmaken en ze herinnerde zichzelf eraan dat ze iemand moest vragen een effectief spamfilter bij haar te komen installeren.

Wil je hulp hebben bij de definitieve oplossing van een probleem?

Ze glimlachte vermoeid, omdat ze zich niet goed kon voorstellen dat iemand – misschien wel aan de andere kant van de wereld – haar zou kunnen helpen met het oplossen van haar problemen. Hoe zou iemand haar kunnen helpen een uitlaatklep te vinden voor haar haat, zodat ze die kwijt kon raken? Hoe zou iemand anders haar kunnen helpen Victoria's eer te herstellen of Victoria gezond te maken?

Alice maakte het mailtje open. Eerst las ze vluchtig de korte informatie, daarna klikte ze op de knipperende link daaronder. Binnen enkele seconden kwam ze op een website zoals ze nog nooit eerder had gezien. Ze nam een slok wijn en begon te lezen. Zwaar geconcentreerd fronste ze haar wenkbrauwen, zocht naar haar bril en zette hem op. Ze las en herlas en leunde toen achterover. Ze nam nog een slok wijn, boog zich voorover en begon opnieuw. Met stijgende verbazing klikte ze hier en daar op de site.

Eerst dacht ze dat het allemaal een grap was, maar na dertig minuten, toen ze alles nog een keer zorgvuldig had gelezen, begreep ze dat het waar was. Dat ze hier wellicht de oplossing van haar probleem voor zich zag. Ze maakte screendumps van de site en de interne links, noteerde nauwkeurig het mailadres dat ze moest gebruiken om het contact voort te zetten, liep met het glas wijn in haar hand van de pc naar de woonkamer en ging in een fauteuil zitten. Ze pakte de afstandsbediening en de donkere woonkamer – nu drong alleen het zwakke licht van de lantaarnpalen aan Sutten Avenue naar binnen – vulde zich met klassieke muziek, die haar rustig maakte en hielp helderder te denken.

Een uur later ging ze terug naar de pc. De site waar ze naartoe geklikt was, stond nog steeds open op haar scherm. Ze ging zitten en begon te werken, tikte de gegevens in die ze geacht werd te geven en printte een paar pagina's met informatie en instructies uit.

Het was bijna middernacht toen ze opstond van de computer en naar bed ging. Ze had nog twee glazen wijn gedronken, maar was desondanks te gespannen om te kunnen slapen.

Zeker twee uur lag ze onder het zachte donzen dekbed te woelen en te piekeren, en af en toe keek ze naar de grote, rode cijfers van de digitale wekker. Meer dan ooit dacht ze na over de vraag waar ze met haar leven heen ging, wat dit voor gevolgen kon hebben. Ze sliep licht en onrustig, geplaagd door nachtmerries. Ze werd moe wakker, maar toch met een nieuw, heel eigenaardig gevoel van opgewektheid.

Hij zou zijn verdiende loon krijgen.

Robert Spears was verbaasd toen Alice belde en haar boodschap uiteenzette, maar zei dat ze natuurlijk welkom was wanneer het haar maar uitkwam. Een uur later zat ze in zijn kantoor. Spears was al haar bankadviseur sinds ze de boekhandel had gekocht en ze had een groot vertrouwen in hem. Nu keek hij haar aandachtig aan.

'Alice, weet je zeker dat je deze investering wilt doen? Vijftigduizend Amerikaanse dollar is een hoop geld. Ik heb wat onderzoek gedaan naar dat bankbedrijf in Luxemburg en ja, ik heb het gevonden en het lijkt wel actief te zijn. Maar het heeft geen bekende historie als instelling en voor zover ik het begrijp, kunnen ze de zaak morgen sluiten. In dat geval zijn je deelnemingsrechten waardeloos.'

'Ik weet het heel zeker, Robert. Ik heb de tip gekregen van een goede vriend die ik vertrouw. Hij doet al lang zaken met hen en heeft een goed rendement van zijn geld gehad.'

Spears haalde zijn schouders op. 'Het is jouw geld. Ik wil alleen dat je je bewust bent van de risico's.'

'Dank je, het is fijn dat je je daarom bekommert. Hoe snel kan het naar Luxemburg worden overgemaakt?'

'Dat duurt maar een dag of twee. Als het goed is, krijg je binnen een week een bevestiging van hen. Ik zal ervoor zorgen dat het nu direct wordt geregeld.'

'Dank je, Robert.' Alice stond op, schudde Spears de hand en verliet de bank.

Het opgewekte gevoel vervulde haar weer.

De volgende twee weken bereidde Alice Banks zich zorgvuldig op haar opdracht voor. Ze stond in nauw contact met de persoon achter de site waar ze die avond naartoe geklikt was, mailde vragen en ontving instructies die ze – tegen alle regels in – uitprintte om ze in alle rust uit haar hoofd te kunnen leren. Dat was niet erg. Ze zou ervoor zorgen dat de papieren veilig opgeborgen werden en als alles achter de rug was, zou ze ze verbranden.

Alice vertelde het personeel in de boekhandel dat ze aan vakantie toe was na alles wat ze had meegemaakt, dat ze van plan was bijna veertien dagen naar Los Angeles te gaan om te shoppen en de toerist uit te hangen. Ze bereidde Victoria's artsen erop voor dat ze op reis ging en regelde dat Victoria's vroegere *nanny*, Mrs. Welsch, op het huis paste terwijl zij weg was.

Alice ging iedere ochtend hardlopen in plaats van wandelen, ze ging een paar keer trainen in een fitnessclub in Brisbane, veranderde haar eetgewoonten en zorgde ervoor dat ze enorme hoeveelheden water, groenten en vitamines binnenkreeg. Ze dronk gezondheidssapjes en ging 's avonds vroeg naar bed. Ze wilde zo goed mogelijk in vorm raken.

Voor de zekerheid belde ze Anthony Stevenson, die haar hielp een testament op te maken. Hierin bepaalde ze dat Victoria alles erfde wat Alice bezat en dat een vertrouwenspersoon erop toe moest zien dat het meisje zo goed mogelijk werd verzorgd. In het geval dat Alice zou overlijden, moest de boekhandel worden voortgezet als voorheen, waarbij Victoria Banks voor eenenvijftig procent eigenaar zou zijn en de rest gelijkelijk verdeeld moest worden onder haar trouwe medewerkers. John Banks zou natuurlijk nog geen paperclip krijgen uit de nalatenschap.

45

Alice was zenuwachtig toen ze 's morgens vroeg wakker werd, maar dat gevoel werd algauw verdrongen door de nieuwe opgewektheid die haar de afgelopen weken vervulde. Ze had haar kleding met grote zorg uitgezocht en heel weinig ingepakt, omdat het immers niet geheel ondenkbaar was dat ze een nieuwe garderobe zou aanschaffen in Hollywood of Beverly Hills.

Ze ging op tijd van huis, zodat ze nog even bij Victoria langs kon gaan. Het meisje zat zoals gewoonlijk in haar rolstoel en Alice was even wanhopig als altijd toen ze haar lege ogen zag, maar vandaag voelde ze een nieuwe kracht in zich en die probeerde ze door te geven aan Victoria. Ze trok een stoel bij, ging recht tegenover haar dochter zitten, nam haar handen in de hare en zocht haar ogen.

'Vicky, lieverd. Mama moet een poosje weg, een week of misschien twee, om iets te regelen wat voor ons allebei belangrijk is.' Ze ging zo zacht praten dat het fluisteren werd: 'Ik kan nu niet meer vertellen, maar het gaat over Peter Henry. Hij zal boeten voor wat hij je heeft aangedaan! Wees nu een flinke meid totdat ik terugkom. Alles komt weer goed, dat beloof ik je! Ik hou van je, Vicky!'

Ze meende even een beweging te zien in Victoria's ogen toen ze 'Peter Henry' zei, maar ze wist het niet zeker. Alice stond op, omhelsde haar dochter langdurig en kuste haar op haar wang. 'Ik ben gauw terug, meiske. Ik hou van je!'

De reis via Auckland in Nieuw-Zeeland duurde bijna zestien uur en Alice had zich erop voorbereid dat hij vermoeiend zou zijn – het was lang geleden dat ze zo'n verre reis had gemaakt.

Ze deed wat ze kon om zich tijdens de vlucht te ontspannen. Ze had een paar pocketboeken meegenomen, keek naar films en besteedde heel wat tijd aan uit het raam kijken en rustig proberen door te nemen wat er de komende tijd zou gaan gebeuren.

Ze had het reisbureau in Brisbane gevraagd om een vliegticket met een open retour naar Los Angeles en ze wilde alleen maar hulp bij het boeken van drie hotelnachten na aankomst. Het Holiday Inn aan 2005 North Highland Avenue was maar een driesterrenhotel, maar Alice wist welke hoge eisen de gemiddelde Amerikaan aan comfort en service stelde en zei tegen de vrouw van het reisbureau dat ze drie sterren wel genoeg vond. Vanaf het hotel kon ze in een paar minuten naar Hollywood Boulevard gaan en langs de souvenirwinkels naar het beroemde Mann's Chinese Theatre wandelen. Ze wilde de beroemde hand- en voetafdrukken zien die de filmsterren in de loop der jaren in het cement hadden achtergelaten, ze wilde naar de winkels in die buurt, souvenirs kopen en in elk geval even de werkelijkheid van zich afzetten en doen alsof ze een gewone toerist was.

Alice had geprobeerd realistisch te zijn toen ze bedacht hoe de operatie moest worden uitgevoerd. Na de reis zou ze uitrusten en haar lichaam aan het tijdsverschil laten wennen. Ze was van plan zich een paar dagen bezig te houden met wandelen, rondkijken en rustig aan doen. Ze zou het personeel van het hotel vragen de vluchten te boeken die haar naar de definitieve bestemming van haar opdracht zouden brengen.

De vlucht van American Airlines uit Auckland landde met vijftien minuten vertraging om kwart voor elf in de ochtend op Los Angeles International Airport.

Toen Alice het vliegtuig had verlaten, ging ze naar de immigratiecontrole en verbaasde zich erover hoe snel al die duizenden mensen gecontroleerd werden voordat ze werden binnengelaten in de Verenigde Staten. Na de terroristische aanvallen van september 2001 waren de veiligheidscontroles bij binnenkomst van de Verenigde Staten verscherpt. Zo moest van alle passagiers een vingerafdruk worden gemaakt en volgens dezelfde bepalingen werden er webcams aangebracht die foto's namen van de gezichten van alle passagiers die door de immigratiecontrole kwamen.

Daar maakte Alice Banks zich geen zorgen over. Ze was niet van plan vingerafdrukken achter te laten in situaties die gevaarlijk voor haar konden zijn en ze had er ook niets op tegen dat haar gezicht werd gefotografeerd. Ze was een gewone toerist die naar Californië was gekomen om Hollywood te bezoeken en te shoppen, en dat zou ze in het register ook blijven.

De taxichauffeur was zwart, droeg een veelkleurig, gehaakt mutsje en had een grote baard. Ze vroeg nieuwsgierig waar hij vandaan kwam. Hij liet een oogverblindende glimlach zien: 'Jamaica, man!'

Hij reed met het raam open en rookte een sigaret die zoet geurde. Alice leunde achterover en keek naar de hoge, glanzende gebouwen, terwijl de chauffeur de West Century Boulevard volgde tot aan Interstate 405 en toen doorreed naar het noorden. Alice voelde instinctief dat ze onder geen beding in dit uitgestrekte stenen getto zou kunnen wonen, waar ieder woonhuis alleen een begane grond had en eruitzag als een lelijke, bruine schoenendoos. Het contrast met de vulgaire wolkenkrabbers met hun spiegelende ramen was groot.

De chauffeur volgde La Cienega helemaal tot Sunset Boulevard en maakte toen een bocht naar rechts. 'Hollywood, man!' zei hij met een sterk accent en hij spreidde zijn armen uit als om haar te laten zien dat ze in de wereld van de filmsterren was.

De wereld van de filmsterren zag er niet uit zoals ze zich die had voorgesteld. Sunset Boulevard in Hollywood werd zelden als mooi omschreven en het stuk tussen La Cienega in het westen en La Brea in het oosten was daarop geen uitzondering. De straat was groezelig, met benzinestations erlangs, een supermarkt, een grote instrumentenwinkel, een paar kleinere winkels en wat vrij kleine restaurants. Aan de kant van La Brea lagen een paar motels waarvan de gasten vaak laarzen tot boven de knie droegen, per uur betaalden en in ruil daarvoor aan het schoonmaken van de badkamer én aan lastige vragen ontkwamen.

Alice Banks bekeek dit decor wantrouwend. De taxi reed Hollywood Boulevard op, de chauffeur sloeg linksaf naar Highland, maakte een U-bocht en parkeerde de auto voor het hotel. Alice keek op de meter en verhoogde het tarief met een flinke fooi. De chauffeur kon vast wel een kleine bijdrage voor nog meer sterke sigaretten gebruiken om zijn werkdagen in een van de krankzinnigste steden ter wereld door te komen.

Met een glimlach nam hij het geld aan, gaf haar een kushand en sprak de afscheidswoorden: *'B'careful, miss, it's a jungle here!'*

Ze lachte, zwaaide naar hem, pakte haar koffer en ging naar binnen.

46

Nadat ze had ingecheckt, maakte Alice een wandelingetje, kocht een paar ansichtkaarten en postzegels, een blik cashewnoten, wijn en een paar flesjes water. Daarna wandelde ze terug in de vroege middagzon en sloot zich op in de hotelkamer.

Ze ging de douchecel in en liet het hete water over haar lichaam stromen. Ze huiverde, ondanks de warmte, en voelde zich moe van de reis. Ze trok een veel te lang T-shirt aan, zette de tv aan, maakte een fles wijn en een fles water en het blik nootjes open. Ze kroop in bed, schreef ansichtkaarten naar het personeel van de boekhandel, Mrs. Welsch en een paar vriendinnen. Ze bewaarde de grootste en mooiste kaart voor Victoria, schreef er een liefdevol berichtje op waarin ze zei dat het spannend was om in Hollywood te zijn en dat ze hoopte dat Victoria en zij hier gauw samen heen zouden gaan.

Toen ze de kaart had geschreven, kreeg ze tranen in haar ogen en een ogenblik overwoog ze hem te verscheuren en in de prullenbak te gooien. Maar ze bedacht zich. Nooit. Victoria zou vroeg of laat beter worden, moest beter worden. Ze zouden samen reizen, leven en genieten. Het mocht er niet op uitdraaien dat die klootzak die haar die nacht had misbruikt, haar leven voor altijd had vernietigd. Daarentegen, dacht ze koud, zou zijn leven binnenkort afgelopen zijn. Ze herinnerde zichzelf eraan dat ze regelmatig een computer moest opzoeken waarop ze de internetkrant kon lezen.

Alice dronk een paar glazen wijn, kauwde op de nootjes en zapte van de ene zender naar de andere. In de loop der jaren was ze geschokt en geërgerd geraakt over de verslechtering – zoals zij het zag – van het tv-aanbod in Australië. Het leek alsof het overgrote deel van de zendtijd door soaps, docusoaps, zinloze spelletjes en algemeen afstompende programma's in beslag werd genomen. Nu begreep ze dat het hier nog erger was. Toen ze langs vierenveertig zenders was gezapt, had ze er niet één gevonden die een enigszins substantieel programma uitzond. Ze keek in het overzicht en zag dat er alleen nog betaalkanalen met harde porno over waren. Daar zag Alice van af. Harde porno was niet waar ze nu de meeste behoefte aan had.

Ze lag op bed, staarde naar het plafond en voelde zich plotseling heel erg ontmoedigd. Waar was ze aan begonnen? Ze twijfelde er niet aan dat ze Peter Henry met haar blote handen had kunnen ombrengen als ze de kans maar had gehad. Maar zou ze iemand kunnen vermoorden die ze helemaal niet kende? Natuurlijk had ze niet het morele recht om dat te doen. Had ze een denkfout gemaakt? Zou haar wraak er niet toe leiden dat de situatie beter werd?

Alice deed haar best die gedachten weg te jagen. Ze kon nu niet meer terug. Ze las, rustte uit en liet de uren verstrijken. Ze wilde zo snel mogelijk in het goede dag- en nachtritme komen om in vorm te zijn. Tegen zeven uur 's avonds kleedde ze zich aan en ging naar het restaurant van het hotel, waar ze – om haar eerste bezoek aan Amerika passend te vieren – een grote hamburger met *cole slaw*, augurk en heel veel patat bestelde. Het feestmaal werd weggespoeld met nog meer Californische wijn. Een culinair twijfelachtige, maar zeer Amerikaanse eetervaring, dacht Alice.

De volgende ochtend werd ze om een uur of zes wakker en trok ondergoed, een T-shirt en een licht trainingspak aan. Toen nam ze de lift naar de begane grond, ging de straat op, bleef even staan en ademde diep door. Ze rende Highland uit naar Hollywood Boulevard, ging linksaf en rende over de trottoirs, over de sterren in de stoep die ze eerder alleen op foto's en in tv-programma's had gezien. Alice rende lange stukken tot de derde of vierde dwarsstraat, stak toen bij een zebrapad over en liep terug naar het westen.

In het hotel nam ze een snelle douche, kleedde zich aan, maakte zich op en nam de lift naar beneden om te ontbijten. Ze bestelde een versgeperste sinaasappelsap, geroosterd brood, marmelade, bacon en roerei en at dat terwijl ze door de *Los Angeles Times* bladerde. Na het ontbijt ging ze naar de receptie en vroeg hulp bij het boeken van een vlucht. Ze wilde twee dagen later in de ochtend naar Fort Myers in Florida. Het moest business class zijn en een open retour, verder had ze geen wensen wat betreft specifieke tijd of vliegtuigmaatschappij, maar omdat de reis een groot deel van de dag zou duren, wilde ze 's morgens vertrekken.

Toen vroeg ze of ze een computer met internetaansluiting kon gebruiken. Het meisje van de receptie wees naar een hokje een paar meter van de balie, vertelde haar dat het hotel een breedbandaansluiting had en dat het gebruik van de pc een paar dollar kostte en op haar hotelrekening zou worden bijgeschreven. Alice ging achter de pc zitten en logde nerveus in op de website van *The Courier Mail*, maar sloeg de gedeelten over economie en cultuur, die ze anders spelde, over. Op dit moment was er maar één ding dat haar interesseerde: of een jongen genaamd Peter Henry was omgekomen of niet. Ze vond geen letter over Henry, logde teleurgesteld uit en ging terug naar haar kamer om haar geld en haar creditcard te halen.

Ze wandelde naar het zuiden, naar Melrose Avenue, sloeg rechts af en volgde de straat in oostelijke richting. De gevoelens van onbehagen van de vorige avond welden weer in haar op en gingen gepaard met twijfel. Waarom had er niets over Peter Henry op de website van *The Courier Mail* gestaan? Was ze ertussen genomen? Moest ze haar reis afbreken en naar huis gaan? Het liefst van alles had ze nu al naar het vliegveld willen gaan om het eerste het beste vliegtuig naar huis te nemen en alles te vergeten.

Te laat. Er was geen weg terug. Er ging een rilling door haar heen toen ze dacht aan de consequenties die contractbreuk van haar kant zouden hebben. Voor haar eigen bestwil en die van Victoria moest ze nu wel afmaken waar ze aan begonnen was.

Ze liep afwisselend aan de rechter- en de linkerkant van de straat, verdreef de onaangename gedachten door in kleine boetiekjes en cadeauwinkeltjes te kijken, vond een mouwloos t-shirt en een jurk hier, een ceintuur en een sweater voor Victoria daar. In een van de vele trendy cafés dronk ze een cappuccino bij een tafeltje aan het raam en bekeek al die mensen uit zo veel landen die op deze straat bij elkaar gekomen waren om te kopen, te verkopen, te zien en gezien te worden.

Ze liep verder over Melrose Avenue naar La Cienega, ging naar het zuiden naar Beverly Boulevard en Beverly Center. Ze bracht een paar uur door in een *shopping mall*, winkelde wat en at een lichte lunch in een *salad bar*. Daarna nam ze een taxi naar Rodeo Drive in Beverly Hills.

Alice bracht ruim twee uur door met kijken naar etalages en naar alle mensen die in de exclusieve straat af en aan reden in lange, glanzende limousines, Ferrari's, Lamborghini's en Jaguars. Het viel haar op dat de meeste van die glanzende, tonnen kostende auto's die langs de straat geparkeerd stonden een parkeerbon hadden en ze nam aan dat die bonnen niet direct tot het faillissement van de eigenaars zouden leiden. Ze ging zomaar, om een paar tassen mee naar huis te kunnen nemen, een paar winkels in en kocht een paar kleinigheden: een ceintuur, een sjaaltje en een geurtje dat ze in Australië nog nooit had gezien.

Het was even na zessen toen de taxi haar voor het hotel afzette. Alice nam een snelle douche, trok een rok, een bloes en een paar mooie maar toch gemakkelijke schoenen en een licht jack aan. Ze had trek en had zin in Mexicaans eten, en dat moest niet moeilijk te vinden zijn in een stad waar de helft van de inwoners Mexicaans leek te zijn, legaal of illegaal. Ze vroeg tips bij de receptie en een paar minuten later was ze met een taxi onderweg.

Restaurant El Compadre was al sinds de jaren zeventig gevestigd op 7408 West Sunset Boulevard. Van buiten leek het vooral een ontzettend lelijke betonnen doos zonder ramen. Als haar niet was aangeraden juist hierheen te gaan – beter Mexicaans eten was er in de wijde omtrek niet te krijgen, had een jongeman van de hotelreceptie haar met een glimlach verzekerd – was ze hier hoogstwaarschijnlijk niet zomaar naar binnen gegaan.

Ze werd ontvangen met gedempt licht, donkere kleuren en dikke vloerkleden. Aan de muren hingen Mexicaanse hoeden, ingelijste krantenknipsels en details die op de een of andere manier associaties met het buurland in het zuiden opriepen. In het halfduister achter in de zaak, vermoedde ze een L-vormige bar en ze zag dat een barkeeper juist de vlam stak in een paar margarita's.

De gasten vormden een bont gezelschap. Jongeren die popster of acteur hoopten te worden zaten aan tafeltjes naast jonge paartjes en paren van middelbare leeftijd die elkaar diep in de ogen keken en glimlachend proostten met hun margarita's. De stemming voelde goed, warm, hartelijk. Er kwam een ober naar haar toe, hij glimlachte naar Alice en bracht haar naar een tafeltje. Hij gaf haar een menukaart, zette een schaaltje met tortillachips voor haar neer en vroeg of ze iets wilde drinken. Alice keek om zich heen en naar de bar, waar de barkeeper nog steeds volop bezig was margarita's aan te steken.

'Een *frozen margarita* alstublieft,' zei ze.

De ober ging weg en kwam na een minuutje terug met een groot glas met een in zout gedoopte rand. Op het bevroren oppervlak flakkerde een klein, blauwig vuurtje, waar Alice gefascineerd naar keek terwijl hij het glas voor haar op tafel zette. Toen het vuurtje doofde in de alcohol, pakte ze het glas op, likte wat zout van de rand en nipte vervolgens van de margarita. De ijskoude alcohol steeg rechtdoor naar haar hersens en ze voelde één tel een intensieve pijn in haar voorhoofd bij wijze van fysieke reactie.

'Wauw,' fluisterde ze glimlachend. 'Die wist waar hij heen wilde!'

Alice had trek en dat werd niet minder toen ze de uitgebreide kaart bestudeerde. Ze kon niet kiezen of ze Acapulco-enchilada's met garnalen en krab zou nemen, fajita's met garnalen op een bedje van salade, uien en bonen, klassieke knapperige taco's, burrito's of weer andere enchilada's. Na rijp beraad koos ze voor enchilada's met diverse soorten kaas en toen ze de geur van het dampend hete gerecht opsnoof, had ze er geen spijt van. Het smaakte goddelijk. De *frozen margarita* dronk lekker weg, zoals de mannen op de barkrukken een stukje verderop het misschien uitgedrukt zouden hebben. Alice zag geen reden iets anders te drinken en bestelde er nog een paar.

Drie mannen met gitaren en Mexicaanse hoeden op betraden het kleine podium en kort daarop werd het restaurant gevuld met gepassioneerde Mexicaanse liedjes waarbij de gasten op de maat meeklapten. Alice bleef langer zitten dan ze van plan was geweest. Een van de mannen aan de bar had gevraagd of hij bij haar aan tafel mocht komen zitten, maar dat had ze vriendelijk doch beslist afgewimpeld. Er kwam een aangename roes over Alice door alle tequila die ze had gedronken. Ze betaalde haar rekening en vroeg de ober een taxi te bellen.

De volgende ochtend sliep ze uit en bracht toen een paar uur door op Hollywood Boulevard. Ze ging naar Mann's Chinese Theatre om de hand- en voetafdrukken van de filmsterren te zien in het cement voor de bioscoop. Ze nam een kijkje in het kleine winkelcentrum daar vlak achter, struinde langs films, dvd's, affiches, goudkleurige Oscarbeeldjes van plastic en leren riemen met klinknagels. Ze wandelde door de straat, kocht een paar t-shirts en kleine souvenirtjes voor Victoria, een boek over de geschiedenis van Hollywood voor zichzelf en een dvd met clips uit beroemde films voor Mrs. Welsch. Toen ging ze terug naar het hotel.

Alice rustte een paar uur uit en at een vroege avondmaaltijd voordat ze naar haar kamer ging om in te pakken. De receptioniste die haar ticket had geregeld maakte haar excuus dat het zo'n vroege vlucht was, maar er waren helaas geen andere mogelijkheden als Alice redelijk op tijd op haar bestemming wilde aankomen.

Alice ging naar de receptie, maakte gebruik van de computer en logde in op de website van *The Courier Mail*. Niets. Toen ze naar bed was gegaan, keek ze lange tijd naar het plafond zonder dat ze kon slapen. De gedachten tolden door haar hoofd. Weer voelde alles angstaanjagend dichtbij en onherroepelijk.

De taxichauffeur die haar naar het vliegveld bracht, was van het soort anonieme mensen dat Alice, hoewel ze een goed geheugen had voor namen en gezichten, zich naderhand niet meer zou kunnen herinneren, ook al hadden ze haar een foto van hem laten zien. Ze checkte in en kon nog snel een kop koffie drinken voordat het tijd was om aan boord te gaan.

Het vliegtuig van Continental Airlines vertrok om zeven uur 's morgens en Alice kon zien hoe de zon door de witte ochtendnevel probeerde te dringen. Toen leunde ze achterover en viel in slaap. De vlucht naar Houston, Texas, duurde drie uur en vijftien minuten. Ze landde om kwart over twaalf lokale tijd en tijdens de wachttijd van anderhalf uur at ze een hamburger, dronk een cola en bladerde een paar kranten door.

Ze ging aan boord van het volgende vliegtuig en viel vrijwel onmiddellijk nadat ze was gaan zitten weer in slaap. Ze werd wakker doordat het vliegtuig begon te dalen en keek op haar horloge. Waarom was ze er nu al, net nu ze zo lekker sliep?

Het was vijf uur 's middags toen de piloot de wielen van het vliegtuig op de landingsbaan van Fort Myers in Florida, zette. Hij stelde tevreden vast dat hij maar vijf minuten vertraging had.

Terwijl Alice bij de bagageband op haar koffer wachtte, kreeg ze het koud. Haar benen trilden, ze voelde zich plotseling duizelig en moest op een bankje gaan zitten. Ze was hier nu. Het was tijd om het plan af te maken. Ze was bang voor wat er moest gebeuren. Bang voor de gevolgen. Bang voor zichzelf.

'Gaat het, miss? Kan ik u ergens mee helpen?'

Alice schrok en keek op. Een stewardess met een tas in haar hand glimlachte haar vriendelijk toe.

Alice probeerde zichzelf onder controle te krijgen en glimlachte terug. 'Dank u wel, hoor, maar het gaat goed. Ik ben alleen een beetje moe van de vliegreis.'

De stewardess knikte begrijpend en ging weg.

Alice huiverde. Als haar gevoelens haar nu al zo duidelijk aan te zien waren, hoe moest dat dan straks? Straks, als ze... Ze schoof die gedachten van zich af, stond op en liep naar de bagageband, waar haar koffer als enige was overgebleven. Ze pakte hem en liep naar de taxi's die in de warme, vochtige lucht van Florida stonden te wachten.

Het viel Alice op dat de zon, die nu een sinaasappelkleurige vuurbol leek met hier en daar wat rood, tussen de rijen palmen die het vliegveld omzoomden omlaag begon te zakken. Maar ze kon niet genieten van de schoonheid van dat beeld. Ze vroeg zich nogmaals af hoe ze aan iets had kunnen beginnen dat zo slecht af zou kunnen lopen. Ze had het nog steeds koud.

47

De zustersteden Cape Coral en Fort Myers zijn perfect gelegen in het westen van Florida, aan de Golf van Mexico. De steden worden van elkaar gescheiden door de machtige rivier de Caloosahatchee en met elkaar verbonden door vier bruggen.

Cape Coral wordt doorsneden door zowel zoutwaterkanalen als kunstmatige zoetwaterkanalen, en veel inwoners hebben hun boot aan een eigen steiger voor hun huis liggen. De zon schijnt er meer dan 315 dagen per jaar, de criminaliteit is laag en voor de meeste mensen die hier wonen is dit wat het paradijs het dichtst benadert.

Zo ook voor luitenant Stephen J. Meyer. Meyer was geboren en getogen in Cape Coral en er was geen haar op zijn hoofd die eraan dacht ergens anders heen te verhuizen. Hij hield van zon, bootleven en vissen. Daarnaast had hij eigenlijk maar één andere interesse: geschiedenis.

Stephen was de zoon van een makelaar in onroerend goed met een vooruitziende blik. In de tijd dat je een aan het kanaal gelegen perceel kon krijgen voor een schamele drieduizend dollar had hij een lening genomen en percelen gekocht. Toen deze honderdduizend dollar per stuk waard waren, had hij voldoende geld om de lening af te lossen en zijn beide zonen ieder genereus een perceel te schenken. Stephen J. had hem met een buiging bedankt en op tweeëntwintig jarige leeftijd een eigen huis gebouwd.

Stephen woonde alleen en had ook nooit een serieuze relatie gehad. Op school hadden ze hem een nerd gevonden en hij had kennelijk geen enkele aantrekkingskracht op het andere geslacht. Dat had hem echter niet veel kunnen schelen. Hij had zich volledig ingezet voor een militaire carrière en was van zins daarmee door te gaan. De rest kwam vanzelf.

Kort nadat zijn eenheid in Fallujah was aangevallen, had Meyer een reeks verhoren ondergaan waarvan het doel was vast te stellen wat er precies was gebeurd en of hem iets te verwijten viel. Meyer was er zich pijnlijk van bewust dat hij een fout had begaan die vijf jonge mannen het leven had gekost en er één invalide had gemaakt. Maar hij was niet van plan hem dat zijn militaire carrière te laten kosten. Iedereen kon een fout maken en oorlog was oorlog; dat moesten mensen begrijpen. Daarom had hij ook vastgehouden aan zijn leugenverhaal dat de groep plotseling van achteren was aangevallen door een rebellentroep, dat hij om zijn mannen te redden had bevolen op te rukken naar het plein om dekking te zoeken, en dat ze daar onder vuur waren genomen vanuit het gebouw aan de overkant van het plein. Hij had sporen van twijfel gezien in de gezichten van enkele van de hogere officieren die hem ondervroegen, maar hij was desondanks vrijgepleit van elke verdenking.

Misschien had Stephen J. Meyer van nature een buitengewoon vermogen om onaangename zaken te verdringen. Hoe dan ook, hij had na het gebeurde geen last van nachtmerries en slaagde erin zichzelf niet te belasten met ook maar enig schuldgevoel.

Twee jaar na het incident op het plein in Fallujah was Meyer zelf gewond geraakt toen een kogel van een scherpschutter op een dak zijn linkerarm geraakt had en zijn spieren en zenuwen gedeeltelijk had afgescheurd. Meyer was naar een militair ziekenhuis in de Verenigde Staten gevlogen, waar orthopedisch deskundigen hadden gedaan wat ze konden om hem weer op te lappen. De prognose was dat de arm wel weer ongeveer in orde zou komen en dat Meyer na een paar maanden rust, revalidatie en training in dienst terug zou kunnen komen.

Meyer was met volledig salaris op verlof en ging twee keer per week naar een fysiotherapeut, maar hij verwachtte dat hij de eerstkomende twee maanden nog niet zou worden opgeroepen. En hij twijfelde geen seconde. Hij wilde terug naar Irak. Hij moest vechten voor zijn land, voor de democratie, en hij was vastbesloten de razendsnelle militaire carrière waaraan hij begonnen was, voort te zetten.

Toen Alice de rivier de Caloosahatchee overstak door met haar huurauto over Cape Coral Bridge te rijden, verbaasde ze zich erover hoe breed die was, en ze wilde plotseling dat ze met een heel ander doel in dit zonneparadijs was geweest. Alligators kijken, met een boot door de

Golf van Mexico varen, met een auto naar Key West rijden en Sloppy Joe's Bar en het huis van Hemingway bezoeken. Misschien een andere keer.

Het Del Prado Inn zag er niet groot of luxe uit, maar Alice vond dat het heel goed was voor de paar nachten die ze hier zou doorbrengen, en ze stelde het ook op prijs dat het vlak bij het water lag.

De man van de receptie heette haar glimlachend welkom. 'En uw naam, miss?'

'Banks, Alice Banks.'

Hij noemde haar 'miss' en niet 'Mrs'. Was dat een goed teken voor de toekomst?

'Alstublieft, miss Banks.' Hij gaf haar de sleutel en nam haar creditcard aan. Hij keek op. 'Ik geloof dat er hier een pakje op u ligt te wachten.' Hij zocht in een kast achter de balie, vond een vrij forse Jiffy-luchtkussenenvelop en overhandigde haar die glimlachend. 'Oef, die is zwaar! Daar zitten zeker stenen in.'

Alice voelde een scheut van nervositeit in haar maag. Ze glimlachte onzeker, kreeg haar creditcard terug, pakte de sleutel en wilde juist weggaan toen ze zich bedacht: 'Hebt u hier misschien een internetaansluiting?'

'Helaas niet, miss. We hebben maar één computer op kantoor, en die mogen we niet uitlenen. Maar er zijn een paar internetcafés in Del Prado en anders kunt u altijd naar een van die computerzaken gaan – daar staan altijd een hoop apparaten met een aansluiting en het kan niemand veel schelen als u uw mail daar checkt.'

Ze zocht haar kamer op, deed hem zorgvuldig op slot en trok de gordijnen dicht. Ze deed het licht aan, maakte de envelop met trillende handen open, stak haar hand erin en haar vingers raakten koud metaal. Voorzichtig haalde ze het pistool eruit, woog het op haar hand en keek ernaar.

Ze dacht terug. Ze was een jaar of negentien, twintig, toen ze met haar vriendje naar een schietclub ging om te kijken hoe hij pistool schoot. Ze had het wapen mogen vasthouden en van een instructeur mocht ze gehoorbeschermers en een beschermbril op doen, voor een baan gaan staan en twee keer op het doel mikken. De terugslag was krachtig, en de treffers waren slecht. Daar had Alice hartelijk om kunnen lachen, omdat ze niet van plan was te leren schieten. Maar nu moest het.

Ze voelde in de envelop, haalde de geluiddemper eruit en een extra magazijn, allebei in keukenpapier gewikkeld om niet tegen het wapen te rammelen. Ze draaide de geluiddemper een paar keer om en probeerde hem toen op het pistool te schroeven. Een begeleidend briefje legde in een paar korte zinnen uit hoe ze het wapen moest ontgrendelen en het magazijn moest verwisselen. De onzekerheid en de angst bevingen haar weer. Zou ze dit kunnen?

Eén ding was zeker, ze moest proefschieten. Maar waar? Ze raadpleegde de kaart en kreeg een idee. Zodra ze het hoogstnoodzakelijke had uitgepakt, waaronder een weekendtas met schouderriem, stopte ze het wapen, de geluiddemper en een jack in de tas. Ze trok een spijkerbroek, gymschoenen en een sweatshirt aan en verliet de kamer. Ze ging in de auto zitten, draaide Cape Coral Parkway op en reed naar het westen.

Het duurde niet lang of ze zag de neonverlichting die verkondigde dat Big Mike's het hele etmaal met een lach om de lippen bediende. Zo vreselijk Amerikaans, dacht ze grijnzend. Ze bestelde Big Mike's Superburger, at met smaak en verbaasde zich erover dat zo'n goedkope zaak zulk goed eten kon serveren.

Het kostte haar bijna een uur om naar Pine Island Road te rijden, die te volgen naar het eiland Matlache en verder naar Pine Island. Alice zweette van de zenuwen en haar handen trilden. Ze klemde het stuur steviger vast. Wat gebeurt er als het nu misgaat, dacht ze. Als iemand me met een wapen ziet, belt hij meteen de politie! Alice haalde een paar keer diep adem om tot rust te komen. De stranden zouden nu toch wel min of meer leeg zijn. Ze reed naar het noorden tot ze het bordje aan de linkerkant zag. *Public Beach Parking.* Tevreden stelde ze vast dat er geen andere auto's geparkeerd stonden. Ze deed de auto op slot en liep met de tas over haar schouder naar het strand.

Ze stond lang stil en ademde de zilte geur van de Golf van Mexico in. De stilte en de beweging van de golven gaven haar rust. Ze keek zorgvuldig rond naar alle kanten, maar zag geen levende ziel. Desondanks liep ze twintig minuten heen en weer om er zeker van te zijn dat er niemand uit de duinen of uit het bosje vijftig meter van het water tevoorschijn zou komen.

Toen ze er heel zeker van was dat ze alleen was, liep ze met besliste tred over het zand naar de bomen. Ze stond stil, ging op haar hurken zitten en pakte het wapen uit de tas. Ze stond op met het wapen in haar rechterhand en keek een laatste keer zorgvuldig om zich heen. Ze controleerde of de geluiddemper goed was vastgeschroefd, ontgrendelde het pistool, ging een beetje wijdbeens staan en pakte het pistool met beide handen vast. Ze mikte nauwkeurig op een boomstam een meter of tien verderop en haalde de trekker zachtjes over. *Poef.* Het geluid was zacht en laag. Alice verbaasde zich ook over de geringe terugslag. Haar oog viel op een leeg colablikje, dat iemand in het zand had gegooid. Ze mikte nauwkeurig en vuurde. *Klonk!* Ze zag dat het blikje opvloog en glimlachte triomfantelijk. Voor de zekerheid liep ze naar de boom en controleerde waar het eerste schot terechtgekomen was. Midden in de stam. Ze reed terug naar Cape Coral.

Toen ze naar het hotel afsloeg, zag ze hele rijen bonte lichten en een heleboel motoren op de parkeerplaats voor de bar van het hotel. Ze werd nieuwsgierig en had bovendien wel trek in iets te eten. En misschien ook een drankje om de zenuwen wat te kalmeren. Ze liep snel naar haar kamer, zette de tas zo ver mogelijk achter in de kast en ging toen naar beneden naar de bar. Desgevraagd vertelde de barkeeper dat dit gewoon de plaatselijke motorclub was die haar wekelijkse bijeenkomst hield.

'Niet bepaald de Hells Angels,' zei hij lachend, 'eerder mannen van mijn leeftijd die een dipje hebben gehad, in de herfst van hun leven een Harley hebben gekocht en zin hebben af en toe samen een biertje te drinken.'

Alice bestelde een *toasted ham and cheese sandwich* en een Budweiser. Ze ging met het bier aan een tafeltje op haar eten zitten wachten, terwijl ze de rijen glimmende motoren bekeek. De barkeeper kwam het brood brengen. Ze wilde juist gaan eten toen ze een stem hoorde.

'Goedenavond, vindt u het goed als ik hier ga zitten?'

De man was waarschijnlijk een jaar of vijftig, had een goed getraind lichaam, een vriendelijk gezicht en donker, kortgeknipt haar. Hij had een blikje Budweiser in zijn hand en glimlachte.

'Zonde dat zo'n mooie dame op zo'n avond alleen zit.'

Alice haalde haar schouders op. 'Ach, ja, ga zitten.'

Hij ging zitten en stak zijn hand uit: 'Ray Barnes, inboorling.'

Ze lachte. 'Alice Banks, niet van hier.'

Hij keek haar nieuwsgierig aan. 'Ik kan je dialect niet goed plaatsen.'

'Ik kom uit Australië.'

Hij klonk geïmponeerd. 'Het land *down under*. Ben je al lang op reis...?'

'Tja, ik reis rond en doe een beetje toeristisch en ik dacht, als ik het hele eind uit Australië kom moet ik in de Verenigde Staten meer dan één plek bezoeken voordat ik naar huis ga.'

'Dat klinkt verstandig. Maar waarom juist Cape Coral?'

'Ik heb vrienden die hier geweest zijn,' loog ze. 'Ze zeiden dat het hier mooi was, dat ik het niet mocht missen.'

Hij wees op haar bord. 'Je eten wordt koud. Eet het maar rustig op. Bud en ik zijn er nog wel even.'

Hij glimlachte, proostte met het blikje en nam een slok. Ze at het broodje snel op en spoelde het weg met bier. Ze had zin in een gin-tonic, het was eeuwen geleden dat ze er een had gedronken. Ze wenkte de barkeeper, bestelde en keek Ray Barnes vragend aan. Hij glimlachte, schudde zijn hoofd en zei tegen de barman: 'Ik hou het bij nog een Bud, ik moet mijn motor nog naar huis brengen.'

Alice mocht hem wel. Hij was rustig, leek gevoel voor humor te hebben en bovendien zag hij er heel goed uit. Ze verbaasde zich een beetje over haar gevoelens, maar besloot dat ze niet te diep in zelfanalyse wilde verzinken, en gewoon moest genieten van wat zich nu voordeed.

'Dus je rijdt motor?'

'Yep, net als die andere jongens hier. De meesten van ons hadden er al een toen we jong waren. Daarna kwamen er vrouwen, kinderen, huizen, auto's, afbetalingen en kon je niet rijden. Maar nu, nu we plotseling weer meer tijd en geld hebben, hebben we de kans gegrepen en een nieuwe motor gekocht, en nu ontmoeten we elkaar af en toe om samen plezier te hebben.'

Ze knikte. 'Dus je bent getrouwd?'

Hij schudde zijn hoofd. 'Al weer heel wat jaren gescheiden. Soms mis je wel iemand, maar je weet wat ze zeggen: een flinke kerel redt zichzelf wel. En jij?'

'Ik ben ook gescheiden. Heb een dochter van zeventien.'

'Aha. Ik heb een zoon van zesentwintig en een dochter van vierentwintig. Je begrijpt gewoon niet waar de tijd is gebleven.'

Ze babbelden een poosje over Australië en haar boekhandel, over Cape Coral, zon, zee, boten en het leven in het algemeen. Alice vond het steeds leuker en wilde wel dat ze de tijd had gehad om nader kennis te maken.

Het werd even stil. Toen zei hij: 'Blijf je lang in de stad? Heb je misschien zin om een keer een ritje te maken? We zouden een uitstapje kunnen maken naar Pine Island of Sanibel; het is ontzettend mooi op die eilanden.'

Ze moest haar tong afbijten om zich niet te verspreken en te verklappen dat ze een van die mooie eilanden daarnet al had bezocht. Ze was in de verleiding om ja te zeggen, maar hield zich in. Ze had iets belangrijks te doen en als dat geregeld was, was het zaak om heel snel uit Cape Coral te verdwijnen. Op dit moment had ze geen idee hoelang het zou duren, niet eens hoe het moest. Bovendien had ze ook geen idee wie deze man was, behalve dat hij aardig was.

'Dat klinkt heel verleidelijk, maar ik moet toch vragen of ik het antwoord nog even schuldig mag blijven.'

Nu moest ze de beste leugen bedenken die ze maar kon verzinnen. Als ze hier als toerist was, hoorde ze niet zo druk bezet te zijn dat ze geen tijd had voor een rijtoertje.

'Ik heb hier morgen afgesproken met een paar vrienden uit Australië. Zij zijn hier al eerder geweest en ik verdenk hen ervan dat ze heel wat plannen hebben gemaakt. Maar misschien mag ik je telefoonnummer hebben, dan kan ik je een seintje geven als ik even tijd heb?'

Hij knikte: 'Natuurlijk, geen probleem. Logeer jij hier in het hotel, trouwens?'

Ze knikte. 'Ja. En je weet hoe ik heet. Er zal hier wel niet meer dan één Alice Banks zijn...'

Hij lachte, pakte een servet, viste een pen uit zijn jaszak, schreef twee telefoonnummers op en gaf haar het servet. 'Het bovenste is mijn nummer thuis en het onderste is mijn mobiel, daar kun je me gegarandeerd op bereiken.' Hij keek even op zijn horloge. 'Ja, het wordt misschien tijd om er voor vanavond een eind aan te maken, als ik morgen nog wil werken. Ik zou wel je wel langer gezelschap willen blijven houden, maar dat hoop ik dan een andere avond te doen.'

Hun ogen ontmoetten elkaar in stilte en Alice vond zijn blik veelzeggend. Ze huiverde. Ze voelde zich erg tot Ray aangetrokken en wilde wel dat de avond niet zo snel voorbij was. Ze zou nu wel meteen een toertje achter op de Harley willen maken, ze zou wel arm in arm met hem langs de zee willen lopen. Hand in hand. Het had geen zin zichzelf voor de gek te houden. Als hij het geprobeerd had, was ze van hem geweest. Ook al was het de eerste avond.

Tegelijkertijd zag ze het absurde van de situatie in. Voelde ze zich voor het eerst sinds jaren aangetrokken tot een man, gebeurde het juist op het moment dat ze zich op leven en dood moest concentreren. Hoe kon ze nu aan liefde denken? Maar dat deed ze toch, ondanks alles. Het had te lang geduurd. Ze had een man nodig en die verdiende ze ook.

'Ik hoop ook dat het een andere avond kan! Maar ik begrijp dat je nu weggaat als je vroeg op moet. Wat voor werk doe je?'

Hij trok zijn leren jack aan en stond op. Ze keek naar hem en voelde de bekende rilling. Ze wilde hem vasthouden, hem voelen, met hem vrijen.

'Ik ben politieman.'

Hij had haar even goed met de vlakke hand in haar gezicht kunnen slaan.

Alice schrok en klemde haar rechterhand om haar glas. Hij keek haar geamuseerd aan.

'Wat nou? Bent u bang voor grote, boze politiemannen, juffrouw? U bent toch geen boef?' Hij lachte hartelijk.

Alice' hart bonkte en ze moest haar uiterste best doen om haar zelf-beheersing te herwinnen. Ze dwong zichzelf om te glimlachen. 'Nee, nee, natuurlijk niet. Het verbaasde me alleen, ik dacht dat je ingenieur was of zoiets...'

Hij lachte weer. 'Zie ik eruit als een ingenieur? Nee, ik ben al vijfen-twintig jaar bij de politie en het bevalt me goed. Ik heb op verschillen-de afdelingen gewerkt. Op het ogenblik werk ik bij de afdeling Geweldsdelicten in Fort Myers, aan de andere kant van de brug, je weet wel. Moordonderzoeken en zo. Niet altijd het vrolijkste werk van de wereld, want het ziet er soms behoorlijk akelig uit. Maar meestal is het heel spannend.'

Ze nam een flinke slok van haar gin-tonic. Ray hield zijn hoofd schuin en glimlachte.

'Ik moet nu weg. Is een knuffeltje toegestaan?'

Ze had ondanks de drank een droge keel en kon geen geluid uitbren-gen.

Ze glimlachte een beetje nerveus, knikte en stond op. Het volgende moment lag ze in zijn armen. Hij omhelsde haar warm en tilde haar gezicht met een vinger onder haar kin op naar het zijne.

'Dank je wel voor de gezellige avond.'

Voordat ze kon antwoorden kuste hij haar zacht op haar voorhoofd. Hij keek haar diep in de ogen. 'Je belt toch, hè?'

Ze knikte. 'Jazeker, ik bel je!'

Ze volgde hem met haar ogen toen hij zijn ene been over de zwarte, sportieve Harley Davidson zwaaide, startte en een paar handschoenen aantrok die op de tank lagen. Hij wierp haar een kushandje toe en liet zijn Harley zacht brommend wegzweven. Alice stond te trillen op haar benen. Ze ging zitten, wenkte de barkeeper en bestelde nog een gin-tonic. Haar gedachten stormden wild en ongecontroleerd door haar hoofd.

Politieman! Nu had ze eens één keer een man ontmoet die ze echt wilde hebben, al was het maar voor één nacht, en nu was het een man die het grootst mogelijke risico voor haar vormde. Ze mocht hem niet meer ontmoeten, ook al zou ze tijd en gelegenheid hebben. De kans dat ze haar mond voorbij zou praten was veel te groot. Hoeveel had ze verteld? Hij wist niet veel meer dan dat ze gescheiden was, een dochter had en met iets met boeken deed. Ze had hem niet eens verteld waar in Australië ze woonde. Maar ze kon absoluut niet het risico nemen nog eens met hem af te spreken.

Toen Alice na haar derde gin-tonic terugging naar haar kamer, voelde ze zich dronken, opgewekt, ongerust en gefrustreerd tegelijk. Ze smeet haar kleren weg en ging de douchecel in. Toen ze zich inzeepte werd haar fysieke verlangen al te sterk. Met gesloten ogen en halfopen mond, tegen de tegelwand geleund, voelde ze hoe de lust haar overmeesterde terwijl het hete water over haar heen spoelde. Toen ze naakt tussen de witte lakens kroop, sliep ze onmiddellijk in.

De volgende ochtend werd ze vroeg wakker, met een lichte hoofdpijn. Ze had gisteren een drankje te veel gehad, maar zonder drankjes had ze het niet overleefd. Ze douchte, kleedde zich aan en maakte haar tas in orde. Ze zocht het extra magazijn op en stopte het samen met het pistool, waar de geluiddemper al op geschroefd zat, in de tas.

Alice nam de auto, zocht de Del Prado Boulevard op en volgde die naar het noorden. Na een snel ontbijt in een typisch Amerikaanse *diner* nam ze een grote kop koffie mee. Ze reed verder naar het noorden en haar oog viel opeens op een kantoorartikelenzaak die de aandacht trok met affiches voor goedkope computers. Er waren behalve zijzelf en een man die met de enige verkoper stond te praten geen klanten in de zaak. Alice zocht snel tussen de rijen computers, vond er een die aanstond en klikte op het icoontje van Internet Explorer. Ze ging naar de website van *The Courier Mail* en las de koppen zorgvuldig. Ditmaal hoefde ze niet lang te zoeken.

JONGEN UIT SANDGATE DOODGEREDEN – DRONKEN AUTOMOBILIST?
De 18-jarige Peter Henry uit Sandgate is gisteren op Board Street, even ten westen van Brain Street, om het leven gekomen nadat hij was aangereden door een auto. Henry, die vanaf de Sandgate District State High School op weg naar huis was, wilde de straat oversteken toen de auto hem raakte. Volgens getuigen reed de auto heel hard en remde hij niet toen Peter Henry vlak voor hem opdook. Henry werd een tiental meters weggeslingerd en is naar verluidt overleden in de ziekenwagen op weg naar het Royal Brisbane Hospital, waarschijnlijk ten gevolge van hoofdletsel.

De auto is met hoge snelheid doorgereden. Volgens getuigen slingerde de auto en de politie denkt aan een dronken automobilist. De auto, die een paar dagen eerder als gestolen was opgegeven in Brisbane, werd later geparkeerd in een straat in Deagon teruggevonden. Ondanks intensieve naspeuringen heeft de politie nog geen spoor van de dader. Ze wil graag in contact komen met getuigen die de chauffeur hebben gezien.

Arthur Bone, woordvoerder van de Sandgate District State High School, zegt dat Peter Henry's vrienden hevig geschokt zijn door het nieuws over diens dood, en dat een crisisgroep van de school de leerlingen hulp heeft aangeboden. De school zal een herdenkingsbijeenkomst voor Peter Henry organiseren en...'

Alice las niet verder, maar ze voelde de adrenaline door haar lichaam gaan. Je verdiende loon, dacht ze en voelde tranen van woede en triomf in haar ogen branden. Je verdiende loon voor wat je Victoria hebt aangedaan!

Ze ging de winkel uit en stapte in de auto. Ze geloofde geen seconde dat het een verkeersongeluk was, al dan niet met een dronken automobilist. Iemand had de moord uitgevoerd die zij had besteld en betaald, en dat was dat. Nu kon ze niet meer terug. Haar opdracht was luitenant

Stephen J. Meyer snel, effectief en zonder te weten waarom te vermoorden. Als ze het niet deed, zou ze zelf worden vermoord.

Het kostte haar niet veel tijd de straat te vinden waar Meyer woonde. Tussen de huizen door kon ze het kanaal erachter zien en de boten die in bootliften boven het water hingen. Ze passeerde het huis van Meyer en stelde tevreden vast dat er een witte cabriolet voor de deur geparkeerd stond. Met een beetje geluk betekende dat dat hij nog niet van huis was, als hij dat al van plan was. Alice kon maar één ding doen. Wachten. De instructies hadden niets gezegd over waar de moord moest worden uitgevoerd, alleen hoe. Meyer moest met zo veel schoten door zijn hoofd worden geschoten dat hij gegarandeerd onmiddellijk dood was. Daarna moest Alice weggaan van de plaats van de moord verlaten, zich ontdoen van het wapen op een plek waar het risico dat het gevonden zou worden minimaal was en vervolgens Cape Coral verlaten.

Alice Banks voelde hoe de zon het steeds warmer maakte in de auto en bedacht dat ze een moordenaar zou worden – ja zelfs dat ze dat ze dat indirect al was, omdat Peter Henry dood was en zij in hoge mate medeschuldig daaraan. Even leek alles zo onwerkelijk dat ze zichzelf alleen maar in de arm wilde knijpen om wakker te worden. Als iemand haar eerder in haar leven had verteld dat ze een mens zou vermoorden of zelfs maar dat ze daarover zou nadenken, had ze waarschijnlijk alleen maar gelachen. Maar het leven was soms onbegrijpelijk en je hoefde niet gelovig te zijn om je af te vragen wat de zin ervan was. Je hoefde ook geen onmenselijk monster te zijn om een moord te plegen. Het hoefde je op een dag alleen maar te veel te worden. Een druppel die de emmer deed overlopen. Peter Henry.

Er was geen weg terug. Alice wist dat ze een stap had gezet in de richting van – hoe vreemd het ook klonk – een beter leven voor Victoria en haarzelf. Een leven waarmee ze zich in elk geval zouden kunnen verzoenen en waarin het beter ging met Victoria.

Alice had haar auto twee huizen van Meyer vandaan geparkeerd en keek strak voor zich uit. Ze had een beschrijving en een foto van hem gekregen. De foto was een beetje onscherp, maar goed genoeg om Meyer te kunnen identificeren als hij zich liet zien. Ze voelde de nervositeit weer opkomen. Tot nu toe was alles onwerkelijk geweest. Gedachten, plannen, fantasieën. Nu zat ze met een geladen pistool in haar tas en moest zo snel mogelijk een man doden. En zonder gepakt te worden.

Ze dacht aan de vorige avond, aan Ray Barnes. Er kwam een traan op, ze veegde hem weg en staarde weer voor zich uit. Het droomscenario was dat Meyer naar buiten kwam, zijn auto pakte en naar dat strand reed waar ze gisteren had proefgeschoten en dat het daar net zo verlaten was als gisteren. Hij zou het niet vreemd vinden dat er tegelijk met hem een vrouw op het strand wandelde en als ze vlak achter hem was, bij die landtong waar het bosje hen aan het zicht vanaf de weg onttrok, zou ze het pistool uit haar tas halen en hem twee of drie keer door zijn hoofd schieten. Hij zou voorover vallen met zijn gezicht in het water en al dood zijn als de huid nat werd. Ze zou zich omdraaien, weggaan en alles zou voorbij zijn.

'Verdomme!'

Ze sloeg met haar hand op het stuur. Natuurlijk zou het niet zo gemakkelijk gaan. In werkelijkheid zou ze misschien wel dagen moeten wachten voordat hij zijn huis uit kwam en elk uur dat ze hier in dit kleine straatje stond, werd het risico groter dat iemand haar zou opmerken en zou vragen wat ze daar deed. Ze wilde dat ze alles af kon kopen, naar het hotel rijden en uitrusten. Ray Barnes bellen, een poosje later, samen met hem eten, met hem op zijn motor langs de zee rijden. Met hem naar bed gaan. Ze sloeg weer met haar vuist op het stuur. Dat zou ook niet gebeuren.

Ze voelde haar hart in haar borst bonken en greep het stuur zo stevig vast dat haar knokkels wit werden. Ze had er veel over nagedacht, maar ze had geen plan omdat ze niet wist hoe Meyer leefde. Ze wist alleen dat ze ten koste van alles wilde vermijden hem in zijn huis te vermoorden; daar was het risico groter. Het risico dat een van de buren het schot zou horen. Het risico dat iemand haar zou zien en het kenteken zou opschrijven. Het risico dat ze sporen zou achterlaten die haar later met de moord in verband konden brengen.

Het zweet brak haar uit. Het weer was tropisch en doordat ze de air-conditioning niet aan kon houden, werd het ondraaglijk heet en vochtig. Nog een omstandigheid waarmee ze geen rekening had gehouden. Ze veegde het zweet af, draaide de sleutel half om en drukte op het knopje waardoor de zijruit een stukje omlaagging. Ze begreep onmiddellijk dat ze zo alleen maar meer vochtige warmte binnenliet. Nu voelde ze het zweet in haar armholtes, op haar borst, de druppels zochten hun weg tussen haar borsten door naar haar buik. Haar spijkerbroek plakte aan haar benen.

Ze overwoog welke mogelijkheden ze had. Hier weggaan, later terugkomen en hopen op een betere situatie was geen goed idee. Dit had gedeeltelijk met geluk te maken, maar ook met koppigheid en doorzettingsvermogen, met wachten. Ze besloot hem een uur te geven en intussen een geloofwaardige verklaring te bedenken waarom ze hier stond, als iemand dat zou vragen. Een auto kwam langzaam op haar af. Toen hij op gelijke hoogte met haar was, minderde hij nog meer vaart. De oudere dame achter het stuur glimlachte vriendelijk en zwaaide even naar haar voordat ze doorreed. In haar achteruitkijkspiegel zag Alice haar de straat ver doorrijden en voor een huis een oprit op gaan.

Een potentiële getuige die zich haar later, als iemand ernaar vroeg, zou kunnen herinneren. Eén te veel. Nog meer zweetdruppels op haar voorhoofd. En toen plotseling de onvoorstelbare mazzel, waardoor haar hart opsprong. Stephen J. Meyer kwam zijn huis uit met een pakje onder zijn arm en liep naar de witte cabriolet. Hij stond zo geparkeerd dat hij met zijn rug naar haar toe naar zijn auto liep. Ze dook naar beneden, zodat hij haar niet zou zien wanneer hij om zijn auto heen liep om het portier open te doen. De motor werd gestart, maar ze kwam niet omhoog voordat ze hoorde dat hij een stukje was weggereden. Ze draaide het sleuteltje om en zette de auto zachtjes in beweging. Ze mocht hem niet kwijtraken, maar wilde niet dat hij zou merken dat ze vanaf het begin achter hem aan reed. Want ze zou er helemaal tot het eind bij zijn, dacht ze met een grimmig gezicht.

Hoewel ze oneindig dankbaar was dat ze het straatje uit kon en kon ophouden met zweten, raakte ze de daaropvolgende uren meer gefrustreerd dan ze lange tijd geweest was. Meyer ging eerst naar een postkantoortje. Hij nam het pakket onder zijn arm en ging naar binnen. Alice wachtte met draaiende motor op behoorlijke afstand. Toen Meyer weer in zijn auto was gestapt, draaide hij de Del Prado op en reed naar het noorden. Alice volgde hem rustig, deed haar best om af en toe van rijstrook te veranderen en acht tot tien auto's achter hem te blijven om de kans om ontdekt te worden te verkleinen. Hij sloeg af naar een parkeerplaats en ze begreep dat hij de Wal-Mart in wilde gaan, een grote supermarkt.

Als ze achter hem aan ging, bestond het risico dat hij haar zou opmerken ofwel dat zij hem kwijt zou raken, de winkel uit zou gaan en weg zou rijden. Als ze bleef zitten zou ze weer in de snikhete zon zitten zweten. Ze parkeerde twee rijen van de hoofdingang af en liep naar het grote, grijze betonnen gebouw. Alice besloot tot een compromis. Ze zou hem even volgen, maar zorgen dat ze eerder dan Meyer terug was in haar auto. Ze deed de huurauto op slot, liet na even nadenken de tas op de achterbank staan en holde naar de hoofdingang, waar Meyer net door verdwenen was.

Stephen J. Meyer had besloten er eens een echt leuke dag van te maken.

Hij had voor de tv ontbeten en een lange douche genomen. Hij wilde naar het postkantoor met een historische roman die terug moest naar de internetboekhandel waar hij hem had gekocht. Idioten – konden hem nog niet eens het goede boek sturen! Het ergerde hem dat hij op internet kocht om een paar dollar uit te sparen in plaats van over de brug naar Fort Myers te gaan naar de grote, goed gesorteerde boekhandel daar. Een tripje naar de boekhandel moest tot morgen wachten. Na het postkantoor wilde hij even naar de Wal-Mart om een paar kleine spullen voor zijn auto te kopen, daarna een vluggertje bij de computerwinkel en daarna het hoogtepunt van de dag.

Alice raakte hem bijna kwijt. Ze bleef even staan toen ze binnen was. Nog nooit was ze in zo'n grote winkel geweest. Ze keek spiedend rond en spotte zijn witte t-shirt en zijn zwarte haar. Hij sloeg juist de hoek van een gangpad om en verdween uit haar gezichtsveld. Ze ging achter hem aan, kwam de hoek om en zag hem vastbesloten rechtdoor lopen. Hij leek precies te weten wat hij moest hebben en dat kon betekenen dat hij gauw weer naar buiten zou gaan. Beter dan in de auto te zitten wachten. Alice week uit voor een vrouw van honderdvijftig kilo met een boodschappenkar vol zakken chips en tweeliterflessen frisdrank. Ze kon nog maar net voor een even dikke man langs glippen die op een vierwielige elektrische scootmobiel aan kwam rijden die hij waarschijnlijk had gekregen omdat zijn benen zijn enorme lichaam niet meer konden dragen. Alice werd vervuld door weerzin en hield zichzelf voor dat ze minder hamburgers en meer salade naar binnen moest werken tijdens haar verblijf in Amerika. Ze had gelezen dat de Amerikanen water in het vlees pompten om het meer te laten wegen als het in de schappen lag.

Alice haastte zich terug naar de auto, de drukkende warmte in. Ze startte en slaakte een zucht van verlichting toen de airco de auto begon te koelen. Na minder dan een kwartier zag ze Meyer met een plastic tasje in zijn hand naar buiten komen en naar zijn auto gaan. Het zweet stond haar in de handen. Wat nu? Zou hij weer naar huis gaan of naar nog een winkel rijden waar ze geen kans had dicht bij hem te komen zonder dat er andere mensen in de buurt waren? Hoelang zou ze hem nog moeten volgen? Het risico dat ze hem zou opvallen werd met het uur groter. Bovendien waren er andere risico's. Stel je voor dat ze – God verhoede het – ergens recht in de armen van Ray Barnes zou lopen.

Ze stuurde de auto het verkeer in, zes auto's achter die van Meyer. Ze vloekte zacht voor zich uit, wenste vertwijfeld dat dit zou ophouden. Terwijl hij in de computerwinkel was, stond ze achter een bestelwagen geparkeerd, waarvan de motor liep om de airconditioning aan te houden. Meyer bleef er niet lang. Ze zag hem met een zakje naar buiten komen, sprong in de auto en startte. De reis ging – ze zuchtte van opluchting – de straat waar Meyer woonde voorbij, zodat ze tenminste nog een kans had.

Ze begreep algauw dat Meyer een van de bruggen naar Fort Myers wilde nemen. Terwijl ze zich erop concentreerde een behoorlijke afstand tot zijn auto te houden, woelde ze als een bezetene in haar zakken om de dollar te vinden die ze moest betalen als ze bij de brug en het tolstation was.

Meyer remde bij een van de stations waar je kon betalen door het juiste bedrag in een apparaat te gooien dat de munten optelde. Alice had alleen een dollarbiljet gevonden en moest in de rij staan bij een van de open betaalhokjes waar een vermoeide vrouw de biljetten van de chauffeurs aannam, verveeld *Have a nice day* zei en het licht op groen zette.

Er stond één auto voor haar in de rij. Ze zag dat Meyers auto zich weer in beweging zette. De man in de auto voor haar reed op. Hij draaide zijn ruit naar beneden en begon met de vrouw in het hokje te praten. In de verte zag Alice Meyer gas geven de brug op. Ze zou hem kwijtraken!

Ze wilde liefst boven op de claxon gaan liggen om die idioot voor haar aan te zetten tot betalen en gas geven, maar ze volstond met een kort signaal. De man keek verbaasd op. Hij gaf zijn dollarbiljet, kreeg groen licht en reed weg. Alice schoot met haar auto vooruit en stak haar hand met het briefje demonstratief uit naar de vrouw. Ze tuurde intens naar voren. Meyers auto was weg!

'We hebben een beetje haast vandaag, begrijp ik?' De vrouw in het hokje praatte sloom en pakte het briefje langzaam uit Alices hand.

'Ja! Sorry, maar dit is een noodsituatie! Mijn vader ligt in het ziekenhuis en...'

De vrouw knikte alleen maar en gaf groen licht. Alice trapte het gaspedaal in en trok zo snel mogelijk op naar het begin van de brug. Ze ging in de linkerrijstrook rijden, passeerde andere auto's en bad tot haar god dat er nu niet toevallig net politie in een civiele wagen achter haar reed. Ze reed nu heel snel over de brug, voelde de betonplaten onder de wielen dreunen, voelde dat haar snelheid nog hoger werd toen de brug weer omlaagging. Ze keek snel even naar rechts, over de rivier die glinsterde in de stralen van de zon. Boten met witte zeilen voeren moeizaam in de richting van de Golf van Mexico, luxe villa's op grote percelen grond rezen naast het water op, villa's van miljoenen dollars in gebieden waar volgens de geruchten heel wat Hollywoodsterren zomerhuizen hadden gekocht. Ze tuurde voor zich uit. Geen Meyer. Ze trapte het gas nog verder in.

Plotseling reed ze bijna tegen zijn auto aan en moest ze hard remmen om zich twee, drie auto's achter hem te kunnen verbergen. Haar hart stond bijna stil en ze zweette overvloedig. Als hij het zenuwachtige gemanoeuvreer achter zich maar niet had opgemerkt! Ze reden van de brug af en ze volgde hem met enkele auto's tussen hen in. Hij sloeg een paar keer af, ging steeds rustiger rijden en ze zag een bord dat aangaf dat ze op de McGregor Boulevard waren, een mooie straat omzoomd met palmen. Na een paar kilometer zag ze dat Meyer zijn richtingaanwijzer naar rechts aanzette en een parkeerplaats bij een huis op reed. Toen ze zelf afremde zag ze het bordje: EDISON HOME.

Voordat ze op reis ging had ze op internet gesurft, en ze herinnerde zich nu dat Edison Home een van de bezienswaardigheden van Fort Myers was. Ze wist niet waarom Meyer hier nu heen ging, ze hoopte alleen dat het betekende dat er zich een kans zou voordoen.

Misschien was het de combinatie van warmte, frustratie en nervositeit, maar ze voelde dat het haar niet meer zo veel kon schelen of hij haar zag of niet. Meyer deed zijn auto op slot, liet hem staan en liep naar een deur met het bordje KAARTVERKOOP. Wat moest ze nu doen?

Hoe werkte het hier? Moest je een rondleiding nemen of was er een voorstelling binnen, een film over Thomas Edison? Ze vervloekte zichzelf omdat ze het niet beter had gelezen, maar hoe had ze in vredesnaam kunnen voorzien? Na een paar minuten zag ze hem met een kaartje in zijn hand naar buiten komen en zich aansluiten bij een groepje mensen dat op een kluitje stond en ergens op wachtte, een gids misschien. Alice pakte haar tas, deed de auto op slot en ging snel naar de kaartverkoop. Er stond goddank geen rij in de koele ruimte waar het enige geluid dat van de airconditioning was.

De dame bij de kassa vertelde dat de bezichtiging begon met een gezamenlijke wandeling door het mooie huis van Thomas Edison en Henry Ford bij de rivier. Daarna konden Alice en de andere bezoekers in alle rust het laboratorium van Edison bezoeken, dat nu een museum was. Alice betaalde, kreeg haar kaartje en een folder, en wachtte buiten bij de andere mensen tot een gids hen zou komen halen.

Meyer stond nog bij de groep een stukje voor het huis waar ze haar kaartje had gekocht. Ze slenterde zo kalm ze kon naar het groepje en ging erbij staan.

Even later kwam er een man – vast een in geschiedenis geïnteresseerde gepensioneerde die gids was om iets bij te verdienen, dacht ze – en heette hen welkom. Hij had een microfoontje aan zijn overhemd bevestigd en op een batterij werkende luidsprekers aan een riem over zijn schouder. De gids ging hen voor naar de overkant van de McGregor Boulevard, de tuin in die het huis van Thomas Edison omgeeft. Meyer liep ongeveer midden in de groep mensen, Alice bleef zo ver mogelijk achteraan. Ze bekeek Meyer stiekem. Hij keek gefascineerd om zich heen en ging helemaal op in zijn eigen wereld. De gids begon te praten, maar hoewel Alice onder andere omstandigheden vast geïnteresseerd zou hebben geluisterd, kon ze zich nu op niets anders concentreren dan op Meyers bewegingen.

Terwijl Meyer aandachtig naar de gids luisterde, dacht Alice koortsachtig na. Hoe zou ze hem hier, in deze open omgeving en te midden van een hele groep toeristen, dood kunnen schieten?

'Het huis diende als winterwoning voor de familie Edison en werkplek voor Thomas tot aan zijn dood in 1931 ... De tuin bevat meer dan duizend verschillende soorten planten, die Mr. Edison uit de hele wereld heeft geïmporteerd...'

Alice hoorde de stem van de gids van verre, zonder dat het tot haar doordrong wat hij zei. Soms stonden de gids en de groep stil om ergens naar te kijken. Alice deed haar best om er geïnteresseerd uit te zien, maar keek stiekem vooral naar Meyer. Had hij haar überhaupt opgemerkt? Waarschijnlijk niet.

'Henry Ford had voor Mr. Edison gewerkt en de mannen sloten algauw vriendschap... nodigde Thomas Edison Mr. en Mrs. Ford uit om hem in zijn winterhuis te bezoeken. Het echtpaar Ford was al net zo verrukt over de plek aan de rivier en het jaar erna, in 1916, kochten de Fords het perceel naast dat van Edison...'

Ze keek om zich heen. De groep naderde het huis waar Edison had gewoond, maar het viel haar op dat de ingangen met plexiglas waren geblokkeerd. Ze zou dus geen kans krijgen Meyer te verrassen en hem in dat huis te doden, zelfs al zou ze daar met hem alleen zijn.

Alice liep achteraan en dacht diep na. Dit was misschien haar laatste kans vandaag. Als Meyer na de rondleiding naar huis reed, moest ze wachten tot de volgende dag en wie wist of hij dan überhaupt wel zijn huis uit zou komen? De gids liet de groep de begane grond en de eerste etage van Edisons huis zien en liep toen door naar het huis ernaast, dat van Henry Ford was geweest. Alice zag dat de deuren van dat huis open waren en ze kreeg een sprankje hoop.

Ze volgde de groep het huis in, bekeek de woonkamer en het keukentje ernaast. Toen kwam God, of het lot, of wat dan ook, haar onverwacht te hulp. De gids vertelde dat de rondleiding was afgelopen en dat de bezoekers nu een tijdje op eigen gelegenheid door het huis en de tuin mochten lopen, en dat ze dan weer bij elkaar zouden komen bij het laboratorium van Edison aan de andere kant van de straat, waar ze begonnen waren.

Toen de anderen het huis verlieten, bleef Meyer om de een of andere reden achter. Alice stond in de woonkamer en zag hem op de rug toen hij terugliep naar de keuken van Ford, misschien om daar nog een extra kijkje te nemen. Ze luisterde aandachtig, keek om zich heen en vergewiste zich ervan dat er verder niemand van de groep was achtergebleven. Ze kon hun stemmen buiten op afstand horen. Ze maakte snel haar tas open, haalde het pistool eruit en ontgrendelde het. Toen stak ze haar hand in de tas en liep met bonkend hart naar de keuken.

Meyer stond met zijn rug naar haar toe en keek geïnteresseerd naar de voor die tijd zeer moderne keukeninrichting. Toen hij hoorde dat er iemand aankwam, draaide hij zich om en keek haar vluchtig aan, met een neutrale blik. Ze glimlachte naar hem en knikte vaag. Hij knikte terug, draaide zich om en bekeek het fornuis. Alice pakte het pistool, deed drie stappen naar voren en stond nu amper een meter achter Meyer.

Alice Banks wist dat door wat er nu gebeurde, niets ooit meer zo zou zijn als vroeger. Toch twijfelde ze niet, nu het zo ver was. Dat kon ze zich niet veroorloven. Ze hief het pistool, mikte op Meyers achterhoofd en haalde de trekker over.

Poef.

Zonder aarzelen schoot ze nog een keer, terwijl ze zag dat de man zich probeerde om te draaien.

Poef. Poef.

Ze wilde het niet. Wilde niet dat hij zich omdraaide. Wilde zijn gezicht niet zien. Alles werd een film en hij draaide langzaam om zijn as naar haar toe, zodat ze de linkerkant van zijn gezicht zag. Terwijl alles stil werd – misschien ging de luidspreker juist op dit moment kapot – zag Alice dunne straaltjes bloed uit zijn hoofd over de keukenvloer spuiten.

Poef.

Het geluid kwam terug. Ze hoorde Meyer kreunen en zag hem wankelen. Heel even leek het alsof Meyer zijn rechterarm wilde uitsteken om zijn val te breken, maar zo ver kwam de arm niet meer. Meyer viel schuin voorover; ze kon de uitgebluste, lege uitdrukking in zijn ogen zien en begreep dat hij al dood was voordat zijn lichaam de grond raakte. Ze draaide zich om, voelde de paniek in zich opwellen en had het idee dat ze in modder zwom toen ze zich terugworstelde naar de deuropening. Ze wierp een laatste blik over haar schouder en registreerde dat zijn lichaam de metalen paaltjes waarin het versperringstouw zat omvertrok toen het voorover viel op de keukenvloer van Henry Ford. Misschien moest ze zich schuldig voelen dat ze de keuken van de automagnaat had ontheiligd, maar in haar hoofd bestond maar één gedachte: vluchten.

Ze haalde hortend en stotend adem, vergrendelde het pistool en luisterde naar geluiden, terwijl ze naar de open deur naar het grote terras rende. Was het verbeelding of kwam er een nieuwe groep toeristen naar het huis toe? Ze stormde de deur uit naar de achterkant van het huis, naar de rivier. Rennen! schreeuwde een stem in haar hoofd. Je bent nu een moordenaar! En ze rende. Ze liep om het huis heen en rende over een van de grindpaden naar de McGregor Boulevard. Als ze maar bij de auto kwam, dan zou ze het redden.

Haar hart sloeg zo hard dat ze maar heel moeilijk waar kon nemen wat er om haar heen gebeurde. Ze voelde zich verward, opgejaagd, waanzinnig, en begreep niet waarom ze geen mensen zag of hoorde. Was het een val? Wachtte er bij haar auto al gewapende politie? Ze rende en nu zag ze de McGregor Boulevard en het zebrapad. Het licht stond op rood. Een nieuwe groep toeristen had zich verzameld bij de kassa aan de andere kant van de straat en hun gids kon elk moment verschijnen. Alice had geen tijd om te wachten. Ze rende door het rode licht.

Onder normale omstandigheden was dat zeker goed gegaan. Maar Alice maakte een fout. Ze keek niet naar rechts.

48

De roestplekken op de lak van de Chrysler verrieden dat de auto zijn beste tijd had gehad. Jeff Brown had hem voor 200 dollar van een junk gekocht en mocht blij zijn dat hij het nog zo lang volhield.

Brown voelde zich niet goed. Hij was aan het uittrippen en had een oppepper nodig.

Het werd er ook allemaal niet beter op dat die idioot van een Joney naast hem aan een stuk door aan het babbelen was: '...en toen zei ik tegen Steve dat we samen een vette deal konden fixen. Als hij een paar kilo zuivere coke uit Miami haalt kunnen wij die hier uitzetten en dat moet ons makkelijk, echt makkelijk, dertig-, veertigduizend kunnen opleveren als we het een beetje versnijden en –'

Brown verloor zijn zelfbeheersing: 'Hou je bek, Joney! Ik kan daar nou even niet tegen. Ik moet speed hebben, snap je?'

Joney keek beledigd. 'Ja, ja, ik bedoelde alleen –'

'Bek dicht, zei ik. We hebben het er nog wel over. Oké?'

Joney hield zijn mond. Brown trapte het gaspedaal verder in. De Chrysler scheurde over de McGregor Boulevard. Brown had een dealer in het noorden van Fort Myers gebeld en ja, hij had de waar thuis en ja, ze konden het meteen komen halen, als ze maar pegels bij zich hadden.

Ze hadden pegels bij zich. Brown had een paar platte tv's uit een kraak in een magazijn verkocht en had een dik pak bankbiljetten in zijn zak. Het geld was niet het probleem. Het probleem was dat hij te lang had gewacht, dat het te ver was naar de dope. En er was maar één manier om dat probleem op te lossen. Heel hard rijden en hopen dat Joney tactvol genoeg was om zijn bek te houden. Het liefst zou Brown plankgas geven, maar hij was bang dat de Chrysler het dan niet vol zou houden en als hij het ooit vol moest houden, dan was dat nu. Hij reed 30 kilometer te hard en harder durfde hij niet, want hij wist maar al te goed dat de remmen van de Chrysler ook niet in topvorm waren: elke keer dat hij het barrel wilde stilzetten moest hij een paar keer pompen en hij verdacht de remslangen ervan elke keer olie te pissen. Brown wreef zich nerveus in zijn gezicht en meende dat hij af en toe een rode waas voor zijn ogen kreeg. Irritant.

Hij zag het zebrapad voor de auto en zag dat hij door kon rijden. Als hij twintig meter verder was geweest, had hij gezien dat er aan de rechterkant een groep mensen stond te wachten om over te steken. Maar dat was hij niet. Toen Alice Banks met de paniek in haar gezicht en de tas in een krampachtige greep over haar rechterschouder zomaar de McGregor Boulevard op rende, was het al te laat.

'Shit!' was alles wat Brown kon uitbrengen.

Zijn rechtervoet begon zich, in opdracht van zijn drugsverslaafde brein, veel te langzaam van het gaspedaal naar het rempedaal te verplaatsen. De rem voelde ongewoon sponzig aan en Brown had het idee dat hij de vloer van de auto raakte op ongeveer hetzelfde moment waarop de bumper de benen van de vrouw raakte. Hij vond dat ze een rare uitdrukking op haar gezicht had toen ze door de lucht vloog, alsof ze vond dat dit echt onrechtvaardig was. Brown dacht dat hij dit ook onrechtvaardig vond, hij kon nu niet nog meer gedoe gebruiken.

Het technisch onderzoek zou niet aantonen dat de Chrysler meer dan vijfenzeventig kilometer per uur reed toen hij Alice Banks raakte, om de eenvoudige reden dat er geen fatsoenlijk remspoor was om op te meten. Het zou ook geen belang meer hebben.

Alice Banks had helemaal geen tijd meer om te denken. Ze voelde een scherpe, snijdende pijn op het moment dat de motorkap haar heup en rechterbeen brak. Toen werd ze in de lucht gesmeten en draaide rond. Ze verloor de greep om de schouderriem en voelde de tas wegvliegen. Haar laatste gedachte was dat ze de ritssluiting niet dicht had gedaan, dat het pistool en de geluiddemper op straat zouden vallen voordat ze de tas op kon vangen. Dat mensen in de buurt het pistool zouden zien en begrijpen dat zij de moordenaar was.

Alice stuiterde op de motorkap van de auto, raakte de voorruit, waardoor die brak, en vloog toen – merkwaardig langzaam, vond zijzelf en vond ook Jeff Brown – door de lucht, weg van de auto. Ze landde hard op de straat, gleed over het warme asfalt en haar lichaam kwam pas tot stilstand toen haar hoofd tegen de stoeprand sloeg.

Browns rode waas versplinterde plotseling tot brokstukken toen de ruit voor hem een stukje meegaf met een geluid dat hij nog nooit eerder had gehoord. Merkwaardig gevormde, grote sterren vormden zich op het oppervlak voor hem; hij vond ze mooi. Hij hoorde Joneys hysterische geschreeuw naast zich amper.

'Shit, fucking shit! Jeff, verdomme, je hebt haar aangereden! Fucking shit! Jeff!'

Brown bleef op het sponzige rempedaal pompen, maar nadat hij Alice Banks had geraakt, ging de auto ook slingeren. De achterkant begon weg te draaien en Brown was niet in staat of genoeg in vorm om hem bij een snelheid van vijfenzeventig kilometer uit de slip te halen. De Chrysler begon midden op straat rond te tollen. De auto's achter hem remden in paniek en een paar kwamen in kettingbotsing.

De mensen die op de gids stonden te wachten, zagen hoe de geschaafde Chrysler een, twee, drie rondjes draaide voordat hij het trottoir en het grasveld op stuiterde en tegen een boom botste. Het geluid van verkreukelend metaal, brekend glas en een scheurende radiateur was akelig om te horen. Een voorgevoel van de dood. Een seconde of twee bleef alles stil. Toen gaf een vrouw een gil en viel flauw op het grasveld.

Mensen riepen: 'Bel een ziekenwagen, gauw!'

'Bel de politie!'

'Help die vrouw daar!'

'Is er hier een dokter?'

'We moeten ze uit de auto trekken, hij kan in brand vliegen!'

'Nee, niet doen, hij kan ontploffen!'

Mensen renden. Renden naar Alice Banks. Renden naar de rokende Chrysler. Renden naar de kaartverkoop om hulp te halen, de telefoon te gebruiken.

Alice Banks ligt op haar rug op de McGregor Boulevard. Haar blonde haar waaiert uit om haar hoofd op het asfalt en als dat kleine streepje bloed niet uit haar mondhoek stroomde, zou iemand die haar kende misschien wel zeggen dat ze mooier is dan ooit. De tas is een meter of acht, tien van haar vandaan terechtgekomen, op zijn zijkant en met de ritssluiting open. Maar het pistool is er niet uitgevallen.

Alice Banks is dood.

Het hoofd van Jeff Brown hangt half door de kapotte voorruit, die zijn hals heeft doorgesneden. Het bloed vloeit omlaag over de gebroken ruit naar de motorkap, waar het kleine rode stroompje verdwijnt in de witte nevel die opstijgt uit de gescheurde radiateur. Het laatste wat hij ziet voordat hij sterft is nog steeds rode mist, en het laatste wat hij denkt is dat het toch zonde is, toch zonde dat ze nooit die deal voor elkaar hebben gekregen waar Joney het over had. En, natuurlijk, dat hij zijn remmen had moeten laten maken.

Joney Smith zit bekneld in het wrak, met verbrijzelde knieschijven en onderbenen, en gilt van de pijn terwijl iemand erin slaagt het afgesloten portier aan zijn kant te forceren en probeert hem te kalmeren door te zeggen dat de ziekenwagen zo komt.

Dan is er nog meer geschreeuw, nu van de andere kant van de straat, vanuit het huis aan de rivier. Een vrouw met een van ontzetting vertrokken gezicht komt de McGregor Boulevard op rennen, en de mensen op de plaats van het ongeluk kunnen haar zien en horen schreeuwen, maar ze is zo hysterisch dat ze eerst de woorden niet verstaan die ze uit haar mond perst. Het lijkt of ze van plan is zomaar, zonder uit te kijken, de straat op te rennen en ze moeten denken aan het voorval van zo-even, maar al het verkeer is tot stilstand gekomen en dat zal niet nog een keer gebeuren.

Nu horen ze haar. Ze stopt op het trottoir aan de andere kant van de straat, slaat haar handen voor haar gezicht en hakkelt: 'E-er ligt een dode man in de keuken, overal is bloed!'

49

St. Petersburg, Rusland
Dinsdag 1 augustus 2006

Borya zag Nikolaj de deur uit komen met een aktetas in zijn hand. Omgeven door de vier lijfwachten die de hele tijd voor de deur van het huis gewacht hadden, liep hij snel naar de auto en Borya startte de motor.

Boris 'Borya' Ivanov, die zich niet kon herinneren dat hij sinds zijn kinderjaren ooit anders dan Borya was genoemd, was al heel gauw nadat de Sovjet-Unie uit elkaar was gevallen en de chaos was begonnen voor Igor Schenizin gaan werken. Dankzij zijn fysieke omvang – hij was één meter negentig lang, woog honderdtwintig kilo en was heel sterk – was Borya aanvankelijk Igors gecombineerde lijfwacht en rechterhand geweest. Hij had diefstal- en smokkeloperaties geleid, menig drugstransport van de fabriek naar Finland en Scandinavië gereden, arme meisjes opgespoord in dorpjes en naar Igors bordelen in St. Petersburg geïmporteerd en hij had mensen een pak slaag gegeven als Igor er behoefte aan had een voorbeeld te stellen. Hij vond het werk leuk en afwisselend, niet in het minst omdat hij ervan hield mensen te mishandelen. Bovendien mocht hij Igor graag, en werd hij goed betaald voor wat hij deed.

In de loop der jaren had Borya met gemengde gevoelens gezien hoe Igor zijn zoon steeds meer bij de organisatie betrok. Hij begreep wel dat Igor graag iemand van zijn eigen vlees en bloed bij zich wilde hebben, maar hij vroeg zich af of dat echt wel een goed idee was.

Igor Schenizin was een oude, eerzame communist, je wist wat je aan hem had. Hij had bij het politieke touwtrekken na de val van de Sovjet-Unie aan het kortste eind getrokken en dat compenseerde hij door gangster te worden. Er zat een logica in zijn doen en laten die Borya beviel en bovendien kon je de man vertrouwen. Igor had in wezen zijn beste tijd al gehad. Hij sprak er vaak met verbittering over hoe de voormalige grootmacht waarin ze leefden was afgegleden en elke keer dat iemand een van de vele republieken noemde die nu zelfstandig waren, werd hij razend. Igor dronk bovendien veel te veel: als hij tot de lunch van de wodkafles af kon blijven, moest je dankbaar zijn. Als hij dronken was kon hij humeurig en nukkig zijn, maar Borya kende de hand die hem voedde en hij verhielp dat doorgaans door een paar meisjes naar Igor door te schuiven, die hem weer in een goed humeur brachten. Dus over het geheel genomen had Borya een heel goede positie.

Tot een jaar geleden, toen Igor op een dag had gezegd: 'Borya, vriend, ik heb je hulp nodig. Nikolaj heeft behoefte aan een steunpilaar. Ik vertrouw er niet helemaal op dat hij het alleen redt, en ik zou het een veilig idee vinden als ik weet dat jij voor hem zorgt.'

Borya had zijn wenkbrauwen gefronst. 'Maar chef, ik wil bij u zijn!'

'Je loyaliteit is je kracht, Borya, en je weet dat ik die waardeer. Op een goeie dag zul je beloond worden voor alles wat je doet. Je weet ook dat ik het fijn vind om je bij me te hebben, maar nu moet ik doen wat het beste is voor ons allemaal, voor de organisatie. En Nikolaj heeft ondersteuning nodig. Hij beseft het zelf niet, maar ik zie het. Bovendien geeft het mij een goed gevoel dat ik beter in de gaten kan houden hoe hij de dingen aanpakt, als je begrijpt wat ik bedoel...'

Borya had geknikt en – zoals altijd – gedaan wat hem werd opgedragen. De dag daarna was hij officieel Nikolajs chauffeur en hoofdlijfwacht geworden, en zo was het gebleven.

Hij had al snel geconstateerd dat in het geval van Nikolaj de appel heel ver van de boom was gevallen. De zoon was kalm, koud en op een heel andere manier onberekenbaar dan zijn vader. Soms kreeg Borya het gevoel dat Nikolaj door haat werd gedreven, en Borya begreep maar niet waar die haat vandaan kwam of waar die op gericht was.

Nikolaj eiste vaak fysieke inzet van Borya. Meestal ging het om het afranselen van concurrerende kleine crimineeltjes die de euvele moed hadden het jachtterrein van de Schenizin-organisatie binnen te dringen. Soms waren deze mensen zo onvoorstelbaar stom – of misschien wanhopig – dat ze de boodschap van Borya's vuisten niet begrepen en het een paar weken later weer probeerden. Dan moest je erheen en schoonmaak houden, zoals Nikolaj het altijd noemde. Het schoonmaken gebeurde door Nikolaj zelf, nadat Borya het slachtoffer in elkaar had geslagen en vastgebonden, en de bezem had meestal de vorm van een pistool.

Het was Borya opgevallen dat Nikolaj altijd toekeek bij die mishandelingen en dat hij ervan leek te genieten. Dat baarde Borya zorgen. Hij had het grootste deel van zijn leven mensen geslagen, als kind om te overleven en als volwassene voor zijn levensonderhoud. Maar ergens binnen in zich had hij toch een soort moraal over hoe je met mensen moest omgaan en hij voelde dat Nikolaj zijn zienswijze niet deelde. De slechtste voorbeelden had hij gezien als Nikolaj nieuwe, vaak heel jonge meisjes uittestte die uit arme plattelandsdorpen waren gehaald om prostituee te worden in St. Petersburg en later te worden geëxporteerd naar Finland of Scandinavië. Terwijl Igor Schenizin altijd genoegen had genomen met tamelijk normale seksuele uitspattingen en vrij snel tevreden en bevredigd was, had Borya vastgesteld dat Nikolaj graag overging tot geweld, perversiteiten en vernedering als hij plezier had met de meisjes. Meer dan eens had Borya geschreeuw gehoord als hij in de kamer ernaast wachtte, meer dan eens had hij naderhand met de meisjes naar de dokter gemoeten om de kwetsuren te laten behandelen waarvan Borya niet eens wilde weten hoe ze waren ontstaan.

Borya was ervan overtuigd dat Nikolaj een ijskoude, gevoelsmatig gestoorde en op een bepaalde manier heel zieke man was, en dat joeg hem angst aan. Intussen had hij geen andere keus dan zijn werk zo goed mogelijk te doen en Nikolaj dezelfde loyaliteit te bewijzen als hij altijd voor Igor had getoond. Hij was er zeker van dat hij op een dag de waardering zou krijgen die hij verdiende en hopelijk zou hij ook terug worden geplaatst naar Igors deel van de organisatie.

Igor had de organisatie verdeeld. Wat de zin was van die verdeling had Borya ook niet begrepen. Terwijl Igor zichzelf bezighield met de kerntaken in St. Petersburg – diefstal, smokkel, drugshandel, afpersing en prostitutie – liet hij Nikolaj een 'dochterbedrijf' runnen dat gedeeltelijk dezelfde activiteiten uitvoerde, maar dat ook verantwoordelijk was voor de drugssmokkel naar het westen en voor de export van jonge meisjes.

Borya wist maar al te goed dat hij geen vragen moest stellen, maar hij zette zijn hersens des te harder aan het werk. Het was hem opgevallen dat Nikolajs werkdagen waren veranderd en dat zijn chef in sommige opzichten geheimzinniger leek te worden. Terwijl het voorheen regel was dat Borya altijd aan Nikolajs zijde te vinden was, kreeg hij nu steeds vaker de opdracht in de auto te wachten voor allerlei adressen die hem tot dan toe onbekend waren. De onwetendheid vervulde hem met onzekerheid, en in hem groeide langzaam een plan om meer te weten te komen over wat Nikolaj uitspookte.

Nu zag Borya Nikolaj op de auto af komen en werkte hij zijn enorme lichaam met verbazingwekkende snelheid uit de chauffeursstoel om de achterdeur van de limousine open te kunnen houden.

Na de fatale aanslag door een rivaliserende bende had Nikolaj ingezien dat zijn limousine verre van veilig was. Hij had snel opdracht gegeven tot de diefstal van een luxe limousine in Duitsland en er daarna op toegezien dat die kogelvrije ruiten en een bepantserde carrosserie kregen, terwijl de motor werd opgevoerd om het nieuwe gewicht aan te kunnen. De ruimte achter de chauffeur was zo groot als een klein dansvloertje en bood moeiteloos ruimte aan zes passagiers. Midden op de vloer stonden een minibar, een tv en een mobiele telefoon en het was Borya's taak om de bar gevuld te houden.

Een van de lijfwachten rende om de auto heen en sprong in de passagiersstoel naast de chauffeur, de rest stapte samen met Nikolaj achter in.

'De Zwarte Gans, Borya!'

'Jawel, chef!'

Lunchtijd dus. Dat was een van de voordelen van het werken voor Nikolaj: je kreeg in elk geval veel beter te eten dan bij Igor. Nikolaj zorgde er altijd voor dat de lijfwachten een eigen tafel naast de zijne of toch in elk geval in zijn onmiddellijke nabijheid hadden en dat ze net zo goed te eten kregen als hijzelf. Wel gold er om begrijpelijke redenen een totaal alcoholverbod voor de lijfwachten, maar Nikolaj zelf dronk wijn en wodka bij het eten. In tegenstelling tot zijn vader behield hij desondanks zijn oordeelsvermogen en energie, en kon hij het hoge werktempo van voor de lunch bijna de hele middag volhouden.

Tijdens het rijden belde Borya De Zwarte Gans om hun komst aan te kondigen. Nikolajs lunches duurden zelden korter dan twee uur en de procedure was meestal hetzelfde. Nikolaj zat in zijn eentje aan zijn gereserveerde tafel, Borya en de lijfwachten aan een andere. Nikolaj worstelde zich doorgaans door de kranten terwijl hij at. Daarna bestelde hij thee en meer wijn, pakte zijn aktetas, legde paperassen op tafel en zette zijn laptop ernaast. Een klein uur lang maakte hij notities en concepten – af en toe raadpleegde hij ook een wereldkaart, zag Borya – en schreef lange stukken op zijn laptop. Borya vroeg zich af of hij soms plannen maakte om de export van meisjes naar nieuwe landen uit te breiden of nieuwe wegen zocht voor de drugsexport.

Of was het zo dat Nikolaj heel andere plannen had, die hij niet aan zijn vader had verteld? De onaangename onzekerheid kwam weer op. Borya moest het weten.

Nikolaj liet zich het eten en de wijn smaken, en voelde hoe het flinke glas wodka hem onmiddellijk een energiekick gaf. De wereld was van hem, of zou dat toch in elk geval worden. Toen hij zijn eten op had, deed hij zijn laptop open en haalde het Excel-document op dat aangaf hoe zijn financiële balans eruitzag. Helemaal niet slecht. De vier jongens die zich met afpersing bezighielden lagen gemiddeld op twee overeenkomsten per week, wat in klinkende munt neerkwam op een inkomen van drie miljoen tweehonderdduizend dollar per maand.

De andere bedrijfstak hoefde zich ook niet te schamen. Hij had nu acht jonge jongens die zich bezighielden met het verkopen, plannen en ondersteunen van diensten. Nikolaj zag de order- en de winstcurves tot zijn genoegen naast elkaar omhooggaan. Hier waren de kosten wel hoger dan bij de afpersing, maar de bruto-inkomsten bedroegen nu vier miljoen dollar per maand. Ruim zeven miljoen dollar bruto per maand was helemaal niet slecht, en in beide bedrijfstakken was nog enorm veel meer potentie te benutten. Nikolaj had het gevoel dat hij tot nu toe alleen nog maar wat aan het oppervlak had gekrabd. Toch stond er al ruim zestig miljoen op de rekeningen die hij in verschillende 'veilige' landen had. Hij dacht dat honderd miljoen een behoorlijk startkapitaal moest zijn en wilde zijn plannen serieus in praktijk brengen als hij zo veel bij elkaar had. Dat zou dus maximaal nog een halfjaar duren. Een uitermate aantrekkelijke gedachte.

Terwijl hij de wereldkaart naast zijn laptop uitvouwde, moest hij denken aan Vladimir Zjirinovski. Nikolaj had onlangs een krantenartikel over de man gelezen en alleen maar zijn hoofd geschud. Zjirinovski had heel duidelijke ideeën gehad over wat hem te doen stond en vervolgens had hij zijn kans totaal verprutst. Nikolaj vroeg zich af of de man hyperintelligent was of gewoon compleet gek. Tegelijkertijd was hij dankbaar. Als Zjirinovski zijn kapitaal niet had verspeeld, had Nikolaj waarschijnlijk nooit de kans gekregen zijn eigen plannen uit te voeren.

Toen Nikolaj het artikel las, constateerde hij dat Vladimir Zjirinovski elf jaar ouder was dan hijzelf. De leider van de Liberaal-Democratische Partij van Rusland en voormalige KGB-man was in 1946 in Alma Ata geboren. Hij had oosterse talen gestudeerd aan de Universiteit van Moskou en drie jaar militaire dienst gedaan in Tbilisi, Georgië. De daaropvolgende achttien jaar had hij gewerkt voor het sovjetcomité voor de handhaving van de vrede, was advocaat geworden en had zich geleidelijk in de publiciteitsbranche begeven. Hij begon zijn Liberaal-Democratische Partij en slaagde er in 1991 in na Boris Jeltsin en Nikolaj Ryzhkov derde te worden bij de presidentsverkiezingen. Drie jaar later waren Vladimir Zjirinovski en zijn partij met vijfentwintig procent van de stemmen een machtsfactor in de Doema en andere politici probeerden de agressieve grootspreker zwart te maken, wat onder de ontevredenen van Rusland precies het tegenovergestelde effect had.

De pogingen om hem zwart te maken bekommerden Zjirinovski niet in het minst. In 1995 staakte hij alle campagneactiviteiten en ging naar Irak om Saddam Hoessein eer te betonen en diens 'democratische proces' te ondersteunen. Eerder, tijdens de Iraakse bezetting van Koeweit, had Zjirinovski behulpzaam vier vrijwilligers van zijn bekende groep *Zjirinovski's Valken* naar Irak gestuurd om Saddam te helpen de operatie *Desert Storm* te overleven.

En nog in 2004 had Zjirinovski gedreigd president Poetin uit te dagen, maar sindsdien had hij zich teruggetrokken om redenen die Nikolaj kende noch begreep. Nu leek hij volkomen vleugellam te zijn en geen enkele kans te hebben om nog terug te komen.

Idioot, dacht Nikolaj. Hij had Zjirinovski's grote bek op tv gezien, had gezien hoe de man in volle ernst met een wereldkaart voor zich en een dikke viltstift in zijn hand de wereldkaart opnieuw stond in te tekenen, zoals het hem uitkwam, had gehoord welke landen Zjirinovski wilde annexeren. Hij had hem Hitlers gedachtegoed horen aanprijzen en hem glazen water naar opposanten zien gooien. Hij had Zjirinovski horen vertellen dat Duitsland een uitstekende vuilnisbelt voor radioactief afval zou zijn en dat de Japanners verschrikkelijk goed op moesten passen, wilden ze geen door Zjirinovski aangejaagde kernwapenrobot naar hun hoofd krijgen.

De man moest knettergek zijn. Niet vanwege zijn theorieën – met de meeste daarvan was Nikolaj het eens – maar omdat hij al zijn plannen al verraadde voordat hij ze uitvoerde. Zo moest het beslist niet; dat zou Nikolaj laten zien als het zijn beurt was. Nikolajs eerste stap was duidelijk: hij zou de macht in St. Petersburg overnemen, de stad weer omdopen tot Leningrad, langzamerhand de orde herstellen en ervoor zorgen dat het weer de trotse hoofdstad van Rusland werd. Het leek hem niet erg moeilijk deze machtsgreep uit te voeren, zeker niet met de financiele steun die hij in de rug zou hebben.

In het volkomen gedemoraliseerde land dat Rusland nu was, zou het – met een Zjirinovski-achtige politiek en enorme sommen geld – ook geen groot probleem hoeven zijn om het presidentschap binnen te halen. Daarna restte alleen nog heel veel hard werk, werk dat van Rusland weer de sterkste macht ter wereld moest maken. Werk dat op den duur grote delen van de wereld de alleenheerser zou geven die ze eigenlijk nodig hadden: Nikolaj Schenizin.

Nikolaj geloofde niet in democratie. Vijfennegentig procent van de mensheid was dom, ongeschoold en had onvoldoende vaardigheden of onvoldoende hersens om belangrijke besluiten te nemen. Die mensen moesten geleid worden als een kudde schapen, anders zou het op een ramp uitdraaien, dat had de geschiedenis immers wel bewezen. Nikolaj was ervan overtuigd dat Duitsland onder Hitlers leiding tot een grootmacht had kunnen uitgroeien, die veel meer omvatte dan Europa alleen. De man kende het klappen van de zweep; jammer dat hij verdwenen was.

Nikolajs plan om een groot deel van de wereld stap voor stap te veroveren was in zeer lange tijd gegroeid. Met behulp van de computer had hij een kil, berekenend ondernemingsplan opgesteld, met inbegrip van details voor de praktische uitvoering en risicoberekeningen. Hij controleerde het plan zelf kritisch terwijl hij het uitvoerde en zag tot nu toe niet hoe het mis zou kunnen gaan. Met grote ambities, de Russische massa's achter zich, voldoende geld en vrienden op de juiste posities zou het een tocht worden die de wereld zelden had aanschouwd. En als ze goed en wel begrepen wat hij aan het doen was, zou het te laat zijn om hem tegen te houden.

De eerste stap moest zijn om de sluimerende, maar nog altijd enorme oorlogsmachine van Rusland nieuw leven in te blazen. Zowel de onderzeeërs, en de vrachtwagens als de manschappen waren misschien wat roestig, maar Nikolaj wist dat er bij velen ook strijdlust bestond. Bovendien kon je ze hard laten werken en een grote loyaliteit kopen door de soldaten, officieren en ingenieurs hogere lonen te betalen dan ze ooit hadden gekregen.

Als het Russische leger weer op de been was, werd het tijd om orde te scheppen in de eigen gelederen. Terroristen, separatisten en ander gespuis moesten onmiddellijk als onkruid worden uitgeroeid. Daarna zouden alle voormalige delen van de Sovjet-Unie die later zelfstandige republieken waren geworden – Nikolaj voelde elke keer wanneer hij daaraan dacht een diepe minachting – per omgaande weer worden geannexeerd en zou de orde worden hersteld. Hij rekende erop dat de invasies een mengeling van ontspannen wandelingen en spannende uitdagingen zouden worden. De mensen in Oekraïne, die last hadden van grootheidswaanzin en opeens dachten dat ze een deel van de westerse wereld waren, konden een probleem worden, net als de idioten in Azerbeidzjan en Oezbekistan. Maar met zwaardere wapens dan zij hadden, zou hij ze laten zien wie er aan het roer stond en dat zouden de mensen gauw genoeg gaan waarderen.

Als Nikolaj in Rusland orde op zaken had gesteld zou hij met snelle, doelgerichte acties Estland, Letland, Litouwen en Finland onderwerpen. Voordat de EU daarvan bekomen was – en dat stelletje flikkers in Brussel was te lamlendig om snel genoeg een oorlog te organiseren – zou hij doorgaan en Zweden, Denemarken en Noorwegen innemen. Noorwegen zat wel in de NAVO, maar Bush en zijn aanhang zouden het de eerstkomende jaren toch nog te druk hebben met zich vergrijpen aan landen als Irak, om zich de olie toe te eigenen die ze nodig hadden. Als Noorwegen om hulp belde, zouden ze zeggen 'we komen er zo aan' en lachend de hoorn op de haak leggen. Vervolgens moest het voormalige Oostblok zo snel mogelijk aan Nikolajs nieuwe Rusland worden toegevoegd. Landen als Hongarije, Tsjechië, Polen, Slowakije, Roemenië en Bosnië-Herzegovina werden geannexeerd. Daarna zou hij Albanië, Joegoslavië, Macedonië en Griekenland inlijven, en later ook Afghanistan.

De tijdsplanning hiervoor was moeilijk te overzien, dat moest hij nog nader uitwerken en hij moest meer factoren betrekken bij zijn risico-inschatting. Maar alles bij elkaar kon het binnen een paar jaar afgerond zijn en daarna zou hij ook de gevaarlijke grens naar India afsluiten door Pakistan te bezetten. Natuurlijk hadden die tulbandkoppen daar kernwapens, maar God wist dat Nikolaj er meer had.

De Verenigde Staten zouden nooit een vijand worden die een directe aanval deed. Integendeel, hij achtte het niet onwaarschijnlijk dat de Amerikaanse regering zelfs een samenwerkingsverband zou aanbieden wanneer ze zijn grootheid en daadkracht had gezien.

China zou, als het besefte hoe groot zijn nieuwe rijk was, te slim zijn om iets te doen. Bovendien waren de Chinezen te druk bezig zelf kapitalisten te worden en de Verenigde Staten van binnenuit op te eten door alles het allergoedkoopst ter wereld te produceren zodat westerse kapitalisten het zouden kopen. De Indiërs hielden zich wel kalm als hij Pakistan bezet hield en de Japanners konden toch niet zo stom zijn om te denken dat ze met dat kleine shitlandje van ze iets tegen hem in konden brengen. Als ze onverhoopt toch dom genoeg waren om het te proberen, zou hij ze een atoombom op hun kop gooien. Die taal zouden ze na Hiroshima toch moeten verstaan.

Nikolaj Schenizin dronk nog wat wijn. Hij was in een stralend humeur en bedacht dat hij zichzelf vanmiddag nog verder zou opmonteren met een paar jonge meisjes, dat moest Borya maar regelen. Hij had Viagra zat en niets friste zijn hersens zo op als een meisje een pak slaag geven en haar laten zien hoe een echte man zich in bed gedraagt.

Nikolaj bladerde door de documenten in zijn laptop, maakte met zijn potlood een paar nieuwe aantekeningen op de grote wereldkaart, vouwde die op en sloot de computer af.

Binnen tien jaar zou hij Moedertje Rusland verheffen, al die jaren van vernedering van haar afborstelen en een van de machtigste mannen ter wereld zijn.

50

Het was vier minuten voor halfdrie toen detective Ray Barnes het alarm kreeg. Hij bevond zich in het winkelcentrum Edison Mall om een paar routinevragen te stellen over een diefstal die zou kunnen samenhangen met een moord, en hij rekende uit dat hij, als hij een beetje haast maakte, in tien, twaalf minuten op de McGregor Boulevard kon zijn.

Hij rende naar zijn auto, pakte de rode lamp van de vloer, zette hem op het dashboard en liet het licht ronddraaien. Hij zette de sirene aan en vroeg zich af wat er voor de idioten in het verkeer zo moeilijk te begrijpen was aan zijn optische en geluidssignalen, want ze maakten geen ruimte. In gedachten noteerde hij dat het negen over halfdrie was toen hij bij het Edison Home afremde. Vier politieauto's uit Fort Myers hadden de straat in beide richtingen afgezet en hij herkende een paar agenten die bezig waren om nog meer afzetlint aan te brengen.

Barnes zag dat er een Chrysler tegen een boom naast de straat was gebotst. Naast de Chrysler stonden een ziekenwagen en een paar wagens van de brandweer. Twee brandweerlieden waren bezig iemand los te snijden die bekneld zat in het wrak.

Hij stapte uit en toen zag hij het afgedekte lichaam. Het lag een stuk van de verongelukte auto vandaan en hij ging eerst daarheen. Een van de geüniformeerde agenten kwam hem tegemoet. Barnes knikte. 'Hallo, wat hebben we hier?'

De agent keek in een notitieblokje. 'Dat weten we nog niet precies, sir. Wat we weten is dat er een vrouw' – hij wees met zijn duim over zijn schouder naar het afgedekte lichaam – 'is aangereden door twee mannen in die Chrysler daar. Bovendien ligt er een dode man, meerdere keren door het hoofd geschoten, in de keuken van het huis van Ford. En in de tas die de overreden vrouw bij zich had, zit een pistool met ge-luiddemper. Getuigen' – en hij wees opnieuw met zijn duim naar een groep mensen die met andere agenten stond te praten – 'zagen de vrouw uit het huis komen rennen, zo het zebrapad op, door rood licht. Op dat moment kwam de Chrysler en die maaide haar omver.'

Barnes trok een grimas. 'Oké. Waar is het wapen? En wie zijn er in het huis?'

'Het wapen zit nog in de tas, daar waar agent Mell staat. We wilden het niet aanraken voordat jullie kwamen. West en Harvey zijn in het huis.'

'Dank je. Zorg dat de hele omgeving snel wordt afgezet. Ik wil een af-zetting hebben van de rivier tot 200 meter ten oosten van de kaartver-koop en het museum hier en vijfhonderd meter naar het noorden en zuiden. Niemand mag zijn auto van de parkeerplaats halen of hier op een andere manier vandaan gaan voordat het technisch onderzoek is af-gesloten. Bezoekers mogen het gebied niet verlaten voordat we al hun persoonsgegevens hebben en ze informatief gehoord zijn. Zorg dat de receptie koffie maakt voor mensen die dat willen en vraag verpleegkun-digen na te gaan hoe het met de getuigen gaat. Ik wil hier liever geen hartinfarcten hebben.'

De politieman knikte. Barnes pakte zijn mobiele telefoon en belde zijn collega's op het hoofdbureau aan Peck Street in Fort Myers. De te-lefoon ging drie keer over.

'*Violent Crime Unit*, detective Barry Lewis.'

'Barry, met Ray. Ik sta bij het Edison Home met twee lijken en het is hier een vreselijke bende. Kunnen Mark en jij hier direct naartoe komen?'

'In orde, Ray, we zijn onderweg.'

'Perfect. Bel de TR en zeg dat we ze hier zo snel mogelijk nodig heb-ben, met fotograaf en de hele handel.'

'Doe ik.'

Ray Barnes beëindigde het gesprek en trok een grimas. Ze waren maar met zes rechercheurs op hun afdeling in Fort Myers en het stond hem tegen dat hij hier twee collega's voor moest vrijmaken. Al jaren lieten de politiestatistieken één moord per maand zien, maar het afgelopen jaar was dat aantal gestegen en alles wees erop dat ze zeventien tot acht-tien, misschien wel twintig lijken zouden hebben voordat het jaar voor-bij was. Barry Lewis en Mark Chitwood hadden met andere woorden wel iets anders te doen dan rondrennen in de tuin van Edison Home, maar op dit moment had hij hen nodig.

Ray Barnes zuchtte en liep naar het afgedekte lichaam waarbij agent Mell ook de tas bewaakte. Hij knikte naar Mell, ging op zijn hurken zitten en deed de ene kant van de tas voorzichtig met de achterkant van zijn pink open. Hij fronste zijn wenkbrauwen toen hij de geluiddemper zag. Toen draaide hij zich om en trok het stukje van de deken weg dat het hoofd bedekte.

'Krijg nou –? Alice!'

Agent Mell schrok. 'Sir? Kent u haar? Het is toch geen –'

Barnes onderbrak hem. 'Nee, ik ken haar niet echt. Maar ik heb haar gisteravond toevallig in een bar ontmoet toen we met de motorclub op pad waren,' zei hij moeizaam en hij merkte dat zijn stem hees was.

Hij keek nog eens naar haar en zag dat ze net zo mooi was als hij zich haar herinnerde van de avond in de Tiki Bar. Hij had iets speciaals gevoeld en had werkelijk gehoopt dat ze hem vanavond zou bellen. Hoe had ze het voor elkaar weten te krijgen om op de McGregor Boulevard te worden doodgereden en waarom had ze verdomme een pistool met een geluiddemper in haar tas? Als het haar tas tenminste was.

Hij haalde een plastic zakje uit de zak van zijn colbert – een afwijking na te veel jaren bij de politie – en een pen, en viste het pistool met behulp van de pen uit de tas. Hij liet het voorzichtig in het plastic zakje vallen en sloot dat af. Toen maakte hij de tas open en bekeek de inhoud nauwkeurig. Niets opmerkelijks. Een sweatshirt, een lippenstift, een pakje kauwgum, een pakje papieren zakdoekjes, een pocketboek, een flesje water, wat fruit... Wat was dat daar? Hij haalde het harde voorwerp dat zorgvuldig in huishoudpapier was verpakt uit de tas en verwijderde voorzichtig het papier. In zijn hand gleed een extra magazijn voor het pistool.

Barnes mompelde: 'Shit, Alice, je was vandaag echt van plan flink te gaan schieten, hè...?'

Hij liet het magazijn bij het pistool in de plastic zak glijden, en paste goed op dat hij het niet mijn zijn eigen vingers raakte. Hij keek op naar agent Mell. 'Hebben jullie haar zakken doorzocht?'

'Nee, sir, we wilden haar niet aanraken voordat jullie kwamen en voor zover ik weet heeft ook niemand anders haar aangeraakt.'

Barnes knikte. Hij trok de deken zo ver van haar lichaam dat hij bij de zakken van haar spijkerbroek kon. Het deed hem tegenwoordig, na al die jaren, niet meer zo veel om een dode aan te raken, maar hij vond het nog altijd onprettig, zeker in dit geval. Hij groef in haar zakken, haalde er een paar autosleutels uit, een sleutel die kennelijk toegang gaf tot haar hotelkamer en een velletje papier met een keurig opgeschreven adres in Cape Coral.

Barnes stopte de sleutels en het papiertje in zijn zak, liep terug naar zijn auto, legde de plastic zak erin, sloot de auto af en liep met besliste pas naar het huis. In de verte hoorde hij sirenes en hij bedacht met een zucht van verlichting dat er meer rechercheurs onderweg waren. Hier was heel veel werk te doen. Heel veel.

Hij liep snel naar de keuken en knikte naar de twee agenten die daarvoor de wacht hielden.

'Een knoeiboel?'

De ene agent schudde zijn hoofd. 'Valt wel mee, maar helemaal schoon is het ook niet...'

Barnes pakte het deurkozijn en leunde voorover zonder naar binnen te gaan. Hij zag een mannenlichaam op de vloer liggen. Waarom had een lieve, intelligente en, ja, sexy vrouwelijke boekhandelaar uit Australië hem doodgeschoten? En wie was hij? Hij moest de TR vragen eerst te proberen de man te identificeren.

Barnes hoorde stappen achter zich en draaide zich om. Mark Chitwood en Barry Lewis kwamen naar hem toe. Hij informeerde hen kort over de situatie, vertelde dat hij Alice Banks de vorige avond had ontmoet en dat hij totaal niet begreep waarom er gebeurd was wat er gebeurd was.

'Ik wil naar de Del Prado Inn gaan en een kijkje nemen op haar kamer om te zien of ik aanwijzingen kan vinden. Bel me zodra jullie weten wie deze man is. Als hij in de buurt woont, zien we elkaar daar.'

Lewis knikte. 'Nog iets?'

Barnes zuchtte. 'Ja, neem maar meteen contact op met de *Feds*. Die vrouw komt uit Australië en ik heb goede redenen om aan te nemen dat ze minstens één andere staat heeft bezocht voordat ze hier kwam, dus ze zullen zich hier zeker mee willen bemoeien...'

'De FBI? Alsof we er behoefte aan hebben dat die hier komen wroeten!' Lewis sloeg zijn ogen ten hemel.

'Ik weet het. Maar ze zullen hier waarschijnlijk een agent of twee uit Miami heen sturen. Dat duurt even en ze kunnen ons toch niet weerhouden van een onderzoek van de plaats delict, of wel? Het gaat per slot van rekening om een moord in ons rechtsgebied, en voor zover ik kan zien is er niets wat duidt op een internationale samenzwering, of wel?'

Chitwood en Lewis lachten. Chitwood salueerde voor de grap. 'We doen wat we kunnen, dan zien we wel waar we uitkomen.'

Barnes knikte en ging weg. Op de McGregor Boulevard ontmoette hij de technici, die net waren gearriveerd. Hij vertelde hen wat er gedaan moest worden, haalde de plastic zak met het pistool uit zijn auto, vroeg hen ervoor te zorgen dat die naar het laboratorium ging en dat de vingerafdrukken werden vergeleken met die van de dode vrouw.

Voordat Barnes het gebied verliet, zocht hij de huurauto van Alice Banks op de parkeerplaats en nam er een kijkje in. Hij zag een opengeslagen kaart van Cape Coral en Fort Myers, maar verder niets opvallends. Twintig minuten later parkeerde hij voor de Del Prado Inn en ging naar binnen. Hij legitimeerde zich bij de receptie, legde in het kort uit dat de hotelgast Alice Banks dood was, dat haar kamer binnenkort zou worden afgezet en dat niemand er naar binnen mocht voordat de politie groen licht gaf. De vrouw achter de balie keek verschrikt en nieuwsgierig tegelijk, maar knikte slechts.

Barnes keek haar aan. 'Had Mrs. Banks hier een kluisje gehuurd?'

De vrouw keek twijfelend. 'Ik weet het niet, dat moet ik nakijken.' Ze liep naar een computer en toetste iets in. 'Nee, ik zie niet dat ze dat heeft gedaan, alleen dat ze gisteren heeft ingecheckt, maar niet dat ze een kluisje had of zelfs maar de telefoon op haar kamer heeft gebruikt.'

Barnes bedankte haar, ging naar de kamer van Alice Banks, deed de deur van het slot en opende hem met zijn voet. Het eerste wat hem opviel was de bijna pietluttige ordelijkheid. Alle kleren waren keurig netjes opgehangen, haar afgesloten koffer stond tegen een muur, boeken en een notitieblok lagen zorgvuldig op een stapeltje op het bureau.

Het kostte hem niet veel tijd om de kamer te doorzoeken. De kleren die niet aan kleerhangers hingen, lagen in laden. In haar reiskoffer zaten nog wat kleren, samen met souvenirs waaruit bleek dat Alice kennelijk in Hollywood was geweest. De badkamer leverde geen aanwijzingen op. Wat met de hand gewassen ondergoed dat te drogen hing, twee toilettassen met alles wat vrouwen meenemen op reis, een tandenborstel in een glas, deodorant en parfum.

Hij ging aan het kleine bureautje zitten en begon te onderzoeken wat hij daar aantrof. Een paar boeken, enkele ongeschreven ansichtkaarten.

In een leren hoesje vond hij ruim zeshonderd dollar in contanten en haar paspoort. Hij vroeg zich af waarom ze geen kluisje bij de receptie had genomen en haar waardevolle spullen daarin had gedaan. Had ze haast gehad? Haast waarvoor? Toen hij haar in de bar ontmoette, zag ze er rustig en ontspannen uit. Hij bladerde door haar paspoort en constateerde dat ze, toen ze elkaar de vorige avond spraken, niet had gelogen over haar naam of haar leeftijd.

Een vliegticket bewees dat Alice van Australië via Nieuw-Zeeland naar Los Angeles was gevlogen en daarvandaan verder naar Fort Myers, dat ze een open retour naar Los Angeles had en vandaar een open retour naar Australië. Een klerereis, dacht Barnes. En hier was hij ten einde gekomen. Hij stopte de leren hoes met inhoud in zijn binnenzak en bladerde verder door papieren en kranten. Hij vond een stapeltje papier, liep het vluchtig door en verstijfde.

'Wat krijgen we nou?'

Hij begon opnieuw, las zorgvuldig van het begin af aan. Hij geloofde zijn ogen niet. De papieren waren prints van e-mails naar Alices adres. De eerste print bevestigde de bestelling van een moord op een achttienjarige jongen, Peter Henry, in Sandgate, Australië. Het volgende bevatte instructies voor de moord op een zekere luitenant Stephen J. Meyer, woonachtig in Cape Coral. De instructies lieten aan duidelijkheid niets te wensen over: een pakket met een pistool, een geluiddemper en een extra magazijn zou voor haar klaarliggen bij de receptie van het Del Prado Inn. Informatie over Meyers adres en telefoonnummer was bijgevoegd.

Barnes groef in zijn zakken en haalde het briefje eruit dat hij in de broekzak van Alice Banks had aangetroffen. Het adres op het briefje was gelijk aan het adres dat in de mail werd genoemd – Stephen J. Meyers woonadres in Cape Coral.

Barnes las door. Hij had in zijn leven nog nooit zoiets gezien. Er was geen enkele twijfel mogelijk. De vrouw met wie hij een paar uur in de Tiki Bar had doorgebracht en die hij graag nog een keer had willen ontmoeten – hij had vannacht zelfs een korte, maar zeer aangename droom over haar gehad – had enerzijds een moord op een jonge jongen in haar woonplaats besteld en betaald en was anderzijds naar Cape Coral gekomen om zelf een luitenant van de *US Marines* te vermoorden. Hij had gisteravond een moordenares gekust.

51

Barnes belde Barry Lewis' mobiele telefoon.

'VCU, detective Lewis.'

'Hoi, met Barnes. Hebben jullie de man in de keuken al geïdentificeerd?'

'Yep! Op zijn rijbewijs staat dat hij ene Stephen J. Meyer is en hij woont...'

'Ik weet waar hij woont. En ik weet nog meer. Dit is een moord op bestelling, uitgevoerd door de vrouw die op de McGregor Boulevard is overreden! Als we de resultaten van de vingerafdrukanalyse snel genoeg hebben, hebben we dit opgelost voordat de *Feds* in Miami met hun kont uit hun stoel zijn. En dat zou toch een goede indruk wekken, zeker in de media, of niet?'

Lewis lachte zacht. 'Beslist! Alle credits zijn meegenomen. Hoe nu verder?'

Barnes dacht na. 'Hebben jullie nog veel te doen daar?'

'Eerlijk gezegd voelen we ons op dit moment een beetje overbodig.' Lewis lachte weer. 'De TR heeft hier nog een team naartoe gehaald. Het ene team is op de plaats van het ongeluk aan de McGregor Boulevard bezig sporen te verzamelen, metingen te doen en foto's te maken. Het andere is hier in huis aan het werk. Zodra ze klaar zijn, worden de lichamen weggehaald. Omdat we de man hebben geïdentificeerd en omdat jij al een heel eind bent gekomen, is er voor ons weinig reden om hier te blijven.'

Barnes tikte met zijn pen op het papier op het bureau. 'Goed. Ik stel voor dat we nu direct naar Meyers huis gaan. Hoe snel kunnen jullie daar zijn?'

'In een halfuurtje, hooguit! Ik moet even met de TR praten, dan gaan we meteen.'

'Mooi. We zien elkaar daar.'

Barnes las het papier nog een keer, woord voor woord. De tekst was Engels, maar hij kon zien dat degene die hem had opgesteld, niet erg goed was in die taal. Interessant. Barnes wist dat iedereen een mailtje kon sturen vanaf een gefaket adres. Hij bladerde snel door de overige paperassen op het bureau en keek nog een keer in de laden, maar hij vond niets interessants. Hij belde de TR, gaf hun het adres van het hotel en het kamernummer en zei dat ze hier onderzoek moesten komen doen zodra ze klaar waren het hun werk aan de McGregor Boulevard. Toen ging hij naar de receptie. Hij stak de vrouw achter de balie de sleutel toe.

'Ik laat de sleutel hier, maar denk erom dat niemand de kamer in mag en laat er in godsnaam geen schoonmaakster in de buurt komen. Over een uurtje komt de technische recherche hier onderzoek doen. Misschien houden we de kamer nog een paar dagen afgesloten in afwachting van de resultaten van het technisch onderzoek.'

De vrouw keek angstig. 'Mag ik vragen wat...'

Barnes schudde zijn hoofd. 'Helaas kan ik niet meer informatie geven. U hoort later heus meer.'

Barnes ging in de auto zitten en reed naar het adres van Stephen J. Meyer. Vijf minuten nadat hij voor het huis had geparkeerd, arriveerden Lewis en Chitwood. Lewis stapte uit en rekte zich uit. 'Hallo. Wat doen we nu?'

'Aanbellen. Ik heb geen idee of die man alleen woonde of niet. Er is maar één fatsoenlijke manier om uit te zoeken of er iemand thuis is. En als er niemand opendoet...'

Barry Lewis stak zijn hand in zijn zak en haalde er een sleutelbos uit en rammelde ermee. 'Deze heeft de TR in zijn broekzak gevonden. Iemand moet er toch op passen.' Lewis overhandigde de sleutelbos aan Barnes, haalde een pakje kauwgum tevoorschijn en deelde uit. Lewis stak zelf twee stukjes in zijn mond, kauwde even en zei: 'Ik dacht wel dat een zekere mate van voorzichtigheid op zijn plaats zou zijn. Die kerel is per slot van rekening vermoord en we weten nog niet wat erachter zit.'

Barnes dacht snel na. 'Nee, maar ik kan me niet goed voorstellen dat het iets georganiseerds is. Het is verdomd raar, dit, en het wordt interessant om te zien wat we vinden. Maar je hebt gelijk. De slimmerik uithangen heeft al te veel dienders de kop gekost. Dus jij neemt de achterkant, en Mark en ik bellen aan. Oké?'

'Oké.' Lewis draaide zich om en liep om het huis heen.

Barnes knikte naar Chitwood: *'Let's rock and roll!'*

Ze gingen naar de voordeur en belden aan. Toen na vier pogingen nog niemand had opengedaan, gaf Barnes zijn collega een teken. Chitwood trok zijn wapen, ontgrendelde het en ging naast de deur staan. Barnes vond een sleutel die leek te passen, ging ook naast de deur staan en deed die van het slot. De deur gleed open. Stilte. Geen beweging. Barnes ging naar binnen, terwijl Chitwood buiten wachtte. Hij bleef staan, vond een schakelaar en deed het licht aan.

Het huis had, zoals zo veel huizen in Florida, een open ontwerp, waarbij je direct in een grote woonkamer kwam met een open, ruim bemeten keuken met bar. Een gang vanaf de woonkamer leidde waarschijnlijk naar een of twee slaapkamers, een deur leidde naar nog een kamer.

Barnes stond stil. Hij luisterde. Hij voelde dat er niemand was.

'Kom binnen, Mark,' zei hij zonder zich om te draaien.

Zijn collega verscheen achter hem. Barnes gaf Chitwood het teken om de kamers aan het eind van de gang te onderzoeken. Zelf ging hij door de deur in de linkerwand van de kamer.

Een slaapkamer. Niemand. Hij hoorde Chitwoods stem vanaf de andere kant van het huis: 'In orde hier!'

'Goed, roep Barry maar binnen!'

Een uur lang doorzochten ze het huis zonder dat ze iets vonden wat hun een verklaring voor de moord kon geven. Het huis was netjes en goed schoon. Er heerste een militair pietluttige orde en niets in de kasten of ergens anders duidde erop dat hier behalve Meyer nog iemand woonde. Op een bureau vonden ze een mapje met paperassen van de *US Marines*, waaruit bleek dat luitenant Stephen J. Meyer gestationeerd was in Fallujah, Irak, maar dat hij na een schotwond en verpleging daarvoor een paar maanden verlof had gekregen. Barnes fronste. Waarom zou iemand een luitenant van de *US Marines* willen vermoorden? Was er hier verband met het leger of had het met Meyers privéleven te maken? Wat voor reden had de vrouw die hij de vorige avond had ontmoet om Meyer te vermoorden? En waarom had ze de moord op een jonge jongen besteld? Hij moest contact opnemen met de politie in Australië om te horen wat voor theorie zij over die moord hadden.

Barnes bleef weer staan. Hij liet zijn gedachten de vrije loop, maar daar werd hij niet wijzer van. Hij wendde zich tot Lewis. 'Bel de TR. Die krijgt een lange dag vandaag. Ik wil dat de collega's het huis uitvlooien en helaas weet ik niet eens waar ze naar zoeken. Maar misschien komen ze op een paar briljante ideeën.'

Barnes haalde zijn autosleuteltjes uit zijn zak. 'Gaan jullie maar naar huis als de TR komt. Ik ga naar het bureau en begin aan het rapport. Tot morgen!'

Hij reed naar het zuiden, stopte onderweg bij een café, ging naar binnen en kocht een grote mok hete zwarte koffie. Hij had honger, maar voelde zich nu te gestrest om te kunnen eten. Het zou een lange avond worden. Hij wilde het rapport meteen schrijven, met de informatie die hij verzameld had nu die nog vers in zijn geheugen lag. En hij was vastbesloten ook zijn ontmoeting met Alice Banks te noemen. Zijn gedachten tolden door zijn hoofd toen hij weer in de auto ging zitten. Hij besloot naar de McGregor Boulevard te rijden en even op de plaats van de moord te blijven, wat rond te lopen, nog een kijkje te nemen.

De geüniformeerde politie had de afzetting verwijderd en het verkeer stroomde weer rustig over de McGregor Boulevard. Barnes draaide de parkeerplaats bij het Edison Home op en zag dat er nog twee auto's met het opschrift POLITIE stonden. De technici hadden hun werk gedaan en waren al weg. De ziekenwagens hadden de doden en de man die uit de auto was gezaagd, weggebracht. De Chrysler was geborgen en weg. De verkreukelde metaaldelen en de glassplinters die hij eerder op straat had gezien, waren opgeruimd.

Hij parkeerde, stapte uit en liep naar de kant van de weg. De technici hadden met een lijn op straat aangegeven waar Alice Banks' lichaam had gelegen. Hij voelde een steek in zijn hart. Bij de kaartverkoop waren twee geüniformeerde agenten aan het praten met de vrouw achter de balie. Ze was geschokt en had moeite om samenhangende informatie te geven. Barnes wenkte een van de agenten naar zich toe.

'Hebben jullie al iets gevonden?'

De man bladerde wat in zijn blocnote en schudde zijn hoofd. 'Niet veel. Niemand heeft aandacht besteed aan de man die is doodgeschoten. De TR heeft in zijn auto gekeken, maar voor zover ik weet niets interessants gevonden. Wat de vrouw betreft, weet de dame van de kassa nog dat ze Engels sprak, maar met een accent. Dat is alles. Van de schoten in het huis heeft niemand iets gezien of gehoord.'

Barnes knikte. De enige echte getuigenverklaringen hebben betrekking op het verkeersongeluk,' ging de agent verder. 'Het lijkt alsof de vrouw in paniek de McGregor Boulevard op vluchtte toen ze de man doodgeschoten had; ze rende door rood licht en werd domweg overreden. De mannen in de auto waren junks en volgens die vent die bekneld zat, waren ze "voor zaken" op weg naar het noorden van Fort Myers. Ik denk dat ik wel weet om wat voor zaken dat gaat...'

Barnes produceerde een scheef lachje. 'Junks?'

'Hm hm,' zei de agent en hij knikte. 'De obductie moet uitwijzen of de chauffeur onder invloed was en misschien kan de TR nog wat wijzer worden van het wrak waar ze in reden, daar durf ik niet eens aan te denken. Maar we hebben de auto grondig gecontroleerd voordat hij geborgen werd, en we hebben er geen alcohol, drugs of wapens in gevonden.'

'Oké, ik zou je dankbaar zijn als ik zo gauw het kan een rapport op mijn bureau krijg,' zei Barnes. 'Nog meer?'

De agent dacht even na. 'Ik kan zo niks bedenken. De huurauto van de vrouw is ook naar het bureau gebracht. Volgens de TR was die schoon, op een plattegrond na. U kunt wel naar het huis gaan, de andere patrouille is daar nog en praat waarschijnlijk met een tuinman of zo.'

Barnes bedankte hem, ging naar buiten en stak de McGregor Boulevard over om naar Fords huis te gaan. De andere patrouille had iedereen die ze na de moord in de buurt vonden ondervraagd, maar de resultaten waren mager. Het leek alsof niemand iets ongewoons gemerkt had of de vier schoten had gehoord die de vrouw had afgevuurd. Althans, ze hadden vier lege hulzen op de keukenvloer gevonden.

Barnes vroeg ook deze patrouille of hij zo gauw mogelijk een rapport kon krijgen, en ging terug naar zijn auto. Hij ging zitten, leunde achterover en streek met zijn hand over zijn gezicht. Hij was moe. Het liefst zou hij nu gewoon naar huis willen gaan, een hete douche nemen en dan ofwel zijn Harley tevoorschijn halen en een lekkere lange toer maken om zijn hersens op te frissen, ofwel naar een café gaan, een paar neutjes nemen en zijn gedachten een tijdje laten zweven. Soms was dat genoeg om heel nieuwe oplossingen en antwoorden op vragen te vinden. Maar alleen soms. Na rijp beraad besloot hij nog even te wachten met de drankjes en te proberen vandaag nog productief te zijn.

Hij reed naar het bureau in Fort Myers. Wanneer hij zijn voorlopige rapport had geschreven, zou hij nog een tijdje proberen meer te weten te komen over Alice Banks en wie ze nou eigenlijk was.

52

Hector Venderaz was formeel ondergebracht bij IC3, het FBI-centrum voor internetgerelateerde criminaliteit en een afdeling die nauw samenwerkte met het *National White Collar Crime Center*, NW3C. Hector had de zaak-Fort Myers op zijn bureau gekregen en zag geen reden die te laten wachten. Het frustreerde hem dat de FBI niet leek te begrijpen in welk tempo de computergerelateerde criminaliteit toenam en dat er ook onvoldoende middelen werden ingezet om de nieuwe criminaliteit het hoofd te bieden. De meeste politiemensen die hij kende – behalve de mannen van de afdeling IT – konden amper een computer aanzetten.

Hector las het nieuws op het intranet van de FBI en de politie van Miami en constateerde dat het aantal onverklaarbare, onopgehelderde moorden de laatste tijd sterk was gestegen. Het zou hem niet verbazen als de nieuwe moordgolf op de een of andere manier samenhing met internet. Hij had in een aantal onderzoeksrapporten over economische criminaliteit gezien hoe – vaak jonge – mensen de nieuwe techniek op een vernuftige manier gebruikten voor diefstal, bedrog en afpersing. Hij zat er gewoon op te wachten dat iemand een site zou opzetten waar je simpelweg een hitman kon bestellen en het verbaasde hem een beetje dat er niet allang een criminele slimmerik op dat idee was gekomen.

Het verschijnsel van de onopgehelderde moorden deed zich in de hele VS voor, beperkingen in het geografische patroon waren niet waar te nemen. Hij mailde regelmatig met Jacob Colt in Zweden over de kwestie, en vernam dan alleen maar dat de golf van onopgehelderde moorden ook in Europa groter leek te worden. Colt vertelde dat de politie in Frankrijk, Duitsland, Italië, Polen, Engeland en Griekenland een patroon meende te zien in de toename van het aantal onopgehelderde moorden. Hector Venderaz dacht net zo min als Jacob Colt dat het een kwestie van toeval was.

Toen hij het bericht uit Fort Myers op zijn bureau kreeg en de samenvatting van Ray Barnes las, was de adrenaline door hem heen gaan pompen. Eindelijk een aanwijzing die tot een doorbraak kon leiden. Eindelijk concrete informatie. Venderaz pakte snel een tas en deelde zijn collega's mee dat hij een paar dagen naar Fort Myers ging. Hij zag geen reden een collega mee te nemen. Ook al was dit de eerste keer dat hij een duidelijk internetgerelateerde moord op zijn nek kreeg, er was niemand in Miami die zo veel van internet wist als hij. Bovendien was er nu kennelijk al informatie die erop wees dat hier echt iets groots achter zat en Hector zou er niets op tegen hebben helemaal alleen de eer te krijgen als hij deze noot kon kraken.

Hij verliet Miami en stuurde zijn auto naar de dichtstbijzijnde kaarsrechte snelweg, die de naam Interstate 75 droeg, maar in de volksmond *Alligator Alley* werd genoemd. Toen hij door het schrale moeraslandschap reed en de alligators in de waterrijke sloten naast de snelweg zag kruipen, werd Venderaz eraan herinnerd waarom.

Ray Barnes kwam hem tegemoet op de straat voor het bureau aan 2210 Peck Street in Fort Myers. 'Welkom in Fort Myers,' zei Barnes en hij stak zijn hand uit. 'Aangenaam kennis te maken.'

Bullshit, dacht Venderaz. Je bent een lokale diender en je vindt het helemaal niet aangenaam om kennis te maken met een FBI-agent. Maar je hebt gelijk, laat je niet kennen, kerel...

Hij glimlachte en stak zijn hand uit. 'Dank je, insgelijks. En bedankt dat je zo snel aan ons gerapporteerd hebt.'

'Geen dank. Kom mee naar binnen en maak kennis met de collega's, dan kunnen we meteen koffie halen.'

De afdeling Geweldsdelicten van de politie van Fort Myers zag er net zo uit als de meeste andere politiebureaus die Venderaz tot dusverre had gezien. Trieste kantoren met dikke, beige geschilderde stenen muren. Lichtbuizen met veel te koud licht. Bruine, versleten vaste vloerbedekking, zware bureaus in namaak eiken, beige metalen archiefkasten. Stapels dikke mappen en papieren op de bureaus. Lege koffiebekertjes her en der. Aan een kapstok aan de muur hingen een stropdas, een colbert en een schouderholster. Aan een andere muur hing een foto van een baby die kennelijk een paar weken tevoren was gekidnapt.

'Laat me je aan een paar collega's voorstellen,' zei Barnes en hij ging hem voor een kantoor in. Twee rechercheurs stonden op en kwamen hen tegemoet.

'Detective Barry Lewis.'

Hector schudde Lewis en daarna Mark Chitwood de hand. Ray Barnes troonde hem mee naar de koffieautomaat.

'Wil je hem zwart of met suiker en melk?'

'Pikzwart graag, alsjeblieft.'

Venderaz, die in Miami bekend stond om zijn directheid en door velen lomp werd gevonden, besloot *low profile* te blijven, in elk geval in het begin. Plaatselijke politieautoriteiten voelden zich nogal eens platgewalst als de FBI een zaak overnam, en ervaring had hem geleerd dat de beste manier om informatie te krijgen was te proberen goede maatjes te worden met de mannen ter plekke. Bovendien waren de plaatselijke speurneuzen zelden groentjes en het was wel voorgekomen dat Venderaz zich had afgevraagd waarom de FBI zich überhaupt met bepaalde gevallen bemoeide.

Het duurde niet lang voordat Hector Venderaz ontdekte dat Ray Barnes in hoge mate bereid was tot samenwerking en bovendien zeer competent. Hij had heel goed basiswerk gedaan en kon Venderaz een hoop informatie geven. Ze zaten in Barnes' kamer om het materiaal door te nemen, maar eerst vroeg Venderaz een mondelinge samenvatting van de gebeurtenissen. Barnes deed dat in chronologische volgorde en begon te vertellen hoe hij Alice Banks de avond voor de moord had ontmoet.

Venderaz floot tussen zijn tanden. 'Dát heb ik nog nooit gehoord, dat de beste detective van de stad de avond voor de daad op stap is met de moordenaar!'

Beiden lachten om de grap, maar Barnes voelde ook een steek van pijn. Hij was nog steeds geschokt en in de war door wat er met Alice Banks was gebeurd en kon het maar moeilijk verwerken. Vervolgens vertelde hij Venderaz welke aanwijzingen ze hadden gevonden en welke conclusies dat had opgeleverd.

Venderaz luisterde en knikte. 'Waar zijn de lichamen nu?'

'In het mortuarium. Ik heb de politie in Australië laten weten dat we het lichaam van Banks niet naar huis kunnen transporteren voordat het onderzoek is afgesloten.'

'Goed. Ik wil ze nog graag zien, dat spreekt voor zich. Zijn de obducties al achter de rug?'

'Ja, en dat leverde geen grote verrassingen op. Meyer was op slag dood door de vier schoten die ze hem door het hoofd heeft gejaagd. De vrouw had zwaar inwendig letsel door de botsing met de auto, maar de directe doodsoorzaak schijnt te zijn geweest dat ze met haar hoofd tegen de stoeprand klapte toen ze op de grond terechtkwam.'

Venderaz krabde zich onder de kin. 'Oké. Wat me het meest interesseert zijn de papieren die je op de hotelkamer van de vrouw hebt gevonden. Dat klinkt te mooi om waar te zijn.'

Barnes liep naar zijn bureau en pakte een rode map. 'Dat ís ook te mooi om waar te zijn. Ik heb nog nooit zoiets gezien. Eerst dacht ik dat het een soort grap was, maar waarom zou een vrouw een mailgrap met zich meesjouwen uit Australië? En de lol was er wel af toen ik besefte dat elk detail klopte.'

Hij deed de map open, haalde er een stapel papier uit en legde die voor Venderaz neer. 'Dit is alle informatie over het slachtoffer, inclusief foto's. Met alle details over hoe de vrouw hem moest vermoorden, tot en met het moordwapen dat in het hotel op haar zou liggen wachten. Ik heb dat gecontroleerd bij de man die haar heeft ingecheckt. Er lag inderdaad een grote luchtkussenenvelop op haar te wachten toen ze kwam. Hij weet het nog omdat hij zo zwaar was.'

Venderaz begon te lezen. Het was precies zoals Barnes had gezegd. De ene bladzijde na de andere met informatie die bewees dat Alice Banks – om onverklaarbare redenen – een moord op een jonge jongen in haar woonplaats Sandgate had besteld. Er waren zelfs details over de tijdstippen waarvoor Alice zichzelf een alibi moest bezorgen zodat ze niet verdacht kon worden van de moord die ze had besteld. Om de moord te laten uitvoeren had ze vijftigduizend dollar betaald door 'deelnamebewijzen' te kopen in een financiële instelling in Luxemburg. Maar als tegenprestatie was ze verplicht zelf iemand anders te vermoorden en de details daarover zouden volgen.

Venderaz wierp een snelle blik op de afzenderadressen en constateerde dat de mails met zekerheid via gekaapte pc's waren verstuurd. Hij bladerde verder. Alice Banks moest naar Fort Myers gaan en Meyer vermoorden met het pistool dat in het hotel op haar lag te wachten. Daarna moest ze zo snel mogelijk teruggaan naar Australië. Aan het eind herinnerde de mail haar er discreet aan dat ze zelf vermoord zou worden als ze haar deel van de afspraak niet nakwam.

Hector schrok, bladerde terug en ging toen weer door. Op verschillende plaatsen werd 'moord.net' als partner genoemd, een bedrijfsnaam. Uit de tekst van de mailtjes kon Venderaz ook afleiden dat Alice Banks kennelijk een site had bezocht waar ze de informatie had achtergelaten die nodig was om de moord op de jonge jongen te kunnen uitvoeren. Hij tilde zijn tas van de grond en haalde zijn laptop eruit.

'Heb je een aansluiting voor me?'

Barnes knikte. Hij boog over zijn bureau, trok een snoer uit een stopcontact aan de muur en nam het mee naar de tafel waaraan Venderaz zat.

'Fantastisch, hè, dit?' Barnes knikte naar het papier.

'Te mooi om waar te zijn,' mompelde Venderaz. 'Misschien.'

Hij startte zijn laptop en logde in. Toen Internet Explorer startte, toetste hij in 'www.moord.net'. Hij zuchtte toen de tekst op het scherm verscheen. *Deze pagina kan niet worden weergegeven.* Natuurlijk. Het kon toch niet steeds zo gemakkelijk blijven? Hij bladerde door de papieren. Hij had helemaal in het begin iets gezien, hij wist niet meer precies wat, maar nu kwam er een gedachte in hem op. Barnes bekeek hem belangstellend.

'Wat doe je?'

'Ah, hier is het, goed zo!'

Venderaz pakte een van de mailtjes die Barnes op de hotelkamer van Alice Banks had gevonden. Hij bekeek de gegevens boven aan de mail zorgvuldig. Toen gaf hij het papier aan Barnes.

'Dit lijkt het eerste mailtje te zijn dat ze gekregen heeft, van wie dan ook. Voor zover ik kan zien, is het gewoon onpersoonlijke spam waarin een dienst wordt aangeboden, en wel moord. Als dit een of andere grap is – en dat geloof ik eigenlijk niet – hebben we het hier over een vorm van de oude, eerzame NV Moord, die altijd in slechte romans en films opduikt. De vraag is alleen hoe we die te pakken krijgen. Ze sturen hun mails met instructies voor moord vanaf gekaapte computers, die van mensen zijn die geen idee hebben dat zij de officiële afzender zijn. Kijk hier maar: een van de mailtjes komt van ene Irma Gates, kennelijk in Engeland, een andere komt van een meneer Mullbach in Duitsland. Hoogst onwaarschijnlijk.'

'Bovendien hebben ze blijkbaar een site waar je een moord kunt bestellen, en die verhuist gegarandeerd heel vaak naar een ander adres, misschien wel elke dag, want als hij te lang op één plek blijft kan iemand hem opsporen. Hij zal ons zeker ook geen aanwijzingen geven over wie ze zijn, maar ik zou er toch wel naartoe willen. Ik heb een idee...'

Het volgende uur werkte Venderaz door, terwijl Barnes nu eens zijn eigen werk deed en dan weer nieuwsgierig bij Venderaz kwam kijken. Hector vond dat helemaal in orde. Hij mocht Barnes wel en als dit ertoe zou leiden dat er zaken werden opgelost, zou hij in elk geval doen wat hij kon om de man de credits te geven die hem toekwamen.

Venderaz had een nieuw document geopend op zijn laptop. Hij begon met het intypen van de mededeling in de onderwerpregel van de spammail die Alice Banks had uitgeprint: *Wil je hulp hebben bij de definitieve oplossing van een probleem?*

Daarna ging hij methodisch door de andere mail die ze had uitgeprint en schreef een aantal woorden in zijn document: 'Moord, liquidatie, bestelling, uitvoering, vijftigduizend dollar, deelnamebewijzen, Luxemburg, reis, wapen...' Hij koos nog een paar woorden, haalde er een paar weg, zette er nog een paar bij. Hij gaf instructies dat hij alle links waar deze spam mogelijkerwijs naar zou kunnen verwijzen, separaat bijgevoegd wilde hebben. Daarna mailde hij alles naar zijn afdeling in Miami en vroeg hen via Interpol en Europol contact op te nemen met een stuk of honderd van de grootste telecommunicatiebedrijven op het gebied van e-mail en internet ter wereld en spambewaking te eisen. Barnes hing over zijn schouder.

'Je moet het zeggen als je last van me hebt, maar ik vind dit fascinerend. Kun je vertellen wat je doet?'

Venderaz knikte. 'Jazeker. Zoals je weet worden er dagelijks miljarden spamberichten over de hele wereld gestuurd. Als jij thuis aan je pc zit en je e-mail openmaakt, raak je alleen maar geïrriteerd als er aanbiedingen binnenkomen voor erectiepillen, goedkope horloges en andere rotzooi. En je vraagt je waarschijnlijk af waarom iemand de moeite doet om dat allemaal te sturen? Het antwoord is dat het werkt. Tegenwoordig kun je voor minder dan tien dollar een cd'tje kopen met een miljoen actieve e-mailadressen. Een miljoen mailtjes versturen kost je geen cent, maar als maar een promille van degenen aan wie je het stuurt voor vijftig dollar producten van je koopt, heb je vijftigduizend dollar verdiend met één druk op een knopje...'

Barnes floot tussen zijn tanden door. 'Allemachtig. Ik had geen idee dat mensen al die rotzooi echt kopen.'

Venderaz zuchtte. 'Nou en of ze dat doen! En blijkbaar kopen ze ook andere dingen, moord bijvoorbeeld.' Hij nam er ruim de tijd voor om Barnes een overzicht te geven van de computergerelateerde criminaliteit en zag dat zijn collega zich steeds meer verbaasde.

'Terug naar de spam,' zei Venderaz. 'Wat ik nu doe, is spambewaking aanvragen bij de grootste telecommunicatiebedrijven ter wereld. Dat houdt in het kort in dat ze de zoekwoorden die ik net in dat document gezet heb, in hun interne zoekmachines opnemen. Deze machines doorzoeken alle in- en uitgaande mail die via de servers van die bedrijven worden verstuurd, en slaan alarm als ze deze combinatie van woorden in een en hetzelfde mailtje vinden. Omdat we een volledige en vrij ongewone zin hebben – *Wil je hulp hebben bij de definitieve oplossing van een probleem?* – is het in feite helemaal niet ondenkbaar dat we beet krijgen. Het kan een dag of twee duren, maar als deze moordmannen zo professioneel zijn als ik denk, bombarderen ze mensen vast dag en nacht met mailtjes.'

Barnes zat zwijgend te verwerken wat Venderaz had verteld. Hij keek op zijn horloge. 'Je zult onderhand wel trek hebben. Wat vind je ervan om in de stad een hamburger te nemen?'

'Goed idee. Heb je een favoriete plek?'

Barnes glimlachte. 'Big Mike's is ongeëvenaard. Dat ligt hier maar tien minuten vandaan.'

Bijna twee uur later vroeg Hector Venderaz of hij meer zwarte koffie kon krijgen en nam hij de paperassen uit de hotelkamer van Alice Banks nogmaals door.

Hij las de berichten meerdere keren en merkte op dat het gebruikte Engels niet overal correct was. Hij zei tegen Barnes: 'Ray, is jou iets gemeenschappelijks aan al deze mailtjes opgevallen?'

Barnes stond op en kwam naar de tafel van Venderaz. Hij pakte een paar berichten op, las ze door en dacht na. 'Tja, het taalgebruik is verdacht. Degene die dit geschreven heeft, kan haast geen Engelsman of Amerikaan zijn.'

Hector knikte peinzend. Toen belde hij de FBI in Miami.

'Hallo, met Venderaz. Ik zit in Fort Myers met een gevoelige zaak. Heeft er momenteel iemand dienst van onze taalgroep?'

Hij knikte, wachtte en praatte toen door. Het gesprek eindigde ermee dat hij een telefoonnummer op zijn schrijfblok krabbelde en de hoorn oplegde. Hij keek Barnes aan. 'Wij hebben een linguïst op de afdeling in Miami, een Tsjechisch grietje dat een mirakel is op taalgebied en al jaren onderzoek doet. Ik zal deze papieren naar haar faxen en kijken of ze enig idee heeft over de nationaliteit van de afzender.'

De rest van de middag brachten de beide politiemannen door met geconcentreerd werken, ieder aan zijn eigen bureau. Venderaz begon een rapport samen te stellen waarvan de inleiding hoofdzakelijk was gebaseerd op het materiaal dat hij van Barnes had gekregen, maar dat hij naderhand aanvulde met zijn eigen gedachten en conclusies. De rest hoopte hij de volgende dag te kunnen toevoegen. Als alles ging zoals het hoorde, zou hij dan iets kunnen ophelderen. Hij zei tegen Barnes: 'Ik blijf een paar dagen in de stad, of in elk geval totdat blijkt of we beet krijgen aan een van de hengels die ik vandaag heb uitgegooid. Twee vragen: Wat doe jij vanavond en waar ligt dat hotel waar die vrouw verbleef?'

Barnes keek wat verbaasd. 'Ik heb vrij, als je ergens heen wilt om te eten of zo. Waarom wil je dat van dat hotel weten?'

De FBI-agent haalde zijn schouders op. 'Ik ben een beetje raar. Ik vind het prettig om te verblijven in de buurt van de plaats waar een misdrijf is begaan of waar de dader is geweest. Het lijkt merkwaardig genoeg soms alsof die omgeving me inspireert. Ik heb in elk geval niets te verliezen.'

Barnes haalde zijn schouders op. 'Het is niet het beste hotel van de wereld, maar de bar is wel leuk.'

'O ja, die bar waar jij altijd aan de zuip gaat met moordenaars...' Venderaz grijnsde.

Hij had zonder meer verwacht dat Barnes hartelijk in de lach zou schieten en was verbaasd toen hij de uitdrukking in het gezicht van zijn collega zag.

'Sorry. Heb ik iets verkeerds gezegd?'

Barnes maakte een wegwuivend gebaar. 'Nee, vergeet het maar. Zullen we het zo doen dat ik je rij? Het kost ons nu in het spitsuur wel een halfuurtje om in Cape Coral te komen.'

Venderaz knikte.

Later diezelfde avond aten beide politiemannen in de Outback, een Australisch restaurant dat als een van de beste eetgelegenheden van Cape Coral werd beschouwd. Na het eten ging Barnes met Venderaz mee naar het hotel en ze dronken een paar biertjes in de Tiki Bar. Ze praatten niet veel over de zaak en Venderaz vermeed opzettelijk Alice Banks vaker te noemen dan noodzakelijk was. Hij had het gevoel dat zijn collega sterke gevoelens voor de vrouw had opgevat in de korte tijd dat ze elkaar die avond in de bar hadden ontmoet.

53

De volgende ochtend ontmoetten ze elkaar tegen negenen op het politiebureau. 'Lekker geslapen?' vroeg Barnes, terwijl hij een mok hete koffie voor Venderaz neerzette.

'Als een blok. Nu wordt het spannend.'

Venderaz pakte zijn laptop, startte hem op en logde in op zijn mailserver. De daaropvolgende 45 seconden deed Venderaz' laptop onafgebroken 'pling' om aan te geven dat er aan één stuk door mailtjes binnenkwamen. Venderaz tuurde geconcentreerd naar het scherm en een glimlach verspreidde zich over zijn gezicht. 'Ray, ik denk dat je vandaag je normale werk even opzij moet leggen. Het ziet ernaar uit dat we een heleboel hebben om onze tanden in te zetten!'

Barnes kwam naast hem zitten en keek geïnteresseerd toe terwijl Venderaz de mail doornam. Het eerste bericht dat hij openmaakte, kwam van de linguïst van de FBI in Miami:

Dag Hector,

Ik heb het materiaal bekeken dat je me hebt gefaxt en het taalgebruik bestudeerd. Mijn conclusie is dat deze berichten zijn geschreven door een of meer mensen van Slavische origine, en ik ben er bijna zeker van dat het Russen zijn. Hoor graag van je als er meer is waar je hulp bij nodig hebt. Met vriendelijke groet...

'Daar kon je donder op zeggen,' mompelde Venderaz.

Hij scrolde gretig door langs de ingekomen mails en stopte toen hij er een zag die gemarkeerd was met een uitroepteken, met als afzender de politie van Madrid, Spanje.

Geachte speciaal agent Venderaz,

Op verzoek van Europol hebben wij ons gewend tot de tien grootste telecommunicatiebedrijven van Spanje met het verzoek om spambewaking conform uw instructies. We kregen zo-even antwoord van één bedrijf, en de spam die zij hebben gevonden vindt u in kopie bijgevoegd. Om uw werk te bespoedigen, zenden we u dit rechtstreeks en sturen we tegelijkertijd een kopie naar Europol. Wij wensen u succes met het verdere onderzoek. Hartelijke groet...

Venderaz sloeg met zijn hand op het tafelblad. 'Yes! Eindelijk!'

Hij klikte gauw op de bijgevoegde mail en grijnsde toen hij de tekst in de onderwerpregel zag: *Wil je hulp hebben bij de definitieve oplossing van een probleem?*

'Reken maar dat ik dat wil,' zei hij en hij liet de cursor snel over de tekst naar de link gaan. Hij glimlachte toen hij de blauwe regel zag: www.moord.net.

Hij ging terug naar het mailtje van de Spaanse collega en klikte op de link die de Spanjaard blijkbaar met succes had uitgeprobeerd. Hij plakte, kopieerde en drukte op 'Enter'. Venderaz en Barnes hielden hun adem in, leunden voorover en staarden naar de tekst die in grote letters op het scherm verscheen: *Welkom bij moord.net!*

Barnes las snel de volgende regels. 'Allemachtig!'

Venderaz keek hem even aan. 'Dat mag je wel zeggen. Dit is echt de NV Moord! Maar nu moeten we snel zijn. Ik maak eerst een paar *screen dumps* van alle pagina's die we hier zien. Ze kunnen elk moment op het idee komen om de site te verhuizen en ik wil dit niet kwijtraken. Dus ik stel het materiaal eerst veilig, dan kunnen we alles printen en later in alle rust lezen, oké?'

Barnes knikte. 'Ik zal controleren of er genoeg papier in de printer zit.'

Venderaz klikte snel door de site en maakte schermafdrukken van elke pagina. Toen hij klaar was, mailde hij de link naar de FBI in Miami en vroeg de IT-afdeling te doen wat ze konden om de oorsprong op te sporen. Daarna printte hij twee exemplaren van alle pagina's van de site. Barnes had meer koffie gehaald en zo lazen ze, elk aan een kant van de tafel, in stilte. Venderaz liet zijn ogen over de tekst op de eerste bladzij gaan.

Het leven stelt ons voor veel onaangename verrassingen...

'Wat is dit, een stelletje kleredichters?' mompelde Venderaz en hij las verder:

...en soms is het noodzakelijk iemand te elimineren die een bedreiging vormt of die men om een andere reden geneutraliseerd zou willen zien.

moord.net is een professionele organisatie met veel ervaring. Wij bieden u een procedure waarbij de kans dat u gepakt wordt verwaarloosbaar is. In de meeste gevallen is de kans om voor moord te worden opgepakt en veroordeeld heel groot, vaak wel vijfentachtig tot negentig procent. Onze statistieken tonen tot dusverre nul procent mislukking en ons slimme veiligheidssysteem staat er borg voor dat deze statistiek ook geruststellend laag zal blijven. Wij hebben tot dusverre duizenden mensen over de hele wereld geholpen met dit type probleemoplossing.

Natuurlijk zijn onze diensten kostbaar en u betaalt op twee manieren. Onze administratiekosten voor de bemiddeling van uw opdracht – dus dat iemand conform uw bestelling wordt geëlimineerd – bedragen $ 50.000. Bovendien neemt u de verplichting op zich de liquidatie van iemand anders uit te voeren. Hiervoor is geen enkele ervaring uwerzijds vereist, en wij voorzien u van alle praktische informatie, gedetailleerde instructies alsmede het geschikte wapen, discreet geleverd op een geschikte plaats. Het voordeel van onze dienstverlening is dus dat er geen enkele mogelijkheid bestaat dat er verband wordt gelegd tussen slachtoffer en dader. Daardoor is het voor instanties vrijwel onmogelijk om de dader op te sporen.

Venderaz ademde diep door. Dit leek wel een goede thriller en hij wilde dat hij de tekst gewoon weg kon leggen in de wetenschap dat hij niets met de werkelijkheid te maken had.

Wij effectueren uw bestelling zodra u een vooraankondiging van het tijdstip hebt ontvangen, zodat u zich een geloofwaardig alibi kunt verschaffen. Voor de zekerheid wijzen wij erop dat u niet weet wie wij zijn, maar dat wij u weten te vinden. Wanneer u de overeenkomst met ons hebt ondertekend, is er geen weg terug meer.

Indien u uw aandeel in de overeenkomst niet nakomt, wordt betrapt of informatie lekt waardoor het iemand gemakkelijker wordt gemaakt ons op te sporen, zien wij ons gedwongen directe en definitieve maatregelen te treffen. Afgezien hiervan staat niets u in de weg de perfecte misdaad te begaan.

Venderaz ging door naar de onderliggende pagina met de kop OPDRACHT BESTELLEN:

Wanneer u besluit door te gaan met deze procedure, doe dan hieronder uw bestelling. Vul alle gegevens zorgvuldig in en geef zo gedetailleerd mogelijk informatie over de persoon die u wilt laten elimineren. Voeg zo mogelijk een duidelijke, digitale foto van de betreffende persoon bij. Vul bovendien de gevraagde gegevens over uzelf in. Geef een mailadres op waarop u verdere instructies van ons veilig kunt ontvangen. Gebruik niet het e-mailadres op uw werk of een ander mailadres waartoe iemand anders toegang kan hebben. Als u geen anoniem adres hebt, kun u er een bestellen via **MSN**/hotmail of yahoo (klik hier).

Binnen vierentwintig uur zult u nadere instructies krijgen, die u binnen dertig dagen dient op te volgen. Alle kosten die te maken hebben met de liquidatie die u als tegenprestatie uitvoert, komen voor uw eigen rekening. Wanneer de betaling op het aangegeven rekeningnummer is voldaan conform de instructies die u krijgt, beschouwen wij de overeenkomst als bevestigd en beginnen wij onmiddellijk met de planning van de opdracht.

Verder onder aan de pagina stonden vakjes waarin de besteller naam, adres, telefoonnummer en geboortedatum van het slachtoffer moest invullen plus alle denkbare informatie over achtergrond, burgerlijke stand, werk, gewoonten, hobby's enzovoort van de betrokkene. Daaronder stonden nog meer vakjes waarin de besteller informatie over zichzelf moest opgeven en een functie om een foto van het slachtoffer te uploaden.

Venderaz huiverde, hij werd er beroerd van. 'Wat vind jij ervan, Barnes? Beangstigend, hè?'

Barnes knikte zwijgend en las door. Venderaz volgde zijn voorbeeld. Hij ging naar de pagina met de kop VOORWAARDEN:

De overeenkomst wordt aangegaan tussen de leverancier van deze dienst (hieronder Leverancier genoemd) en degene die de dienst bestelt (hieronder Besteller genoemd). De overeenkomst is bindend voor beide partijen zodra de betaling door Leverancier is ontvangen.

Besteller verplicht zich op eigen kosten en risico een liquidatie uit te voeren conform nog volgende instructies van Leverancier. Dit dient te geschieden binnen een periode van dertig (30) dagen, gerekend vanaf de datum van bestelling.

In ruil hiervoor verplicht Leverancier zich ervoor te zorgen dat de liquidatie van de door Besteller genoemde persoon binnen dezelfde periode wordt uitgevoerd.

In geval Besteller verzuimt zijn deel van de overeenkomst binnen de voorgeschreven tijd uit te voeren, wordt de overeenkomst geacht verbroken te zijn en behoudt Leverancier zich het recht voor de eerder op deze site genoemde maatregelen (zonder voorafgaande waarschuwing aan Besteller) uit te voeren.

Later die dag reed Hector Venderaz met Ray Barnes in een civiele politiewagen naar het mortuarium in Fort Myers, waar hij een snelle blik op de lichamen wierp. Hij trok een grimas toen de gerechtsarts het laken wegtrok dat het gezicht van Alice Banks bedekte. En wat heb jij verkeerd gedaan? vroeg hij zich in stilte af toen de arts hem de resten van Stephen Meyers kapotgeschoten hoofd liet zien.

'Blijf je tot morgen?' vroeg Barnes toen ze naar het politiebureau terugreden.

Venderaz schudde zijn hoofd. 'Zou ik wel willen, maar ik moet zo snel mogelijk terug naar Miami. Ik wil weten of die IT-mensen aanwijzingen hebben gevonden en ik wil nog een praatje maken met de linguïst om te horen of ze misschien iets uit de tekst en de formuleringen op de site kan halen. Ik heb het gevoel dat hier Russen achter zitten. Maar de kunst is ze te pakken te krijgen en dit lijkt geen kinderspel – het zijn geen groentjes waar we mee te maken hebben.'

Barnes reed langs het hotel van Venderaz, zodat die kon uitchecken en zijn weekendtas kon ophalen. Daarna reed hij naar het politiebureau in Fort Myers. Venderaz pakte zijn laptop in en stak zijn hand uit naar Ray Barnes.

'Ray, je bent een verrekt goeie smeris. Ik ben je dankbaar voor al je werk. Nu hebben we echt een kans om dit op te helderen. Ik laat je natuurlijk weten wat er gebeurt en hoe we met het onderzoek verdergaan en ook wanneer je de lichamen uit het mortuarium mag vrijgeven.'

Barnes knikte ernstig en drukte zijn hand. 'Hector, het was interessant om met je samen te werken en als ik nog iets kan doen, moet je het maar zeggen. Bovendien – kom gerust een keer een weekend hierheen om je te ontspannen! Ik heb genoeg ruimte thuis, we kunnen een toertje maken op de Harley of gaan vissen, wat vind je daarvan?'

Venderaz lachte. 'Dat klinkt perfect! Laat me eerst deze rotzooi opruimen en degenen die hierachter zitten vastzetten, dan kom ik een keer, dat beloof ik.'

54

Miami, Verenigde Staten
Maandag 7 augustus 2006

In Miami ging Hector Venderaz intensief aan de slag met een karwei dat het grootste deel van het etmaal in beslag nam. Hij mailde alle relevante informatie over het moordnetwerk dat hij had ontdekt naar andere FBI-afdelingen, Interpol, Europol, zijn politievrienden van de conferentie in Londen en een aantal contacten bij de politie in Azië en Australië. Hij stuurde een aparte mail naar Jacob Colt en liet daar de volgende dag een telefoontje op volgen.

'Hector! Hoe is het in het zonnige Florida?'

Ze spraken een paar minuten over het weer en hun gezondheid voordat ze op het actuele onderwerp overgingen.

'Hoe gaat het?' vroeg Jacob. 'Nog nieuws?'

'Nog niet,' zei Venderaz. 'De IT'ers hebben geprobeerd de server op te sporen waar de site op stond, maar toen was hij al verhuisd. Ik heb nogmaals spambewaking gevraagd en kreeg ditmaal een tip van de Nederlandse politie. De link werkte een paar uur, maar toen was de site weer weg. We hebben uitgerekend dat hij elke vierentwintig uur verhuist. Ze spammen onafgebroken hun aanbod om problemen op te lossen en als mensen een mailtje hebben gekregen, hebben ze een etmaal de tijd om naar de site te gaan voordat die wordt verhuisd. Als ze er goed en wel zijn, geven ze hun e-mailadres en daarna kan het moordnetwerk via de mail met hen in contact blijven via gekaapte computernetwerken. Zoiets terugvoeren naar een fysiek adres is zoeken naar een speld in een hooiberg en alles wat we tot dusver geprobeerd hebben, bleek naar doodlopende sporen te leiden. We moeten nog een aanwijzing bovenhalen!'

'Wie denk je dat hierachter zitten?' vroeg Jacob.

'Ik voel aan mijn water dat het Russen zijn, Jacob,' zei Hector.

'En ik raak er steeds meer van overtuigd dat zij ook achter het merendeel van al die onopgehelderde moorden zitten die we de afgelopen zes, acht maanden in de halve wereld hebben gehad, ook bij jullie.'

'Je zou best eens gelijk kunnen hebben,' zei Jacob. 'De vraag is hoe we het geheim ontsluieren en ze te pakken krijgen. Rusland is niet klein, het is niet makkelijk om er te werken, en de Russen zijn niet wereldberoemd om hun bereidheid tot samenwerking.'

'Maar wat denk je van Karpov?' vroeg Venderaz hoopvol. 'Hij is toch een perfecte kerel!'

'Absoluut! En wij hebben nauw contact sinds de conferentie in Londen, net als jij en ik. Hij is als mens nogal veranderd na de aanslag op zijn gezin, ik vind hem nu killer, en dat is ook niet zo vreemd. Hij heeft kennelijk harder gewerkt dan ooit om de hele onderwereld van St. Petersburg ondersteboven te keren sinds die schoften zijn gezin hebben uitgemoord, dus hij is zeker druk bezig. Vind je dat ik contact met hem op moet nemen en kan ik hem in dat geval al het materiaal geven dat jij mij hebt gegeven of geldt voor de Russen nog het geheimhoudingsstempel?'

Venderaz was een paar seconden stil en antwoordde toen: 'Ik vertrouw jou en Vladimir allebei. Geef hem alles als jij hem ook vertrouwt. We moeten vooruitkomen en elke strohalm grijpen die we hebben. Zet hem maar eens goed aan het werk.'

'Doe ik,' zei Jacob. 'We houden contact.'

'Absoluut,' zei Venderaz. 'We zien elkaar misschien eerder dan we denken. Het zou leuk zijn je weer eens te zien en te kijken of het klopt wat ik allemaal heb gehoord over blondines...'

Jacob Colt tikte peinzend met een potlood op zijn bureau. Hij moest Vladimir Karpov meteen bellen en hem daarna al het materiaal sturen dat hij van Venderaz had gekregen en alle informatie die hij zelf had verzameld over de moorden die in Zweden waren uitgevoerd. Daarna moesten ze maar hopen dat Vladimir er op de een of andere manier een touw aan vast zou kunnen knopen.

'Jacob, wat fijn om je stem te horen!' Karpov klonk oprecht blij. Ze praatten een tijdje over hoe het met hem ging, hoe hij langzaam maar zeker routines vond voor een leven zonder gezin, dat hij zich misschien veel te veel op zijn werk concentreerde om de kwellende gedachten aan de moord op zijn vrouw en dochter te ontlopen.

'Het is misschien niet de goede manier om met mijn gevoelens om te gaan, Jacob, maar op dit moment weet ik geen andere. Ik wil hier grote schoonmaak houden, ik wil degenen die mijn gezin hebben vermoord te pakken krijgen en, ja, om heel eerlijk te zijn: ik wil wraak!'

'Ik kan niet voor jou bepalen wat goed of fout is, Vladimir. Maar ik kan me voorstellen dat ik precies zo zou reageren als ik in jouw situatie zat.'

Na een tijdje kwam Jacob ter zake. Hij vertelde in het kort over de moorden die de laatste tijd plaatsvonden in Zweden en de rest van Europa, daarna over de gebeurtenissen in Florida, de ontdekking van Venderaz en de gegevens over het moordnetwerk. Karpov luisterde aandachtig en stelde tussendoor af en toe een vraag. Jacob verbaasde zich er weer over hoe goed Engels de Rus sprak en bedacht dat ze geluk hadden dat sommigen van Vladimirs landgenoten op dat punt zo tekortschoten dat een linguïst een verband kon vermoeden tussen het moordnetwerk en Rusland.

'Dus je denkt dat het Russische jongens zijn die ervoor zorgen dat er over de hele wereld mensen worden vermoord?' vroeg Karpov.

'Daar ben ik bang voor, ja.'

Karpov zweeg. 'Jacob, je weet dat Rusland tegenwoordig puur het wilde Westen is. Als je denkt dat jullie in het Westen problemen hebben om de boeven bij te houden, kan ik je zeggen dat het hier nog erger is. De ontwikkeling van de criminaliteit is zo explosief dat ik niet durf te denken waar we over maar een paar jaar terechtkomen. En het feit dat heel wat collega's van mij zich graag laten omkopen maakt de zaak er niet beter op. Maar ik beloof je dat ik alles zal doen wat ik kan en ik zal je natuurlijk op de hoogte houden. Het hangt er bijna helemaal van af of die kerels, als het al Russen zijn, vanuit St. Petersburg werken. Als ze in Moskou zitten ben ik vrijwel kansloos.'

'Ik begrijp het, Vladimir. Maar jij bent ons enige contact in Rusland en we moeten toch ergens beginnen.'

'Ik ben blij dat jullie bij mij zijn begonnen. Bovendien geeft het ons misschien een reden om elkaar binnenkort weer te ontmoeten. Dat zou leuk zijn.'

'Vladimir, als het spoor daar bij jou aanknopingspunten heeft, garandeer ik je dat ik kom, en dat doet Hector waarschijnlijk ook. Wij willen zo'n finale geen van beiden missen. '

Vladimir Karpov lachte. 'Dat zou ik ook niet willen, Jacob. Stuur me alles wat je hebt maar zo snel mogelijk op, dan zal ik alles uit de kast halen en dan gaan we dit tot op de bodem uitzoeken!'

55

St. Petersburg, Rusland
Donderdag 31 augustus 2006

De afgelopen weken had de onderwereld van St. Petersburg gemerkt dat de politie steeds meedogenlozer op hen jaagde. Politiemannen die eerder gemakkelijk konden worden omgekocht om een andere kant op te kijken, waren plotseling uit hun functie ontheven en vervangen door nieuwe, die meedogenloze razzia's uitvoerden tegen alcoholfabrieken, drugsfabrieken, bordelen en geheime wapenvoorraden. De ene kleine bende na de andere werd opgerold en de politie ging fysiek hard te werk. Ze stelden vragen en wilden antwoorden hebben.

Slechts enkele weken na het telefoontje van Jacob had Vladimir Karpov een theorie. Hij had het beste ingeschakeld wat hij had, de tamelijk onbekende G9-groep, om eens flink te roeren in de modderpoel van de St. Petersburgse onderwereld. Hij was zich er goed van bewust dat hij een zeer groot risico nam, maar hij voelde ook dat hij met zijn gezin het belangrijkste wat hij had al was kwijtgeraakt en dat hij nu alleen nog maar iets kon winnen. Hij bezorgde zichzelf elke dag nieuwe vijanden, niet alleen op straat, in drugsfabrieken en in bordelen, maar ook in het politiekorps. Zijn consequente en harde zuiveringen in het criminele circuit leidden ertoe dat veel van zijn collega's belangrijke neveninkomsten, in sommige gevallen zelfs hun hoofdinkomen, kwijtraakten.

Maar Vladimir Karpov liet zich niet tegenhouden. Toen de laatste resten van de Sovjet-Unie in elkaar stortten, was hij ervan overtuigd geweest dat dit op den duur tot iets beters moest leiden. Hij had het voorrecht gehad een paar keer naar het Westen te mogen reizen. Wat hij daar zag was verre van een ideale samenleving, maar aanzienlijk minder slecht dan de honger, onderdrukking en ellende die hij op de straten thuis tegenkwam.

Nu hij de gevolgen zag van de Russische overgang naar een markteconomie, was hij opeens veel meer gaan twijfelen. Een beperkte groep mensen – hoofdzakelijk politici – had snel alles naar zich toe weten te graaien waar een heel volk zich jaren voor uit de naad had gewerkt. En wie niet aan die touwtrekkerij mee had kunnen doen, profiteerde van de chaos door zich in de totaal meedogenloze criminaliteit te storten en daar rijk van te worden.

Vladimir had er genoeg van een samenleving in verval te zien en hij had er ook genoeg van de idealen in het politiekorps dat hij zo trots had gediend, als een kaartenhuis te zien instorten zodra een gangster zijn portefeuille trok. Er moest een keer een eind aan komen en als dat niet gebeurde, kon hij zichzelf niet meer recht in de ogen kijken als hij zijn uniform droeg.

De moord op zijn gezin was de druppel geweest die de emmer deed overlopen en nu was er geen weg terug meer voor Vladimir Karpov. In zijn kantoor op het hoofdbureau van politie vatte hij samen wat zijn mannen in slechts enkele weken tijd voor elkaar hadden gekregen. Politieoperaties hadden een groot aantal kleine criminele netwerken gebroken en – in sommige gevallen ook fysiek – weggevaagd. Honderden gangsters waren verhoord, vaak met tamelijk gewelddadige middelen. Hij had heel wat informatie gekregen en het meeste daarvan wees in één en dezelfde richting. Maar vreemd genoeg leek het alsof niemand het achterste van zijn tong liet zien. Of het was domweg zo dat niemand genoeg wíst over de sterke krachten die achter de wereldwijde moordgolf zaten?

Vladimir stond bijna dagelijks in contact met Jacob en Hector. Hij vond dat wel amusant. Twintig jaar geleden was het waarschijnlijk onmogelijk geweest dat een FBI-agent en een Russische politiechef zouden samenwerken, op welk terrein dan ook. In de loop van de weken raakte Karpov steeds gefrustreerder. Weliswaar meende hij een patroon te zien in de informatie die hij door middel van razzia's en verhoren kreeg en wist hij nu tamelijk zeker welke organisatie er achter het moordnetwerk zat, maar hij miste nog een paar beslissende puzzelstukjes en zonder die stukjes kon hij domweg niet toeslaan.

Hij hield Jacob en Hector op de hoogte en maakte hen ook deelgenoot van zijn frustratie. Misschien was het wel hun ondersteuning – vooral die van Jacob – die maakte dat hij de strijd niet zomaar opgaf. Steeds meer puzzelstukjes vielen op hun plek en als neveneffect hiervan vonden steeds meer kleine dieven, afpersers en drugsdealers zichzelf plotseling terug achter slot en grendel.

Maar de laatste stukjes ontbraken nog steeds. Karpov had nu zo in de onderwereld van de stad rondgewroet dat hij bijna niet meer wist waar hij nog moest zoeken. Was zijn uitgangspunt de afgelopen weken dan toch verkeerd geweest? Had dit alles eigenlijk niets met St. Petersburg te maken? In dat geval hoefde hij zich de komende jaren maar op één ding te concentreren: ervoor zorgen dat hij zelf niet werd vermoord door de criminelen die hij nu uitdaagde. Als het hem echter lukte deze noot te kraken en een van de machtigste en meest gevreesde netwerken van de stad op te rollen, zou hij waarschijnlijk bij vriend en vijand een heel nieuw respect ondervinden.

Deze gedachten tolden door zijn hoofd toen hij op een heel normale donderdagochtend de trap opliep naar het hoofdbureau, de lift naar de vierde verdieping nam en door de gang naar zijn kamer liep. Toen hij over de drempel stapte, wachtte hem een verrassing. In zijn stoel, en met de voeten op zijn bureau, zat de chef van de G9-groep, Boris Sharkov. Er brak een brede glimlach door op zijn gezicht toen Karpov binnenkwam.

'Welkom! Dit is de eerste en waarschijnlijk ook de enige keer dat ik de vrijheid neem in jouw stoel en met mijn voeten op jouw bureau te gaan zitten, maar ik was er vrij zeker van dat ik me dat kon permitteren. We zullen deze dag namelijk nooit vergeten.'

Sharkov pakte een dikke, bruine, al opengemaakte envelop en overhandigde die aan Karpov. 'Dit is vanmorgen vroeg per expresse aangekomen. Het bevat de allerlaatste puzzelstukjes die we nog zochten. Je theorie klopte, behalve dan dat het allemaal nog veel groter en nog beter georganiseerd is dan we dachten. Alsjeblieft!'

Karpov keek hem aan en kon niet geloven wat hij hoorde. Hij pakte de envelop aan en bevoelde hem, alsof hij het goede nieuws zo lang mogelijk wilde rekken na al dat harde werk en alle wanhoop.

'Wie is de afzender?'

Sharkov schudde heel even zijn hoofd. 'Dat blijkt er niet uit. Maar iets zegt me dat we die persoon in de zeer nabije toekomst zullen ontmoeten!'

56

Nikolaj Schenizin zoog de rook in zijn longen. Hij nam een paar diepe trekken achter elkaar, deed zijn ogen dicht en genoot. Hij lag meer in een fauteuil dan hij zat, vers gedoucht en naakt, met een dikke, witte badstof handdoek rond zijn middel. Harde Russische rock bulderde uit de luidsprekers en hij klapte hard in zijn handen om die te overstemmen.

Borya verscheen naast hem. Nikolaj stak een hand uit.

'Whisky, Borya, whisky!'

Borya aarzelde. 'We moeten gaan, chef, het is al laat.'

'Nog niet. Ik ben nog niet klaar...'

Borya slikte een antwoord in, haalde een glas whisky en verliet de kamer discreet.

Nikolaj dacht aan zijn vader. En hij dacht terug. Zijn vader was niet snel geweest en misschien te naïef. Misschien had Igor niet geloofd dat de privatisering van de sovjetstaat echt een feit zou worden, maar had hij gedacht dat alles op de een of andere magische manier weer normaal zou worden? Of dat de privatisering langzaam en op een fatsoenlijke manier zou gaan. Nikolaj wist het niet. Hij had zelf in die tijd in zijn levensonderhoud voorzien met van alles, van magazijnbediende tot kantoormedewerker en daarna had hij – dankzij zijn vaders contacten – een behoorlijke post gekregen in de partij.

De meeste van zijn vaders partijkameraden hadden aan het touwtrekken meegedaan en goed voor zichzelf gezorgd; ze waren rijk geworden. Igor was buiten de boot gevallen. En toen dat tot hem doordrong, waren alle remmen losgegaan. Het was begonnen met diefstal op kleine schaal en via het smokkelen van alcohol naar het Westen uitgelopen op drugs, prostitutie en vrouwenhandel. Tot Nikolajs grote verbazing had zijn vader zich een waar genie getoond op het gebied van criminaliteit. Het geld stroomde binnen en de organisatie groeide. Na slechts enkele jaren was Igor Schenizin een echte, goede kleine gangster. Met Nikolaj in zijn kielzog.

Zijn vader had op hem de verantwoordelijkheid overgedragen voor verschillende onderdelen van het criminele bedrijf. Naarmate Nikolaj zijn vaardigheden ontwikkelde, had hij ook begrepen hoezeer het internet hem van pas kon komen. In een paar jaar had hij een netwerk van criminelen in allerlei westerse landen opgezet, waarvan hij de potentie begreep. Je moest internet ook kunnen gebruiken als gereedschap voor criminaliteit. Hij had de zaak met zijn vader besproken, maar die was volkomen ongeïnteresseerd, had de voorstellen weggewuifd en gezegd dat Nikolaj zich moest concentreren op zijn kerntaken. Nikolaj had geleidelijk aan in het grootste geheim een paar kantoren aangeschaft in de stad en jonge, getalenteerde IT'ers gerekruteerd, en was met een paar experimenten begonnen die nu meer geld bleken op te leveren dan alle andere criminele bedrijvigheid bij elkaar. En met minder bloed aan zijn handen.

Nikolaj nam een grote slok whisky. Zijn vader was een sta-in-de-weg die vroeg of laat weg moest. Hij was vast niet van plan vrijwillig een stapje terug te doen en wat moest Nikolaj dan – zijn eigen vader vermoorden? Als er een veilige manier was geweest om dat te doen, had hij niet geaarzeld. Zijn gedachtegang werd onderbroken doordat er een heel nieuw idee in zijn hoofd opkwam. Er was toch al een manier waarop het volkomen veilig werkte.

Het meisje op het bed ademde zwaar en snikte zacht.

Nikolaj werd afgeleid. Hij nipte aan zijn whisky, schoof met een hand over de buitenkant van de handdoek naar zijn kruis en stelde tevreden vast dat de Viagra nog steeds werkte. Die verdomde kapitalisten in het Westen konden in elk geval effectieve pillen maken. Pillen tegen verdriet, pillen tegen blijdschap, pillen tegen pijn, pillen die de hersens op toeren joegen en pillen waar je pik van overeindkwam.

Hij stond op, liet de handdoek op de grond vallen en bekeek het meisje in het halfdonker, terwijl hij zijn lichaam langzaam op de maat van de muziek bewoog. Natasha was pas zestien jaar en ze zou een perfect exportartikel worden. Maar professioneel ondernemer als hij was, wilde hij zijn waren op kwaliteit testen voordat hij ze leverde.

Ze lag op haar buik, naakt op het grote bed met haar benen een stukje uit elkaar, wat Nikolaj in zijn dronken toestand opvatte als een teken van opwinding. Toen hij de eerste keer bij haar binnendrong, had hij vastgesteld dat ze geen maagd was, maar uit haar onhandigheid – die hem vreselijk opwond – had hij ook afgeleid dat ze niet erg ervaren was. Hij had haar van voren genomen en haar daarna gedwongen hem te pijpen. Toen ze dat niet goed en hongerig genoeg deed, was hij geïrriteerd geraakt, had haar een paar oorvijgen gegeven en haar opgedragen op haar buik te gaan liggen. Hij had haar kont rood geslagen, terwijl ze kreunde en kermde van pijn. Haar gesnik had hem een stijvere bezorgd dan hij zich sinds lang kon herinneren en vol trots was hij op de klanken van haar geschreeuw haar anus binnengedrongen.

De herinnering aan haar nauwe warmte had zich in zijn hersens vastgezet en nu wilde hij dat genot nog een keer beleven. Hij doopte twee vingertoppen in de whisky en daarna in de cocaïne, zodat ze helemaal met wit poeder bedekt waren. Hij zou nooit op het idee komen die troep zelf te gebruiken, maar hij had altijd een behoorlijke voorraad beschikbaar voor huiselijk gebruik. Elke keer dat hij iemand cocaïne zag gebruiken, verbaasde hij zich erover dat zo veel mensen er wereldwijd aan verslaafd waren en hoeveel geld je kon verdienen aan iets wat in feite een puur natuurproduct was.

Hij klom op het bed en schoof haar bovenbenen gedecideerd uit elkaar. Als in een waas hoorde hij haar huilen en smeken het niet te doen, maar die harde rock overstemde haar in zijn hersens. Hij greep haar haar met één hand stevig beet en stak zijn vingertoppen in haar neusgaten. In een pure reflex snoof ze het in en de drug verspreidde zich in haar gevoelige slijmvliezen. Nikolaj perste zijn lid gauw in haar anus. Het geschreeuw van het meisje vulde de kamer terwijl hij, leunend op zijn gestrekte armen, zijn onderlijf op de razende maat van de daverende rock heen en weer bewoog.

Fuck the world, we're takin' over, fuck the world, we're comin' back!

Een paar minuten later stak hij een sigaret op, terwijl hij zijn gezicht bekeek in de badkamerspiegel. Hij hoorde Borya discreet op de deur kloppen.

'We moeten gaan, chef...'

De auto en de andere lijfwachten wachtten op straat. Over minder dan een halfuur zou hij thuis zijn in zijn staatsiewoning aan de Nevskij

Prospekt, waar hij zo vaak had gelopen toen hij nog jong en arm was. Hij zou naar binnen gaan en zijn kinderen kussen, die rustig in hun kamer lagen te slapen. Zich uitkleden en in stilte in bed schuiven naast Nadja, zijn vrouw, die te verstandig was om vragen te stellen of iets te zeggen. Hij bekeek nogmaals zijn gezicht in de badkamerspiegel. Hij wilde net, zoals al zo vaak, constateren dat hij een winnaar was.

Zijn blik ging omlaag en hij zag bloedsporen. Die stomme hoer! Met weerzin maakte hij zijn lid in de wastafel schoon, gooide toen de sigaret in het toilet, stapte in de douche en liet het hete water over zijn gezicht en zijn lichaam stromen. Ook al deed hij zijn ogen dicht, hij zag inwendig wat hij niet wilde zien. Hij zag het spiegelbeeld van zijn vader.

Wat hij zag stond hem niet aan.

57

Stockholm, Zweden
Woensdag 20 september 2006

Begin augustus had Jacob Colt Vladimir Karpov gebeld en hem de informatie gemaild die hij van Hector Venderaz had gekregen. Een maand later kwam er een uitermate positief telefoontje van Karpov. Jacob haalde meteen Henrik Vadh erbij.

'Henrik, het ziet ernaar uit dat mijn Russische vriend de mensen heeft gevonden die achter dit moordnetwerk en nog een heleboel andere zaken zitten.'

'Dat klinkt te mooi om waar te zijn. Laten we hopen dat het echt zo is.'

'Karpov heeft de afgelopen tijd de hele onderwereld van St. Petersburg ondersteboven gekeerd. Natuurlijk zijn hij en zijn collega's over allerlei geteisem gestruikeld en hebben ze hopen arrestaties verricht. Maar hoe ze ook hun best deden, ze kregen alleen losse draadjes, geruchten en flarden informatie van verklikkers boven tafel. Maar op een dag lag er een dikke brief op Vladimirs bureau. Een van de medewerkers aan het moordnetwerk kon er blijkbaar niet meer tegen en sloeg door; hij leverde zo veel details dat Karpov het hele zootje in kaart kon brengen. Ze bereiden daar nu een grote klap voor.'

Henrik Vadh keek hem aan. 'Ben je van plan erheen te gaan?'

'Absoluut.'

Vadh stond op. 'Gelijk heb je. Helaas zal de staat de reis niet ook nog eens voor mij willen betalen. Jammer, want ik was er graag bij geweest.'

'Ik weet het, Henrik, en ik had je ook graag meegenomen, dat weet je. Maar ik heb het al gecheckt bij de bazen en helaas heb je gelijk. De staat vindt het voldoende dat ik ga. Maar ik beloof je dat ik je, als ik weer thuis ben, bij een goed glas whisky een gedetailleerd verslag zal geven!'

In de auto op weg naar vliegveld Arlanda recapituleerde Jacob delen van zijn gesprek met Karpov. De Rus had zich aan de ene kant heel helder uitgesproken, maar was aan de andere kant voorzichtig geweest. Hij had in grote lijnen verslag gedaan van zijn werk en dat van zijn collega's de afgelopen maand, maar was terughoudend met de details die de verklikker hun in een envelop per post had bezorgd.

'Maar Vladimir, wie is de man achter dit alles? Is het iemand die jullie al van vroeger kennen? Is het een oude organisatie of hebben ze die speciaal voor dit soort werkzaamheden opgezet?'

'Jacob, ik zou je dat nu allemaal wel willen vertellen, maar dat durf ik niet. Dit politiebureau is nog altijd zo lek als een mandje en we hebben niet eens veilige telefoonlijnen. De zaak is zo gevoelig dat ik je die informatie noch telefonisch noch via de e-mail durf te geven. We hebben nu de kans dit voor eens en voor altijd op te blazen en als we die kans verprutsen krijgen we geen nieuwe. Je moet me vertrouwen. Ik heb een idee.'

Karpov had voorgesteld dat Jacob en Hector ongeveer veertien dagen later naar St. Petersburg zouden komen. Hij schatte in dat hij die tijd nog nodig zou hebben om de laatste details in kaart te brengen en een gedegen plan op te zetten, zodat ze effectief toe konden slaan.

Officieel zouden Jacob en Hector een studiebezoek afleggen, maar uit de toon van Vladimirs stem kon Jacob afleiden dat het om meer zou gaan. Het was tot op grote hoogte de verdienste van Hector en Jacob dat de Russen de knoop ontward hadden en hij wilde hen voor hun hulp bedanken door hen bij het feest aanwezig te laten zijn. Ze hadden een datum afgesproken en Jacob had onmiddellijk contact met Hector opgenomen en de situatie uitgelegd. Daarna had Vladimir hen beiden een officiële uitnodiging gestuurd om op studiebezoek te komen en te praten over toekomstige samenwerking bij het in kaart brengen van internationale criminele netwerken.

Het kostte Jacob maar een paar minuten om van hogerhand toestemming voor de reis te krijgen. De Zweedse politie was steeds meer onder druk komen te staan van de pers, die zich afvroeg hoe men kon toestaan dat de moordfrequentie in Zweden toenam, terwijl de ene moord na de andere onopgehelderd bleef. Er waren stemmen opgegaan die het aftreden van zowel het hoofd van de rijkspolitie als van de minister van Justitie eisten. De persconferenties en de koppen in de avondkranten volgden elkaar in hoog tempo op. De situatie werd grimmig.

Hector bevond zich in een vergelijkbare situatie en zijn chef bij de FBI meldde dat de hoge bazen geen probleem hadden met het betalen van zijn vliegticket. Jacob en Hector regelden de details telefonisch en mailden officiële antwoorden naar Karpov, waarin ze zijn uitnodiging met dank aanvaardden.

Jacob parkeerde op Arlanda voor terminal 5, ging naar binnen en keek op het bord met aankomsten. Hij zag dat hij nog net tijd had voor een snelle kop koffie.

'Hé, Jacob, ouwe communist! Hoe is het? Wat is het al een eeuwigheid geleden dat we elkaar hebben gezien!' Hector glimlachte en spreidde zijn armen uit. 'Zou jij niet naar Florida komen en met mij op haai gaan vissen?'

'Dat zou super zijn, maar dat moet nog even wachten, naar het zich laat aanzien, als je de dieven en moordenaars tenminste niet kunt vragen gelijktijdig op vakantie te gaan.' Jacob lachte en ze omarmden elkaar hartelijk. Op weg naar Stockholm spraken ze opgewekt over hun verwachtingen voor de komende reis. Hector was moe na de lange vlucht uit Miami en ook Jacob wilde goed in vorm zijn als ze de volgende dag naar St. Petersburg vlogen. Daarom waren ze het er algauw over eens dat ze het gezamenlijke eten en drinken nog even zouden uitstellen, maar liever zoveel mogelijk slaap zouden proberen te krijgen. Jacob had een kamer voor Hector geboekt in het Royal Viking Hotel bij het Centraal Station. Hij ging met zijn collega mee naar de lobby en beloofde dat hij hem de volgende dag op tijd zou ophalen.

Toen Jacob thuiskwam, werd hij verwelkomd met een mooi gedekte tafel, brandende kaarsjes en zachte, klassieke muziek. Melissa kwam hem tegemoet, gaf hem een kus en reikte hem een glas wijn aan. Hij glimlachte, rook aan de wijn en trok zijn wenkbrauwen een stukje op: 'Beringer?'

Ze lachte. 'Jou maak je niet zomaar iets wijs. Ik vond dat we vanavond een beetje feestelijk moesten doen. Omdat je een paar dagen wegblijft en ik je zal missen.'

Ze aten in alle rust. Jacob genoot van de keren dat ze samen aan tafel konden zitten praten over hoe de dag was geweest. Dan stond de tv altijd uit en namen ze de telefoon niet op. Jacob en Melissa waren er allebei vast van overtuigd dat je elke dag recht had op ten minste een uur rust en stilte.

Toen ze een paar uur later gedoucht hadden en met een glas wijn in het tweepersoonsbed lagen, kuste Melissa hem teder op zijn wang en fluisterde de woorden die ze tijdens zijn leven als politieman al zo vaak had gefluisterd: *'Take no bullets, darling!'*

Hij kuste haar en fluisterde terug: *'Promise, I love you!'*

Nadat ze gevrijd hadden, vielen ze in een innige omstrengeling in slaap.

Nikolaj Schenizin was naar zijn ouders gereden, die in de datsja waren.

'Nikolaj!' Zijn moeder had hem stevig en lang omhelsd. 'Wat fijn om je te zien! Ik hoop echt dat je tijd hebt om een paar dagen te blijven, je bent vast wel aan een beetje ontspanning toe. Bovendien komen Larisa en haar familie hier vrijdag, is dat niet leuk?'

Nikolaj glimlachte. Hij had zijn zus in geen eeuwen gezien en wist dat het leuk zou zijn, maar hij had een paar belangrijker dingen aan zijn hoofd, die zouden bepalen hoelang hij bleef. Hij moest zich ontspannen en zijn gedachten ordenen. Maar hij moest ook een laatste poging doen om zijn vader tot rede te brengen over de ontwikkeling van de organisatie.

Er was nu geen weg meer terug. Nikolajs eigenhandig geschapen internetafdeling leverde al heel lang veel meer geld op dan waar zijn vader maar van kon dromen met zijn gestolen goederen, drugs, prostitutie en slavenhandel. En bovendien zonder een aantal problemen die de traditionele criminaliteit wel met zich meebracht, van afpersing van corrupte politiemensen tot ruzie met tegenstribbelende meisjes en conflicten met rivaliserende groepen in St. Petersburg en in de Noord-Europese landen, waar ze rechtstreeks met eigen mensen opereerden.

Nikolaj werd al moe als hij eraan dacht.

Hij had gedaan of zijn neus bloedde en zijn vader geholpen diens bedrijf uit te breiden, terwijl hijzelf daarnaast doelbewust de internetorganisatie had opgebouwd en ook nog geheim had weten te houden. Op gezette tijden had hij de zaak ter sprake gebracht, maar Igor Schenizin was niet van zijn stuk te brengen.

'Nikolaj, luister naar me! Ik doe dit al lang genoeg om te weten wat wel werkt en wat niet. Kijk naar ons! De zaken gaan schitterend, we halen bakken geld binnen. Er is geen reden om een zeker paard in te ruilen voor een onzeker paard. We hebben nu succes, wij zijn rijk! We kunnen kopen wat we willen en, het belangrijkste van alles, we hebben macht!'

Nikolaj keek een andere kant op om de minachting te verbergen die op zijn gezicht verscheen zodra hij zijn vaders woorden hoorde. Macht. Wat wist hij van macht? Macht over wie? Over wat? Voor Igor Schenizin was macht dat je een paar hersenloze medewerkers kon commanderen om een diefstal uit te voeren, een beetje drugs te smokkelen of nieuwe meisjes uit arme plattelandsdorpjes te rekruteren. Was het macht om een gewapend gevecht met een andere St. Petersburgse maffia te winnen, om in andermans territorium binnen te dringen en daar een beetje drugshandel en prostitutie weg te kapen? Klein bier.

Nikolajs plannen om zichzelf met zijn miljoenen, zijn honderden of duizend miljoenen, écht aan de macht te helpen, waren van een heel andere orde. Als alles volgens plan ging, zou hij binnen een paar jaar in St. Petersburg dé politieke naam zijn die op ieders lippen lag en daarna werd het tijd om een serieuze strijd om het presidentschap aan te gaan. Nikolaj Schenizin twijfelde er geen seconde aan dat híj de man was die Rusland weer in de juiste richting zou leiden, terug naar de koppositie als wereldmacht.

Maar de tijd begon te dringen. Hij kon de Verenigde Staten met behulp van internet saboteren, de afpersing van bedrijven opvoeren en moordgolven creëren die hem geld opleverden en het land onzekerheid. Erger was het met landen als China en India. Wilde je een kans hebben om die eronder te houden, dan moest je snel laten zien dat de Russische beer weer op krachten was. Vanuit dit perspectief mocht hij niemand, zelfs zijn vader niet, in de weg laten staan. De man was oud en begreep blijkbaar niet meer welke kant de wereld op ging of hoe alles werkte. Misschien, dacht Nikolaj, had Igor zijn hersens de afgelopen jaren in te veel wodka gedrenkt.

Om de komst van haar zoon te vieren, had zijn moeder berenvlees klaargemaakt, een delicatesse die hij lang niet had gegeten. Ze genoten van het vlees en dronken er grote hoeveelheden wodka bij. Toen zijn vader dronken was en in een stralend humeur verkeerde, probeerde Nikolaj, terwijl zijn moeder zich tactvol in de keuken terugtrok, opnieuw de discussie over de toekomst van de organisatie op gang te brengen.

'Vader, begrijp dan toch welke enorme kracht internet heeft en hoeveel geld er valt te halen, op een veel simpelere manier dan we nu doen.'

Igor schoot hartelijk in de lach. 'Internet! Nikolaj, vertel me niet dat je daar serieus in gelooft. Ik begreep al in een vroeg stadium dat internet iets was wat de imperialisten aan de andere kant van de Atlantische Oceaan hadden uitgevonden om ons te vernietigen. En hoe is het gegaan? Staan we niet nog altijd recht overeind in een trots land? Internet heeft de Amerikanen niets goeds gebracht en ook niemand anders, geloof me!'

'Vader, het klopt dat het basisidee was om het systeem voor militaire doeleinden te gebruiken, maar nu is dat idee op de achtergrond geraakt en ik geloof trouwens ook niet dat de Verenigde Staten er vandaag de dag energie in zouden steken om de strijd met ons aan te gaan.'

Zijn gezicht kreeg een ernstige uitdrukking. 'Als we eerlijk zijn, is er misschien niet zo veel om te vernietigen. De Amerikanen hebben hun handen vol aan het Midden-Oosten en economisch gezien is China de grootste bedreiging voor hen, niet Rusland. Maar ik heb het niet over militaire operaties, vader, ik heb het over hoe snel en effectief economische criminaliteit enorme sommen geld genereert, veel meer dan we momenteel binnenhalen. Geld dat ons écht machtig kan maken, begrijpt u?'

Igors goede humeur leek verdwenen te zijn en zijn gezicht kreeg iets verbitterds. 'Afgezien van het feit dat ik geen woord geloof van wat je zegt, wat weet jij daarvan? Sinds wanneer ben jij computerexpert? Ik dacht dat je je tijd besteedde aan het leiden van dat deel van de organisatie waarvoor je verantwoordelijk bent? Ik heb trouwens gehoord dat noch de prostitutie noch de export van meisjes naar Finland, Zweden en Noorwegen zo goed gaat als ik had verwacht. Je vergeet toch niet waar we mee bezig zijn en je amuseert je toch niet met dingen ernaast?'

Nikolaj was meteen op zijn hoede. Hij had alles gedaan wat hij kon om zijn activiteiten anoniem te houden en volkomen gescheiden van die van zijn vader. De mensen die voor hem werkten, wisten niet van elkaars bestaan. Behalve hijzelf hadden alleen een paar van zijn allernaaste medewerkers een idee van wat er aan de gang was, zonder dat ze details kenden.

Maar Igor leek hem te wantrouwen. Had Nikolaj ondanks alles een lek in zijn eigen gelederen? Hoe stond het met Borya, kon hij hem vertrouwen? Met geld kon je alles kopen, en misschien had vader Borya een extra zakcentje gegeven om een oogje op Nikolaj te houden en te rapporteren wat hij deed? Hij moest hier zo gauw mogelijk meer over te weten zien te komen. Maar nu was het alleen zaak om zijn vader tot inzicht te brengen over de enige juiste koers voor de toekomst.

'U hebt gelijk, ik ben geen computerexpert. Maar ik heb genoeg over internet geleerd om te begrijpen hoe we ervan kunnen profiteren. We zouden zo'n organisatie heel snel en effectief kunnen opbouwen.' Nikolaj begon aan een uiteenzetting waarin hij in fantasierijke bewoordingen een gedeelte schilderde van wat hij in feite al had gedaan, maar zijn vader leek allesbehalve onder de indruk. Igor vulde twee glazen tot de rand toe met wodka, boog zich voorover in zijn fauteuil en keek zijn zoon lang en hard aan.

'Nikolaj, ik vind het interessant om met je te discussiëren, maar je moet leren luisteren naar ervaring en' – hij stak een vermanende vinger op – 'begrijpen wie de kapitein is op dit schip. Zo lang ik hier de touwtjes in handen heb, gaan we door met de activiteiten waar we zeker van zijn en streven we ernaar op dat gebied de beste te zijn. Bovendien – denk op een goeie dag nog maar eens aan mijn woorden terug – kan ik je verzekeren dat de lucht uit die internetluchtbel wordt geprikt. Er zit per slot van rekening toch geen substantie in, alleen maar lucht. Dat worden mensen zat, en het zou me ook niks verbazen als die imperialisten ermee dreigen het hele systeem af te sluiten zodra ze zien hoe afhankelijk de mensen ervan zijn geworden.'

'Vader, het is onmogelijk...'

'Stil! Vertel mij niet wat mogelijk en onmogelijk is! Luister naar wat ik zeg, ik weet dat ik gelijk heb. En drink nou als een kerel. Morgen zullen we bespreken hoe we verdergaan!'

Igor hief zijn volle glas wodka naar zijn zoon en Nikolaj hief het zijne.

'Proost! Op het succes, Nikolaj!'

'Op het succes, vader!'

Zijn vader dronk zijn glas half leeg, stond op, liep naar de stereo en zocht een paar oude cassettebandjes met Russische volksliederen op. Nikolaj herkende de klanken. Het was dezelfde muziek als hij zijn vader en diens kameraden had horen draaien in het kleine woonkamertje, toen hij als kind stil in bed lag te luisteren. Hij besefte dat er vanavond geen zinnige discussies meer zouden plaatsvinden en dat hij de volgende dag een nieuwe poging moest doen. Hij besloot zijn vader in een goed humeur te houden door wodka met hem te drinken. Grote hoeveelheden wodka.

58

Ze konden zich geen beter vliegweer wensen. De zon scheen, de wolken waren krijtwit en de lucht was helderblauw. Onder andere omstandigheden had Jacob achterover geleund, een lekkere whisky genomen en zich misschien aan een goed boek overgegeven. Nu kon hij zich maar moeilijk ontspannen; hij voelde de adrenaline door zijn lichaam jagen, nam genoegen met een biertje en ging liever een gesprek aan met zijn collega.

'En, wat denk jij dat er gaat gebeuren?'

Hector Venderaz keek uit het raam. 'Natuurlijk hadden we gelijk,' zei hij. 'De Russen zitten achter dit alles, dat is volkomen duidelijk. Ik zou alleen willen dat we ze uitgeleverd konden krijgen, mee naar huis konden nemen en hun kont in alle rust konden roosteren.'

Jacob lachte. 'Als ik Vladimir goed ken, is hij in elk geval van plan ons bij de oplossing te betrekken. En de informatie die we laatst hebben gekregen wijst er toch op dat hij en zijn mannen vrijwel klaar zijn om toe te slaan.'

'Ja, maar de tijd gaat snel in de criminele wereld. Het is al een poosje geleden dat we die informatie hebben gekregen en als ik bedenk hoe corrupt Rusland is, kunnen degenen die hier achter zitten heel goed al door een lek bij de politie getipt zijn dat het net op het punt staat te worden ingehaald. En in zo'n situatie hebben ze vast wel een noodplan om er snel vandoor te kunnen gaan.'

Jacob dacht na over wat Hector had gezegd.

'Ja, misschien heb je gelijk. Maar aan de andere kant denk ik niet dat Vladimir hiermee heeft gewacht alleen maar om aardig te zijn voor ons. Hij heeft vast ook andere redenen gehad om het oppakken zo zorgvuldig mogelijk voor te bereiden en waarschijnlijk is hij de hele tijd op de hoogte van de situatie. Anders had hij al veel eerder op hoop van zegen toegeslagen.'

'Ik weet niet hoe ze in Rusland werken,' verzuchtte Venderaz. 'Het enige wat ik weet, is dat we bij ons de cavalerie allang hadden laten oprukken. Ik begrijp maar niet dat de Russen dit zelf niet hebben opgelost, dat ze ons daarvoor nodig hadden. Dat zegt heel wat.'

'Kom kom,' kalmeerde Jacob hem. 'Nou moeten we niet boos worden op de Russische beer. Iets zegt me dat Vladimir en zijn collega's misschien niet dezelfde middelen hebben als wij. En hoe dan ook, als dit goed afloopt, kan dit het begin van een grootscheepse internationale samenwerking zijn, waarmee we veel meer criminaliteit kunnen oplossen, over de grenzen heen. Het zou mooi zijn als we het al in het exportland in de kiem konden smoren, als ik het zo mag zeggen.'

Venderaz knikte en keek weer naar buiten. Jacob wist dat Hector over dezelfde vragen nadacht als hij. Hou zou het gaan in St. Petersburg? Wat zou er gebeuren als Karpov zijn mensen opdracht gaf toe te slaan?

Ze waren Vladimir dankbaar dat hij hen had uitgenodigd, waren vastbesloten zich op de achtergrond te houden en zich niet in te laten met het politiewerk in een land waarvan ze de omstandigheden niet kenden en de taal niet eens beheersten. Alleen in een noodsituatie zouden ze zich ermee bemoeien en dat hing er weer van af of Vladimir hun van wapens zou voorzien of niet. Hij had duidelijk gezegd dat ze niet bewapend in St. Petersburg mochten arriveren, omdat ze officieel maar gewoon op studiebezoek kwamen. Jacob keek op zijn horloge. Nog vijfendertig minuten voor de landing.

Het vliegtuig uit Stockholm landde op tijd op vliegveld Pulkovo. Jacob verbaasde zich erover hoe soepel ze door de paspoortcontrole en de douane kwamen.

Hij keek Venderaz aan. 'Wat denk je, zou Vladimir soms een goed woordje voor ons hebben gedaan bij deze jongens om het sneller te laten gaan?'

Hector schudde zijn hoofd. 'Dat denk ik niet; hij is tot nu toe toch heel voorzichtig geweest.'

Hector doelde op de tactiek die Karpov ten aanzien van hun bezoek had gevolgd. Hij kon hen onmogelijk officieel uitnodigen om erbij te zijn wanneer de internetbende werd gearresteerd. En als Interpol of de

FBI een rechtstreeks verzoek daartoe zouden doen, zouden de hoge omes in St. Petersburg zich waarschijnlijk alleen maar nog meer afsluiten en hun territorium verdedigen. De enige mogelijkheid was het toeval te laten lijken.

De Zweedse rechercheur was, samen met zijn collega van de FBI, even welkom bij een gepland studiebezoek aan de Russische politie als welke andere buitenlandse politieman ook. Het was niet ongebruikelijk dat collega's elkaar over grenzen heen ontmoetten om ervaringen en tactieken in de criminaliteitsbestrijding te bespreken; de criminaliteit globaliseerde ook steeds sneller. En in dit geval had toch niemand kunnen voorzien dat de bezoekers midden in een drama terechtkwamen waarbij een van de grootste georganiseerde misdaadbendes van St. Petersburg werd versplinterd en hopelijk vernietigd.

Jacob keek Venderaz aan. 'Waar denk je aan, Hector?'

Venderaz grijnsde. 'Ik besef niet eens dat ik hier ben, achter de vijandelijke linies en ongewapend! Totaal ongelofelijk, verdorie!'

'Rustig maar, Hector, ik zal je verdedigen als het nodig is!' zei Jacob glimlachend.

Venderaz haalde een pakje kauwgum uit zijn zak en bood Jacob ervan aan. 'Dank je wel, maat, een veilig idee. We moeten maar kijken wie wie moet verdedigen...'

Jacob voelde zich rusteloos. Ze waren nu zo dichtbij en hij wilde zo gauw mogelijk aan de slag. Hij hoopte van harte dat Vladimir van plan was zo snel mogelijk aan het werk te gaan, liefst al over een paar uur.

Ze kwamen in de aankomsthal, waar Karpov zich losmaakte uit een groepje wachtende mensen en naar hen toe kwam. Hij strekte zijn hand uit.

'Welkom in St. Petersburg, vrienden!'

Ze schudden elkaar eerst de hand en omhelsden elkaar toen.

Vladimir maakte een gebaar naar de uitgang. 'Hier buiten staat mijn auto te wachten. Ik heb kamers voor jullie gereserveerd in het Nevskij Palace Hotel en stel voor dat we daar direct heen rijden, zodat jullie je bagage kwijt kunnen voordat we doorgaan naar ons hoofdbureau. Daar kunnen jullie mijn collega's ontmoeten en de laatste informatie krijgen over de situatie en hoe we te werk willen gaan.'

Venderaz kwam direct ter zake: 'Zijn jullie van plan vandaag toe te slaan?'

Karpov keek hem bijna verbaasd aan en glimlachte weer. 'Ongeduldig, Hector?'

Venderaz knikte. 'Uitermate. We jagen allang op die rotzakken en wil ze zo snel mogelijk achter slot en grendel zien.'

Karpov bleef glimlachen en Jacob kon niet goed bepalen of hij die glimlach als vriendelijk of als ironisch moest interpreteren. 'Wie dan leeft, wie dan zorgt, Hector. Over een paar uur weten we aanzienlijk meer dan nu. Dan is het misschien ook tijd om een besluit te nemen. Meer kan ik niet zeggen.'

Hij draaide zich om en ging hen voor naar de uitgang. Daar wachtte een lange, zwarte auto. De chauffeur stapte uit en deed de achterklep open zodat de westerse collega's hun koffers in de welhaast gigantische bagageruimte konden leggen. Karpov ging op de voorstoel zitten, terwijl de chauffeur het achterportier openhield voor Jacob en Hector. Toen de auto begon te rijden, draaide Karpov zich om.

'De rit zal ongeveer een halfuur duren, als het niet te druk is. Is een van jullie wel eens eerder in St. Petersburg geweest of überhaupt in Rusland?'

Hector schudde zijn hoofd.

Jacob knikte. 'Maar dat was niet bepaald gisteren. Ik was hier op een cruise met mijn ouders in 1973, toen de stad nog Leningrad heette.'

'Dat was een andere stad toen, Jacob, een heel andere stad. En veel mensen willen dat de dingen weer worden zoals ze toen waren.'

Jacob werd nieuwsgierig. 'Wat vind jij zelf, Vladimir?'

Karpov bleef even stil, en antwoordde toen: 'Ik denk dat dat een heel slecht idee zou zijn...'

59

*H*oly shit! dacht Hector Venderaz. Die vent is toch echt geen amateur. Ik had het zelf niet beter gedaan. Ze zaten in een vergaderruimte op het hoofdbureau van politie in St. Petersburg.

Toen de limousine bij het Nevskij Palace stopte, was Karpov met hen naar binnen gegaan en had ervoor gezorgd dat ze hun sleutels kregen. Venderaz floot tussen zijn tanden door toen hij de schitterende architectuur van het imposante hotel zag. Karpov wachtte bij de receptie terwijl Jacob en Hector naar hun kamer gingen om hun bagage weg te brengen. Intussen belde hij het hoofdbureau om te horen of er nog nieuws was. Jacob en Hector kwamen weer beneden en de auto bracht hen naar het hoofdbureau. Vladimir bood thee aan en gaf een snelle rondleiding over de verschillende afdelingen. Kom ter zake, man, dacht Venderaz. We hebben wel wat belangrijkers te doen dan handen schudden met een hoop mensen. Jacob dacht ongeveer hetzelfde, maar vertrok geen spier.

Vladimir bracht hen naar een vergaderruimte gebracht waar meer thee en een schaal koekjes op tafel stonden. Om de tafel zaten drie Russen, die opstonden om hen te begroeten toen het trio binnenkwam. 'Ga zitten, alsjeblieft,' zei Karpov, 'dan zal ik laten zien hoe de situatie is en wat we van plan zijn.'

Jacob en Hector gingen aan tafel zitten en lieten zich door de Russen thee inschenken. Vladimir liep naar een grote wand en drukte op een knop, waardoor met een snorrend geluid een projectiescherm omlaagkwam, terwijl zwarte gordijnen voor de ramen zakten en het daglicht buitensloten. Daarna ging hij naar een laptop aan het uiteinde van de vergadertafel, achter hen, en toetste zijn wachtwoord in. Binnen enkele seconden verscheen er een schematisch overzicht op het scherm voor hen. Jacobs adem stokte. Hector riep uit: 'Wel alle...?'

Wat werden hun vermoedens bevestigd. En wat wisten ze veel nog niet. Karpov zweeg een paar seconden, alsof hij op effect speelde. Toen hoorden ze zijn stem van achter de laptop, lichtelijk geamuseerd: 'Bent u verbaasd, heren? Dat waren wij in elk geval wel toen we het beeld compleet hadden. Laat me proberen de samenhang in grote lijnen toe te lichten, dan mogen jullie daarna aanvullende vragen stellen.'

Jacob knikte, maar Hector draaide zich om naar Karpov en stak een hand op in het halfdonker. 'Wacht nog even. Je zei dat je verbaasd was toen je het beeld compleet had. Hoe hebben jullie die laatste puzzelstukjes op hun plaats gekregen? Wat ik zie wel dat er heel wat is waar wij aan onze kant van de wereld geen idee van hadden.'

Karpov knikte naar hem. 'Ik zou zeggen dat dat meer geluk dan wijsheid was, Hector. Geluk en timing, kun je wel zeggen. Het ziet er simpelweg naar uit dat een van de naaste medewerkers van Nikolaj Schenizin – de man achter dit alles – plotseling iets op het spoor kwam en last kreeg van schuldgevoelens toen hij begreep dat de "firma" waarvoor hij werkte zich niet alleen bezighield met afpersing om kapitaal te genereren voor een grote politieke machtsovername, maar ook met moord op grote schaal. Ik ben er nog niet zeker van wie die man is, maar ik heb wel een idee. Hij heeft zich in een deel van de server gehackt waar hij geen toegang toe had, daar een hoop feiten gekopieerd, alles uitgeprint en het ons toegestuurd in een envelop zonder afzender. Met behulp van die gegevens was het niet erg moeilijk om alles dubbel te checken en ten slotte een duidelijk beeld van de samenhang te krijgen. Natuurlijk kan er nog wel heel veel meer zijn dan we hier zien, maar één ding is zeker: als we Igor Schenizin en zijn zoon Nikolaj, de leiders van de organisaties die achter dit alles zitten, neutraliseren, maken we een eind aan activiteiten op allerlei terreinen, van drugs en prostitutie tot afpersing en moord in minstens drie, misschien meer werelddelen.'

Karpov pauzeerde even om de collega's uit het Westen de kans te geven zijn woorden tot zich te laten doordringen. Toen vervolgde hij: 'Dit is een behoorlijk gedetailleerd beeld van hoe de internetorganisatie is opgebouwd. De vakjes waar een vraagteken in staat, geven aan dat we niet exact weten hoe dat onderdeel werkt of waar we nog informatie over missen. Maar in grote lijnen is het zo dat de criminele organisatie die door Igor Schenizin wordt geleid, in het begin is gebouwd op diefstal en dranksmokkel en geleidelijk is overgegaan op drugshandel en prostitutie. Ze kwamen erachter dat slavenhandel met jonge meisjes en prostitutie in andere landen, zoals Finland, Scandinavië en een deel van Duitsland, aanzienlijk hogere inkomsten opleverde dan dezelfde activiteiten in St. Petersburg, en daarom hebben ze expansie naar die landen gezocht. Toen dat logistiek goed op poten stond, breidden ze hun activiteiten uit met de export van drugs. Het gaat daarbij hoofdzakelijk om synthetische drugs die geproduceerd worden in laboratoria in Rusland of in aangrenzende republieken – we hebben de herkomst nog niet opgespoord, maar dat beschouwen we op dit moment niet als de hoogste prioriteit.'

Karpov haalde een kop thee, liep terug naar de laptop en bewoog de cursor heen en weer over de diverse vakjes op de schets om te laten zien hoe alles in elkaar zat. 'Ik wil hier tussen haakjes iets aan toevoegen wat eigenlijk meer verband houdt met het moordnetwerk dan met de andere werkzaamheden. Nikolaj Schenizin heeft waarschijnlijk al in een vroeg stadium begrepen dat hij sneller en beter kon groeien als hij hulp aannam van lokale criminele groepen dan wanneer hij zelf zou proberen in elk land een organisatie op te bouwen. Hij heeft afspraken gemaakt met de criminele motorclub Black Hawks die tegenwoordig in bijna elk land wel lijkt te bestaan. Black Hawks heeft hem dus geholpen bij de moorden, gestolen auto's geleverd, gifspuiten en wapens met geluiddempers. Misschien hebben ze ook wel op andere manieren geholpen, wie zal het zeggen?'

Karpov zuchtte en vervolgde: 'Maar terug naar de organisatie. Wat ik nu zeg, is een mengeling van feiten en eigen aannames. Igor Schenizin heeft Nikolaj de verantwoording gegeven voor onder meer de slavenhandel met jonge meisjes en de prostitutie in de Scandinavische landen. De zaken lopen fantastisch en de organisatie heeft veel geld verdiend. Maar tegelijkertijd heeft Nikolaj besloten nieuwe activiteiten te ontwikkelen: deze' – Karpov wees op het scherm – 'die dus een dochteronderneming van het bedrijf zijn geworden. Nikolaj heeft in allerlei delen van Rusland en in voormalige Russische republieken jonge, misleide, maar zeer deskundige whizzkids gerekruteerd, die hem hebben geholpen de organisatie op te bouwen en de misdaden uit te voeren, in de overtuiging dat ze Nikolaj alleen maar aan kapitaal hielpen voor een politieke machtsovername. Die jongens dachten dat ze een toekomstige president steunden, de man die Rusland weer tot een grootmacht zou maken, misschien wel tot het machtigste land ter wereld. Nikolaj heeft zijn organisatie bewust opgebouwd uit cellen die niet van elkaars bestaan op de hoogte waren. Of liever gezegd, die niet van elkaars bestaan op de hoogte waren totdat een van zijn whizzkids in een server toevallig op een verkeerde plek belandde en informatie tegenkwam waarvan hij heel goed begreep dat die niet voor hem bestemd was. In hoeverre die jongen later contact heeft opgenomen met de andere cellen weet ik niet, maar ik denk het niet, want dat zou waarschijnlijk hebben geleid tot een soort oproer of de hele organisatie zou als een kaartenhuis in elkaar gezakt zijn.'

Jacob kon de draagwijdte van dit alles nog maar moeilijk bevatten. Hij wierp een blik op Venderaz, die kauwgum kauwde en zachtjes zijn hoofd schudde terwijl hij strak naar het beeld op het scherm keek.

Karpov vervolgde: 'De puzzel die we hier gelegd hebben, geeft aan dat Nikolaj voorzichtig is begonnen met een of twee cellen die zich bezighielden met afpersing van bedrijven in het Westen, bij voorkeur in de Verenigde Staten, maar zoals u ziet ook in bepaalde delen van Europa en Australië. Maar het duurde niet lang voordat de eerste onopgeloste moorden zich hier en daar begonnen voor te doen en die werden vrij snel gevolgd door nieuwe, steeds grotere moordgolven. Als mijn informatie juist is, bestond Nikolajs afpersingsafdeling uit drie, vier cellen, terwijl de moordafdeling, die kennelijk veel effectiever was in het binnenhalen van geld, flink groeide. Naar schatting zijn tussen de tien en vijftien cellen volledig bezig met het aannemen van moordbestellingen, het organiseren van de uitvoering en het bieden van hulp aan de daders op de plaats van handeling. Tot zover nog vragen?'

Jacob Colt stak een vinger op: 'Hoe zijn die cellen opgebouwd en hoe kunnen ze functioneren zonder gemene deler?'

Karpov liep naar het scherm en wees op de vakjes en lijnen waardoor die werden verbonden en legde uit: 'Omdat we nog niemand hebben opgepakt, ben ik niet overal honderd procent zeker van, maar voor zover ik het begrijp, bestaat elke cel uit één jonge whizzkid, die door Nikolaj onder valse voorwendselen is gerekruteerd. Zo'n jongen zit in zijn eentje in het appartement waar hij ook werkt, waarschijnlijk voor een salaris dat torenhoog is in vergelijking met wat hij elders in het huidige Rusland kan verdienen, maar toch een grijpstuiver in verhouding tot het geld dat hij binnenbrengt.'

'De gemene deler,' vervolgde Karpov, 'is Nikolaj zelf en misschien een van zijn allernaaste medewerkers, plus een of twee servers. De whizz-kids werken onafhankelijk van elkaar aan verschillende taken, Nikolaj onderhoudt contact met hen via de mail, maar rijdt ook tussen hen heen en weer, volgt de werkzaamheden nauwgezet en organiseert het financieel. Hij start lege bedrijven in het buitenland, met rekeningen waar de afgeperste bedrijven en degenen die een moord bestellen hun betaling op storten, en heft ze weer op.'

Venderaz onderbrak hem. 'Allemachtig! Hoe houdt die vent dat bij? Hij moet toch ook de prostitutieactiviteiten in de gaten houden.' Hij schoot in de lach toen hij besefte dat hij waarschijnlijk klonk als een ongeruste moeder, en de lach verspreidde zich rond de tafel.

Karpov glimlachte ook in het licht van de beamer. 'Dat is een vraag die wij ons hier ook gesteld hebben. Schenizin junior is werkelijk een man die veel ijzers in het vuur heeft. Maar hij heeft het vanaf het begin goed georganiseerd en heeft zijn medewerkers goed in toom, en dan lopen veel zaken vanzelf in een bedrijf als dit. Het is strikt genomen een bedrijf als elk ander.'

Het werd stil rond de tafel terwijl iedereen zijn woorden verwerkte. Een bedrijf als elk ander. Met als enige verschil dat mensen betaalden door elkaar te vermoorden.

Jacob dacht na. 'Je zei eerder dat wat we op dit beeld zien misschien niet alles is, maar denk je dat het wel alles is op het gebied van afpersing en moord?'

Karpov knikte: 'Ja, met de nadruk op "denken". Zodra we een of meer cellen hebben opgepakt, zullen we op dit punt waarschijnlijk meer te weten komen. Het gaat er immers domweg om de sleutel van de server te krijgen – of de servers, als er meer zijn – waar alle informatie op ons ligt te wachten.'

Hector kon zich niet inhouden. 'Wanneer gaan jullie ze oppakken? Ik bedoel, dit lijken niet echt kerels waar je op kunt vertrouwen, als jullie begrijpen wat ik bedoel. En als een van hen nu al toegang heeft tot verkeerde informatie en nattigheid voelt – hoe weten we dan dat hij de anderen niet waarschuwt, zodat ze hun sporen achter zich kunnen uitwissen en ervandoor gaan? Ze zijn misschien al weg en wij zitten hier –'

Karpov onderbrak hem. 'Ik begrijp heel goed dat je je zorgen maakt en dat je graag wat *action* wilt, Hector.'

Venderaz vond dat Vladimir ironisch klonk toen hij 'action' zei. Hij dacht na over een vernietigend antwoord, maar hield zich in. Het was belangrijk om verder te komen.

'We hebben geen informatie gekregen dat er de laatste tijd conflicten of zoiets zijn geweest die duiden op paniek,' vervolgde Karpov. 'En dan moeten jullie weten dat we zeer goede informanten hebben, ook in Igor Schenizins eigen netwerk. We hebben adressen van vijf cellen en die staan al een tijdje onder bewaking. We hebben hier veel middelen en een hele hoop tijd aan besteed, maar we willen toch liever de hele organisatie in één keer oprollen dan dat we afzonderlijke medewerkers oppakken en het risico lopen dat anderen – misschien ook wel Nikolaj en zijn vader – ontsnappen.'

Venderaz knikte: 'Jazeker, dat klinkt verstandig. Maar wanneer gaan jullie ze inrekenen en hoe gaat dat in zijn werk?'

'Daar kom ik zo dadelijk op.' Karpov keek ernstig. 'Heeft een van de anderen nog vragen?'

Jacob maakte een beweging. 'Hebben jullie een inschatting gemaakt van de omvang van de activiteiten, zowel financieel als in aantal moorden en afpersingen?'

Karpov knikte. 'Wat de activiteiten van de vader betreft: daar hebben we niet eens nader naar gekeken. Zijn maffia maakt weliswaar een aanzienlijk deel uit van de georganiseerde misdaad in St. Petersburg en het zal mooi zijn als die weg is. Maar in groter verband is dat – zelfs als je de drugshandel, de prostitutie en de vrouwenhandel bij elkaar optelt – *peanuts* vergeleken met wat zijn zoon uitspookt. We hebben natuurlijk geen exacte berekeningen kunnen doen, alleen voorlopige, maar het lijkt niet onwaarschijnlijk dat ze erin geslaagd zijn meer dan tweeduizend moorden te organiseren, wat neerkomt op honderd miljoen dollar bruto aan inkomsten. We denken bovendien dat de kosten niet zo hoog zijn. Die bestaan uit de salarissen voor de jonge whizzkids, de huur van hun flats en een paar computers. En ik denk niet dat het zo duur is om een lokale Black Hawks-bende een gestolen auto of een pistool met geluiddemper te laten bezorgen. Als we daaraan toevoegen dat de cellen, laten we zeggen, tien bedrijven per week kunnen afpersen en dat elk bedrijf honderdduizend dollar betaalt om dat af te kopen, dan zou dat neerkomen op inkomsten van afgerond twaalf à dertien miljoen dollar per jaar. We praten hier niet over een kleine omzet!'

'Een miljard kronen per jaar,' fluisterde Jacob bij zichzelf. Hardop zei hij: 'Ik heb op dit moment geen vragen meer, geen andere dan Hector al stelde. Ik ben benieuwd hoe jullie ze op willen pakken, welke rol wij daarbij krijgen en, vooral, wanneer dat gaat gebeuren.'

Ze werden onderbroken door een korte klop op de deur. Een politieman met een ernstig gezicht kwam binnen, knikte naar de groep om de tafel en zei een paar zinnen in het Russisch, rechtstreeks tegen Karpov. Toen trok hij zich snel weer terug. Jacob voelde dat de adrenaline door zijn lijf begon te jagen. Hij wist het zeker: er was iets gaande. En hij vergiste zich maar zelden.

Karpov keek hem aan. 'Het antwoord op jullie vraag over het oppakken: Dat gaan we nu doen!'

60

Nikolajs bonzende hoofd maakte dat hij zich afvroeg of zijn vader tegenwoordig wodka van inferieure kwaliteit kocht. Ze hadden tot een uur of drie uur 's nachts gedronken, naar volksliederen geluisterd en niet meer over zaken gepraat. In plaats daarvan hadden ze het over koetjes en kalfjes gehad, alsof ze allebei bang waren weer ruzie te krijgen over iets waarover ze het niet eens waren.

Igor Schenizin vond dat hij gedurende zijn lange en soms harde leven een bijzonder goed zesde zintuig had ontwikkeld en het vermogen bezat om mensen in allerlei situaties te beoordelen. Het idee dat de grote hoeveelheden wodka die hij in de loop der jaren naar binnen had gegoten zijn beoordelingsvermogen misschien hadden aangetast, kwam niet eens in hem op.

Hij was ervan overtuigd dat de boze vermoedens die hij al lange tijd had, klopten en toen Borya eergisteren zijn laatste rapport had ingeleverd was alle twijfel verdwenen. Zijn eigen zoon had hem bedrogen. Tijdens het gesprek de vorige avond had hij op allerlei manieren geprobeerd Nikolaj uit zijn tent te lokken, maar dat was niet gelukt. Igor glimlachte een beetje weemoedig toen hij bedacht dat het wel een goed teken was dat hij zo'n intelligente zoon had. Maar dat het slecht voor de zoon was dat de vader nog intelligenter was. Hij had het gevoel dat dit wel eens verkeerd kon aflopen. In elk geval als Nikolaj zijn verstand niet gebruikte.

Maar toch. Kon hij ooit, ook als Nikolaj tot inkeer kwam, weer op hem vertrouwen? Wat moest hij anders? Hij kon Nikolaj niet zomaar uit de organisatie gooien, en als hij dat wel deed, op wie moest hij dan vertrouwen? Wie kon hij meer vertrouwen dan zijn eigen zoon? Dit was niet goed, helemaal niet goed.

Igor zat bij zijn vrouw in de keuken en at een laat ontbijt. Hij keek door het raam, met uitzicht over een groot deel van de tuin, bijna helemaal tot aan het meer en het grote huis waar de lijfwachten woonden. Een van hen was net binnen geweest en had gerapporteerd dat alles rustig was, en Igor had hem geïrriteerd weggewuifd.

Hij had behoefte aan meer wodka.

Anna Schenizina zat tegenover haar man en observeerde hem zwijgend. Ze had zo lang met hem samengeleefd dat ze voelde wanneer er iets niet in orde was. En nu was er iets niet in orde. Maar wat? Ze had begrepen dat Igor en Nikolaj het niet eens waren over de richting die de organisatie op moest gaan en ze had ook begrepen dat Igor zeer wantrouwig was tegenover zijn zoon. Een slecht teken. Maar ze was veel te slim om deze problemen met haar man te bespreken. Ze pakte haar theekopje en glimlachte Igor toe. 'Wat is het hier ongelofelijk mooi, hè, juist in dit jaargetijde? We zouden straks een wandeling moeten maken, vind je niet?'

Igor bleef uit het raam staren. 'Ik weet het niet. Ik moet nog meer bespreken met Nikolaj; het is belangrijk.'

Anna keek in haar theekopje. 'Ik begrijp het. Maar dat geeft niks. We kunnen morgen ook wandelen. En wat leuk, hè, dat Larisa en haar gezin hierheen komen? Ik hoop alleen dat Leonid...'

Igor onderbrak haar: 'Ja, ja, dat komt wel goed. Ik moet even weg!' Hij stond op en schoof zijn stoel zo heftig achteruit dat ze schrok.

'Igor, is er iets mis?'

'Nee, nee, er is niks. Bemoei jij je nou maar met je eigen zaken, dan zien we elkaar straks wel weer.'

Hij verliet de keuken en Anna keek hem lang na.

Nikolaj bleef even in de frisse lucht staan, keek omhoog en haalde een paar keer diep adem. Hij was graag in de datsja.

Die had Igor vijf jaar geleden gekocht, toen de zaken gesmeerd gingen lopen en het geld binnenstroomde. Nikolaj had geen idee hoeveel zijn vader ervoor had betaald of hoeveel hij had geïnvesteerd in bijgebouwen en renovaties, maar mooi was het zeker geworden. De ligging op de punt van de landtong aan het Ladogameer was perfect, het was ver naar de dichtstbijzijnde buren en de plaats was gemakkelijk te bewaken. Het perceel was ongeveer vijfduizend vierkante meter groot en

Igor had ook meerdere hectaren grond eromheen gekocht, om ervoor te zorgen dat niemand in de buurt kon komen, ongeacht met welk doel. Om daar zeker van te zijn had hij bovendien een groot gebied rond de datsja laten omringen door een hoog hek met prikkeldraad erboven.

Het grote hoofdgebouw bood ruimte aan de keuken, twee grote salons, een bibliotheek en op de bovenverdieping vier grote slaapkamers. Nikolaj gaf er de voorkeur aan in een van de drie ruime gastverblijven te logeren die Igor had laten bouwen. In het andere logeerden op dit moment Borya, Nikolajs vier andere lijfwachten en de tien lijfwachten met wie Igor zich altijd min of meer omgaf – een goed recept om de onderwereld van St. Petersburg te overleven.

Nikolaj was eigenlijk van plan om bij zijn moeder in de keuken iets te gaan eten, maar besloot toen een wandelingetje te gaan maken om wat frisse lucht binnen te krijgen – daar kreeg je na een lange nacht vol wodka wel behoefte aan – en zijn zinnen een beetje te verzetten. Hij wandelde langzaam naar het water, terwijl hij zich exact probeerde te herinneren wat er de vorige avond gezegd was en welke tekenen zijn vader had getoond. Er was iets helemaal mis. Weliswaar had zijn vader Nikolajs theorieën in eerdere discussies op ongeveer dezelfde manier afgewezen als gisteren, maar de afgelopen nacht had hij toch een wantrouwen getoond dat Nikolaj nog niet eerder had gezien.

Nikolaj dacht na. Het was onmogelijk dat een van de jonge jongens in zijn goed functionerende netwerk met zijn vader in contact had kunnen komen, daar was hij van overtuigd. Het was ook onmogelijk dat zijn vader de enorme geldstromen van Nikolaj kon zien, omdat hij zijn zaken steeds elektronisch regelde via banken in Zwitserland, Liechtenstein, Luxemburg, Venezuela, Panama, Cyprus en de Caymaneilanden.

Het moest Borya zijn.

Van de mannen die Nikolaj vrijwel altijd om zich heen had als gecombineerde assistenten, koeriers en lijfwachten, was er maar één die zo dicht bij hem stond en zo veel wist. Borya was degene die hem rondreed tussen al die adressen waar zijn computerjongens zaten en Borya had vast begrepen dat Nikolaj geen rozen kweekte of kleine meisjes neukte in al die appartementen, ook al was hij slim genoeg om geen vragen te stellen.

Nikolaj had Borya van zijn vader geërfd en dat irriteerde hem nu zeer. Hoe had hij zo dom kunnen zijn dat hij niet een nieuwe man als naaste medewerker had aangetrokken toen hij met zijn nevenwerkzaamheden begon? Nou ja, hij kon de klok weliswaar niet terugdraaien, maar het was ook niet te laat om een paar dingen te veranderen.

Hij had duizenden keren over de situatie nagedacht en elke keer kwam hij tot de conclusie dat er maar twee oplossingen waren voor het probleem. Ofwel zijn vader deed een stapje terug en liet de leiding over aan Nikolaj. Ofwel Nikolaj zórgde ervoor dat hij een stapje terugdeed. Hij had al eerder met de gedachte gespeeld. Kun je je eigen vader vermoorden? Natuurlijk niet. Toch? Maar nu wist Nikolaj dat hij zijn vader heel goed kon vermoorden als alles plotseling op de spits werd gedreven.

Hij had als kind nooit het gevoel gehad dat Igor van hem hield, hij had Igor gehaat als hij in het donker hoorde hoe die zwaar dronken zijn moeder beklom; hij had zijn vaders dominantie verafschuwd, zijn ironische uitspraken over andere mensen, zijn vaak minachtende houding tegenover zijn eigen gezin. Bovendien kwamen bij zijn vader Leonid en Larisa altijd op de eerste plaats. Nikolaj had er maar bijgehangen, was misschien niet eens gewenst, alleen maar het resultaat van een dronken vrijpartij zonder voorbehoedmiddelen? Nee, Nikolaj had niet het gevoel dat zijn vader hem ooit had gewenst, van hem had gehouden, of hem had gewaardeerd om wat hij waard was. Dat Nikolaj toch de tweede man in de organisatie van zijn vader was geworden, kwam meer door de omstandigheden dan door gevoelens. Igor had zijn dochter Larisa moeilijk tot maffialeider van St. Petersburg en erfgenaam van zijn moeizaam op gebouwde criminele organisatie kunnen maken. En zijn broer Leonid was domweg niet het goede type. Die had zich in een vroeg stadium van de rest van de familie onderscheiden door een degelijke academische opleiding te volgen en zich te wijden aan historisch onderzoek. Hij was een teer mannetje, speelde viool en hield van ballet. Niet direct het prototype van de leider van een crimineel netwerk. Bleef over: Nikolaj. Waarschijnlijk had Igor ervan gedroomd dat hij zijn zoon tot een diamant kon slijpen van precies de helderheid, het gewicht en de kwaliteit die hij wilde.

Een misrekening, dacht Nikolaj met een vermoeid glimlachje, terwijl hij doorliep naar het water. Hij ging op zijn hurken zitten kijken hoe het water wervelend tussen de stenen speelde waarop hij en zijn vader zo vaak hadden zitten vissen. Als zijn vader nu maar tijdig had ingezien dat hij begiftigd was met een zoon die psychisch en fysiek sterk was en een eigen, zeer speciaal intellect had, dan had hij de situatie veel beter kunnen uitbuiten. Als hij bovendien maar had begrepen dat geen mens zijn hele leven op zijn hoogtepunt kan blijven, als hij nu maar bewonderend naar zijn zoon had gekeken, naar diens ideeën had geluisterd, een stapje opzij had gedaan en had gezegd: Alsjeblieft, Nikolaj, jouw beurt om de leiding te nemen.

Maar dat had hij niet gedaan, dat zou hij ook niet doen en nu was het tijd voor een beslissing. De discussie van gisteren was een begin geweest. Als zijn vader het niet deed, zou Nikolaj gedwongen zijn het onderwerp vandaag opnieuw ter sprake te brengen totdat die gesprekken enig resultaat opleverden. Of totdat bleek dat er in St. Petersburg geen plaats was voor hen allebei. Nikolaj had de mogelijkheden zorgvuldig overwogen. Hij had zijn besluit genomen. Hij stond op, draaide zich om en liep naar het huis voor een laat ontbijt.

61

'Dit gaan we doen,' zei Karpov. Hij wees naar een van de drie mannen in de kamer. 'Boris Sharkov is leider van de G9 van St. Petersburg, maar jullie hebben waarschijnlijk nog nooit van de G9 gehoord.'

Venderaz was één groot vraagteken, Jacob schudde langzaam zijn hoofd.

'De G9 is een uitzonderlijk bekwame en goed georganiseerde speciale politie-eenheid, samengesteld uit de beste Spetnaz-soldaten en de absolute elite van de hele politie. De groep beschikt over experts op alle terreinen, van piloten en duikers tot scheikundigen, springstofexperts, IT-experts en computerprogrammeurs. Ze heeft eigen vliegtuigen, helikopters, auto's, boten en allerlei speciale voertuigen. De groep heeft lokale afdelingen in vrijwel heel Rusland, maar kan ook in korte tijd bij elkaar worden gebracht om waar dan ook in het land grote acties uit te voeren. Boris, wil jij uitleggen wat er nu gaat gebeuren?'

Sharkov knikte. 'Ik heb voor deze actie de beschikking over zestig man gewapende elitepolitie, of soldaten als u wilt. Ze zijn allemaal uitgerust met pistolen, automatische wapens, kogelvrije vesten en nachtkijkers. Ze hebben proviand om maximaal vijf etmalen aan één stuk in het veld te zijn en ze beschikken over de modernste afluister- en peilapparatuur. We gaan beginnen met vijf gesynchroniseerde acties tegen de ons bekende adressen. Zodra we hebben toegeslagen, isoleren we de cellen, zodat er geen berichten in of uit kunnen. Daarna is het zaak om snel de sleutel tot hun server te krijgen, zodat onze eigen IT-jongens naar binnen kunnen om de informatie over de rest van de cellen te krijgen. Als we die informatie hebben, pakken we de rest op. Tegelijkertijd kopiëren we zoveel mogelijk informatie uit de server. Onze IT-groep gaat meteen aan de slag met dat materiaal. Intussen gaan wij door en pakken Igor Schenizin en zijn zoon Nikolaj op.'

Hector kauwde op zijn kauwgum en Jacob kon zijn kaken bijna horen kraken. Venderaz was in zijn element: 'Dat klinkt goed! Weten jullie waar de maffiabaas en zijn zoon zijn? En bestaat er geen risico dat ze gewaarschuwd worden als we, ik bedoel als jullie de hele communicatie met de cellen plat leggen?'

Voor de eerste keer glimlachte Sharkov. 'Igor Schenizin en zijn zoon verblijven op dit moment in de datsja van de familie aan het Ladogameer, een uurtje rijden hiervandaan. De plek is omsingeld door G9-mensen, die hen al sinds gisteren in de gaten houden. Ze hebben tien tot vijftien lijfwachten bij zich – geen probleem voor ons. Om hen in de war te brengen, sturen we een bericht dat in hun omgeving klinkt als een radiomelding, waarin we zeggen dat er een tijdelijke storing is van het computer-, telefoon- en mobiele telefoonverkeer in bepaalde delen van St. Petersburg. Dat is geen ongewoon verschijnsel, maar het zal verklaren waarom ze op dat moment geen contact met hun cellen kunnen krijgen als ze dat zouden proberen. Maar ik denk niet dat het risico groot is. Nikolaj onderhoudt de meeste contacten met de cellen door middel van persoonlijke bezoeken. Vragen?'

Jacob en Hector zwegen.

'Dan is het tijd om te gaan. We zien elkaar op straat.'

62

Ladogameer, Rusland
Donderdag 21 september 2006

Als Nikolaj tien minuten eerder naar de datsja was gegaan, was hij zijn vader misschien bij de deur tegengekomen. Maar toen hij binnenkwam, heerste er stilte. Hij trok zijn jack uit en ging naar de keuken.

'Goeiemorgen, Nikolaj!' Zijn moeder kwam glimlachend op hem af en omhelsde hem hartelijk. 'Ik ben zo blij dat je er bent! Wil je wat ontbijten? Papa en ik hebben al gegeten, hij is net naar buiten gegaan voor een wandeling.'

Nikolaj probeerde er onbezorgd uit te zien. 'Graag. Heb je eieren? Mag ik er een of twee?'

Wandeling, dacht hij. Zijn vader wandelde zelden in zijn eentje. Nou ja, het hoefde niet per se iets te betekenen.

Nikolaj had altijd een warme, nauwe band gehad met zijn moeder en wist dat hij open en eerlijk met haar kon praten.

'Was papa vanmorgen in een slecht humeur? We hebben vannacht nogal wat gedronken en hij leek meer geïrriteerd dan anders. Is er iets mis? Weet jij dat?'

Anna rommelde wat bij het aanrecht en de koelkast, met de rug naar hem toe, druk bezig eieren, vers brood, roomboter en dikke plakken beleg voor hem te pakken en intussen koffie te zetten.

'Nee, niet dat ik weet. Maar hij is de laatste tijd wat moe. Ik denk dat hij het te druk heeft met zijn werk...'

Nikolaj bekeek liefdevol zijn moeders rug. Anna Schenizina was allesbehalve dom en ze wist vast veel meer over Igors 'werk' dan hij zich in zijn wildste fantasie kon voorstellen.

Het drong tot hem door dat noch hij, noch zijn moeder, noch zijn broer of zus er ooit sinds zijn vader de politiek had verruild voor de criminaliteit, over had gesproken dat hij in zijn onderhoud voorzag met hoeren, dood en de ondergang van anderen. Merkwaardig. Ze waren toch allemaal onderdeel geweest van een vrij arme maar tamelijk trotse sovjetfamilie, die verenigd was door één gedachte, één filosofie, één droom en het geloof in leiders die ervoor zorgden dat het goede in ere werd gehouden? En waren ze niet allemaal, als ze zichzelf in de spiegel pijnlijk eerlijk zouden bekijken, in de loop der jaren veranderd in liegende huichelaars die leefden – of in staat werden gesteld te leven – van drugs, seks, mishandeling en moord? Hij verjoeg die gedachten snel. Anna Schenizina was een warme, zorgzame, onzelfzuchtige vrouw die zich al die jaren had uitgesloofd om voor haar gezin te zorgen en hij wenste haar het allerbeste toe. Als ze zo goed wist waar het geld vandaan kwam als hij dacht, had ze zeker haar eigen demonen te verjagen.

Nikolaj was wel de laatste om zijn geliefde moeder te beschuldigen. Daarom liet hij het onderwerp los waarmee hij het gesprek was begonnen. Toen ze hem zijn ontbijt bracht, kwamen er beelden uit zijn kinderjaren op zijn netvlies, beelden waarop ze hem met dezelfde glimlach, liefde en warmte zijn eten bracht. Hij hield van haar. Daarom deed hij zijn best de gedachten aan het heden, aan de ernst van de dag, te verjagen. In plaats daarvan praatte hij met haar over koetjes en kalfjes, over de laatste nieuwtjes, over hoe het ging met Leonid en Larisa, over hoe het met haarzelf ging.

Igor Schenizin stond buiten in het bos, zo'n tweehonderd meter van de datsja af. Hij ademde moeizaam. Hij leunde tegen een boomstam, deed zijn ogen dicht en hief zijn gezicht ten hemel. Hij kon zich niet herinneren wanneer hij voor het laatst zo moe was geweest. Hij ademde met lange, diepe halen en kon er niet toe komen zijn ogen weer open te doen. Het liefst had hij op een klein heuveltje, bedekt met door de zon opgewarmd mos, willen liggen om een poosje te slapen.

Zonder zijn ogen open te doen scherpte hij zijn zintuigen en probeerde hij zijn gevoelens te begrijpen. Het was niet alleen vermoeidheid. Het was verdriet, misschien al bij voorbaat. De afgelopen weken had hij talloze malen over de situatie nagedacht. En na Borya's laatste rapport was hij gedwongen er nog eens en nog eens over na te denken, zonder dat hij tot verstandige conclusies kwam. Het ergste was de onzekerheid. Wat Borya had gerapporteerd had hem doen inzien dat Nikolaj al zeker een jaar achter zijn rug om een eigen bedrijf had opgebouwd dat nu aanzienlijk groter was dan hij eerder had begrepen. Het probleem was dat Borya niet kon aangeven waar het om ging. Het was zeker niet iets dat concurreerde met hun traditionele activiteiten; dat had hij nooit kunnen verbergen. Maar Borya vertelde dat hij Nikolaj dagelijks naar tien, vijftien adressen in het centrum van St. Petersburg moest rijden en in de auto moest wachten terwijl Nikolaj bij allerlei huizen naar binnen ging waar hij soms tien minuten, soms urenlang bleef. Met Borya's hulp had Igor geprobeerd te achterhalen bij wie Nikolaj op bezoek ging en wat ze dan deden, maar dat had geen informatie opgeleverd.

Igor had ook de interne boekhouding zorgvuldig onderzocht om te zien of Nikolaj geld verduisterde om zijn eigen nevenactiviteit te financieren, maar daar waren geen tekenen van.

Igor Schenizin verafschuwde onzekerheid. Onzekerheid, zei hij thuis aan tafel vaak tijdens de politieke discussies in de sovjettijd, is de grootste dreiging voor de mens. Met feiten, hoe onaangenaam ze ook zijn, kunnen we altijd omgaan. Maar hoe moet je omgaan met iets of je verzetten tegen iets waarvan je het fijne niet weet? Igor had in zijn leven al heel wat zware gevechten geleverd, meestal politieke, en hij had in de loop der jaren geleerd dat je veel meer kans hebt om een strijd te winnen als je erop bent voorbereid. Daarom had hij deze situatie ook uit alle denkbare gezichtspunten overdacht. Nikolaj was een verrader. Daardoor vormde hij een directe bedreiging.

Igor kon niet meer blijven staan, maar liet zich langzaam naar beneden glijden totdat hij zat, nog altijd met de ruwe boomstam als steun in de rug. Toen hij goed en wel op het zachte mos op de grond zat waar hij net nog zo naar verlangd had, sloeg hij zijn handen voor zijn gezicht en voelde tot zijn verbazing tranen in zijn ogen opwellen.

Nikolaj, mijn geliefde Nikolaj.

Hij wist dat hij niet alleen zijn zoon, maar zijn hele gezin jarenlang had verwaarloosd. En hij miste het vermogen om hun daarvoor excuus te vragen, om te proberen het weer goed te maken. Hij had geprobeerd vaderlijk respect te verwerven – en op die manier, meende hij, liefde te tonen – door hard te zijn, eisen te stellen, te laten zien hoe dingen moesten worden gedaan. Hij hield van Nikolaj. Hij bewonderde Nikolaj, verafgoodde hem. Nikolaj was een beter, mooier spiegelbeeld van hemzelf. Nikolaj had een mooiere ziel, een combinatie van intelligentie en kracht.

Nikolaj kon meer dan hij en was vastbesloten meer te bereiken. Waarom kon hij dit als vader niet gewoon accepteren als een mooi, verheugend feit, een stapje terugdoen en zijn zoon voor laten gaan? Nee.

Volgens psychologen zijn fitte mensen op een verstandige, gezonde manier in de werkelijkheid verankerd, terwijl psychopaten hun verankering zijn kwijtgeraakt, waardoor de werkelijkheid voor hen teruggebracht is tot een paar kleine eilandjes in een zee van waanvoorstellingen. De psychopaat liegt over alles, of hij het nu nodig heeft of niet, al was het alleen maar om aandacht te krijgen. Hij is egocentrisch en bereid over lijken te gaan om zijn doelen te bereiken.

Misschien was dat voor Igor Schenizin ook zo. Misschien waren er alleen nog maar eilandjes van werkelijkheid over in zijn wereldbeschouwing. Hoe dan ook, grote tranen welden op in Igors ogen toen hij in elkaar gedoken tegen die boomstam zat, met het mos onder zich, terwijl de zon zich een weg zocht door de takken en zijn gezicht en zijn lichaam begon te verwarmen. Igor wilde wel dat hij de film van de wereld en zijn leven kon terugspoelen en opnieuw beginnen.

Maar de zon en het leven en de werkelijkheid zijn, als we het zo willen zien, onbarmhartig en toen Igor uiteindelijk gedwongen werd zijn tranen te drogen en zijn handen van zijn gezicht te halen, stroomden er zweetdruppels over zijn wangen.

Hitte van de zon, slaapgebrek en een kater. Als een kind kroop hij om de boom heen totdat hij, misselijk en met bonzend hoofd, een plek in de schaduw vond. Hij voelde maar een paar zonnestraaltjes, die zijn rug precies goed verwarmden, en ging door met denken en samenvatten. De dingen waren al te ver gegaan. Hij kon niet meer haastig remmen, stoppen of van richting veranderen. Het leven moest zijn natuurlijke verloop hebben; kinderen moesten hun ouders gehoorzamen, omdat ouders ouder en wijzer zijn. Ongeacht wat voor nevenactiviteit Nikolaj was begonnen, het was onaanvaardbaar. Nikolajs gedragspatroon in combinatie met het feit dat hij alleen al puur financieel een veel losbandiger leven leidde, zei Igor dat zijn zoon met iets groots bezig was. Iets groots dat hij óf niet met zijn vader wilde delen óf waarvan hij wist dat zijn vader er nooit mee zou instemmen.

Igor schrok. Internet. Dat was het natuurlijk. Het had hem verbaasd dat zijn verder zo intelligente zoon in hun gesprekken keer op keer schijnbaar zinloze discussies probeerde te voeren over welke wonderen je zou kunnen uitrichten door misbruik te maken van die waardeloze uitvinding van de imperialisten, internet.

Igor had dat in het begin natuurlijk gewoon weggelachen. Ooit had een of andere idioot het idee opgevat dat de mensheid verenigd kon worden door één wereldtaal, Esperanto, en iedereen wist toch hoe het daarmee was afgelopen. Dat die Bill Gates – dat was toch de grondlegger van internet? – nu het idee had dat je de wereld kon verenigen met computers, was al net zo'n absurde gedachte, want Gates was een Amerikaan en het was toch niet erg waarschijnlijk dat een Amerikaan iets zou uitvinden wat de mensheid ten goede kwam.

Nee, internet was in de eerste plaats een voorbijgaande modetrend, daar was Igor Schenizin van overtuigd, en hoe Nikolaj er überhaupt geld mee had kunnen verdienen snapte hij niet. In de tweede plaats was internet een bijzonder onbetrouwbaar middel, omdat het niet alleen was uitgevonden door de imperialisten, maar ook helemaal door hen werd bestuurd. Voor Igor maakte het niet uit of de rode stopknop zich thuis in dat huis van Gates bevond of in de ovale kamer van het Witte Huis. Waar hij ook zat, een imperialist zou, zodra het systeem zijn doel niet meer diende, op de knop kunnen drukken en alle communicatie, alle zaken die al decennialang waren opgebouwd, beëindigen.

Vertrouw nooit een Amerikaan.

Nu was het probleem, zowel filosofisch als praktisch, plotseling een stuk groter voor Igor. Nu ging het erom dat hij zijn eigen zoon niet meer kon vertrouwen en dat hij daarom, in de situatie waarin hij zich bevond en die hij verkoos te verdedigen, de uiterste consequentie moest trekken. Hij leunde achterover tegen de boomstam, hief zijn gezicht op naar de takken en sloot zijn ogen. Hij had zijn besluit genomen. Plotseling moest hij vreselijk overgeven, zomaar op het warme mos naast zich.

63

Sinds hij de dikke envelop een paar weken geleden op de post had gedaan, bleef de ongerustheid, soms de pure angst, vierentwintig uur per dag door zijn hoofd malen. Dit kon alleen maar slecht aflopen, en voor de duizendste keer vroeg hij zich af waarom hij voor dat scherm was blijven zitten, waarom was hij niet allang weg?

Vadim Fetisov voelde zweetdruppels over zijn voorhoofd parelen. Hij zat midden in een actieve afpersing van een groot bedrijf in Duitsland en alles leek volgens plan te gaan. Toch dwaalden zijn gedachten de hele tijd af. Hij was zich er terdege van bewust dat alles op een dag, op enig moment afgelopen zou zijn, en hij hoopte maar dat hij het zou overleven. Hij vroeg zich af wat hij daarna moest doen, als er nog een daarna zou zijn.

Hij had bijna al het geld gespaard dat hij had verdiend sinds hij voor Nikolaj begon te werken en die had hem geleerd hoe je dat op de goede manier doet. Op een rekening op de Caymaneilanden, die niemand anders dan Vadim kon checken, stond meer dan veertigduizend dollar en voor hem was dat bedrag zo groot dat hij niet goed overzag wat hij daar allemaal mee kon doen.

Hij nam een slok water, leunde achterover, keek naar het scherm en probeerde zich te concentreren. De afpersing verliep zoals verwacht en binnen een uur of twee zou hij de bevestiging hebben dat het bedrijf honderdduizend dollar had overgemaakt naar een rekening in Liechtenstein om de aanvallen die Vadim op dit moment op hun server uitvoerde, te laten ophouden. Goed. Maar dan?

Hij deed zijn ogen dicht. Hij had zijn mentor en werkgever, zijn held, verraden. Zijn voormalige held. Vadim kon niet vergeten wat er die dag was gebeurd, toen hij op de server had gezien wat hij nooit had mogen

zien. Het had hem een doorwaakte nacht gekost om een besluit te nemen.

Toen Nikolaj, zoals gewoonlijk stil, kil en beheerst, de volgende dag
bij hem op bezoek was geweest om te checken hoe het ging, had hij zich
goed weten te houden en verslag gedaan zoals altijd. Zodra Nikolaj de
deur uit was gegaan, had hij anders ingelogd, was weer naar de server
gegaan en had alle informatie gekopieerd die van belang was. Overdag
had hij alles geprint en er met de pen toelichtende commentaren in normale taal bij geschreven. Laat die middag had hij met zijn rugzak op
zijn rug door het park gerend en ten slotte, met een hart dat hevig te-
keerging, was hij bij een brievenbus op de straat bij het park blijven
staan. Hij had nog een laatste keer getwijfeld, en toen de rugzak geopend, de dikke envelop eruit gehaald en gepost. Op het moment dat
de klep van de brievenbus dichtsloeg, wist hij dat hij zijn leven had veranderd. En dat van vele anderen.

Vadim reikte weer naar zijn glas water. De Duitsers betaalden. Alles
was in orde. Hij wreef hard met zijn handen over zijn gezicht. Laat het
nu afgelopen zijn, dacht hij, ik kan niet meer. Vadim had nooit in God
geloofd en misschien was het wel een heel andere, hogere macht die
hem hoorde.

Hij schrok van de klap. De deur naar zijn kleine appartement werd
uit zijn scharnieren gerukt en meters naar binnen gesmeten toen de ge-
maskerde G9-soldaten naar binnen renden en hun posities innamen,
hun machinegeweren op hem gericht.

Nikolaj dronk zijn koffie, pelde een gekookt eitje en at met grote smaak
de dikke boterhammen die zijn moeder had klaargemaakt. Hij babbel-
de met haar door, terwijl hij afwisselend naar haar en uit het raam keek.

Plotseling verstijfde hij. Als in een film zag hij zijn vader uit de bos-
rand komen, terwijl hij het zweet van zijn voorhoofd veegde en kennelijk moe en onvast naar de datsja terugliep. Waar was hij geweest? Wat
had hij gedaan in het bos? Nikolaj kauwde nadenkend en spoelde het
ontbijt weg met grote hoeveelheden sterke koffie. De zeurende hoofdpijn die hij eerder had gevoeld, was langzaam minder geworden en plotseling leek het alsof er weer hoop was in het leven. Zijn moeders blije,
vertellende stem. De smaak van zwarte koffie, grof brood, goede boter
en zout vlees in zijn mond.

Een klap van de buitendeur. En plotseling – zijn vader verscheen in de keuken.

Nikolaj had al vroeg een grote belangstelling voor de film ontwikkeld en plotseling kwam de gedachte in hem op dat deze scène heel goed geregisseerd had kunnen zijn door die Zweed, hoe heette hij ook alweer? Ingmar Bergman. Die met die cameraman die prijzen kreeg voor zijn wereldberoemde belichting en zijn spannende invalshoeken. Jazeker, dit zou een echte Bergmanscène kunnen zijn.

'Goeiemorgen, vader. Of goeiemiddag, moet ik misschien zeggen?'

Nikolaj keek naar Igor. Zijn vader zag er moe, afgemat en zweterig uit. Zijn dunne haar was vochtig en zat in de war. Zijn gezicht had een uitdrukking die niet de rust uitstraalde die je hoorde te voelen na een eenzaam moment in het geurende naaldbomenbos.

Nikolaj voelde de spanning in de lucht, maar vreemd genoeg voelde hij geen angst of twijfel over wat deze dag zou brengen. Hij nam een slok koffie, keek naar buiten en filosofeerde. Het probleem van ons, mensen, dacht hij, is dat we ons het leven als een brede snelweg voorstellen. Al heel vroeg, in onze tienerjaren, beginnen we te fantaseren hoe het leven eruit zal zien, wat voor werk we zullen gaan doen, waar we zullen wonen, hoe en wie onze partner zal zijn, hoeveel kinderen we zullen krijgen, hoeveel geld we zullen verdienen. We denken daarover na en dan gaan we op weg, geven plankgas en sommigen van ons vliegen al de eerste de beste scherpe bocht uit, anderen volgen een paar bochten later. Voor velen van ons duurt het nog jaren voordat we beseffen dat de weg van het leven vol scherpe bochten zit en dat zelfs een buitengewoon vooruitziende blik en een bijzonder goede bochtentechniek niet kunnen voorkomen dat we af en toe van de weg rijden.

Nikolaj voelde echter dat hij nu flink gevorderd was met zijn rijlessen. Hij was af en toe van de weg geraakt, maar had des te meer bochten genomen en was er zich nu volkomen van bewust dat de allerscherpste bocht in het traject zat dat nu voor hem lag. En hij was vastbesloten die bocht goed door te komen.

Zijn vader ging tegenover hem aan tafel zitten. Hij zei niets, maar ademde nog aldoor zwaar na wat kennelijk een fysieke inspanning was geweest. Zijn moeder zette een grote kop koffie voor Nikolaj neer en wierp Igor een vragende blik toe, die betekende: koffie of thee? Igor antwoordde met een knikje naar Nikolajs kop en Anna gaf hem koffie.

Daarna verdween ze, zoals ze de afgelopen veertig jaar had gedaan, haast ongemerkt uit de keuken, alsof ze elders in het huis plotseling een karweitje te doen had dat voor iedereen belangrijk was.

Het was een paar minuten stil, en toen nam zijn vader het woord. 'Nikolaj, we moeten eens serieus over de toekomst praten. We moeten een koers uitzetten en je weet dat onze koers een gezamenlijke koers moet zijn. Ik maak me zorgen na ons gesprek van gisteren en het is belangrijk dat we dit uitpraten. Ik heb een idee. We gaan vissen!'

Hij keek Nikolaj aan en er brak plotseling een brede, zeer liefdevolle glimlach door op zijn gezicht. Er ging een golf van emotie door Nikolaj heen. Ze hadden al samen gevist sinds Nikolaj klein was en hij zou nooit de weinige, zwijgzame maar belangrijke ogenblikken vergeten dat ze zij aan zij hadden gezeten, ieder met een eigen hengel, de ogen gericht op het wateroppervlak, dat meestal rustig was, maar soms doorbroken werd door een werveling die kon betekenen dat ze beet hadden.

Hij glimlachte terug. Had hij zich vergist in zijn vaders wantrouwen? Of in alles? Kon het ondanks alles zo zijn dat zijn vader van hem hield, trots op hem was, hem bewonderde en hem echt zag als een ware erfgenaam? Een ogenblik werd hij door twijfel overmand, maar hij dwong zich snel terug te keren tot de werkelijkheid en zich te concentreren. In hoeverre hij gelijk of ongelijk had, zou de rest van de dag aantonen. 'Een goed idee, vader! We gaan vissen!'

Igor lachte, een hartelijke lach die Nikolaj, voor zover hij zich kon herinneren, al jaren niet meer van hem gehoord had. Zijn vader stond op, pakte de hoorn van de interne telefoon en toen een van de lijfwachten in het gastenverblijf aannam, liet hij kortaf weten dat hij zo snel mogelijk hengels, blinkers, aas, thee, wodka en glazen op de landtong wilde hebben. Zonder antwoord af te wachten legde hij de hoorn op, ging terug naar de tafel en ging weer tegenover zijn zoon uit het raam zitten kijken. 'De vis gaat bijten vandaag, Nikolaj, ik voel het gewoon.'

Nikolaj knikte zwijgend. Igor draaide zich om en riep: 'Anna, we gaan naar het meer om te vissen.'

Anna verscheen in de deuropening. 'Wat leuk! Ik hoop dat jullie wat vangen. Ik ga intussen het gastenhuis een beetje opruimen.'

Igor knikte. De mannen stonden op en verlieten het huis.

Anna volgde hen met haar ogen van achter het keukenraam, terwijl ze zij aan zij naar het meer liepen.

64

St. Petersburg, Rusland
Donderdag 21 september 2006

In tegenstelling tot Vadim Fetisov was Sergej Petrov volkomen verrast toen de deur naar zijn gecombineerde woon- en werkruimte uit zijn scharnieren werd geblazen en in een wolk van rook op de grond belandde waar hij voor zijn computer zat.

Algauw nadat hij voor Nikolaj was gaan werken, had Sergej begrepen dat hij een van de spinnen in een internationaal moordweb was. Een wetenschap die hem in het geheel niet stoorde.

Sergej had tot zijn genoegen gemerkt dat hij eindelijk een voorbeeld en een leider had gevonden, de juiste man om het craquelerende Moedertje Rusland over te nemen en haar haar vroegere grootheid terug te geven. Dat vroeg, begreep Sergej, een offer dat – net als alle andere offers in de wereldgeschiedenis – mensenlevens en nog veel meer zou kosten. En terwijl hij voor het welzijn van de wereld op lange termijn werkte, kende Sergej geen morele twijfels ten aanzien van medeplichtigheid aan moord op een of andere imperialist, terwijl het smerige geld van die kapitalist naar de goede kant verhuisde. Hij had in zijn eenzaamheid alle tijd om na te denken over wat hij deed en het werk aan de computer maakte het allemaal tot een spel. Hij zag nooit bloed, hoorde nooit geschreeuw, ervoer nooit de tragiek en het verdriet van de nabestaanden. Alles werd tot een bizar computerspel, waarbij zijn handigheid bepaalde hoe het afliep en waarin de ene uitdaging volgde op de andere. Waarin hij met behulp van aangeleverde feiten moorden organiseerde, materiaal bestelde bij de lokale motorclubs en de toekomstige moordenaars informeerde hoe ze te werk moesten gaan om van hun problemen verlost te worden.

In minder dan dertig seconden veranderde alles nu in een angstaanjagend zwart *game over*. Door de klap was Sergej bijna een halve minuut doof. Terwijl hij een hevige geur van verbrand hout rook, zag hij verbaasd hoe de deur over de vloer aan kwam schuiven, gevolgd door zwarte laarzen met zwarte overalls erboven, die snel binnenkwamen en hem omringden. Toen hij opkeek, zag hij zwarte helmen met vizier, gestalten die op hem mikten met machinegeweren die rode stippels op zijn borst tekenden.

Jacob en Hector waren bijna even verbaasd als Sergej toen ze zagen hoe anders deze scène was dan de vorige. Terwijl ze Vadim Fetisov rustig en humaan hadden behandeld, hem hadden uitgelegd dat hij Rusland een grote dienst had bewezen en had geholpen een grote bedreiging van de nationale veiligheid af te wenden, klonken ze nu heel anders. Drie G9-soldaten trokken Sergej omhoog uit zijn stoel en gooiden hem met grote kracht tegen een muur. Toen de jongen door de schok en de pijn in elkaar begon te zakken, sleepten ze hem overeind en smeten hem weer in zijn stoel. Met de lopen van een aantal machinegeweren op zijn voorhoofd gericht, was de boodschap duidelijk. Vladimir Karpov stapte over het stof en de splinters van de deur, schreed naar voren en ging voor zijn stoel staan, terwijl Jacob, Hector en een deel van de G9-eenheid op de achtergrond bleven.

'Sergej Petrov!' brulde Karpov. 'Je bent gearresteerd op verdenking van onder andere computercriminaliteit, afpersing, aanzetten tot moord, medeplichtigheid aan moord, belastingontduiking, economische misdrijven, hulp aan medeplichtigen en vernietiging van bewijs. Ook als je slechts voor een deel van de misdrijven wordt veroordeeld waarvan je wordt verdacht, krijg je zeker levenslange gevangenisstraf. Als je hier en nu samenwerkt, is er misschien een kans dat de aanklager je op een paar punten van de aanklacht iets wil kwijtschelden. Kies je voor samenwerken?'

Karpovs stem ging omhoog om de jongen onder druk te zetten, die nu met de lopen op zich gericht half op zijn stoel lag en zwaar ademde.

Toen Sergej Petrov langzaam en met een blik alsof hij onder de drugs zat zijn hoofd schudde, vroeg Jacob zich af of de jongen bezig was dood te gaan en of hij überhaupt een woord begreep van wat er tegen hem gezegd werd.

Jacob keek snel even naar Hector. Hij stond wijdbeens met zijn armen over elkaar en Jacob zag een zwak glimlachje om zijn lippen. Dat was zijn stijl.

Karpov maakte een beweging met zijn hoofd. Een van de G9-soldaten greep de jongen bij zijn gezicht, trok zijn mond open en duwde de loop van zijn wapen tussen zijn lippen. Karpovs stem werd hees: 'Luister, ettertje! Dit is het volgende voorstel. Je praat of we schieten je hersens over de vloer en ruimen zo goed op dat je moeder nooit te weten komt wat er met je gebeurd is. Voor ons is het gewoon één schoft minder, één probleem minder om over te rapporteren. En het is goedkoper voor Rusland. Ben je nog steeds even slim?'

Een soort gekerm was alles wat er van Sergej te horen was, terwijl hij probeerde zijn hoofd zo langzaam te schudden dat het geen nerveuze beweging zou veroorzaken bij de man die de loop van zijn wapen in zijn mond hield. Het kon Hector en Jacob niet ontgaan dat de broek van de half op de grond liggende jongeman in zijn kruis donker kleurde. De stank van urine verspreidde zich door het kleine kamertje.

'Goed!' Karpov gaf de soldaat het teken zijn wapen uit Sergejs mond te halen. Met één hand wenkte hij de IT-mensen die in de deuropening stonden te wachten naar zich toe, terwijl hij met zijn andere hand Sergej bij de kin pakte en hem diep in de ogen keek. 'We weten heel veel, Petrov, maar we willen de laatste puzzelstukjes hebben. Nu maak jij de server open, zodat we kunnen zien wat daarop staat. Is dat helemaal duidelijk?'

Sergej Petrov begreep wanneer het spel uit was, tenminste voorlopig. Misschien zou er een andere keer komen, een andere gelegenheid, waarbij hij de kans kreeg om revanche te nemen. Maar nu ging het er alleen maar om te overleven. Toen Karpovs IT-experts naast hem kwamen zitten en hem duidelijk maakten welke informatie ze nodig hadden, om te beginnen een wachtwoord, voelde Sergej zich vooral verraden. Hoe had de man die hij meer dan wie ook vertrouwde, kunnen mislukken? Was de toekomstige president van Rusland zo dom dat een paar smerissen hem in de luren konden leggen? Of was Nikolaj verraden?

Karpov stond nog recht tegenover Sergej met iets zwarts in zijn ogen, terwijl de vingers van de jongen de toetsen begonnen te bewerken onder het toeziend oog van de IT-experts. Jacob kwam dichterbij om een glimp te zien van wat er op het beeldscherm gebeurde, ook al begreep hij de taal niet. De volgende tien minuten werd er zo veel informatie onthuld dat Karpov nieuwe orders kon geven. Plotseling hadden ze toegang tot de adressen van de overige cellen, in totaal vijftien stuks.

Karpov en zijn naaste medewerkers trokken zich in een hoekje terug met een uitgeprinte lijst, terwijl de it-experts als haviken aan Sergejs zijde bleven zitten, korte commando's gaven en ervoor zorgden dat de jongen er steeds gestrester en wanhopiger uitzag. De printer, op een paar meter van de pc, spuugde de ene pagina na de andere uit vol tekst, schema's en cijfercombinaties. Jacob voelde een huivering door zijn lichaam gaan. Een van de grootste internationale misdrijven van de moderne tijd werd nu voor zijn ogen in normale taal geprint.

Karpov had een plattegrond uitgespreid waarop hij met een viltstift cirkels zette. Het stof dat was opgedwarreld toen de deur werd opgeblazen, was weer gaan liggen. Een paar van Karpovs mannen hielden de wacht in de deuropening en wezen huurders die nieuwsgierig kwamen kijken wat er aan de hand was, terug.

Jacob keek naar Sergejs gezicht. Hoe oud was hij helemaal? Negentien, twintig jaar? Wat kon hem ertoe gebracht hebben een van de actiefste schakels te worden van een netwerk dat ervoor zorgde dat duizenden mensen overal ter wereld vermoord waren? Hij vroeg zich af of de jongen besefte wat de draagwijdte was van datgene waaraan hij had meegewerkt, welk lijden het had veroorzaakt.

Plotseling, alsof hij Jacobs ogen voelde, keek de jongen op en kruisten hun blikken elkaar. Jacob meende teleurstelling, wanhoop, verlangen en haat tegelijkertijd te zien. Hij had er wel tijd en energie voor uit willen trekken om de jongen te leren kennen en antwoord op zijn vraag te krijgen. Maar dat zou niet gebeuren. Hij zou genoegen moeten nemen met een kort rapport van Karpov over de achtergrond en de betrokkenheid van de jongen.

'Indrukwekkend, die hele rotzooi!'

Hector had zijn kauwgum uit zijn zak gehaald en hield het hem voor. Jacob voelde plotseling behoefte om ergens op te kauwen, als was het alleen maar omdat hij een droge mond had. Hij pakte twee kauwgumpjes en stopte ze in zijn mond. 'Ja, de Russen hebben de zaak echt goed georganiseerd. Maar ik vraag me nog steeds af hoe zulke jonge jongens in de klauwen van zo'n kwaadaardige en berekenende vent als Schenizin terechtkomen.'

Nu kwam Venderaz tot leven. Maar hij was plotseling ernstiger, leek niet meer op die grijnzende, bevooroordeelde super-Amerikaan. 'Als dit bij ons gebeurd was, had ik gezegd: geld. Maar ik denk dat er hier meer aan de hand is. Deze jongens doen me denken aan de Ku Klux Klan, aan terroristen of iets van dien aard. Misleide kerels met idealistische dromen over een charismatische leider, die nooit hebben begrepen hoe verkeerd het was...'

Misschien had Venderaz gelijk. Jacob wist dat ze allemaal nog maanden, misschien wel jaren zouden blijven nadenken over de vraag hoe en waarom dit alles was gebeurd.

Jacob zag dat een paar van de IT-experts hun laptops hadden aangesloten op Sergejs machine om backups te maken van alle informatie die nu uit de server stroomde. Een paar anderen hadden hun plaats bij Sergejs computer verlaten om de stukken uit de printer te halen. Ze zaten op hun knieën op de grond, sorteerden de pagina's en spraken druk met elkaar, terwijl ze wezen, bladerden, vergeleken. Karpov liep naar hen toe. Hij keek zwijgend toe hoe de IT-experts Sergej dwongen de server – een poel des doods – voor hen te openen.

Sergej Petrovs troebele brein werkte langzaam, terwijl hij deed alsof hij de bevelen die hem gegeven werden, gehoorzaamde. Zou alles waarin hij de afgelopen jaren geloofd had en waarvoor hij gewerkt had, voor niets zijn? Hij had geen idee of alles was misgegaan, maar hij wist wel dat hij geen fouten had gemaakt. Iemand in de organisatie moest een flater hebben geslagen, en Sergej hoopte van harte dat die iemand duur zou moeten betalen voor zijn vergissing.

Het was nog niet te laat. Hij wist niet waar Nikolaj zich op dit moment bevond, hopelijk was hij gewaarschuwd en had hij de kans gekregen zichzelf in veiligheid te brengen. Maar als de politie de beschikking kreeg over al het materiaal in de servers was alles verloren. Het zou Nikolaj jaren kosten om alles weer op te bouwen, áls dat al kon. Het project om de macht over Moedertje Rusland te grijpen en haar haar kracht en waardigheid terug te geven, zou grote schade oplopen. Dat mocht niet gebeuren.

Het grootste deel van zijn jonge leven had Sergej eigenlijk niets te verliezen gehad. Dat was een gevoel waarmee hij had leren leven, en dat in deze situatie snel terugkwam. De tijd van psychisch en financieel welbevinden tijdens het werken voor Nikolaj had in een paar minuten plaatsgemaakt voor een terug-naar-af-gevoel.

Sergej geloofde heus niet dat er ook maar iets van wat die politieman tegen had gezegd, waar was. Hij zou geen strafvermindering krijgen, hoeveel hij ook samenwerkte. Het was het meest waarschijnlijk dat ze alles uit hem zouden zuigen wat ze konden en hem dan zouden doden zodra dat zonder belastende getuigen zou kunnen.

Hij had zijn besluit genomen en begon heel andere commando's in te geven dan eerder. Het duurde een paar seconden voordat de experts naast hem begrepen wat hij aan het doen was. Een van hen schreeuwde opgewonden naar Karpov, terwijl hij tegelijkertijd probeerde de jongen bij de computer weg te duwen, maar Sergej verzette zich en bleef als een waanzinnige codes op het toetsenbord timmeren.

Karpov schreeuwde een paar korte bevelen en een van de G9-soldaten naast de jongen hief zijn machinegeweer.

Tok-tok, tok-tok, tok-tok.

Jacob, die naar een paar IT-experts in een andere hoek van de kamer stond te kijken, draaide zich snel om toen hij het geluid hoorde.

Sergejs lichaam vloog uit de stoel en werd achterover tegen de muur gedrukt, waar het langzaam naar beneden zakte. Op zijn borst waren bloedvlekken te zien die snel groter werden, en er stroomde bloed uit een gat in de hals van de jongen en uit zijn halfopen mond. Op zijn gezicht was geen pijn of verbazing te zien, eerder een soort bedroefdheid.

Jacob keek Karpov ontzet aan. 'Waarom...?'

De Rus trok een grimas. 'Hij probeerde opeens alle informatie die we wilden hebben te wissen, de hele server leeg te maken. We hebben hem gewaarschuwd. We zijn nu te dichtbij om alles door zo'n vent als hij op het spel te laten zetten. Vervelend, maar hij had ook moeten luisteren!'

Hector Venderaz schuifelde naar het raam, deed het open en leunde tegen het kozijn en snoof de koele buitenlucht op alsof hij zich niet goed voelde.

'Hector...?' vroeg Jacob zacht.

'Beetje moeite met de ademhaling. Slechte lucht hier binnen...'

De lucht is hier slecht voor ons allemaal, en in allerlei opzichten, dacht Jacob. Maar dit is niets vergeleken met hoe het ook had kunnen aflopen.

De koele lucht die binnenkwam door het raam dat Venderaz had opengedaan, verspreidde zich door de kamer en leek rust te brengen. Jacob zag een paar politiemannen bij het dode lichaam van de jongen knielen. Vladimir liep de kamer rond en praatte met degenen die voor Sergejs computer zaten.

Hector kwam naast Jacob staan. 'Ze gaan hier niet zachtzinnig te werk.'

Jacob hoorde dat zijn stem een beetje trilde.

Karpov kwam naar hen toe. 'Het wordt tijd om verder te gaan. Zij zijn klaar om toe te slaan bij de andere tien cellen in St. Petersburg die we nu kennen. Deze eenheid werkt hier door, maar wij gaan verder. Ik heb al een eenheid rond de datsja geposteerd waar Nikolaj en zijn vader verblijven. We krijgen versterking van nog twintig man van de G9-groep. Verder heb ik twee gewapende helikopters in het gebied klaar staan die ons kunnen ondersteunen. Het is hoog tijd om naar het Ladogameer te gaan. Igor en Nikolaj Schenizin wachten op ons.'

Jacob Colt voelde hoe zijn gevoel van onbehagen zich mengde met opwinding, omdat de oplossing nu nabij was. Als bij de finale van een theatervoorstelling.

65

Het weer was perfect, en de rand van het Ladogameer bood een stilte die vader en zoon allebei op prijs stelden. Ze gingen zitten en Igor schonk onmiddellijk twee flinke glazen wodka voor hen in. Ze dronken, praatten over koetjes en kalfjes, lachten en keken uit over het kalme wateroppervlak.

Zo moest het eigenlijk altijd zijn, dacht Nikolaj. Zo hád het eigenlijk altijd moeten zijn. Maar hij wist dat het een utopie was. Het was niet zo geweest en het zou ook niet zo blijven, en wat er op dit moment gebeurde moest je misschien zien als een soort pauze of wapenstilstand. Hij was nog steeds onzeker over zijn vaders gedrag van de vorige avond en hij was vastbesloten alert en op zijn hoede te zijn, maar hij wilde intussen wel een zo ontspannen mogelijke indruk wekken.

Zijn vader koos een blinker en wierp zijn hengel uit. Nikolaj volgde zijn voorbeeld. Ze visten een tijdje vrijwel zwijgend. Intussen dronken ze thee en wodka, en toen Nikolaj voorzichtig uit zijn ooghoeken naar Igor keek, kon hij zien dat zijn vader dronken begon te worden. Was dat een goed of een slecht teken? De kans bestond dat zijn vader zijn beoordelingsvermogen zou verliezen, agressief zou worden, in woede zou uitbarsten. Maar de dronkenschap kon er ook toe leiden dat hij iets zou vertellen, als er al iets te vertellen viel.

Ze pauzeerden even. Igor schonk meer thee in uit de thermoskan, nam een slok, maar hief toen zijn wodkaglas weer. 'Proost, Nikolaj! Op de toekomst!' Hij keek naar Nikolajs glas. 'Je drinkt slecht. Wat is er met je aan de hand? Ben je bang om dronken te worden?'

Nikolaj meende iets van hoon in Igors lach te horen. 'Nee, hoor, heus niet.' Hij deed zijn best om natuurlijk te klinken toen hij ook lachte. 'Ik loop alleen een beetje achter, maar daar is snel wat aan te doen!'

Hij goot met een snelle beweging meer dan het halve glas naar binnen en stelde vast dat zijn vader tevreden keek voordat hij zijn eigen glas even snel helemaal leegde, alsof hij wilde laten zien wie er hier nog het meeste en het snelste kon drinken.

Zijn vader was een paar seconden stil, hij smakte alleen wat met zijn tong als om de drank extra goed te proeven. Hij maakte de fles open, vulde eerst Nikolajs glas en toen dat van hemzelf. Toen zei hij: 'Het is tijd om serieus te praten.'

De auto's van de G9-groep reden met hoge snelheid over de snelweg, voorafgegaan door twee politiewagens en twee politiemotoren die met sirenes de weg vrijmaakten voor het konvooi. Het viel Jacob op dat sommige voertuigen alleen voor personenvervoer werden gebruikt, terwijl andere wagens, met ondoorzichtige ruiten, vol apparatuur leken te zitten. Hij kon wel raden dat daar nog krachtiger wapens in zaten dan de machinegeweren die de politie gebruikt had bij de bestorming van de woningen in St. Petersburg.

Jacob en Hector reden in dezelfde grote jeep als Karpov. Boris Sharkov reed en de stemming in de auto was gespannen; niemand zei iets. Karpov zat op de voorstoel en staarde door de voorruit. Op de achterbank kauwde Hector zoals gewoonlijk op zijn kauwgum, terwijl Jacob in gedachten verzonken was. Hij hoopte dat het slot van de geschiedenis niet al te bloederig zou worden.

Het konvooi minderde vaart. Het verliet de snelweg en reed twintig of dertig minuten over kleinere wegen. Ze kwamen langs een groot, open veld aan de ene kant van de weg. Jacob zag daar twee zwartgeschilderde helikopters, vier ambulances en een aantal andere voertuigen staan. Sharkov remde af, reed van de weg af het veld op, naar de helikopters en de andere voertuigen toe. De jeep stopte.

'Wacht hier, we vragen alleen even hoe de situatie is,' zei Karpov. 'We zijn zo terug.'

Sharkov en hij sprongen uit de jeep en liepen snel naar de helikopters. Tegelijkertijd rende een man in een zwarte overall hen tegemoet. Het viel Jacob op dat de helikopters aan de zijkanten bewapend waren met raketten.

Karpov praatte even met de man in het zwart. Toen draaide hij zich om, gaf Jacob en Hector een teken dat ze konden komen, haalde een portofoon uit zijn zak en sprak daarin. Een paar minuten later stonden alle zwartgeklede mannen van de G9-groep in rijen voor hem opgesteld.

'Opgelet!' zei Karpov. 'Onze operatie start onmiddellijk. We bevinden ons op exact vier kilometer van de datsja van Schenizin. Igor en Nikolaj zitten op het puntje van de landtong in het Ladogameer te vissen. Onze mensen zijn over het hek rond het terrein gegaan, hebben zich om de datsja geposteerd en luisteren hen met richtmicrofoons af. Ze bespreken de ontwikkeling van hun organisatie en lijken het niet met elkaar eens te zijn. Naar het gesprek te oordelen is die discussie al gisteravond ontstaan en waren ze het toen al met elkaar oneens. Op de helling tussen de datsja en de landtong waar Igor en Nikolaj zitten, staan drie gewapende lijfwachten. Nog drie gewapende lijfwachten staan geposteerd bij de toegang tot de datsja, waar wij naar binnen gaan. De rest van de bewakers zit in een van de gebouwen op het erf en we kunnen ervan uitgaan dat ze allemaal gewapend zijn, sommige vrij zwaar. In een van de andere gebouwen bevindt zich Igor Schenizins vrouw Anna. Behalve deze mensen is er niemand in het gebied. Ik heb arrestatiebevelen voor iedereen en toestemming tot huiszoeking. We rijden er nu met het hele konvooi heen en onze mannen in het bos om het erf dekken ons. De helikopters komen dertig seconden na ons aan en blijven boven ons cirkelen. We proberen het allemaal op te lossen zonder het vuur te openen, maar als we beschoten worden, heeft iedereen in de groep het mandaat om het vuur te beantwoorden. Ons doel is natuurlijk Igor en Nikolaj levend gevangen te nemen. Jullie volgen de groepscommandanten, Sharkov en ik gaan voorop. Onze Westerse collega's hier zijn alleen maar waarnemers en moeten in de achterste linie blijven totdat we alles onder controle hebben. Het is belangrijk dat we alle lijfwachten snel uit de huizen halen, ontwapenen en op de grond krijgen. Vragen?'

Een van de groepscommandanten stak zijn hand op. 'Weten we wat voor soort zwaardere bewapening de lijfwachten zouden kunnen hebben?'

'Nee. Waarschijnlijk automatische wapens. Maar ik denk niet dat dat veel uitmaakt. Wij zijn met meer dan dertig man, zij met vijftien. En met twee gewapende helikopters die hen ook onder schot houden, zouden ze waanzinnig zijn als ze zich niet meteen overgaven. Meer vragen?'

Niemand zei iets.

'Goed,' zei Karpov. 'We gaan beginnen.'

66

Ladogameer, Rusland
Donderdag 21 september 2006

Nikolaj stootte met zijn glas dat van zijn vader aan, proostte en keek hem diep in de ogen. Nu zou het erom gaan. Maar de discussie werd al snel een herhaling van die van de vorige avond. Igor, nu dronken en met toenemende agressie, herhaalde veel van wat hij al eerder had gezegd. Dat er niets boven ervaring gaat, dat hij de organisatie had opgebouwd en hem nog altijd leidde, dat er geen reden was om het zekere voor onzekere in te ruilen. Nikolaj begreep dat het tijd werd om gas terug te nemen als hij wilde dat het niet meteen mis zou gaan.

'Vader, ik spreek u niet tegen en u weet dat ik ontzag heb voor wat u hebt opgebouwd. U was geweldig goed en u bent nog altijd een succesvol man. Maar u en ik weten allebei dat u grote problemen hebt met concurrenten van dezelfde omvang. Waar ik het over heb is met heel eenvoudige middelen iets opbouwen dat zo groot en machtig is dat niemand zelfs maar op het idee komt om zich tegen ons te verzetten. Níémand!'

Zijn vader schrok toen Nikolaj zijn stem verhief. Hij nam een grote slok wodka, keek zijn zoon met enigszins toegeknepen ogen aan en zei: 'Hoe bedoel je? Wat is dat voor wapen dat jij kent en waar ik niks van weet? Wat is dat wat ons zo machtig zou maken?'

'Internet, vader. Computers. Het is niet toevallig dat een groot deel van de wereld geautomatiseerd is. Zelfs u hebt ervoor gezorgd dat we in het gastenverblijf een computer en een goede verbinding hebben, toch?

'Dat was een idee van je zus. Ze zeurde dat ze er een nodig had om onderzoek te kunnen doen als ze hier is en...'

Nikolaj stak rustig zijn hand op en knikte: 'Als u nou maar naar me wilt luisteren, zal ik uitleggen hoe je miljoenen kunt verdienen alleen maar door op knopjes te drukken en zonder je handen met bloed te bevuilen of onnodige risico's te moeten nemen zoals we dat vandaag de dag moeten doen.'

Tot zijn grote verbazing knikte zijn vader en hief hij het glas andermaal om te proosten. 'Proost, Nikolaj! Vertel wat je weet!'

Nikolaj besefte dat hij eindelijk zijn kans kreeg en dat hij het ijzer moest smeden nu het heet was.

Hij gaf een korte samenvatting van de mogelijkheden en probeerde het zo eenvoudig uit te leggen dat zijn vader het zelfs in deze dronken toestand zou begrijpen. Igor luisterde zonder hem te onderbreken. Nikolaj probeerde aan zijn vaders gezicht af te lezen of zijn woorden in goede aarde vielen of niet, maar Igors uitdrukking verraadde niets.

Nikolaj moest nadenken terwijl hij sprak. Het was zaak zo veel te vertellen dat zijn vader de mogelijkheden inzag, geïnteresseerd raakte en instemde met de door Nikolaj voorgestelde lijn. Maar het was ook zaak niet te laten merken hoeveel hij al had gedaan. Hij zweeg even en keek zijn vader aan. 'Zo ongeveer, bedoel ik. Wat vindt u ervan?'

Igor staarde lange tijd naar de grond. Hij bracht zijn glas weer naar zijn mond.

Nikolaj wist dat hij niet veel tijd had. Zijn vader had al aanzienlijke hoeveelheden wodka naar binnen gewerkt en zou algauw zo dronken zijn dat er helemaal niet meer met hem te praten viel.

Plotseling kwam Igor moeizaam overeind. Hij steunde eerst met zijn ene hand op de grond en daarna met zijn knie, terwijl hij het glas wodka stevig vasthield met zijn andere hand. Nikolaj keek hem verwonderd aan. Waar wilde hij nu heen? Nikolaj bleef op de grond zitten en volgde de bewegingen van zijn vader. Igors grijze haar stond overeind en hij had plotseling een kille uitdrukking op zijn gezicht. Nikolaj kon zich niet herinneren wanneer hij voor het laatst bang geweest was voor zijn vader, maar nu werd hij het. Een paar seconden lang werd zijn vader weer die sterke, dreigende, totalitaire gestalte die zijn stempel had gedrukt op Nikolajs kinder- en jeugdjaren. Hij schudde dat gevoel snel van zich af en probeerde de situatie te analyseren. Misschien was het niets. Misschien moest die ouwe alleen maar pissen.

Igor stond stil met het glas in zijn hand en met zijn andere hand in zijn broekzak. Hij staarde even over het meer en keek toen Nikolaj aan. Nikolaj vond dat zijn ogen bijna bedroefd stonden.

'Vader...?'

Eindelijk begon Igor te praten: 'Nikolaj, soms voel ik me zo moe en dan vraag ik me af waarom het allemaal zo is gegaan, waarom wij en alle andere Russen niet gewoon konden blijven leven zoals we vroeger leefden, zo erg was het per slot van rekening toch niet. Maar het is nu eenmaal gegaan zoals het ging. Ik heb iets opgebouwd en ik ging ervan uit dat jij het op een dag zou overnemen...'

Die dag is allang gekomen, dacht Nikolaj.

Igor vervolgde: '...en mijn levenswerk zou voortzetten. Maar ik besef nu dat dat niet zal gebeuren. Je zit gevangen in een waanidee, en...' Hij zweeg heel even en keek weer uit over het meer. '...bovendien heb je me bedrogen!'

Karpov liep met besliste stappen terug naar de jeep. Hector, Jacob en Sharkov volgden hem. De andere politiemannen renden naar hun voertuigen, de helikopterbemanningen sprongen aan boord en Jacob hoorde het gefluit waarmee de rotorbladen langzaam in beweging kwamen.

Sharkov reed terug naar de grindweg en stopte daar totdat de rest van de voertuigen zich achter hem geformeerd had. Hij zette de jeep weer in beweging en Jacob zag hoe de helikopters zich tegelijkertijd verhieven en het gras op het veld aan het trillen en wuiven brachten.

Nikolaj was verbaasd. Was dit een gok van zijn vader? Igor staarde zijn zoon met gloeiende ogen aan. Hij ging harder praten. 'Ik weet alles, Nikolaj, alles! Ik weet van je personeel, alle appartementen die je hebt, alle computerzaken. Je hebt me bedonderd! Ik heb je op je troon gehouden om je de kans te geven weer bij je verstand te komen, maar zelfs nu wil je niet naar me luisteren. Dit gaat zo niet langer, snap je dat?'

Nikolaj besefte dat hij snel terrein verloor, ongeacht of zijn vader gokte of de waarheid sprak. Hij schudde zachtjes zijn hoofd. 'U vergist zich, vader, dat klopt niet. Wie heeft dat tegen u gezegd?'

'Iemand die me trouwer is dan mijn eigen zoon!'

Borya, dacht Nikolaj, vervloekte verrader! Dat gaat je je leven kosten! De situatie was kritiek. Zijn vader wist veel te veel en hij was blijkbaar niet van plan zich door Nikolajs ideeën te laten overtuigen of die te steunen.

Nikolaj maakte aanstalten om op te staan. De gedachten tolden door zijn hoofd. Hij had er niet op gerekend dat er zo acuut zoiets ingrijpends zou gebeuren en hij wist niet goed wat hij moest doen. Hij zou het liefst meteen naar St. Petersburg teruggaan en vandaaruit actie ondernemen. Maar zijn vader zou hem vast in deze situatie de datsja niet uit laten gaan. Zou hij hem zo dronken kunnen voeren dat hij...

'Verroer je niet! Sta stil!'

Nikolaj keek verbaasd op. Zijn vader was een paar meter achteruitgelopen en had zijn wodkaglas weggegooid. Hij stond heel dicht bij de stenige rand van het water. Het pistool in zijn hand was op Nikolaj gericht.

De weg werd bochtiger en ging door stukken bos. Toen ze tussen de bomen vandaan kwamen en weer breed zicht hadden, waren ze nog maar een paar honderd meter van de datsja verwijderd en Sharkov ging harder rijden. De krachtige jeep stuiterde over de slechte weg, maar Sharkov pareerde alle klappen en in minder dan een minuut waren ze bij de ingang van het erf. Sharkov remde hard en de twee dienstdoende wachtposten grepen hun machinegeweren terwijl Karpov de microfoon pakte die verbonden was met het luidsprekersysteem van de jeep: 'Politie! Leg uw wapens onmiddellijk neer!'

De wachtposten aarzelden. De andere auto's joegen stof op terwijl ze achter de jeep afremden.

'Blijf in de auto zitten!' riep Sharkov naar Jacob en Hector terwijl hij en Karpov de portieren openden en met getrokken pistolen uit de jeep sprongen. Twee groepen van elk vijf G9-mannen kwamen achter hen staan met machinegeweren, terwijl twee andere groepen van vijf zich snel verspreidden.

Nikolaj stak zijn hand op: 'Vader, rustig nou. Laten we erover praten. U weet toch dat ik aan uw kant sta!'

'Je hebt me bedrogen, Nikolaj! Ik zal je nooit meer kunnen vertrouwen!'

Nikolaj kon de gespannen spieren zien in de arm van de hand die het pistool vasthield. Met een brul gooide hij zichzelf vooruit om zijn vader te overmeesteren, hem het wapen uit handen te slaan en de dronken man omver te duwen. Als hij hem eenmaal op de grond had, zou hij hem bewusteloos kunnen slaan en de rest daarna oplossen.

Igor Schenizin zag zijn zoon plotseling op zich af komen. Hij vond dat het onnatuurlijk langzaam ging en het kwam niet in hem op dat de wodka zijn zintuiglijke waarneming beïnvloedde.

Hij haalde de trekker over.

De kogel sloeg in in Nikolajs borst en hij schreeuwde het uit van de pijn, maar dankzij de adrenaline en zijn overlevingsinstinct verdrong hij de pijn, terwijl hij met alle kracht zijn handen tegen zijn vaders borst duwde. Igor wankelde achteruit naar het water, Nikolaj deed nog twee stappen en gaf zijn vader nog snel een duw voordat hij zelf zijn evenwicht verloor en voorover viel.

Het laatste wat Igor Schenizin zag waren de ongewoon mooie, helderblauwe lucht en zijn zoon, die van bovenaf naar hem toe kwam vliegen terwijl zich een grote rode vlek uitbreidde midden op zijn overhemd. Met een laatste krachtsinspanning haalde hij de trekker nog één keer over, voordat zijn achterhoofd te pletter sloeg tegen de ruwe stenen aan de rand van het water.

67

De twee wachtposten tegenover Karpov en Sharkov zagen er beslui-
teloos uit, alsof ze niet wisten of ze moesten schieten of zich overgeven. Een van hen wilde juist zijn wapen aanleggen toen de gevechts-
helikopters als dreigende, zwarte vogels over het erf daverden.
Tegelijkertijd was er uit de verte een schot te horen, in de buurt van het
meer. De wachtposten draaiden zich verbaasd om naar dat geluid.

'Gooi jullie wapens weg en ga op de grond liggen!' brulde Karpov.

Jacob zag de deur van een van de gebouwen openvliegen en een man
met een machinegeweer naar buiten komen rennen. Karpov schreeuwde iets in het Russisch, maar de man leek het niet te horen. Hij bracht
zijn geweer in de aanslag, maar Karpov was hem voor. Hij tilde zijn pistool op, mikte en vuurde twee keer snel achter elkaar. Jacob zag de man
schokken toen de kogels in zijn borst sloegen en hoorde de knal toen
de man de trekker overhaalde terwijl hij achteroverviel – zijn schot ging
recht omhoog.

Nog een schot echode in de verte, bij het meer.

De beide wachtposten tegenover Karpov en Sharkov zagen hun ka-
meraad op de grond vallen. Ze lieten hun wapens vallen en gingen op
hun knieën zitten. Vier G9-mannen waren er meteen bij, schopten de
wapens weg, drukten de mannen in het gruis van het pad, zetten hun
gelaarsde voeten op hun rug en deden ze handboeien om.

Het geluid van gebroken glas kwam slechts enkele seconden voor het
salvo van het machinegeweer. Jacob zag nog net de oranje vlammetjes
uit de loop in een raam komen voordat een van Sharkovs mannen een
schreeuw gaf, naar zijn schouder greep en op de grond viel. De rest van
de G9-groep opende het vuur. Het raam brak en de houtsplinters spat-
ten op uit de muren eromheen. Een kreet maakte duidelijk dat de schutter daarbinnen getroffen was.

'Uit de auto, als de bliksem!' schreeuwde Venderaz. 'Ze schieten ons neer, we zijn *sitting ducks* hier!' Hij smeet het portier open en sprong uit de jeep.

Jacob opende het portier aan zijn kant net zo snel, sprong snel op de grond en zocht dekking achter de jeep. Sharkov zette een megafoon aan zijn mond: 'Jullie zijn omsingeld! Leg je wapens neer, kom naar buiten met je handen boven je hoofd en ga op de grond liggen!'

Nog een lijfwacht met een machinegeweer kwam het huis uit rennen en richtte zijn loop op de politie. Hij had zijn wapen nog niet opgetild of drie G9-mannen vuurden gelijktijdig en doodden hem met een paar korte salvo's.

De helikopters cirkelden nog steeds op 30 meter hoogte boven hen en lieten wervelstormen van gruis opspatten. De ene helikopter vloog langzaam een stukje zijwaarts, naar het water toe.

Plotseling werden er twee mannen met hun handen omhoog zichtbaar aan de achterkant van het erf. Ze schreeuwden iets wat Karpov kennelijk pas de tweede keer verstond, toen hij zijn handen achter zijn oren hield. Hij draaide zich snel om naar de anderen. 'Hij zegt dat Igor en Nikolaj dood zijn!'

Jacob en Hector keken elkaar aan. Kon dat waar zijn? De twee lijfwachten gingen gehoorzaam op de grond liggen, terwijl Sharkov de resterende bewakers opriep ongewapend en met hun handen omhoog naar buiten te komen. De eerste lijfwacht verscheen in de deuropening met zijn handen helemaal uitgestrekt omhoog. De G9-mannen wenkten met de lopen van hun machinegeweren om aan te geven dat hij rechtdoor, het erf op moest lopen. 'Ga liggen met je gezicht naar de grond!' brulde Sharkov in de megafoon.

De lijfwacht werd gevolgd door nog acht collega's, van wie er een hevig bloedde uit zijn arm en andere nog heviger uit een wond op zijn voorhoofd. Kennelijk waren ze bij het vuurgevecht met de schutters in het raam getroffen door kogels of splinters.

De negen mannen gingen op de grond liggen met hun gezicht naar beneden. Een paar G9-mannen liepen naar hen toe, terwijl de anderen het huis dekten om er zeker van te zijn dat daar geen schutter meer op hen wachtte. Karpov pakte zijn radio en riep de helikopterpiloten op. De helikopter steeg hoger op, vergrootte de afstand tot het erf een beetje, keerde toen in de lucht en verdween.

Jacob en Hector stonden op en borstelden het grind van zich af. Een groep politiemannen ging naar de deur van het huis van de lijfwachten, formeerde zich en ging naar binnen. Een minuut later kwam de groepsleider naar buiten en deelde mee dat het huis leeg was, op één dode man na. De politiemannen verzamelden alle wapens die ze in het huis konden vinden, droegen het hele arsenaal naar buiten en legde het op een rijtje, op een flinke afstand van de lijfwachten, die nu handboeien om hadden gekregen. Twee politiemannen onderzochten de gewonde lijfwachten en constateerden algauw dat de verwondingen niet levensgevaarlijk waren. Karpov draaide zich om naar Hector en Jacob: 'Kom! We moeten gauw naar het meer!'

Hij riep iets in het Russisch en begon over het erf de heuvel af te hollen, naar het meer, op de voet gevolgd door Sharkov en vijf mannen met machinegeweren.

Al op twintig meter afstand begreep Jacob dat het afgelopen was. De onnatuurlijke houding van de lichamen, de totale stilte.

Alles.

Anna Schenizina is bezig het gastverblijf schoon te maken als ze plotseling al dat lawaai hoort. De auto's die afremmen op het erf, het doffe geluid van de helikopters, de schotenwisseling. Het is raar, denkt ze, hoe goed je je ook op iets voorbereidt, je bent toch verrast als het dan gebeurt.

Ze wist allang dat deze dag eens zou komen. Ze wist niet precies wanneer, of hoe de dag precies zou verlopen, maar ze wist dat hij zou komen en waarom. En ze heeft zich erop voorbereid. Nu concentreert ze zich en probeert zich alle details te binnen te brengen van het mentale noodplan dat ze voor precies dit moment heeft voorbereid. Dan zoekt ze dekking op de vloer onder een tafel. Ze hoort hoe de deuren van het huis krachtig worden opengeslagen en ze vraagt zich af of ze zal sterven of zal leven. Haar hele leven wordt plotseling in hoog tempo op haar netvlies afgespeeld als een resumerende korte film, waarin haar ouders, haar broers en zussen veel te snel om haar heen rennen en hun mond bewegen zonder dat ze hoort wat ze zeggen. Ze ziet zichzelf als tiener, samen met vrienden en vriendinnen. Ze ziet zichzelf als jonge vrouw, als ze de liefde vindt in Igor, ze ziet hoe haar kinderen ter wereld komen en opgroeien, terwijl haar man – en waarschijnlijk ook zijzelf – veranderen op een manier die, nu ze het op film ziet, zo droevig, zo onnodig lijkt. Ze vraagt zich af wat de zin ervan is, als het al zin heeft.

Ze wacht op een slotscène. Ze vraagt zich af of die Igor zal laten zien als nieuwe president van Rusland, met zijn vrouw aan zijn zijde terwijl hij de Doema binnengaat? Of iets heel anders? Maar de slotscène komt niet. Ze ligt met haar wang tegen de houten planken en begrijpt dat de slotscène zich in de realiteit zal afspelen, dat ze nu geacht wordt op te staan, haar positie in te nemen en aan de handeling deel te nemen. Ze wenst dat iemand haar een script had gegeven waarmee ze een paar weken had kunnen repeteren.

'Mevrouw Schenizina, mevrouw Schenizina!'

Ze hoort de opgewonden stem vanuit de hal en herkent hem: Borya.

'Hier!' roept ze terug. 'Ik ben hier!'

Borya komt de kamer in rennen. Zijn haar staat overeind, hij is rood in zijn gezicht en heeft moeite zijn ademhaling onder controle te houden. 'Igor heeft Nikolaj doodgeschoten! Ze liggen allebei in het water en zijn dood. De politie is er en ze hebben al een paar van ons gedood. We moeten hier weg, vlug!'

Anna kruipt op handen en voeten onder de bescherming van de tafel uit en staat op, trillend over haar hele lichaam. 'Nee!' schreeuwt ze. 'Niet mijn Nikolaj!'

De tranen wellen op in haar ogen zonder dat ze ze tegen kan houden, maar met een enorme krachtsinspanning vermant ze zich. Ze bijt op haar lippen en streelt de man kalmerend over zijn schouder. 'Het heeft geen zin, Borya, we moeten het opgeven. Leg je wapen hier neer en ga naar buiten met je handen boven je hoofd. Ik kom zo meteen, ik moet nog even één ding regelen.'

Hij kijkt haar aan alsof hij het niet begrijpt. Ze ziet dat hij zwaar geschokt is, geeft hem een paar klapjes op zijn wang en herhaalt haar boodschap. Hij knikt langzaam, legt zijn machinegeweer op een stoel en gaat naar de deur. Dat is het laatste wat Anna Schenizina van hem ziet.

Ze pakt gauw haar mobiele telefoon uit haar zak, drukt een snelkiesknop in en fluistert: 'Neem op, neem in godsnaam op.' En ze hoort dat de telefoon opgenomen wordt. 'Ik ben het, ik ben in de datsja. De politie is hier! Igor en Nikolaj zijn dood.' Haar stem trilt, maar ze dwingt zichzelf door te gaan. 'De politie heeft een paar bewakers doodgeschoten. Ze zullen me zeker meenemen voor verhoor. Ik bel je uit St. Petersburg. Wees voorzichtig. Ik hou van je!'

Ze breekt het gesprek af en wist het laatstgekozen nummer. Dan zet ze haar telefoon af en gaat gauw naar de keuken. In de provisiekast bewaart ze een grote pot vol eigengemaakte jam. Zonder aarzelen tilt ze het deksel van de pot, drukt de mobiele telefoon helemaal tot op de bodem van de jam en haalt haar hand er dan weer uit. Ze haast zich naar het aanrecht, wast haar handen zorgvuldig, rent terug naar de provisiekast, doet het deksel er weer op en zet de pot wat verder naar achteren. Ze doet de deur van de provisiekast dicht, kijkt rond in de keuken en probeert te bedenken of ze iets is vergeten. Dan draait ze zich om en gaat het gastenverblijf uit met haar handen boven haar hoofd.

Ze ziet de lijfwachten op de grond liggen en ze ziet ook de grote groep gewapende, zwartgeklede politiemannen. Ze ziet verbaasd dat er twee mannen bij zijn die er helemaal niet Russisch uitzien, en ze vraagt zich af wie dat zijn. Dan kan ze ineens alleen nog maar aan Nikolaj denken, en nieuwe hete tranen wellen op in haar ogen terwijl ze langzaam over het erf loopt. Ze kijkt niet naar het meer.

68

Ladogameer, Rusland
Donderdag 21 september 2006

Nikolaj Schenizin ligt boven op het lichaam van zijn vader, met zijn gezicht schuin over diens schouder. Zijn voorhoofd raakt net het wateroppervlak als het water onder hem tussen de stenen door klotst.

Hij voelt een onbegrijpelijke pijn in zijn borst, maar denkt ergens diep vanbinnen dat het niet zo erg is en dat het wel weer goed komt. Tegelijk verbaast het hem dat hij zo veel kan denken. Hij denkt dat het zonde is dat het zo moest eindigen, dat zijn vader zo eigenwijs was en zijn verstand niet wilde gebruiken, dat hij bovendien zo dom was zijn eigen zoon met een pistool te bedreigen. Het was zonde, maar wat gebeurd is, is gebeurd. Er zal veel veranderen in St. Petersburg. Nikolaj zal nog meer macht krijgen en nog meer inkomsten, uit zijn vaders organisatie. Dat alles zal hem sneller naar de top helpen. Naar de macht, en langzaam maar zeker naar het presidentschap.

Met veel inspanning tilt hij zijn nek zo ver op dat hij de lege ogen in zijn vaders gezicht kan zien.

'Vader...' fluistert hij.

Dan valt zijn hoofd neer op dat van zijn vader en hij sterft.

Negen mensen stonden zwijgend aan de oever van het Ladogameer. Verderop zongen een paar vogels en de golven botsten tegen elkaar en zochten nieuwe wegen om de stenen heen. Af en toe kleurde het water een paar seconden lichtrood, als het bloed uit het achterhoofd en de borst van een vader en een zoon stroomde die elkaar misschien nooit goed hadden begrepen.

Karpov keek uit over het meer, Sharkov ging op zijn hurken zitten en probeerde tussen de lichamen te kijken zonder ze aan te raken. Jacob stond alleen maar zwijgend na te denken. Hector was gefrustreerd.

'*Fuckin' shit*,' mopperde hij. 'We hadden die klootzakken levend te pakken moeten krijgen. Nu zullen we waarschijnlijk nooit te weten komen...'

Ze hoorden geluid achter zich. Er reden meer auto's het erf op. Het geluid van laarzen die op het harde gruis van het erf sloegen. Karpov had de ambulances bij de groep wagens op vier kilometer van de datsja opgeroepen en opdracht gegeven de gewonde lijfwachten op te halen. Hij had ook een groep technici opgeroepen die sporen veilig moesten stellen, en de datsja en de dode lichamen aan hun voeten moesten fotograferen en filmen.

Karpov keek de Amerikaan aan. 'Maak je geen zorgen, Hector. Het zal heel wat tijd kosten om alle details uit te pluizen, maar ik ben ervan overtuigd dat jullie alles te weten komen wat jullie moeten weten.'

'Misschien wel. Maar ik had die twee willen laten uitleveren om hun reet te kunnen roosteren.'

Karpov zuchtte. 'Ik begrijp het, en ik denk dat er wel meer zijn die dat zouden willen. Maar het is niet erg aannemelijk dat zo'n verzoek was goedgekeurd. Ik ben bang dat je er genoegen mee moet nemen dat we een eind hebben gemaakt aan een van de best georganiseerde, wijdst verbreide en meest meedogenloze moordenaarsbendes van de moderne tijd.'

De zon was allang ondergegaan. De koudere lucht – in combinatie met de vermoeidheid en de spanning – deed hen rillen en ze hadden Sharkov gevraagd de verwarming van de jeep hoger te zetten.

Ze hadden de datsja verlaten, waar de technici nog tot diep in de nacht zouden doorwerken en de volgende dag weer. Sharkov reed geconcentreerd en met hoge snelheid terug naar St. Petersburg. Karpov was bijna onafgebroken in gesprek via zijn mobiele telefoon. Jacob ging ervan uit dat hij enerzijds rapporteerde aan hogere echelons en anderzijds informatie kreeg van de G9-eenheden die in de tussentijd de overige cellen in St. Petersburg hadden opgeblazen.

Alsof Karpov zijn gedachten kon lezen, draaide hij zich na het afsluiten van een van de vele telefoontjes om naar de achterbank. 'De operatie in St. Petersburg is volgens plan verlopen. Alle cellen op twee na waren bemand en we hebben informatie veiliggesteld over duizenden moorden en God weet hoeveel afpersingen.'

Jacob knikte. Het leek allemaal zo onwerkelijk omvangrijk dat het nog niet goed tot hem doordrong. De afgelopen tijd had hij veel tijd doorgebracht met bedenken wie de man achter het moordnetwerk was, hoe hij dacht, welke toekomstplannen hij had. Hoe zat iemand in elkaar die 'moorden aan de lopende band' regisseerde?

Vele jaren politiewerk hadden hem geleerd dat je niet altijd goede antwoorden kreeg, zelfs niet wanneer de verdachten aangehouden of zelfs dood waren, wanneer er massa's bewijs werden veiliggesteld die onderzoekers en technici nog maanden bezighielden. Zelfs dan niet.

Jacob was moe en zou het liefst meteen naar het hotel gaan, een grote whisky nemen, gevolgd door een lange, hete douche en daarna heel, heel lang slapen.

Karpov, de gedachtelezer, draaide zich weer om. 'We gaan naar het politiebureau voor een vergadering met de groepsleiders van alle eenheden die aan de operaties van vandaag hebben meegedaan. Maar natuurlijk zal dat allemaal in het Russisch plaatsvinden. Ik betwijfel of jullie daar iets aan hebben en ik zie dat jullie moe zijn. Daarom heb ik een ander voorstel. We rijden direct naar jullie hotel en zetten jullie daar af. Ik haal jullie morgen om elf uur weer op. Dan heb ik ook een veel duidelijker beeld van het geheel, dan gaan we eerst naar het hoofdbureau voor een evaluatievergadering en dan samen lunchen. Daarna staat het jullie vrij om naar huis te gaan als jullie willen of nog een paar dagen in St. Petersburg te blijven, natuurlijk. Het is een mooie stad...'

Jacob knikte in de schemering. 'We zullen er nog wel een nachtje over slapen, maar ik denk dat Hector en ik allebei thuis nog heel wat werk te doen hebben. Of niet, Hector?'

Venderaz bleef door het raam naar buiten staren en knikte kort. 'Dacht het wel, ja.'

69

Jacob en Hector kwamen de volgende ochtend om tien uur bij elkaar om in alle rust te ontbijten. Vladimir Karpov kwam hen persoonlijk ophalen in dezelfde limousine waarmee ze van het vliegveld waren gehaald. Hij ging aan hun ontbijttafel zitten en nam een kop thee. Ze waren allemaal nog onder de indruk van de dramatische gebeurtenissen van de vorige dag, ze hadden geen van drieën goed geslapen en hadden moeite hun gedachten op iets anders te concentreren dan op de komende vergadering op het hoofdbureau.

De avond tevoren had Jacob naar huis gebeld, naar Melissa. Hij had verslag gedaan van de gebeurtenissen van die dag en haar 'Mijn god!' horen fluisteren toen hij vertelde hoe de politie de jongen in het appartement doodschoot. Jacob had haar verzekerd dat het nu gedaan was met al het geweld en dat hij over één, hooguit twee dagen thuiskwam.

'En, hebben jullie besloten wat jullie gaan doen na de vergadering?' vroeg Karpov na een poosje. 'Blijven jullie of gaan jullie naar huis?'

Jacob en Hector keken elkaar snel even aan. 'Het was echt leuk geweest om de Hermitage en het paleis van Peter de Grote en zo te zien,' zei Hector. 'Maar ik moet naar huis. Het werk wacht. Ik heb mijn vlucht omgeboekt, zodat ik hiervandaan rechtstreeks naar Londen vlieg en dan direct door naar Miami.'

Jacob knikte. 'Zo denk ik er ook over. Ik heb het gevoel dat mijn chefs zo gauw mogelijk een rapport willen hebben.'

'Ik begrijp het,' zei Karpov en dronk zijn thee op. 'Zijn jullie klaar, vrienden? Mijn collega's wachten op ons.'

Ze werden naar dezelfde vergaderzaal gestuurd als de vorige dag. Sharkov en twee van Karpovs naaste medewerkers zaten aan de tafel, samen met de groepschefs die aan de operaties van de vorige dag hadden meegedaan. Karpov nam het woord. 'Ik zal jullie snel een beeld geven van wat we tot dusverre hebben ontdekt.'

Er verscheen een schematische schets op het scherm.

'Alles wijst erop, zoals we eerder al hebben verteld, dat vader en zoon Schenizin er twee parallelle criminele organisaties op na hielden en dat de vader totaal geen weet had van de op computercriminaliteit gerichte organisatie die zijn zoon had opgebouwd met behulp van een netwerk van geïsoleerde cellen. De organisatie van de vader hield zich bezig met diefstal, geweldsmisdrijven, smokkel, drugshandel en prostitutie. Nikolajs organisatie hield zich bezig met afpersing en moord, op een veel grotere schaal dan we ons konden voorstellen.'

Karpov gaf een van de mannen het teken naar de volgende dia te gaan.

'We hebben vannacht alleen nog de jongens van Nikolaj kunnen verhoren, maar sommigen van hen zijn volkomen geschokt en praten zo veel dat we ze bijna niet meer stil krijgen. Er zit een patroon in waaruit blijkt dat de mensen die zich met afpersing bezighielden jonge, politieke idealisten zijn, die dachten dat ze voor een goed doel werkten, namelijk het binnenbrengen van geld voor een nieuwe partij waarmee Nikolaj de macht in St. Petersburg zou overnemen. Dat heeft hij ze wijsgemaakt, en dat ze de afpersing bovendien bij voorkeur richtten op de imperialistische vijanden in Amerika' – Karpov glimlachte in de richting van Venderaz – 'zagen ze als een pure bonus.'

Venderaz trok een grimas.

Karpov werd weer ernstig: 'Maar het is nog veel erger. In de computer van Nikolaj Schenizin hebben we documenten gevonden waaruit blijkt dat hij zeer vergevorderde en gedetailleerde plannen had om met behulp van dit geld de macht over te nemen en de nieuwe president van Rusland te worden! Daarna wilde hij de voormalige Sovjet-Unie nieuw leven inblazen, eerst met geweld alle oude republieken annexeren en daarna de blik op de rest van de wereld richten.'

'Hoe bedoel je?' vroeg Venderaz.

'Schenizin wilde om te beginnen Estland, Letland, Litouwen en Finland binnenvallen en in zijn macht krijgen. Daarna wilde hij doorgaan en Zweden, Denemarken en Noorwegen bezetten. Daarmee zou hij de hele Oostzee beheersen en dat zou hem later de mogelijkheid geven om door te gaan naar Engeland. Maar eerst zou hij Polen, Tsjechië, Hongarije – ja, het hele Oostblok innemen, en dan Griekenland. Ten slotte dacht hij er serieus over Pakistan en Mongolië binnen te vallen.'

'Pakistan? Maar dat land heeft kernwapens!' barstte Jacob uit.

'Inderdaad,' antwoordde Karpov. 'De man moet volkomen geschift zijn geweest. Het lijkt erop dat we met een nieuwe Zjirinovski te maken hadden, maar dan wel een veel gevaarlijker variant van die oude gek. Schenizin had plannen gemaakt over van alles; hoe de sovjetoorlogsmachine tot leven moest worden gewekt en moest worden bewapend, hoe de invasies moesten worden uitgevoerd... We hebben het materiaal voor analyse doorgestuurd naar het militaire hoofdkwartier en hun eerste reacties waren geschokt.'

Het werd even helemaal stil in de vergaderkamer.

'Probeer je te zeggen dat we de wereld gered hebben?' vroeg Venderaz met een grijns.

Maar Karpov glimlachte niet. 'Zo ongeveer, ja. Ik acht het niet onwaarschijnlijk dat Schenizin veel hiervan binnen vijf, zes jaar in gang had kunnen zetten, misschien nog wel sneller, afhankelijk van hoeveel honderden miljoenen dollars hij met deze criminele bedrijfstak had weten binnen te halen.'

Jacob kon een lach niet onderdrukken. 'Dat is toch volkomen ongelofelijk! Nikolaj was dus in feite een gestoorde toekomstige dictator die al deze misdaden op touw heeft gezet om de macht te grijpen en de halve wereld te bezetten? Je gaf aan dat hij met zulke ideeën zijn afpersingsjongens aan het werk hield. Gebruikte hij dezelfde tactiek bij de jongens die al die moorden planden?'

'Gedeeltelijk heeft hij een andere tactiek gevolgd,' antwoordde Karpov ernstig. 'De meeste van die jongens komen uit heel arme delen van Rusland, maar hadden desondanks uitzonderlijke kennis verworven over computers en internet. Ze kregen fantastische salarissen en beschikten over apparatuur waar ze anders nog niet bij in de buurt hadden kunnen komen. Maar ook voor deze jongeren ontwikkelde Nikolaj ideologische lariekoek over een politieke partij in St. Petersburg, en een van die jongens beweert ook dat Schenizin heeft gezegd dat hij de volgende president van Rusland zou worden.'

Dus ondanks alles, dacht Jacob, zat er een dieper motief achter de duivelse operatie die Nikolaj op gang had gebracht. In dat geval was het maar goed voor de wereld dat ze dat niet wist, en vooral dat het allemaal zo was afgelopen.

Weer een ander beeld verscheen op het scherm.

'De informatie die we tot dusverre hebben kunnen analyseren, toont aan hoeveel afpersingen en moorden het netwerk organiseerde, en zoals jullie hier kunnen zien, waren Nikolaj en zijn jongens heel ijverig. De afpersingen vonden plaats bij ondernemingen in de Verenigde Staten, Canada, Europa en een paar in Australië. De meeste moorden zijn uitgevoerd in Europa, maar je ziet dat het aantal moorden in de Verenigde Staten sneller is toegenomen dan in de rest van de wereld, wat er een teken kan zijn dat Nikolaj extra veel plezier had in het – laten – vermoorden van Amerikanen.

Weer een blik op Venderaz. Weer een grijns terug.

'Er zijn een paar moorden gepleegd in Australië, maar geen enkele in China, India of op het Afrikaanse continent. Waarschijnlijk is het daar zo goedkoop om mensen om het leven te brengen dat Nikolajs bedrijfsplan daar niet werkte.'

Karpov zweeg even en vertelde toen verder. 'Naarmate we meer informatie en analyses krijgen, zullen we de politie in de betreffende landen natuurlijk laten weten wie de moordenaars zijn. Maar we zullen niet de tijd hebben om de motieven voor elke moord uit te zoeken. We zullen onze handen eraan vol hebben om dit allemaal uit te spitten en driedubbel te controleren of we echt al Nikolajs cellen hebben opgeblazen.'

'We hebben Igors vrouw Anna vannacht een aantal keren verhoord,' vervolgde Karpov. 'Ze is een onderdrukte, ongelukkige vrouw die in haar jeugd is getrouwd is met een politieke idealist, die daarna veranderde in een lokale maffialeider. Ze begreep wel dat Igor zich met criminele zaken bezighield, maar dacht dat het om diefstal ging. Bovendien was ze veel te bezorgd om de veiligheid van haar kinderen om naar de politie te stappen. En ook als ze dat wel had gedaan, was het slecht afgelopen. Als ze niet vermoord was wegens loslippigheid, had ze op straat gestaan met geen andere mogelijkheid dan de prostitutie.'

Karpov haalde diep adem: 'Anna Schenizina is vertwijfeld over de dood van haar zoon en weigert ons te geloven als we zeggen dat hij betrokken was bij veel ergere zaken dan zijn vader. We hebben haar een paar keer hard onder druk gezet, maar we zijn ervan overtuigd dat ze volkomen onwetend was van Nikolajs organisatie. Ze dacht dat haar zoon de baas was van een van de winkels die Igor bezat, vooral om geld wit te wassen. Daarom hebben we haar op vrije voeten gesteld, zij het met een reisverbod. Ik denk niet dat de officier van justitie haar ergens voor zal aanklagen.'

Karpov sloot af: 'Natuurlijk zal ik jullie per e-mail op de hoogte houden van het verdere verloop van het onderzoek en als jullie nog iets willen weten wanneer jullie je eigen rapport opstellen, neem dan gerust contact met me op.'

De vergadering werd gesloten.

'Ik hoop dat we elkaar een andere keer onder plezieriger omstandigheden ontmoeten!' Vladimir Karpov stak zijn hand uit naar Hector.

Venderaz knikte. 'Dat hoop ik ook, Vladimir. Kom me maar eens opzoeken in Florida, dan zal ik je laten zien hoe echte politiemensen werken!'

Ze lachten allebei. 'Alle gekheid op een stokje, Vladimir, ik ben onder de indruk van jullie werk. Ik durf er bijna niet aan te denken hoe dit had kunnen aflopen.'

Karpov knikte nadenkend, spreidde toen zijn armen uit en gaf Jacob een vriendschappelijke omhelzing. 'Bedankt dat je kon komen, Jacob.'

'Jíj bedankt, Vladimir! Het is mooi dat dit voorbij is!'

Karpov liet een auto komen die Hector en Jacob naar het hotel bracht, waar ze hun bagage ophaalden voordat ze doorreden naar het vliegveld.

Terwijl ze in het cafetaria zaten te wachten, tolden de gedachten door Jacobs hoofd en hij voelde zich een beetje misselijk. 'Voel jij je net zo als ik? Heb jij ook moeite om de draagwijdte hiervan te bevatten, Hector?

'Yep. Ik voel me niet goed, helemaal niet goed.' Venderaz zag er ernstig uit. 'Ik hoop maar dat de Russen echt al Nikolajs handlangers te pakken hebben, zodat de ellende niet nog een keer opnieuw begint...'

Een luidsprekerstem meldde dat het tijd was om aan boord te gaan van het SAS-vliegtuig naar Stockholm.

'Dank je wel, Hector.' Jacob stond op en stak zijn hand uit. 'We mailen en bellen, hè?'

Venderaz knikte. 'Absoluut, en jij ook bedankt! Ik hoop dat we de volgende keer dat we elkaar zien iets leukers kunnen doen!'

Jacob leunde achterover en probeerde te slapen toen het vliegtuig eenmaal in de lucht hing.

Maar de misselijkheid bleef.

70

Anna Schenizna is ontzettend moe, maar tegelijkertijd opgelucht. Nadat ze haar drie keer hebben verhoord met een paar uur tussentijd, laat de politie haar om zeven uur 's morgens gaan. Ze gaat het hoofdbureau uit, ademt de frisse morgenlucht in en gaat wandelen om weer helder te kunnen denken.

Ze let heel goed op. Misschien vermoeden ze toch iets. Misschien schaduwen ze haar. Ze gaat een café in, drinkt thee, eet een broodje en leest de krant. Terwijl ze bladert en het plaatselijke nieuws leest, komen de tranen weer. Nikolaj.

Ze denkt dat ze niet om Igor zal kunnen treuren na alles wat hij haar en de kinderen heeft aangedaan. Nu heeft hij bovendien haar zoon vermoord. Ze vraagt zich af waar de man was gebleven op wie ze ooit verliefd was geworden, van wie ze had leren houden, en waar de harteloze, ijskoude dictator vandaan kwam. Ze weet dat ze het antwoord nooit zal krijgen.

Ze wil naar huis gaan, maar er is iets wat ze eerst moet doen. Ze is onzeker en denkt na over hoe ze het aan zal pakken. Ze zou een prepaid mobiele telefoon moeten hebben, maar die winkels zijn zo vroeg nog niet open en bovendien wil ze geen telefoon kopen voor ze helemaal zeker weet dat ze niet wordt geschaduwd. Ze verlaat het café, loopt logische en onlogische routes, afwisselend over grote straten en door nauwe stegen waar auto's haar niet kunnen volgen. Ze is er tamelijk zeker van dat niemand haar schaduwt. Maar niet helemaal.

Ten slotte vindt ze een telefooncel van waaruit ze alle kanten op kan kijken. De cel staat midden op een plein en ze ziet alleen maar een paar eenzame ochtendwandelaars voorbijkomen, ver bij haar vandaan. Ze schuift de muntjes erin, draait het nummer en hoort de telefoon overgaan. Aan de andere kant wordt de telefoon opgenomen.

'Ik ben het, ik ben nu vrij. We moeten snel handelen!'

Aan de ander kant van de lijn ademt haar dochter zwaar. 'Ik heb gedaan wat u zei.'

'Heb je iets kunnen redden?'

'Twee servers.'

'Goed. Niet meer zeggen. We zien elkaar op de gewone plek over' – Anna keek snel op haar horloge – 'drie uur. Nu is het onze beurt, Larisa!'

Anna Schenizina legt de hoorn op de haak. Een half minuutje blijft ze in de telefooncel staan; ze leunt met haar achterhoofd tegen de koude ruit en doet haar ogen dicht. Dan verlaat ze de telefooncel en loopt met besliste tred over het plein.

DANK

Samen willen we onze hartelijke dank uitspreken aan u die ons op allerlei manieren hebt geholpen bij het werk aan *Moord.net:*

André Ackèr, bevoegd arts en pijnspecialist, Stockholm
Cecilia Lindkvist, psycholoog, Stockholm
Carina Ledin, bestuur Rijkspolitie/Europol I.S., Stockholm
Björn Rydh, technisch rechercheur, politie van Västra Götaland
Bengt Grönkvist, ontwerper, Muskö
Carl-Gustaf Öhman, eerste stuurman, Silja Serenade
Susan T. McKee, FBI, Washington DC, Verenigde Staten
Ernest J. Porter, FBI, Washington DC, Verenigde Staten
Gunilla Ahnegård Berg, uitgever, Stockholm
Peter Taubert, auto-expert, Sollentuna
Rayne E. Golay, auteur, Cape Coral, Florida, Verenigde Staten
Angela Valenti, vertaler, Stockholm
John-Henri Holmberg, uitgever, Viken
Niklas Andersson, Exportraad, St. Petersburg, Rusland
Justin Ball, auteur, Australië
Barry D. Lewis, detective, Violent Crime Unit, Ft. Myers, Florida, Verenigde Staten
Mark A. Chitwood, detective, Violent Crime Unit, Ft. Myers, Florida, Verenigde Staten
Ulf Töregård, literair agent, Karlshamn
Anders Ahlquist, eenheid internetrecherche, sectie IT-criminaliteit, Rijksrecherche, StockholmConny Björnehall, IT-veiligheidsdeskundige, Umeå
Per Hellqvist, IT-beveiligingsexpert, Stockholm
Johan Sandberg en Andreas Näckros, SoftRoom AB
Luftfartsverket (luchtvaartdienst) / Arlanda Airport
Lars-Henrik Fossto, Luftfartsstyrelsen (luchthaventransportdienst)

En alle testlezers die ons hun mening over het boek hebben gegeven. Allen hebben ons op diverse manieren geholpen het boek beter te maken. Alle resterende fouten zijn onze eigen fouten.

Dan Buthler wil zijn gezin bedanken voor hun steun en stimulans. Zonder jullie was er geen boek geweest.

Dag Öhrlund wil speciaal Carina, Isabell, Josephine, Micke en Jan bedanken voor hun hartelijkheid, liefde en onwankelbare steun.